Pablo, je t'aime
Escobar, je te hais

VIRGINIA VALLEJO

Pablo, je t'aime
Escobar, je te hais

Traduit de l'espagnol (Colombie)
par Romain Magras

TITRE ORIGINAL
Amando a Pablo, Odiando a Escobar

ÉDITEUR ORIGINAL
Random House Mondadori, 2007.

© Virginia Vallejo, 2007.

POUR LA TRADUCTION FRANÇAISE
© Éditions J'ai lu, 2018.

À mes morts,
Qu'ils soient héros ou méchants.

Tous ensemble, nous ne faisons qu'un,
Qu'une seule et même nation.

Un seul et même atome
Se recyclant à l'infini
Depuis toujours et pour l'éternité.

Introduction

Nous sommes le mardi 18 juillet 2006, il est six heures du matin. Trois voitures blindées de l'ambassade des États-Unis viennent me chercher à l'appartement de ma mère, à Bogota, pour me conduire à l'aéroport où m'attend, moteurs allumés, un avion qui va m'emmener quelque part aux États-Unis. Un véhicule occupé par des agents de sécurité armés de mitraillettes et qui roule à grande vitesse nous précède, un autre nous suit. La nuit dernière, le responsable de la sécurité de l'ambassade m'a informée qu'il y a des personnes suspectes dans le parc en face du bâtiment, qu'on l'a chargé d'assurer ma protection et que je ne dois sous aucun prétexte m'approcher des fenêtres ni ouvrir à qui que ce soit. Une autre voiture qui emporte les affaires auxquelles je tiens le plus est partie il y a une heure ; elle appartient à Antonio Galán Sarmiento, président du conseil municipal de Bogota et frère de Luis Carlos Galán, candidat à la présidence assassiné en août 1989 sur ordre de Pablo Escobar Gaviria, chef du cartel de Medellín.

Escobar, mon ex-amant, a été abattu le 2 décembre 1993. Pour le mettre hors d'état de nuire, il aura fallu une traque de presque un an et demi, une récompense de vingt-cinq millions de dollars, un commando de la police colombienne entraîné tout spécialement et la participation de huit mille hommes rattachés aux services de sécurité de l'État, des cartels de la drogue concurrents, des groupes paramilitaires, des dizaines d'agents de la DEA[1], du FBI et de la CIA, des forces spéciales de la marine et de la *Delta Force* américaines, d'avions gouvernementaux de ce pays équipés de radars spéciaux et la contribution financière de certaines des plus grosses fortunes colombiennes.

Il y a de cela deux jours, j'ai accusé dans le *Nuevo Herald* de Miami l'ex-sénateur, ex-ministre de la Justice et ancien candidat à la présidence, Alberto Santofimio Botero, d'avoir été l'instigateur de l'assassinat de Luis Carlos Galán et d'avoir construit un pont d'or entre les grands barons de la drogue et plusieurs présidents de la Colombie. Ce quotidien de Floride a consacré un quart de sa première page et toute une page intérieure de son édition dominicale à mon histoire.

Álvaro Uribe Vélez, qui vient d'être réélu à la présidence de la Colombie avec plus de soixante-dix pour cent des voix, prépare son investiture qui aura lieu le 7 août prochain. Alors que je venais de proposer au procureur de la République de témoigner au procès de Santofimio, dont l'instruction devait se poursuivre encore pendant deux mois, le juge en charge de l'affaire a brutalement mis fin à la procédure. Pour exprimer son indignation, l'ex-président

---

1. Drug Enforcement Administration.

et ambassadeur de Colombie à Washington a démissionné, Uribe a dû annuler la nomination d'un autre ex-président à la tête de l'ambassade de Colombie en France, et une nouvelle ministre des Affaires étrangères a été nommée en lieu et place de son prédécesseur, qui a été muté à l'ambassade de Washington.

Le gouvernement des États-Unis sait parfaitement que, s'il refuse d'assurer ma protection, je mourrai peut-être dans les prochains jours – c'est ce qui est arrivé à l'un des deux seuls témoins de l'affaire Santofimio – et que ma mort lui ferait perdre la clé de plusieurs des crimes les plus atroces de l'histoire récente de la Colombie ainsi que de précieuses informations sur l'infiltration par le narcotrafic des plus hautes sphères – les plus intouchables – du pouvoir présidentiel, politique, judiciaire, militaire et médiatique.

Des fonctionnaires de l'ambassade américaine sont en faction au pied de la passerelle de l'avion ; ils se tiennent là pour embarquer le peu de valises et de cartons que j'ai pu préparer en quelques heures, avec le concours d'un couple d'amis. Ils me regardent avec curiosité, comme s'ils se demandaient pourquoi une femme d'âge mûr à l'air épuisé suscite à ce point l'intérêt des médias et même, en ce moment, celui de leur gouvernement. Un *special agent* de la DEA, haut de deux mètres, vêtu d'une chemise hawaïenne et disant s'appeler David C., m'informe qu'il a été chargé de m'escorter jusqu'aux États-Unis, que le bimoteur mettra six heures pour arriver à Guantánamo – base de l'armée nord-américaine à Cuba – et qu'il lui

11

faudra, après une escale d'une heure pour prendre du carburant, encore deux heures supplémentaires pour arriver à Miami.

Je ne me sens rassurée que lorsque je vois deux cartons dans la partie arrière de l'avion ; ils contiennent les preuves des délits commis en Colombie par Thomas et Dee Mower, déjà condamnés et propriétaires de la compagnie Neways International de Springville, dans l'Utah, une multinationale que j'attaque et à laquelle je demande trente millions de dollars (valeur de 1998) de dommages et intérêts. Alors qu'un juge nord-américain n'a eu besoin que de huit jours pour déclarer les Mower coupables d'une partie des délits que j'essaie de prouver à la justice colombienne depuis huit ans, toutes les offres de coopération que j'ai faites au bureau d'Eileen O'Connor, du Département de la Justice (dont le sigle est DOJ en anglais) à Washington, et à cinq agents de *l'International Revenue Service* (l'IRS, les services du fisc) rattachés à l'ambassade des États-Unis à Bogota, ont subi les foudres de l'agence de presse de cette même ambassade qui, en apprenant que j'avais contacté le DOJ, l'IRS et le FBI, m'a juré qu'elle bloquerait toute tentative de ma part de communiquer avec les agences du gouvernement américain.

Tout cela n'a rien à voir avec les Mower et est, en fait, en rapport avec Pablo Escobar : un ex-collaborateur et ami proche de Francisco Santos, vice-président de la République, dont la famille est propriétaire de la maison d'édition *El Tiempo*, travaille à l'ambassade, au bureau de la Politique des droits l'homme. Un quart des membres du cabinet ministériel d'Álvaro Uribe appartient à ce conglomérat de la presse écrite, ce qui lui permet de se tailler une énorme part du gâteau des dépenses publicitaires de l'État – qui est le principal annonceur en Colombie – alors qu'il est sur le point d'être vendu à l'un des principaux groupes éditoriaux de langue espagnole. Un autre membre de la famille, Juan Manuel Santos, vient d'être nommé ministre de la Défense et chargé à ce titre de renouveler toute la flotte des forces aériennes colombiennes. Une telle générosité de l'État à l'égard d'une seule famille des médias va bien au-delà de la simple intention d'assurer au gouvernement d'Álvaro Uribe le soutien inconditionnel du principal quotidien du pays : elle lui apporte aussi la garantie de son silence absolu sur le passé trouble de M. le président de la République. Un passé que le gouvernement des États-Unis ne connaît que trop. Et que je connais moi aussi – même très bien.

*

Presque neuf heures après être partis, nous arrivons à Miami. Je commence à m'inquiéter des douleurs abdominales qui ne me quittent pas depuis un mois et semblent s'accentuer d'heure en heure. Cela fait six ans que je ne suis pas allée chez le médecin, car Thomas Mower m'a dépouillée de la totalité de mon modeste patrimoine et des revenus générés par l'opération que j'avais menée pour lui en Amérique du Sud et que je devais percevoir

13

durant toute ma vie et même pouvoir transmettre à mes héritiers.

L'hôtel, qui appartient à une chaîne, est grand et impersonnel, tout comme ma chambre. Au bout de quelques minutes, une demi-douzaine de fonctionnaires de la DEA font leur apparition. Ils me lancent des regards inquisiteurs tout en examinant le contenu de mes sept valises Gucci et Vuitton, remplies de vieux ensembles Valentino, Chanel, Armani et Saint Laurent et de la petite collection de gravures dont je suis propriétaire depuis presque trente ans. Ils m'informent que je vais rencontrer dans les prochains jours plusieurs de leurs supérieurs ainsi que Richard Gregorie, procureur en charge du procès du général Manuel Antonio Noriega, pour leur parler de Gilberto et Miguel Rodríguez Orejuela, chefs suprêmes du cartel de Cali. Le procès des ennemis jurés de Pablo Escobar, instruit par le procureur qui a obtenu la condamnation du dictateur panaméen, s'ouvrira d'ici quelques semaines dans une cour de justice de l'État de Floride. S'ils sont reconnus coupables, le gouvernement des États-Unis pourra demander au tribunal de prononcer une peine de prison à perpétuité ou son équivalent, mais aussi réclamer la fortune des deux chefs du narcotrafic – la bagatelle de deux milliards cent millions de dollars –, qui est déjà sous séquestre. De ma voix la plus polie, je demande un cachet d'aspirine et une brosse à dents aux officiers, mais ils me répondent que je dois les acheter. Lorsque je leur explique que tout le capital que j'ai se limite à deux pièces de vingt-cinq *cents*, ils réussissent à me trouver une toute petite brosse à dents, comme celles que l'on offre dans les avions.

« On dirait que cela fait longtemps que vous n'avez pas séjourné dans un hôtel américain...

— En effet. Dans ma suite de l'hôtel The Pierre à New York et dans les bungalows du Bel Air à Beverly Hills, il y avait toujours de l'aspirine et des brosses à dents. Et des roses par douzaines et du champagne rosé ! leur dis-je en soupirant avec nostalgie. Aujourd'hui, à cause de deux personnes détenues en Utah, je me retrouve tellement pauvre qu'un simple cachet d'aspirine est devenu pour moi un article de luxe.

— Eh bien, dans ce pays, les hôtels ne fournissent plus d'aspirine : comme c'est un médicament, il faut qu'il soit prescrit par un médecin et vous savez sans doute qu'ici ça coûte une fortune d'aller chez le médecin. Si vous avez la migraine, essayez de supporter la douleur et de dormir ; vous verrez, demain, elle aura disparu. N'oubliez pas que nous venons de vous sauver la vie. Pour des raisons de sécurité, vous ne pouvez pas sortir de votre chambre, ni entrer en contact avec qui que ce soit, encore moins avec la presse, et cela vaut aussi pour les journalistes du *Miami Herald*. Le gouvernement des États-Unis ne peut encore rien vous promettre et, à compter de maintenant, tout va dépendre de vous. »

Je leur témoigne ma gratitude, je leur dis qu'ils peuvent être tranquilles à ce sujet, car je n'aurais nulle part où aller, et je leur rappelle que c'est moi qui me suis proposée pour témoigner dans plusieurs procès judiciaires qui auront une portée exceptionnelle, aussi bien en Colombie qu'aux États-Unis.

David – l'agent de la DEA – et les autres se retirent pour organiser leur planning du lendemain.

« Vous venez tout juste d'arriver et vous réclamez déjà des choses au gouvernement américain ? me reproche Nguyen, le *Police Chief* qui est resté avec moi dans la chambre.

— Oui, parce que j'ai d'atroces douleurs abdominales. Et parce que je sais que je peux être doublement utile à votre gouvernement : ces deux cartons contiennent des preuves sur la partie colombo-mexicaine d'une fraude contre l'*International Revenue Service* que j'évalue à des centaines de millions de dollars. Après la mort de tous les témoins et le versement de vingt-trois millions de dollars, la plainte collective des victimes russes de Neways International a été retirée. Imaginez-vous ce que peut représenter cette arnaque contre le fisc et vos distributeurs, à l'échelle de trois douzaines de pays !

— L'évasion fiscale outre-mer, ça n'est pas nos affaires. Nous, nous sommes des officiers de la brigade des stups.

— Si je vous apportais des informations vous permettant de localiser dix kilos de coke, vous m'en trouveriez bien, de l'aspirine, n'est-ce pas ?

— Vous n'avez pas l'air de comprendre que nous ne sommes ni l'IRS ni le FBI de l'État de l'Utah, mais la DEA de l'État de Floride. Ne prenez pas la *Drug Enforcement Administration* pour un *drugstore*, Virginia !

16

« — Ce que j'ai bien compris, moi, Nguyen, c'est que l'affaire USA *versus* Rodríguez Orejuela est presque deux cents fois plus importante que l'affaire USA *versus* Mower qui vous occupe en ce moment ! »

Les officiers de la DEA reviennent et m'annoncent que toutes les chaînes de télévision parlent de mon départ de la Colombie. Je réponds que, durant ces quatre derniers jours, j'ai dû décliner environ deux cents interviews dans des médias du monde entier et que, sincèrement, je me fiche de ce qu'ils peuvent bien dire. Je les prie d'éteindre le téléviseur car je viens de passer onze jours sans dormir et deux sans manger, je suis épuisée et je voudrais juste essayer de me reposer pendant quelques heures pour pouvoir leur offrir demain la mcilleure coopération possible.

Lorsque je me retrouve enfin seule avec tous mes bagages et cette douleur intense pour seule compagnie, je me prépare mentalement à quelque chose de vraiment bien plus grave qu'une éventuelle appendicite. De temps en temps, je me demande si le gouvernement des États-Unis m'a vraiment sauvé la vie ou si, en fin de compte, ces officiers de la DEA n'auraient pas pour seule idée de me presser comme un citron, de tirer de moi tout ce qu'ils pourront avant de me renvoyer en Colombie sous prétexte que les informations dont je dispose sur les Rodríguez Orejuela sont antérieures à 1997 et que l'État de l'Utah appartient à un autre pays. Je sais pertinemment qu'à mon retour sur le territoire colombien tous ceux qui ont quelque chose à se reprocher brandiront mon exemple devant tous les informateurs ou témoins qui seraient tentés de m'imiter : des membres des services de sécurité m'attendront à l'aéroport avec un « mandat d'amener » lancé par le ministère de la Défense ou les services de sécurité de l'État. Ils me feront monter dans un SUV aux vitres teintées et, lorsqu'ils en auront tous terminé avec moi, les médias des familles présidentielles colombiennes complices des cartels de la drogue ou au service du président réélu tiendront les Rodríguez Orejuela, « les Pepes » – les Poursuivis par Pablo Escobar –, voire même l'épouse du baron en personne, pour responsables de ma torture et de ma mort, ou de ma disparition.

Jamais je ne me suis sentie si seule, si malade ou si pauvre. Je suis parfaitement consciente que, si je suis remise aux autorités colombiennes, je ne serai ni la première ni la dernière sur la liste de ceux qui sont morts après avoir proposé à l'ambassade américaine de Bogota de coopérer avec elle. Mais il semble que ma sortie du pays dans l'avion de la DEA soit couverte par presque tous les médias du monde, ce qui signifie que je suis beaucoup plus visible que des gens comme César Villegas, alias « le Bandit », ou Pedro Juan Moreno, les deux personnes les mieux informées du passé du président. Voilà pourquoi je décide de ne permettre à aucun gouvernement ni à aucun criminel de me faire connaître le même sort que Carlos Aguilar, alias « le Crasseux », mort après avoir témoigné contre Santofimio, ni de l'épouse de Pallomari, le comptable des Rodríguez Orejuela, qui a été assassinée après le départ de son mari pour les États-Unis, lui aussi dans un avion de la DEA, alors qu'elle bénéficiait pourtant de la protection rapprochée du ministère public colombien.

Je sais pertinemment que, contrairement à plusieurs de ces personnes – paix à leur âme –, je n'ai jamais commis le moindre crime à titre personnel. C'est pour les milliers de gens qui sont morts comme eux que je suis dans l'obligation de survivre. Et je me dis à moi-même : « Je ne sais pas comment je vais m'y prendre ; mais je ne compte ni me laisser tuer ni me laisser mourir. »

Première partie

LE TEMPS DE L'INNOCENCE ET DE LA RÊVERIE

All love is tragedy.
True love suffers and is silent.

Oscar WILDE

Le royaume de l'or blanc

Au milieu de l'année 1982, plusieurs organisations de guérilleros existaient en Colombie. Elles étaient toutes marxistes ou maoïstes et admiraient de façon inconditionnelle le modèle cubain. Elles vivaient des subventions de l'Union soviétique, des rançons du kidnapping de gens qu'elles tenaient pour riches et du vol de bétail dans les haciendas[1]. La principale d'entre elles, les FARC (Forces armées révolutionnaires de Colombie), était née dans la violence des années 1950, époque d'une cruauté sans bornes, d'une sauvagerie telle qu'il est impossible de la décrire sans se sentir honteux d'appartenir à l'espèce humaine. Moins importantes en termes d'effectifs, il y avait aussi l'ELN (Armée de libération nationale) et l'EPL (Armée populaire de libération), laquelle allait se démobiliser pour devenir un parti politique. Plus tard, en 1984, naîtrait le « Quintín Lame », mouvement ainsi baptisé en souvenir du vaillant défenseur de la cause du droit à la terre

---

1. Nom donné en Colombie et dans d'autres pays latino-américains aux grandes propriétés ou exploitations agricoles. *(N.d.T.)*

ancestral des indigènes. Et enfin le M-19 : le mouvement aux coups d'éclat spectaculaires, dignes du cinéma, constitué d'un éclectique mélange d'universitaires, de professions libérales, d'intellectuels et d'artistes, d'enfants de bourgeois et de militaires, et de ces combattants de la ligne dure auxquels, dans l'argot des groupes armés, on donne le nom de *troperos*. Contrairement aux autres insurgés ayant pris les armes, qui opéraient en campagne et dans les forêts qui couvrent presque la moitié du territoire colombien, « le M » était éminemment urbain et comptait au sein de son état-major des femmes brillantes qui prisaient autant la publicité que leurs homologues de sexe masculin.

Au cours des années qui suivirent le déploiement de l'opération Condor dans le sud du continent, les combats en Colombie se déroulaient selon des règles d'un autre âge : lorsqu'un membre de n'importe laquelle de ces organisations tombait entre les mains des militaires ou des services de sécurité de l'État, il était emprisonné et fréquemment torturé sans ménagement ni procès jusqu'à ce que mort s'ensuive. De la même façon, lorsqu'une personne fortunée tombait entre les mains de la guérilla, elle n'était libérée que lorsque la famille versait la rançon, ce qui n'arrivait le plus souvent qu'après des années de négociations ; ceux qui ne payaient pas y laissaient la vie et leurs restes n'étaient pas souvent retrouvés – des constantes qui, à de rares exceptions près, demeurent aujourd'hui tout aussi valables qu'hier. Tout Colombien de profession libérale compte parmi ses amis, son entourage ou ses employés plus d'une douzaine de connaissances qui ont été séquestrées, dont certaines s'en sont sorties saines et sauves tandis que les autres ne sont jamais revenues. Ces dernières se subdivisent en trois catégories : celles dont les familles n'ont pas disposé des moyens de satisfaire aux exigences de leurs ravisseurs, celles pour lesquelles cette substantielle rançon a bien été payée mais qui n'ont jamais été rendues à leurs proches, et celles dont personne n'a jugé bon de sauver l'existence en offrant tout un patrimoine accumulé sur plusieurs générations ou au prix d'une vie d'honnête labeur.

*

Je me suis assoupie, la tête appuyée sur l'épaule d'Aníbal, et je suis réveillée par le double soubresaut qui secoue les appareils légers à l'atterrissage. Il caresse ma joue et, lorsque je veux me lever, il tire légèrement sur mon bras comme pour m'indiquer que je dois rester assise. Il montre du doigt le hublot et je n'arrive pas à croire à ce que je vois : notre petit avion est entouré, de chaque côté de la piste, par deux douzaines de jeunes hommes ; certains portent des lunettes noires, d'autres froncent les sourcils sous le soleil de l'après-midi, et ils pointent sur nous des pistolets-mitrailleurs avec l'expression de gens habitués à faire feu avant de se poser la moindre question. On dirait qu'il y en a d'autres qui sont à moitié cachés dans des buissons, et deux d'entre eux jouent même avec leur mini-Uzi comme on jouerait avec nos clés de voiture ; j'ose à peine imaginer ce qui se passerait si l'un d'eux tombait par terre et se mettait à tirer six cents coups à la minute. Ces garçons, tous très jeunes, portent des vêtements amples et modernes, des polos colorés à manches courtes, des jeans et des *sneakers* d'importation. Aucun d'eux n'est en uniforme ou en tenue de camouflage.

Tandis que le petit appareil cahote sur la piste, je calcule rapidement la somme que nous pourrions représenter aux yeux d'un groupe de guérilleros. Mon petit ami est le neveu de l'ex-président Julio César Turbay, dont le mandat (1978-1982) s'est illustré par la violence de la répression militaire qu'il a menée contre les groupes insurgés, et surtout contre le M-19, dont la plus grande partie de l'état-major a fini en prison ; mais Belisario Betancur, le président qui vient de prendre ses fonctions, a promis de libérer et d'amnistier tous les rebelles qui accepteraient le processus de paix qu'il propose. Je regarde les enfants d'Aníbal et mon cœur sursaute : Juan Pablo, qui a onze ans, et Adriana qui en a neuf, ont maintenant pour beau-père le deuxième homme le plus riche de Colombie, Carlos Ardila Lülle, propriétaire de toutes les usines d'embouteillage de boissons gazeuses du pays. Quant aux amis qui nous accompagnent, Olguita Suárez, qui épousera dans quelques semaines le sympathique auteur-compositeur-interprète espagnol Rafael Urraza, à l'origine de cette excursion, est la fille d'un richissime éleveur de bétail de la côte atlantique, et sa sœur est fiancée à Felipe Echavarría Rocha, membre d'une des plus puissantes dynasties industrielles du pays ; Nano et Ethel sont décorateurs et marchands d'art, Ángela est top model ; quant à moi, je suis l'une des présentatrices télé les plus célèbres du pays. Je sais parfaitement que si nous, passagers de cet avion, tombions tous ensemble entre les mains de la guérilla, nous correspondrions à la définition si particulière qu'ils donnent du mot « oligarque » et serions donc « séquestrables », adjectif tout aussi colombien que le préfixe et le substantif « narco » dont nous parlerons plus loin.

Aníbal s'arrête soudain de parler, il a l'air bien plus pâle que de coutume. Sans prendre la peine d'attendre ses réponses, je le mitraille de deux douzaines de questions d'affilée :

« Comment as-tu su que c'était bien cet avion qui avait été envoyé pour nous chercher ? Te rends-tu compte que, si ça se trouve, ils sont en train de nous enlever ?... Pendant combien de mois vont-ils nous garder lorsqu'ils apprendront qui est la mère de tes enfants ?... Et ces types-là ne sont pas des guérilleros pauvres : regarde un peu leurs armes et leurs tennis ! Mais, pourquoi ne m'as-tu pas dit de prendre mes tennis ! Ces preneurs d'otages vont me faire marcher à travers toute la forêt avec mes sandales italiennes et sans mon chapeau de paille ! Pourquoi ne m'as-tu pas laissé le temps de plier tranquillement mon *jungle-wear* ?... Et pourquoi donc acceptes-tu des invitations de personnes que tu ne connais même pas ? Les gardes du corps des gens que je connais, ils ne visent pas leurs invités avec des pistolets-mitrailleurs ! Nous nous sommes fait piéger, et tout cela parce qu'à force de passer ta vie à sniffer de la cocaïne tu ne sais plus où est la réalité ! Si nous en réchappons, je ne me marie pas avec toi, parce que tu vas finir par avoir un infarctus et parce que je n'ai aucune envie de me retrouver veuve ! »

Aníbal Turbay est grand, beau et libre, amoureux jusqu'à plus soif : il n'est ni avare de mots gentils, ni de son temps ou de son argent alors qu'il n'est pourtant pas multimillionnaire, contrairement à tous mes ex-petits amis. Il est également adulé par son éclectique bande d'amis – comme Manolito de Arnaude, le chasseur de trésors – et par des centaines de femmes pour qui, dans la vie, il y a eu un « avant-Aníbal » et un « après-Aníbal ». Son unique défaut est son irrépressible addiction à la petite poudre nasale, que j'abomine, mais qu'il adore plus que ses enfants, que moi, que l'argent et que tout le reste. Avant que le pauvre ne puisse répondre à cette salve de questions, la porte de l'appareil s'ouvre et s'engouffre la touffeur tropicale qui invite à profiter de ce que dans mon pays sans saisons nous appelons les Terres chaudes[1]. Deux des hommes en armes montent et, après avoir considéré nos mines stupéfaites, ils s'exclament :

« Bon Dieu ! Vous n'allez pas nous croire : nous attendions des cages avec une panthère et plusieurs tigresses, et on dirait bien qu'elles ont été envoyées sur un autre avion. Mille excuses, mesdames et messieurs ! Quelle honte vis-à-vis des dames et des enfants ! Le patron va nous tuer quand il l'apprendra ! »

Ils nous expliquent que la propriété dispose d'un très grand zoo et que, de toute évidence, il y a eu un problème de coordination entre le vol qu'ont pris

---

1. Bien que cette appellation n'ait pas de correspondance stricte d'un point de vue administratif, dans la langue parlée, les Colombiens divisent la Colombie en deux parties, *Tierra Caliente* et *Tierra Fría* (les Terres chaudes et les Terres froides), qui se différencieraient tant par leur climat que par le caractère de leurs habitants. *(N.d.T.)*

les invités et celui qui transportait les fauves. Tandis que ces hommes armés se répandent en excuses, les pilotes descendent de l'avion avec l'expression indifférente de gens qui n'ont aucune explication à donner à des étrangers car leur responsabilité est de respecter un plan de vol et non de vérifier leur cargaison.

Trois jeeps nous attendent pour nous conduire jusqu'à la maison de l'hacienda. Je chausse mes lunettes de soleil, je mets mon chapeau de safari, je descends de l'avion et, sans le savoir ni m'en rendre compte, je foule le sol de la propriété qui changera ma vie pour toujours. Nous montons dans les véhicules et lorsque Aníbal passe son bras derrière mes épaules, je retrouve ma sérénité et ma disposition à profiter de toutes les minutes restantes de notre excursion.

Je lui glisse à voix basse en lui montrant deux hérons qui prennent leur envol depuis une berge éloignée :

« Quel bel endroit ! Ça a l'air immense, ici ! En fin de compte, je crois que ce voyage va valoir le coup... »

Absorbés, dans le plus profond silence, nous contemplons cette magnifique étendue de terre, d'eau et de ciel qui semble se prolonger par-delà l'horizon. Je sens le souffle d'une de ces rafales de bonheur qui vous envahissent soudain sans s'être fait annoncer, qui vous embrassent tout entière pour vous quitter ensuite sans crier gare. Dans le lointain, on entend s'élever d'une cabane les notes de la chanson de Simón Díaz, *Caballo viejo*, interprétée par la voix reconnaissable de Roberto

Torres ; c'est l'hymne des plaines vénézuéliennes que les hommes d'âge mûr ont adopté sur tout le continent et qu'ils chantent à l'oreille de pouliches alezanes lorsqu'ils veulent lâcher leur bride dans l'espoir qu'elles en fassent autant. « Quand l'amour arrive ainsi, de cette manière, on ne s'en rend même pas compte... », prévient le poète dans le récit qu'il livre des prouesses du vieil étalon. « Quand l'amour arrive ainsi, de cette manière, on ne peut pas être tenu pour responsable ... », se justifie l'homme des plaines avant d'enjoindre à l'espèce humaine de suivre son exemple « car après cette vie, il n'y aura plus d'autre opportunité », sur un ton aussi empreint de sagesse populaire que de cadences rythmiques, complices d'un air tiède empli de promesses.

Je suis trop heureuse et fascinée par ce spectacle pour m'amuser à poser des questions sur le nom, sur la vie de notre hôte et sur les miracles qu'il a pu accomplir.

« Voilà qui doit être le propriétaire de tout cela : un de ces vieux roublards de politiciens pleins aux as, entourés de pouliches, et qui se prend pour le Roi du Peuple », me dis-je en posant ma tête sur l'épaule d'Aníbal, ce géant hédoniste dont l'amour de l'aventure ne lui a pas survécu, car il a quitté cette terre à peine quelques semaines avant que je ne parvienne à réunir mes forces pour entamer le récit de cette histoire tissée à partir des instants figés dans les méandres de ma mémoire et peuplée de mythes et de monstres que l'on ne devrait jamais ressusciter.

*

Bien qu'énorme, la bâtisse est totalement dénuée du raffinement qui caractérise habituellement les grandes haciendas traditionnelles de Colombie : on y voit toujours quelque part une chapelle, un manège pour les chevaux ou un court de tennis, des chevaux, des bottes d'équitation anglaises ou des chiens de race, de la vieille argenterie ou des œuvres d'art des XVIIIe, XIXe et XXe siècles, des huiles représentant la Vierge et des saints, ou des frises de bois doré au-dessus des portes, des colonnades coloniales, ou les figurines émaillées des crèches ancestrales, des coffrets cloutés ou des tapis persans de toutes tailles, de la porcelaine française peinte à la main, ou des nappes brodées par des bonnes sœurs, ou encore les roses ou les orchidées de la fière maîtresse des lieux.

Nulle part on n'aperçoit non plus ces humbles serviteurs typiques des grandes propriétés des gens les plus fortunés de mon pays, qui se transmettent presque toujours de génération en génération avec l'héritage, des gens durs à la tâche, résignés et d'une immense douceur qui, au fil du temps, ont préféré faire le choix de la sécurité à celui de la liberté. Ces paysans couverts d'une *ruana* – un court poncho de laine marron –, édentés mais toujours souriants, qui répondaient sur-le-champ à la moindre demande, en ôtant leur petit chapeau usé, par une profonde inclination de la tête : « J'arrive tout de suite, Votre Grâce ! », « Eleuterio González à vos ordres, pour vous servir, Votre Grâce, pour tout ce que Monsieur désire ! » – et qui ne s'étaient jamais rendu compte que, dans le reste du monde, on distribuait des pourboires – sont une espèce maintenant presque éteinte car les guérilleros leur ont appris que lorsque la Révolution triomphera, un jour qui n'est pas si lointain, ils pourront eux aussi avoir de la terre et du bétail, des armes, de l'alcool à boire et des femmes jolies et sans varices comme celles des patrons.

Les chambres de la maison de l'hacienda donnent sur un très long couloir et ont une décoration des plus spartiates : deux lits, une table de nuit avec un cendrier de céramique locale, une petite lampe quelconque et des photos de la propriété. Grâce à Dieu, la salle de bains privative de la nôtre a aussi l'eau chaude, et pas seulement l'eau froide, comme presque toutes les fermes des Terres chaudes. La terrasse, interminable, est parsemée de dizaines de tables avec des parasols et de centaines de solides chaises blanches. Les dimensions de cet espace d'échange – similaires à celles de tous les country clubs – ne laissent planer aucun doute sur le fait que cette maison a été conçue pour être un lieu d'accueil à grande échelle et recevoir des centaines de personnes et, à en juger par le nombre de chambres d'amis, nous en déduisons que, le week-end, les invités doivent se compter par dizaines.

« Les fêtes qu'ils doivent faire ! nous exclamons-nous tous. Ils doivent certainement faire venir Rey Vallenato avec plusieurs douzaines d'accordéonistes de Valledupar !

— Nooon, plutôt la Sonora Matancera et Los Mélodicos en même temps ! » corrige quelqu'un sur un ton sarcastique qui trahit un semblant d'envie.

L'administrateur du domaine nous informe que le propriétaire de l'hacienda a été retardé par un problème de dernière minute et qu'il n'arrivera pas avant le lendemain. Il est évident que les employés ont reçu pour consigne de satisfaire nos moindres désirs pour que notre séjour soit doux et agréable mais, d'emblée, ils nous font savoir que la visite de la propriété n'inclut pas le deuxième étage où se trouvent les appartements privés de la famille. Ce sont tous des hommes et ils semblent ressentir une profonde admiration pour leur patron. Leur niveau de vie, supérieur à celui des serviteurs des autres familles, est rendu patent par l'assurance et le manque total d'humilité dont ils font preuve. Ces paysans semblent être pères de famille et portent des tenues de travail toutes neuves, de bonne qualité et plus discrètes que celles des jeunes qui nous attendaient sur la piste d'atterrissage. À la différence du premier groupe, ils ne sont pas du tout armés. Nous passons dans la salle à manger pour le dîner. La table principale, une table en chêne, est énorme.

« De quoi accueillir un bataillon ! » observons-nous.

Les serviettes sont en papier blanc et le repas est servi dans de la vaisselle caractéristique de la région par deux femmes efficaces et silencieuses, les seules que nous ayons vues depuis notre arrivée. Comme nous nous y attendions, le menu consiste en un délicieux plateau *paisa*[1], avec les plats typiques d'Antioquia, les plus basiques de la cuisine colombienne : des haricots, du riz, de la viande hachée

---

1. En Colombie, l'adjectif *paisa* désigne la région et les habitants des départements d'Antioquia, Caldas, Risaralda, Quindío, le nord de Tolima et de la vallée du Cauca. *(N.d.T.)*

et un œuf au plat accompagnés d'une tranche d'avocat. Il ne semble pas y avoir dans cette propriété un seul élément qui dénote le moindre souci de créer un cadre accueillant, raffiné et luxueux : tout, dans cette hacienda de presque trois mille hectares, située entre Doradal et Puerto Triunfo, dans le torride moyen Magdalena[1] colombien, semble plus avoir été conçu, avec son caractère pratique et impersonnel, comme un énorme hôtel des Terres chaudes, que dans le style d'une grande maison de campagne.

Ainsi, dans cette nuit tropicale, chaude et tranquille, la première que je passais dans l'*Hacienda Nápoles*, rien ne pouvait me préparer à l'univers aux proportions colossales que j'allais commencer à explorer le lendemain, ni aux dimensions de ce royaume différent de tous ceux que j'avais eu l'occasion de connaître jusque-là. Personne ne pouvait me prévenir des ambitions extraordinaires de l'homme qui l'avait bâti avec de la poussière d'étoiles et avec l'esprit dont sont faits les mythes qui bouleversent pour toujours l'histoire des nations et le destin de leurs habitants.

*

À l'heure du petit-déjeuner, on nous annonce que notre hôte arrivera vers midi, ce qui lui laissera le plaisir de se charger de nous faire visiter son zoo. En attendant, nous partons découvrir l'hacienda avec

---

1. Le Magdalena, long de 1 500 kilomètres, est un des principaux fleuves colombiens. Le moyen Magdalena traverse les départements d'Antioquia, Bolívar, Boyacá, Cesar et Santander. *(N.d.T.)*

des buggies, ces véhicules conçus pour permettre aux jeunes gens qui n'ont pas encore de responsabilités de rouler à fond de train sur le sable. Ils se composent d'un châssis très bas, presque au ras du sol, et ultra-résistant, de deux sièges, d'un volant, d'un levier de vitesses, d'un réservoir de carburant et d'un moteur qui produit un bruit infernal. Partout où passent ces engins, ils soulèvent un nuage de fumée, de poussière et d'envie car tous les gens qui conduisent des buggies sont bronzés, semblent radieux, ils portent des shorts, des lunettes de soleil et ont à côté d'eux une jolie fille à l'air un peu effrayé et aux longs cheveux qui flottent au vent, ou un ami à moitié ivre qu'on ne remplacerait par personne d'autre. Le buggy est le seul véhicule que l'on puisse conduire sur la plage avec un haut degré d'alcoolémie sans faire courir de grave danger à ses occupants, sans risquer de faire des tonneaux et, surtout, qui garantit au fou qui est au volant de ne pas se faire mettre en prison par la police car il dispose d'un autre atout supplémentaire : il freine instantanément.

La première matinée du week-end se déroule de la façon la plus normale, ce n'est qu'ensuite que des choses étranges se produiraient, comme si un ange gardien avait voulu m'avertir que les plaisirs du présent et les aventures innocentes sont presque toujours les masques derrière lesquels se cache le visage des peines futures.

Aníbal est catalogué comme l'un des êtres les plus fous qui aient jamais foulé le sol de cette planète ; c'est une étiquette qui plaît énormément à mon esprit aventurier, et toutes mes amies se rejoignent sur ce pronostic : notre liaison a plus de chances de nous réunir au fond d'un précipice que devant l'autel à l'église. Bien qu'il ait l'habitude de rouler à deux cents à l'heure avec sa Mercedes sur ces routes de montagne étroites et sinueuses qui n'ont que deux voies, une pour chaque sens de circulation, avec un verre de whisky dans une main et un sandwich entamé dans l'autre, je dois reconnaître qu'il n'a jamais eu le moindre accident. Alors, je me sens légère dans le buggy, avec sa fille assise sur mes genoux, mon visage caressé par la brise, les cheveux au vent, profitant de ce pur plaisir, de cette jubilation indescriptible que l'on ressent à parcourir à toute vitesse des kilomètres et des kilomètres d'étendues vierges et planes sans rien qui nous arrête ou qui nous impose des limites, car dans toutes les autres haciendas colombiennes, ces incommensurables espaces seraient dédiés à l'élevage de zébus et parsemés de barrières fermées par des barres de fer et des verrous pour tenir parqués des milliers de vaches au regard vide et des dizaines de taureaux perpétuellement sur le qui-vive.

Pendant presque trois heures, nous parcourons des kilomètres et des kilomètres de plaines déclinant toutes les gammes de vert et seulement interrompues de temps à autre par une lagune ou un fleuve au faible débit et, çà et là, par une colline couleur moutarde douce comme le velours ou une légère ondulation de terrain, pareilles, mais sans les baobabs, aux prairies arpentées quelques années plus tard par Meryl Streep et Robert Redford dans *Out of Africa*. Toute la zone n'est peuplée que d'arbres et de plantes, d'oiseaux et de petits animaux endémiques des tropiques américains et impossibles à décrire en détail car chaque nouveau décor commence à se profiler alors que le précédent est toujours en train de défiler devant nous, dans une succession ininterrompue de dizaines, voire même maintenant de centaines de paysages différents.

À une vitesse vertigineuse, nous nous dirigeons vers une vallée encaissée d'environ cinq cents mètres de large, couverte d'une végétation dense, presque une forêt, pour aller y prendre le frais quelques minutes et nous abriter du soleil ardent de midi sous les gigantesques éventails de plumes d'un bosquet de bambous. En l'espace de quelques secondes, des groupes d'oiseaux de toutes les couleurs prennent leur envol au milieu d'une stridente cacophonie. Le buggy rebondit sur une ornière cachée par la ramée et un pieu épais de presque cinq centimètres et de deux mètres de long perfore comme une balle la portière avant de notre véhicule et traverse en nous effleurant, à cent kilomètres à l'heure, l'espace ténu qui sépare le mollet d'Adriana du mien pour s'arrêter à exactement un millimètre de ma joue et deux centimètres de mon œil. Rien de grave, car les buggies freinent instantanément et, semble-t-il, en raison du destin bien singulier que Dieu me réserve.

Malgré la grande distance que nous avons parcourue et grâce à cette belle invention qu'est le talkie-walkie – que j'avais pourtant toujours jugé snob, superflu voire même complètement inutile –, en l'espace d'à peine vingt minutes, plusieurs jeeps se portent à notre secours et viennent récupérer l'épave du premier buggy de l'histoirc de l'humanité détruit et rendu hors d'usage. Une demi-heure plus tard, nous nous retrouvons dans le petit hôpital de l'hacienda, où nous recevons des piqûres antitétaniques et où l'on nous applique du mercurochrome sur les égratignures que nous avons aux genoux et sur la joue, tandis que tous les autres soupirent, soulagés de nous voir, Adriana et moi, et nos yeux, indemnes. Avec la mine d'un enfant qui vient de se faire réprimander, Aníbal bougonne en songeant à ce qu'il lui en coûtera de faire réparer ce satané engin, voire de le remplacer par un neuf, ce qui suppose de connaître avant toute chose le prix de son transport par bateau depuis les États-Unis.

On nous annonce que l'hélicoptère du propriétaire de l'hacienda est arrivé il y a un instant, bien qu'aucun d'entre nous ne se rappelle l'avoir entendu se poser. Plutôt inquiets, mon petit ami et moi nous apprêtons à présenter nos excuses pour les dégâts que nous avons causés et à poser des questions sur les moyens de les réparer. Au bout de quelques minutes, notre hôte fait son entrée dans le petit salon où nous avons rejoint le reste des invités. Ses yeux s'illuminent en lisant sur nos visages l'étonnement que sa jeunesse nous inspire. Je crois qu'il devine le soulagement que mon « buggycide » de fiancé et moi ressentons en remarquant qu'il a à peu près l'âge de la moyenne de notre groupe, car une grande lueur espiègle traverse son regard et il semble lutter pour réprimer un de ces éclats de rire contagieux qui gagnent tout le monde.

Quelques années plus tôt, à Hong Kong, le vénérable et élégant capitaine Chang m'avait dit au sujet de sa Rolls-Royce Silver Ghost que conduisait un chauffeur à casquette, à l'uniforme gris et aux bottes noires, et qui restait garée vingt-quatre heures sur vingt-quatre devant la porte de mon hôtel : « Soyez tranquille, chère madame, nous en avons sept autres rien que pour nos seuls invités, et celle-ci est la vôtre ! »

Sur le même ton, notre jeune et souriant amphitryon s'exclame, avec un geste méprisant : « Ne vous en faites pas, oubliez donc ce buggy, nous en avons des dizaines ! », balayant ainsi d'un revers de la main tous nos soucis et, avec eux, les questions que nous aurions encore pu nous poser quant à ses ressources, son hospitalité ou son entière disposition à partager dorénavant avec nous, et pendant chaque minute de ce qu'il reste du week-end, les montagnes de divertissements que sa propriété paradisiaque semble nous promettre. Sur un ton de prime abord rassurant, puis désarmant et qui en fin de compte laisse tout le monde, hommes, femmes et enfants, sous le charme – agrémenté d'un sourire qui donne l'impression à chacun d'entre nous d'avoir été choisi pour être complice d'une plaisanterie qu'il a soigneusement préparée et qu'il est le seul à connaître –, le fier propriétaire de l'*Hacienda Nápoles* nous salue les uns après les autres :

« Enchanté de vous voir enfin en chair et en os, madame ! Comment vont ces blessures ? Nous promettons de restituer à ces enfants et au centuple le temps qu'ils ont perdu : ils ne vont pas s'ennuyer une seconde ! Je vous prie de croire que je regrette de ne pas avoir pu arriver plus tôt. Pablo Escobar, pour vous servir. »

Bien que cet homme soit de petite taille – il mesure moins d'un mètre soixante-dix –, j'ai l'absolue conviction que ça ne lui a jamais posé problème. Il a le corps trapu, du genre de ceux qui tendent à l'embonpoint au fil du temps. Son double menton, précoce et proéminent, se détache d'un cou puissant, anormalement court et lui donne un air moins jeune en même temps qu'il le dote d'une allure de vieil homme respectable et imprime une certaine autorité aux mots bien pesés que distillent ses lèvres droites et pincées, car il parle d'une voix sereine, ni trop forte ni trop solennelle, d'une voix affable et vraiment agréable qui ne laisse planer aucun doute sur la nature de ses désirs, qui sont des ordres, ou sur sa totale maîtrise des sujets qu'il aborde. Il porte une moustache qui luit sous un nez presque grec de profil. Avec sa voix, ce nez constitue le seul trait physique marquant de cet homme jeune qui, dans tout autre cadre, passerait pour ordinaire, plus laid que beau, et qui se fondrait dans la masse des millions d'hommes que l'on peut croiser dans la rue dans tous les pays latino-américains. Il a les cheveux foncés, plutôt ondulés, et son front est traversé par une mèche rebelle décrivant une triple ondulation, qu'il replace de temps en temps d'un mouvement brusque ; il a la peau plutôt claire, il n'est pas bronzé comme nous qui avons la peau dorée toute l'année alors que nous vivons dans les Terres froides. Ses yeux sont très rapprochés et particulièrement fuyants ;

lorsqu'il ne se sent pas observé, ils semblent s'enfoncer et se retirer sous des sourcils peu fournis dans d'insondables grottes du fond desquelles ils scrutent les gestes pouvant trahir les pensées des gens qui l'entourent. Je remarque qu'ils se tournent constamment vers Ángela qui, elle, l'observe avec un mépris courtois du haut de son mètre soixante-quinze, de ses vingt-trois ans et de son insolente beauté.

Nous prenons les jeeps pour nous diriger vers la partie de l'*Hacienda Nápoles* qui a été aménagée en zoo. Escobar conduit l'un des véhicules, accompagné de deux Brésiliennes en *tanga*, des jolies petites Cariocas aux hanches parfaites qui n'ouvrent jamais la bouche et se caressent toutes les deux, en prenant soin de le faire le plus discrètement possible à cause de la présence des enfants et des élégantes beautés qui monopolisent maintenant l'attention de notre hôte. Aníbal observe la totale indifférence des deux femmes vis-à-vis de tout ce qui se passe autour d'elles, ce qui, pour lui – qui est bien placé pour le savoir –, est indiscutablement le symptôme de l'aspiration profonde et réitérée de bouffées de *Samarian Platinum* car, dans cette luxueuse propriété, la *Samarian Gold*[1] ne doit guère représenter que l'équivalent du populaire cannabis. Nous remarquons que ces jeunes filles complètement alanguies, comme deux petits anges sur le point de s'endormir, portent chacune à l'index de leur main droite un diamant d'un carat.

_____

1. Il s'agit des deux variétés de marijuana les plus prisées. (*N.d.T.*)

Au loin apparaissent trois éléphants, les animaux qui représentent sans doute l'attraction numéro un de tout cirque ou de tout zoo qui se respecte. Je n'ai personnellement jamais su différencier les éléphants d'Afrique de ceux d'Asie, et Escobar nous les présente comme des spécimens asiatiques. Il nous explique que chacun des mâles des espèces de grande taille ou en voie d'extinction que compte son zoo a au moins deux femelles, voire plus, et les zèbres, chameaux, kangourous, chevaux appaloosas et autres équidés moins onéreux en ont beaucoup plus encore. Puis il ajoute, avec un sourire malicieux :

« C'est pour cela qu'ils ont toujours l'air si satisfait, qu'ils n'attaquent pas et ne sont pas violents.

— Non, Pablo, ce n'est pas à cause de leur réserve de femelles. C'est à cause de ces espaces sublimes qui rappellent les savanes africaines. Regarde ces hippopotames et ces rhinocéros courir vers la rivière : ils sont heureux comme s'ils étaient chez eux ! » lui dis-je en les montrant du doigt, car rien ne me fait plus plaisir que de contredire les hommes qui accordent au sexe une importance démesurée.

À vrai dire, le grand mérite de son zoo est la liberté totale dont jouissent ces énormes animaux qui peuvent trotter dans de grands espaces ou se cacher dans les très hautes herbes des pâturages d'où, au moment le plus inattendu, pourraient aussi surgir la panthère et les tigresses de la veille.

À un moment de l'excursion, nous remarquons que les Brésiliennes se sont évaporées avec le concours des « escortes » officieux, terme par lequel on désigne en Colombie les gardes du corps armés. Nous remarquons que c'est maintenant Ángela qui occupe la place d'honneur à côté de notre hôte, qui semble à lui seul plus radieux que nous tous confondus. Aníbal est heureux lui aussi car il envisage de proposer à Escobar les hélicoptères que fabrique son ami le comte Agusta et que Pablo vient de lui dire que notre amie est la plus belle créature qu'il ait vue depuis longtemps.

Nous atteignons l'endroit où se trouve un trio de girafes, et je ne résiste pas à la tentation de demander à leur propriétaire comment il s'y prend pour faire venir des plateaux du Kenya des animaux d'une telle taille et ayant de surcroît des cous interminables : à qui les commande-t-il, combien lui coûtent-ils, comment s'y prend-on pour les faire entrer dans le bateau, sont-ils malades en mer, comment les sort-on de la cale, dans quel type de camion voyagent-ils jusqu'à l'hacienda pour ne pas éveiller les soupçons et combien de temps mettent-ils à s'adapter au changement de continent ?

« Comment t'y prendrais-tu, toi, pour les faire venir ? me lance-t-il avec un petit air de défi.

— Eh bien, vu la taille de leur cou – et vu qu'elles sont en voie d'extinction –, les faire venir d'Europe serait... plutôt risqué. Il faudrait les faire voyager par voie terrestre à travers l'Afrique subsaharienne jusqu'à un pays comme le Libéria. De la Côte d'Ivoire jusqu'aux côtes du Brésil, ou même des Guyanes, je crois qu'elles n'auraient aucun problème à arriver jusqu'en Colombie en traversant l'Amazonie, à condition bien sûr d'avoir distribué en cours de route quelques liasses de billets à chaque barrage de police et à des centaines de chanceux patrouilleurs tout au long de la route qui va de Manaus à Puerto Triunfo. Après tout, ce n'est pas siii compliiiqué !

— Je suis complètement scandalisé par ton aptitude au délit multinational, Virginia ! Quand as-tu un moment de libre pour me donner quelques cours ? Mes girafes ont été importées de façon parfaitement légale ; qu'es-tu en train d'insinuer ? Elles sont parties du Kenya pour arriver, via Le Caire-Paris-Miami-Medellín, jusqu'à la piste de l'*Hacienda Nápoles*, et elles ont toutes un certificat d'origine et un carnet de vaccinations à jour ! Il serait impossible, inconcevable, de les faire passer en contrebande car leur cou ne fonctionne pas tout à fait comme un ressort, tu sais ? À moins que tu ne croies qu'elles peuvent s'allonger et dormir, bien sagement comme des enfants de cinq ans ? Ai-je, à tout hasard, la tête d'un trafiquant de girafes ? »

Et avant de me laisser le temps de lui répondre par l'affirmative, il s'exclame, heureux :

« Et maintenant, allons nous baigner dans la rivière pour que chacun d'entre vous puisse découvrir un petit coin du paradis terrestre avant de déjeuner ! »

S'il y a quelque chose qui donne envie à un habitant civilisé des Terres froides de prendre ses jambes à son cou, c'est bien la perspective d'une excursion sur une rivière des Terres chaudes agrémentée de *sancocho* (le *sancocho* est un consistant bouillon de poule ou de poisson accompagné de manioc, de riz et de pommes de terre, dont chaque région de Colombie a sa propre recette). Comme, depuis ma plus tendre enfance, je ne me rappelle pas m'être baignée dans autre chose que des eaux turquoise, je ressens un immense soulagement en observant que les eaux vertes de ce Río Claro, alimenté par des dizaines de sources de la propriété, sont cristallines. Elles s'écoulent paisiblement entre d'énormes rochers ronds ; la profondeur de la rivière semble idéale pour le bain et je n'aperçois nulle part un de ces nuages de moustiques qui ont pour habitude de prendre mon sang pour du miel.

Sur la berge nous attendent des proches ou amis de notre hôte, deux douzaines de gardes du corps et plusieurs *speed boats*. Conçues pour la course qui, je le sais maintenant, est la grande passion d'Escobar et de son cousin Gustavo Gaviria, ces embarcations en acier atteignent des vitesses impressionnantes et peuvent accueillir plus d'une douzaine de personnes munies d'un casque, d'un gilet de sauvetage et dont les oreilles sont protégées par un audiophone du bruit effroyable du moteur, qui est enfermé dans des caissons métalliques dans la partie arrière de la cale.

Notre canot démarre en trombe avec Escobar aux commandes. Comme hypnotisé par le plaisir, il vole sur cette rivière, évitant les obstacles comme s'il connaissait chaque méandre, chaque rocher, chaque tourbillon, petit ou puissant, chaque arbre couché ou tronc flottant, et comme s'il voulait nous impressionner par l'habileté avec laquelle il nous sauve de dangers que nous n'entrevoyons que lorsque nous les frôlons à la vitesse de l'éclair et qui disparaissent instantanément comme s'ils étaient le fruit de notre imagination. Cette véritable tornade dure presque une heure et, lorsque nous arrivons enfin à notre destination, nous nous sentons comme si nous venions de descendre en piqué les chutes du Niagara. Fascinée, je me rends compte que, pendant chaque seconde de l'heure qui vient de s'écouler, nos vies ont été suspendues au sens millimétrique du calcul de cet homme qui semble né pour défier les limites de la survie ou pour secourir les autres et gagner ainsi leur admiration, leur gratitude ou leurs applaudissements. Puisque le fait de partager une émotion intense est l'un des plus splendides cadeaux que l'on puisse offrir aux gens qui vivent eux aussi la vie comme une aventure, je me demande si notre hôte n'a pas en fait mis tout son talent théâtral au service d'un spectacle émouvant et unique que pour obéir à sa passion de vaincre le danger, au besoin qu'il a d'exhiber constamment les multiples formes de sa générosité ou à ce qui n'est peut-être rien d'autre qu'un amour-propre surdimensionné.

Nous arrivons à l'endroit prévu pour le déjeuner et je suis heureuse de pouvoir me délasser dans l'eau en attendant que les grillades et le *sancocho* soient prêts. Je nage sur le dos et, absorbée par mes pensées et par la beauté du ciel, je ne me rends pas compte que les cercles concentriques d'un tourbillon sont en train de se refermer sur moi. Au moment où je sens l'emprise d'une vis métallique qui paralyse mes jambes pour m'entraîner vers le fond de l'eau, j'agite les bras pour appeler mon fiancé et les amis qui se tiennent sur la berge à environ quatre-vingts mètres de moi ; mais, croyant que je les invite à me rejoindre dans l'eau, ils rient tous, car ils ne songent à rien d'autre qu'à fêter l'odyssée qu'ils viennent de vivre en prenant un bon verre et à réchauffer leur corps avec un bon repas. Je suis sur le point de mourir sous les yeux de quatre douzaines d'amis et de vigiles qui ne regardent pas plus loin que leur propre confort, que leurs pistolets-mitrailleurs et leurs verres quand soudain, presque à bout de forces, j'établis un contact visuel avec Pablo Escobar. La personne la plus occupée, celle qui dirige le spectacle à la baguette et qui donne les ordres, le chef d'orchestre, « le chef d'expédition » – comme on dirait en bon colombien –, comprend que je suis prisonnière d'un mixeur dont je ne ressortirai pas vivante. Sans réfléchir plus longtemps, il se jette à l'eau et il ne lui faut que quelques secondes pour parvenir à l'endroit où je me trouve. Avec des mots qui se veulent rassurants, puis des mouvements si précis qu'ils semblent chorégraphiés et en me saisissant finalement avec une force qu'on dirait deux fois plus puissante que celle du tourbillon, cet homme vaillant et sûr de lui m'arrache à l'étreinte de la mort comme si j'étais légère comme une plume, comme si cet acte faisait partie des responsabilités qui incombent à un hôte galant, et qu'il était insensible au danger qu'il écarte, tandis que je m'accroche d'abord à sa main, puis à son avant-bras et enfin à son torse. Aníbal nous regarde de loin, avec l'air de se demander pourquoi diable je reste collée à un homme dont nous venons de faire la connaissance et qui discutait avec lui il n'y a de cela que quelques minutes.

Lorsque Escobar et moi avons pied, nous marchons en chancelant vers la berge. Il me tient fermement par le bras et je lui demande pourquoi, parmi toutes ces personnes, il est le seul à avoir compris que j'étais sur le point de mourir.

« C'est parce que j'ai lu la détresse dans tes yeux. Tes amis et mes hommes ne voyaient que tes mains qui s'agitaient. »

Je le regarde et je lui dis qu'il a été le seul à voir mon angoisse et aussi le seul à accorder de l'importance à ma vie. Cela semble le surprendre, et davantage encore lorsque j'ajoute, avec le premier sourire que je trouve la force d'esquisser après cette frayeur :

« Eh bien, maintenant, Pablo, tu es le responsable de ma vie pour le restant de tes jours... »

Il pose un bras protecteur autour de mes épaules qui continuent de trembler. Puis, avec un sourire expressif, il s'exclame :

« Pour le restant de mes jours ? Et qu'est-ce qui te fait croire que je mourrai le premier ?

— Non, c'est juste une expression populaire... alors, transformons cela, disons plutôt pour le restant de mes jours, pour nous mettre d'accord et pour que tu paies mes frais d'obsèques ! »

Il rit et dit que tout cela n'arrivera que dans un siècle car les événements de ces dernières heures semblent indiquer que j'ai plus de vies qu'un chat. Lorsque nous regagnons la berge, je me laisse envelopper dans le drap de bain que me tendent les bras aimants d'Aníbal ; bien chaud et immense, il m'empêche de voir ce qu'Aníbal ne veut pas que je lise dans ses yeux.

Notre barbecue n'a rien à envier aux *asados* que l'on prend dans les *estancias* argentines et le site où nous déjeunons se révèle être en effet un endroit de rêve. Un peu à l'écart du groupe, je contemple en silence ce lieu ombreux à la végétation dense, avec les yeux d'une Ève pardonnée qui découvrirait le paradis pour la deuxième fois. Dans les années qui suivront, il m'arrivera plusieurs fois de me remémorer ce repas et la jolie construction en teck donnant sur la partie la plus paisible de ce Río Claro devenu pour moi un lac d'émeraudes et, de l'autre côté, le soleil luisant sur la végétation, sur chaque feuille et sur les ailes des papillons. Bien des mois plus tard, je demanderai à Pablo d'y retourner avec lui, mais il me répondra que ce n'est plus possible car l'endroit a été complètement investi par la guérilla. Puis, à la fin d'une journée quelconque, deux décennies plus tard, je finirai enfin par comprendre ou par accepter que l'on ne doit jamais retourner dans les endroits dont la beauté nous a transportés et où nous nous sommes sentis profondément heureux l'espace de quelques heures car ils sont désormais différents et n'inspirent plus rien d'autre que la nostalgie de leurs couleurs passées et, surtout, des rires qui les ont hantés.

*

Dans l'*Hacienda Nápoles*, tout semble être de dimension colossale. Nous sommes maintenant juchés sur le Rolligon, un tracteur gigantesque aux roues de presque deux mètres de diamètre, muni d'une cabine surélevée pouvant accueillir une

quinzaine de personnes et d'une puissance comparable à celle de trois éléphants.

« Allez, tu paries que tu ne viens pas à bout de
celui-là, Pablo ? lui lançons-nous en désignant un
arbre au fût moyen.

— Vous pariez que celui-ci aussi nous arrivons
à le faire tomber ? » crie Escobar, aux anges, tout
en écrasant sans la moindre compassion ce pauvre
arbuste au prétexte que tout végétal qui cède
à ses coups de boutoir ne mérite pas de vivre et
doit retourner à la terre pour servir de nutriment
aux autres.

Sur le chemin du retour vers la maison, nous
passons à côté d'une voiture criblée de balles qui
semble être une Ford de la fin des années 1920.

« C'est celle de Bonnie et Clyde ! » nous explique-
t-il fièrement.

Je lui demande si c'est celle du couple ou celle
du film et il me répond que c'est bien la vraie, car
il n'est pas du genre à acheter de la contrefaçon.
Quand nous lui faisons remarquer en chœur qu'elle
semble avoir été mitraillée, Escobar nous explique
que les six policiers qui ont piégé les deux amants
pour toucher la récompense leur ont tiré dessus au
fusil automatique pendant plus d'une heure et que
plus d'une centaine de cartouches ont été retrouvées
autour de la voiture.

Clyde Barrow, « le Robin des bois américain »,
était en 1934 l'ennemi public numéro un du gouvernement des États-Unis. Il dévalisait des banques
et, quatre mois avant sa mort, il avait orchestré
avec succès la fuite de plusieurs membres de sa
bande. Bonnie Parker l'accompagnait pendant

leurs casses mais ne fut jamais mêlée aux assassinats de policiers, qui devinrent de plus en plus fréquents au fur et à mesure que la traque menée contre eux s'étendait à de nouveaux États et que le montant de la mise à prix de leurs têtes augmentait par la même occasion. Lorsqu'ils moururent, elle n'avait que vingt-quatre ans et lui vingt-trois. Leurs deux corps dénudés furent exposés par terre, à la morgue, au regard de centaines de photographes, dans une mise en scène qui souleva une vague de protestations indignées, à la fois à cause de son caractère morbide et des dizaines d'impacts de balles que présentait le corps de la jeune femme dont le seul crime et le destin avaient été d'aimer un éternel fugitif qui se jouait de la justice. Bonnie et Clyde furent le premier couple du monde de la pègre à être immortalisé par la littérature et le cinéma, et la légende fit d'eux une incarnation moderne de Roméo et Juliette. Vingt mille personnes accompagnèrent le cortège funèbre de Bonnie qui, par décision de sa mère, ne put être enterrée aux côtés de Clyde comme tel était son désir.

Alors que nous approchons de l'entrée de l'*Hacienda Nápoles*, nous apercevons, posé sous l'énorme porche, tel un gigantesque papillon équilibriste, un petit monomoteur peint en blanc. Escobar réduit sa vitesse avant de s'arrêter. Je perçois le bruit d'une vanne qui s'ouvre au-dessus de nous et, du coin de l'œil, j'observe que mes camarades se replient vers les côtés et vers l'arrière du Rolligon. En l'espace d'une fraction de seconde, le contenu de dizaines de bidons d'eau glacée se déverse à torrents sur moi, me laissant étourdie, hors d'haleine et à moitié noyée. Lorsque je parviens à retrouver la parole, j'arrive tout juste à lui demander en grelottant :

« Et cette carcasse du début du siècle, c'est l'aéroplane de Lindbergh, ou celui d'Amelia Earhart, Pablo ?

— Ah non, celui-là, il était à moi et je peux dire qu'il m'a bien porté chance, comme tu en as eu que je te sauve la vie ! Ha, ha, ha ! Je me fais toujours payer les services que je rends, te voilà maintenant "baptisée" ! Ça y est, là, nous sommes désormais presque quittes, ma chère Virginia ! » s'exclame-t-il, plié en deux, tandis que sa douzaine de complices continue de rire de ma mésaventure.

Ce soir-là, alors que je suis en train de finir de me préparer pour le dîner, quelqu'un frappe tout doucement à la porte de ma chambre. Croyant qu'il s'agit de la petite fille d'Aníbal, je lui dis d'entrer, mais la personne qui passe timidement la tête sans lâcher la poignée n'est autre que le maître de maison. Sur un ton préoccupé qui veut paraître sincère, il me présente ses excuses et me demande comment je me sens. Plus propre que jamais, lui dis-je car, durant les douze dernières heures, je me suis vu imposer cinq bains à toutes les températures. Il rit, soulagé, et je lui demande des nouvelles des fauves, que nous n'avons aperçus nulle part au cours de notre promenade.

« Ah, ces fauves... Eh bien... Je dois t'avouer que, dans mon zoo, il n'y a pas de grands prédateurs : ils mangeraient les autres, qu'il est déjà bien difficile d'importer... légalement. Mais, maintenant que j'y pense, pas plus tard qu'il y a dix minutes, il m'a quand même semblé voir rôder par là une panthère enragée qui grelottait, trempée, sous un petit avion, et trois tigresses dans le salon. Ha, ha ha ! »

Et il disparaît. En comprenant que toute cette histoire, sur la piste d'atterrissage, n'était qu'un canular, je ne peux m'empêcher de penser avec un sourire incrédule que la capacité qu'a cet homme de jouer des tours est à la mesure de son courage. Lorsque j'entre dans la salle à manger, bronzée et radieuse, dans ma tunique en soie turquoise, Aníbal ne tarit pas d'éloges sur ma tenue et s'exclame devant tout le monde :

« Cette petite est la seule femme au monde qui se réveille chaque jour toujours fraîche comme une rose... c'est comme si l'on assistait chaque matin au miracle de la Création.

— Regarde-les ! lance le Chanteur à Escobar, les deux sex-symbols réunis... »

Pablo nous observe avec un sourire. Puis il me regarde fixement. Je baisse les yeux.

*

Une fois de retour dans notre chambre, Aníbal me glisse tout bas :

« Vraiment, c'est normal qu'un type capable d'amener trois girafes en contrebande depuis le Kenya soit aussi capable de faire entrer des tonnes de tout ce qu'il veut aux États-Unis !

— Des tonnes de quoi, mon amour ?

— De coke. Pablo est le Roi de la Cocaïne, et la demande est telle qu'il est bien parti pour devenir l'homme le plus riche du monde ! » s'exclame-t-il en haussant les sourcils, plein d'admiration.

Je lui réponds que j'aurais juré que c'était la politique qui lui permettait de financer son train de vie.

« Non, non, mon petit cœur, c'est l'inverse : c'est avec la coke qu'il finance la politique ! »

Plissant les yeux, extasié par son quarantième « rail » de la journée, il me montre le « caillou » de cinquante grammes de cocaïne que Pablo lui a offert.

Je suis épuisée et je m'endors profondément. Lorsque je me réveille le lendemain, il est toujours là mais le « caillou » a disparu. Il a les yeux injectés de sang et me contemple avec une immense tendresse. Moi, tout ce que je sais, c'est que je l'aime.

Ambitions présidentielles

Quelques semaines plus tard, Aníbal reçoit un appel d'Escobar. Le parlementaire veut nous inviter pour nous faire découvrir l'hacienda et le zoo de son grand ami et partenaire dans le projet d'aide sociale « Medellín sans bidonvilles », Jorge Luis Ochoa, non loin de la côte caraïbe colombienne. Pablo envoie un avion nous chercher et, lorsque nous atterrissons, nous le découvrons déjà là en train de nous attendre, simplement accompagné de l'équipage de son appareil. Il est clair que, n'étant pas cette fois-ci le maître de maison, il ne se joint ici à notre groupe, qui inclut une nouvelle fois notre amie Ángela, que comme un invité parmi les autres. Nous n'avons pas pu prendre avec nous les enfants d'Aníbal car leur mère a été horrifiée en écoutant le récit de leurs aventures dans l'*Hacienda Nápoles* et elle nous a formellement interdit d'emmener les enfants passer des « week-ends avec ces personnes extravagantes devenues riches du jour au lendemain ».

La route qui mène de l'aéroport à la localité où se trouve l'hacienda est très peu fréquentée. Après un parcours d'à peine quelques minutes sous un soleil impitoyable, Escobar au volant de notre décapotable, nous arrivons à la barrière de péage où il faut s'acquitter de l'équivalent de trois dollars américains. Notre conducteur ralentit, salue l'employé de son plus large sourire et poursuit sa route, tout fier et à très faible allure, laissant derrière lui l'homme qui reste d'abord stupéfait, le ticket à la main, avant de se lancer à notre poursuite en agitant en vain les bras pour que nous nous arrêtions. Surpris, nous demandons à Pablo pourquoi il a « grillé le péage », comme on dit en bon colombien.

« Parce que s'il n'y a pas de policier dans la guérite, moi, je ne paie pas. Je ne respecte l'autorité que lorsqu'elle est armée ! » s'exclame-t-il, triomphant, sur le ton professoral d'un maître d'école face à ses petits élèves.

Les Ochoa sont des éleveurs et exportateurs renommés de chevaux champions de course ; ils en ont des milliers dans leur hacienda La Loma, proche de Medellín, dirigée par leur père, Fabio. Cette hacienda, la *Veracruz*, est dédiée à l'élevage de taureaux de combat et, bien que ses dimensions et son zoo ne soutiennent pas la comparaison avec *Nápoles*, la maison est joliment décorée et un peu partout on peut voir ces petites Ferrari et Mercedes électriques, rouges et jaunes, qui font rêver tellement d'enfants. L'aîné des trois frères Ochoa est Jorge Luis ; c'est un homme affable, du même âge que Pablo, que ses amis appellent « le Gros », et qui est marié à une grande et belle femme, María Lía Posada, cousine de la ministre de la Communication, Noemí Sanín Posada. Bien que Jorge ne semble pas être doté du même magnétisme qu'Escobar, quand il est question de s'amuser il saute aux yeux que ces deux hommes sont unis par une grande affection et un profond respect, produit d'une sorte de loyauté qui, au fil des ans, a été plusieurs fois mise à l'épreuve.

Lorsque nous nous quittons, je dis à Jorge que j'aimerais beaucoup qu'il me montre ses fameux champions de course. Avec un franc sourire, il me promet de programmer très prochainement quelque chose de spécial et il m'assure que je ne serai pas déçue.

Nous rentrons à Medellín dans un autre avion qu'Escobar et, bien que les efforts qu'il a déployés pour séduire Ángela se révèlent encore une fois inutiles, ils semblent être quand même devenus bons amis tous les deux. Medellín est la « ville de l'éternel printemps » et, pour les *paisas*, ses fiers habitants, elle est la capitale du département, la capitale industrielle du pays et le centre du monde. Nous nous installons à l'Intercontinental, situé dans le joli quartier d'El Poblado et proche de la maison-bureau de Pablo et de Gustavo, qui appartient au gérant du métro de Medellín, qui est aussi un de leurs bons amis. Cette partie de la ville se caracté-rise par une multitude de chemins qui serpentent à travers des collines couvertes d'une luxuriante végétation semi-tropicale. Pour des visiteurs comme nous qui sommes habitués aux rues de Bogota, plates et numérotées comme celles de New York, ces chemins constituent un véritable labyrinthe, alors que les *paisas* les sillonnent à toute vitesse lorsqu'ils montent et descendent de ces quartiers résidentiels bordés d'arbres et de jardins pour rejoindre le bruyant centre-ville.

« Comme aujourd'hui c'est dimanche et que tout le monde se couche tôt, à minuit, je vais vous emmener faire un tour dans la voiture de James Bond qui va vous laisser scotchés ! » annonce Pablo.

Lorsqu'il nous présente le joyau de sa collection, nous sommes terriblement déçus. Mais, bien que ce véhicule n'ait rien d'une Aston Martin et ne brille que par son caractère totalement anonyme, son tableau de bord est couvert de toutes sortes de boutons. En voyant nos visages soudain éclairés par la curiosité, son orgueilleux propriétaire commence à énumérer les qualités d'un bolide qui ne peut avoir été conçu qu'en pensant à la police :

« En appuyant sur ce bouton, on lâche un rideau de fumée qui oblige nos poursuivants à s'arrêter ; avec celui-ci, du gaz lacrymogène qui les fait tousser et les oblige à chercher désespérément de l'eau… Avec celui-là, de l'huile pour les faire partir en zigzag et tomber en bas d'un précipice, avec celui-ci, des centaines de clous et de punaises pour crever leurs pneus… Ça, c'est un lance-flammes qu'on active après avoir poussé le bouton qui libère de l'essence ; celui-là lance des explosifs, et il y avait des mitraillettes de chaque côté, mais nous les avons démontées au cas où la voiture tomberait entre les mains d'une panthère vengeresse. Ah ! Et si tout ce qui précède venait à ne pas fonctionner, ce dernier bouton émet un son d'une fréquence qui détruit les tympans. Nous allons faire une démonstration de l'utilité pratique de ce petit trésor, mais il n'y a que les dames, et Ángela qui va être mon copilote, qui puissent prendre place dans la voiture de Bond. Les hommes et… Virginia iront dans les autres voitures, derrière nous. »

Il démarre et part tout doucement, au contraire de nous qui partons à toute vitesse. Au bout de quelques minutes, nous le voyons arriver à toute berzingue, comme un possédé ; nous ne savons pas s'il nous double en volant au-dessus de nous mais, un instant plus tard, il est devant nous. Nous essayons à plusieurs reprises de le dépasser mais, chaque fois que nous sommes sur le point de réussir, il prend la fuite et disparaît dans les lacets des rues désertes d'El Poblado pour réapparaître au moment où nous nous y attendons le moins. Je prie Dieu pour qu'aucun véhicule ne croise son chemin car il serait projeté en contrebas en faisant des tonneaux ou se ferait écrabouiller comme une crêpe sur l'asphalte. Ce jeu se poursuit durant presque une heure et, alors que nous ralentissons pour reprendre haleine, Escobar sort de l'ombre en faisant vrombir son moteur et nous noie dans un nuage de fumée qui nous oblige à nous arrêter. Nous mettons plusieurs minutes à retrouver sa trace et, lorsque nous y parvenons enfin, il nous laisse sur place et nous nous retrouvons comme enveloppés par de gros nuages de gaz qui semblent se multiplier et s'enflammer à chaque seconde qui passe. Nous avons la sensation que de l'acide sulfurique nous brûle la gorge et remonte dans notre nez avant de nous brouiller la vue et gagner les moindres replis de notre cerveau. Nous suffoquons et chaque bouffée de cet air vicié que nous aspirons décuple cette sensation de brûlure. Dans notre dos, nous entendons gémir les gardes du corps et, au loin, nous percevons le rire des occupants de la voiture de James Bond qui vient de décamper à deux cents kilomètres à l'heure.

Sur le côté du chemin, je ne sais trop comment, nous trouvons un récipient rempli d'eau. Les hommes d'Escobar sortent des voitures en courant, en pestant et en se heurtant tout en se disputant la moindre gorgée du précieux liquide. En les voyant pleurer, je me mets sur le côté et, pour leur montrer le bon exemple, je me place tout au bout de la file. Puis, les poings sur les hanches et avec le peu de voix qu'il me reste, je leur crie, avec tout le mépris que je puisse exprimer :

« Putain, elle est belle votre virilité ! On dirait que la seule qui en ait ici, c'est une femme, c'est moi ! Vous n'avez donc pas honte ? Allez, un peu de dignité, on dirait des gonzesses ! »

Pablo et ses complices arrivent sur place et, à la vue de ce spectacle, éclatent tous de rire. Il nous jure plusieurs fois que c'est sa copilote qui est la responsable de tout cela, car il l'a seulement autorisée à lâcher un rideau de fumée sur nous, tandis que l'affreuse sorcière, qui n'arrête pas de rire, avoue qu'elle « a appuyé par erreur sur le petit bouton du gaz lacrymogène ». Puis, sur un ton militaire, il ordonne à ses hommes :

« Allez, un peu de dignité, on dirait vraiment des gonzesses ! Laissez donc passer la dame ! »

Tout en toussant et en ravalant mes larmes, je lui réponds que je laisse passer les « demoiselles » et que je me désaltérerai en rentrant à l'hôtel, qui n'est qu'à deux minutes. J'ajoute que son pauvre *vieux tacot* n'est rien de plus qu'un putois fétide et je m'en vais.

*

Lors d'un de nos autres voyages à Medellín, pendant le second semestre de l'année 1982, Aníbal me présente à un baron de la drogue très différent de Pablo et de ses associés, nommé Joaquín Builes. « Joaco » est le portrait craché de Pancho Villa, et sa famille descend de Mgr Builes. Il est richissime, extrêmement sympathique et se vante d'être tout aussi méchant, « mais très méchant pour de vrai, pas comme Pablito », et d'avoir fait assassiner avec son cousin Miguel Ángel des centaines, des centaines et des centaines de personnes, un tel nombre de personnes qu'elles pourraient représenter l'équivalent de la population de toute une commune du département d'Antioquia. Ni Aníbal ni moi n'en croyons un mot, mais Builes éclate de rire et jure que c'est vrai.

« C'est vrai que Joaco est un moulin à paroles, me dira Pablo quelque temps plus tard, mais il est tellement, tellement radin qu'il va préférer consacrer tout un après-midi à essayer de te vendre un tapis persan pour gagner mille dollars plutôt qu'investir tout ce temps pour livrer une demi-tonne de coke, qui lui rapporterait de quoi ouvrir dix magasins de tapis ! »

Au cours de cette amusante discussion avec Joaco, Aníbal et le Chanteur, j'apprends que quand il était encore tout jeune, Pablo a entamé sa brillante carrière politique en volant des pierres tombales dans le cimetière. Avec ses complices, il limait les noms des défunts et ils les revendaient ensuite comme neuves. Et ils renouvelaient plusieurs fois l'opération avec la même pierre. Je trouve cette histoire hilarante, car je m'imagine tous ces vieux avares *paisas* en train de se retourner dans leur tombe en apprenant que leurs héritiers ont payé une fortune pour une pierre qui n'est même pas une deuxième, mais une troisième ou une quatrième main. Je les écoute également parler avec admiration de l'indiscutable et très remarquable talent d'Escobar pour « désosser », en l'espace de seulement quelques heures, des voitures volées de n'importe quelle marque pour les revendre ensuite par morceaux comme des « pièces détachées à bas prix ». Dans mon for intérieur, j'en conclus que ce sont les connaissances encyclopédiques que notre parlementaire adjoint possède en matière de mécanique automobile qui lui ont permis de demander qu'on lui fabrique ce produit « exclusif, unique et totalement fait main » qu'est sa voiture de James Bond.

Quelqu'un fait également remarquer que notre nouvel ami a aussi été une sorte de « gâchette » pendant les guerres de Marlboro mais, lorsque je demande de quoi il s'agit, personne n'est capable de me donner d'explication et tout le monde change de sujet. Je m'imagine que cela doit vouloir dire quelque chose comme cambrioleur de bureaux de tabac – car mille paquets de Marlboro de contrebande pèsent clairement moins lourd qu'une pierre tombale – et je me dis que la vie de Pablito fait beaucoup penser au slogan des cigarettes Virginia Slims : « *You've come a long way, Baby!* »

*

Quelques jours plus tard, nous recevons un message des Ochoa qui nous invitent à venir à

Carthagène. La nuit qui nous attend là-bas est l'une des plus inoubliables que j'aie vécues. Nous nous installons dans la suite présidentielle du Hilton Cartagena et, après avoir dîné dans le meilleur restaurant de la ville, nous nous préparons à découvrir ce que Jorge et sa famille veulent nous offrir pour tenir la promesse qu'ils nous ont faite quelques jours plus tôt : une promenade dans les rues de la ville – la partie ancienne et la moderne – dans des calèches tirées par des chevaux qu'ils ont tout spécialement fait venir de *La Loma*.

Cette scène, tirée des *Mille et Une Nuits*, semble avoir été organisée par un cheikh arabe pour le mariage de sa seule et unique fille, et produite par un réalisateur artistique de Hollywood chargé d'utiliser une imposante hacienda mexicaine du XIXe siècle pour cadre fastueux de cet événement.

Ces voitures à cheval ne sont ni comme celles de Carthagène ni comme celles de New York, ni même comme celles des grands d'Espagne à la *Feria* de Séville. Elles ont bien deux lanternes qui encadrent un cocher à l'uniforme impeccable, mais chacun de ces quatre équipages est tiré par six percherons harnachés, tous des champions, blancs comme neige, le poitrail bombé comme les chevaux du carrosse de Cendrillon, tout fiers de leur taille imposante et de leur splendide beauté. Claquant des sabots avec la rigueur et la sensualité réunies de vingt-quatre *bailaores* de flamenco, ils déambulent dans la plus parfaite synchronisation à travers ce dédale de rues historiques. Pablo nous signale que chacun de ces attelages vaut un million de dollars mais, en ce qui me concerne, la chance que j'ai de jouir de cette sublime émotion vaut tout l'or du monde. Cette apparition soulève derrière elle une vague d'étonnement chez tous ceux qui la contemplent : habitants qui se penchent aux balcons blancs de la vieille ville, touristes enchantés, vieux cochers *cartageneros* qui regardent cette magnifique parade ostentatoire défiler sous leurs yeux ébahis.

Je ne sais pas si ce spectacle tel qu'il a été organisé est la stricte expression de la générosité de Jorge et de son associé à notre égard, ou s'il a été aussi influencé par de subtiles suggestions formulées par Pablo dans l'espoir de séduire Angelita grâce à un moment si unique et si romantique, ou encore si la famille Ochoa veut témoigner ainsi à Escobar sa gratitude pour le courage, le sens stratégique dont il a fait preuve et les résultats qu'il a obtenus lors de l'enlèvement et la libération de la sœur de Jorge, un an plus tôt. Tout ce que je sais, c'est qu'aucun de tous les grands magnats colombiens que je connais ne pourra jamais offrir pour le mariage de sa fille un aussi superbe spectacle que celui dont cette famille et son indéniable bon goût ont su nous régaler ce soir-là.

Une autre fois, nous partons en week-end à Santa Marta, ville située au bord de la mer des Caraïbes et berceau de la légendaire *Samarian Gold*. Nous y faisons la connaissance des Dávila, les rois de la marijuana. Contrairement aux barons de la coke qui, à de rares exceptions près comme les Ochoa, sont d'origine très modeste ou issus des classes moyennes inférieures, les Dávila appartiennent à la vieille aristocratie terrienne de la côte atlantique. Par contraste avec les *coqueros*[1] qui ont le plus souvent un physique peu avenant – ou, comme dirait Aníbal, « l'air épais » –, chez eux presque tous les hommes sont grands et beaux, certes, mais mal dégauchis ; certaines des femmes de la famille Dávila ont épousé des personnalités comme le président López Pumarejo, le fils du président Turbay ou encore Julio Mario Santo Domingo, l'homme le plus riche de Colombie.

Aníbal m'explique que l'aéroport de Santa Marta ferme à six heures de l'après-midi, mais que les Dávila ont ici tellement de pouvoir qu'ils le font ouvrir de nuit rien que pour eux. C'est ce qui leur permet de faire décoller en toute quiétude leurs avions chargés de ce qui a pour réputation d'être la meilleure marijuana du monde. Je lui demande comment ils s'y prennent et il me répond « en graissant la patte » à tout le monde : à la tour de contrôle, à la police et à quelques officiers de la marine. Comme je connais maintenant un grand nombre de ses amis nouveaux riches, je lui fais remarquer :

« Je croyais que ces *narcos* avaient tous leur propre piste d'atterrissage dans leur hacienda…

— Nooooon, mon petit cœur. Seulement les plus grands ! La *marimba*[2] ne rapporte pas assez pour cela, et elle a déjà fort à faire avec la concurrence de celle de Hawaï. Ne rêve pas, ce n'est pas à la portée de toutes les bourses car, pour avoir sa propre piste, il faut un million d'autorisations. Tu sais déjà toute la paperasse dont on a besoin dans

---

1. Ici, ceux qui s'adonnent au trafic de cocaïnes. *(N.d.T.)*
2. Une des appellations familières de la marijuanas. *(N.d.T.)*

ce pays quand on veut simplement immatriculer une voiture, pas vrai ? Eh bien, multiplie par cent toutes ces formalités, et tu peux mettre le HK[1] sur ton avion ; et maintenant, multiplie-les encore par cent, et tu obtiens l'autorisation pour avoir ta piste privée. »

Je lui demande alors comment Pablo s'y prend pour avoir sa propre piste, sa flotte d'avions pour transporter des tonnes de coke, faire venir d'Afrique des girafes et des éléphants et passer en contrebande des Rolligon et des bateaux de six mètres de haut.

« C'est qu'il n'a aucun concurrent dans son business. Et si Pablito est le plus riche de tous, trésor, c'est parce que c'est un jumbo-jet : il a mis dans sa poche le grand patron de la Direction de l'aviation civile, un jeune type qui est le fils d'un des tout premiers *narcos*... un dénommé Uribe, cousin des Ochoa... Álvaro Uribe, je crois. Pourquoi crois-tu que tous ces *narcos* viennent de financer la campagne des deux candidats à la présidence ? Tu crois que ce n'était que pour fréquenter le futur président ? Tu n'es quand même pas si naïve !

— Il s'est trouvé un sacré bon poste, le bonhomme ! Tous ces types doivent faire la queue pour lui baiser les pieds !

— La vie est ainsi faite, mon amour : la mauvaise réputation, les gens finissent par l'oublier, mais l'argent, lui, il reste à la maison ! »

*

1. Code servant à l'immatriculation des avions en Colombie. *(N.d.T.)*

Cette époque faste est placée sous le signe du vin, des roses, du miel et des rires, des amitiés charmantes. Mais comme rien n'est jamais éternel, un beau jour, les notes de cette mélodie cessent de s'élever et se taisent tout aussi soudainement qu'elles avaient commencé à se faire entendre.

L'addiction d'Aníbal, qui semble aller *crescendo* à chaque nouveau « caillou » que Pablo lui offre, fait que les scènes de jalousie les plus absurdes et les plus embarrassantes ont petit à petit pris le pas sur ses manifestations de tendresse et sur ses déclarations d'amour publiques. Auparavant réservées aux inconnus, ces scènes visent aussi maintenant nos amis communs et même mes fans. Après chacun de ces différends, qui débouche sur une séparation de quarante-huit heures, Aníbal trouve toujours une de ses ex, deux catcheuses de boue ou trois *bailaoras* de flamenco pour le consoler. En général, le troisième jour, il m'appelle pour m'implorer de revenir ; des heures de supplications, des douzaines de roses et quelques larmes furtives finissent par avoir raison de ma résistance... Et tout recommence comme auparavant.

Un soir, alors que nous sommes en train de discuter dans un bar chic avec notre bande d'amis, mon fiancé sort un revolver et met en joue deux de mes admirateurs qui viennent juste me demander un autographe. Quand nos amis réussissent à le désarmer, presque une heure plus tard, je les prie de m'accompagner chez moi. Cette fois, lorsque Aníbal appelle pour essayer de justifier ce qui est arrivé, je le préviens :

« Dis-moi que tu arrêtes la coke aujourd'hui même et, crois-moi, je vais te choyer et te rendre heureux jusqu'à la fin de tes jours. Sinon, je te plaque tout de suite, et cette fois-ci, c'est pour de bon.

— Mais, mon amour… Tu dois comprendre que je ne peux pas vivre sans ma "Blanche-Neige" et que je ne vais jamais la laisser tomber !

— Eh bien, dans ce cas, pour moi, tout est fini entre nous. Restons-en là. »

Et c'est ainsi, en un clin d'œil, que la première semaine de janvier, nous nous sommes dit adieu pour toujours.

*

En 1983, les chaînes de télévision privées n'existent pas encore en Colombie. Après un appel d'offres, chaque nouveau gouvernement adjuge les différents écrans publicitaires à des maisons de production privées connues sous le nom de *programadoras*, et TV Impacto – la société que j'ai fondée avec la célèbre journaliste Margot Ricci, connue pour son franc-parler – a obtenu plusieurs écrans sur des tranches horaires AA et B. Or, à l'époque, la Colombie est en pleine récession économique et les grandes entreprises ne programment leurs spots publicitaires que sur les tranches horaires AAA, c'est-à-dire de dix-neuf heures à vingt et une heures trente. Au bout d'un an d'existence, faute de pouvoir payer la redevance à l'Institut national de la radio et de la télévision, presque toutes les petites maisons de production – dont la nôtre – se déclarent en faillite. Margot veut que nous nous rencontrions toutes les deux pour décider de ce que nous allons faire mais, le lundi, lorsque j'arrive au bureau, voici la première chose qu'elle me dit :

« Est-il vrai qu'Aníbal t'a tiré dessus vendredi ? »

Je lui réponds que, si tel était le cas, à l'heure qu'il est, je serais au cimetière ou à l'hôpital, et non dans mon bureau.

« Eh bien, c'est ce que tout le monde dit à Bogota ! » s'exclame-t-elle, et le ton de sa voix laisse bien entendre qu'elle accorde plus de crédit aux on-dit qu'à ce qu'elle voit de ses propres yeux.

Je réplique que je ne vais pas changer la réalité pour faire plaisir à tout Bogota. Puis j'ajoute que, s'il est faux d'affirmer qu'Aníbal a tiré avec son arme, en revanche il est vrai que je l'ai quitté pour toujours et que je n'arrête pas de pleurer depuis trois jours.

« Ça y est ! Enfin ! Bon Dieu, quel soulagement, quelle délivrance ! Et maintenant, prépare-toi à pleurer pour de bon car nous sommes endettées à hauteur de cent mille dollars. À ce train-là, je vais devoir aller mettre en vente mon appartement, ma voiture, et même mon fils !... Évidemment, avant de vendre mon fils, je te vendrai au Bédouin aux cinq chameaux, car je ne vois pas comment nous allons pouvoir nous tirer d'affaire ! »

Huit mois plus tôt, le gouvernement d'Israël nous avait invitées. Margot et moi nous étions rendues dans ce pays et nous avions ensuite visité l'Égypte pour voir les pyramides. Alors que nous nous trouvions dans le bazar du Caire, occupées à marchander un collier de turquoises, un Bédouin efflanqué et édenté d'environ soixante-dix ans, qui marchait avec un bâton de berger et empestait le bouc, m'observait d'un regard concupiscent ; il tournait nerveusement en rond et tâchait d'attirer l'attention du propriétaire de l'étal. Après avoir échangé quelques paroles avec le vieil homme, le vendeur s'était adressé à Margot en anglais et lui avait dit, avec son sourire le plus éclatant :

« Ce riche monsieur souhaite offrir le collier à la jeune dame. Et ce n'est pas tout : il souhaite se marier avec elle et négocier tout de suite la dot. Il est prêt à offrir cinq chameaux pour elle ! »

Offensée par ce chiffre, mais très amusée par cette proposition insolite, j'avais dit à Margot de demander au moins trente chameaux pour moi et d'avertir cette momie de la IVe dynastie que la jeune dame n'était pas vierge, qu'elle avait été mariée, et même deux fois.

S'exclamant qu'il n'y avait que les cheikhs qui pouvaient posséder trente chameaux, le vieux, alarmé, avait demandé à Margot si cela voulait dire que j'avais déjà enterré deux maris.

Après avoir souri, compatissante, à ce prétendant qui voulait ma main, et m'avoir dit de me préparer à prendre mes jambes à mon cou, mon associée avait lancé au vendeur, l'air triomphant :

« Dites au riche monsieur qu'elle ne les a pas enterrés, mais que cette jeune fille de trente-deux ans a déjà viré deux maris vingt ans plus jeunes, vingt fois moins affreux et vingt fois moins pauvres que lui ! »

Et nous nous étions évanouies dans la cohue, tandis que le vieillard nous poursuivait en hurlant en arabe et en agitant furieusement son bâton dans tous les sens. Nous avions ri jusqu'à notre chambre d'hôtel depuis laquelle nous avions contemplé, heureuses, le Nil légendaire aux eaux de jade qui brillait sous les étoiles.

*

La référence à ce Bédouin me remet en mémoire un collectionneur de dromadaires qui, lui, n'est ni septuagénaire, ni colérique, ni pestilentiel, ni édenté. Je dis à Margot :

« Tu sais que je connais quelqu'un qui possède plus de cinq chameaux, qui m'a déjà sauvé la vie une fois et qui pourrait là, tout de suite, sauver notre entreprise ?

— Un cheikh, ou le propriétaire d'un cirque ? demande-t-elle ironiquement.

— Un cheikh à trente chameaux. Mais je dois d'abord vérifier quelque chose. »

J'appelle le Chanteur, je lui explique que nos biens, à Margot et moi, vont être saisis et je lui dis qu'il me faut le numéro de téléphone de Pablo pour vendre de la publicité à une de ses compagnies ou lui proposer de racheter notre société de production.

« Eh bien... la seule entreprise que je lui connaisse et qui fasse de la publicité est Coca-Cola ! Mais c'est le genre de problème qu'il adore résoudre d'un simple trait de plume... Ne bouge pas, reste où tu es, il te rappelle tout de suite ! »

Quelques minutes plus tard, mon téléphone sonne. Après un bref échange, je me rends au bureau de mon associée et, avec mon sourire le plus radieux, je lui dis :

« Margarita, le représentant à la Chambre Pablo Escobar Gaviria est en ligne. Il veut savoir si nous sommes partantes et s'il envoie son jet nous chercher demain à quinze heures. »

*

En rentrant de Medellín, je trouve une invitation à dîner d'Olguita et du Chanteur. Olga est douce et fine et lui, il est l'Andalou le plus sympathique et le plus déjanté du monde. Lorsque j'arrive chez lui – et presque sans me laisser le temps de m'asseoir –, Urraza me demande comment ça s'est passé pour nous là-bas. Je réponds que, grâce au contrat publicitaire des Vélos Osito que Pablo nous a offert, nous allons pouvoir honorer toutes les dettes de notre maison de production et que, la semaine suivante, je repartirai là-bas pour tourner avec lui une émission à la décharge municipale.

« Super… Moi, pour une somme pareille, je serais même capable de manger des ordures ! Et tu vas la passer à la télévision ? La vache ! »

Je lui explique que chaque journaliste interviewe chaque semaine une demi-douzaine de parlementaires sans intérêt et que Pablo est représentant à la Chambre ; il n'est que suppléant, certes, mais c'est tout de même un parlementaire. Et j'ajoute :

« Il est sur le point d'offrir deux mille cinq cents maisons aux "résidents" de la décharge et encore autant aux habitants des bidonvilles. Si ça ce n'est pas une nouvelle pour la Colombie, il va falloir que je songe à changer de métier ! »

Il veut savoir si Pablo a imposé cette interview comme condition pour accepter de m'aider, mais je lui réponds que non. C'est moi qui lui ai imposé

72

cette condition pour signer ce contrat publicitaire, car Pablo ne demandait qu'un sujet de cinq minutes. Je lui explique que je lui suis tellement reconnaissante et que j'éprouve une telle admiration pour son projet « Medellín sans bidonvilles » que je compte lui consacrer l'intégralité de mon émission du lundi, de dix-huit heures à dix-neuf heures, qui sera diffusée dans trois semaines.

« Eh bien, tu as des couilles, toi !... Et j'ai aussi l'impression que Pablo s'intéresse à toi... »

Je lui réponds que tout ce qui m'intéresse, c'est de sauver mon entreprise et de mener ma carrière comme il faut, car c'est tout ce que j'ai.

« Eh bien, si jamais Pablo tombe amoureux de toi et si tu tombes amoureuse de lui – comme je pense que cela a des chances d'arriver –, tu n'auras plus jamais l'occasion de te soucier de ta carrière, de ton avenir ou de cette satanée maison de production ! Et tu m'en seras reconnaissante pour le restant de tes jours, tu peux me croire... »

Je lui dis en riant que cela n'arrivera pas : j'ai toujours le cœur en compote, et puis Pablo a toujours été fasciné par Ángela.

« Non, mais tu veux dire que tu ne t'es pas rendu compte que ce n'étaient que des enfantillages et qu'elle est plutôt du genre à ne s'amouracher que de joueurs de polo ? Pablo sait qu'Angelita n'est pas une fille pour lui car il n'est pas idiot... Il a de très grandes ambitions politiques et il a besoin d'avoir à ses côtés une vraie femme, qui soit élégante et sache parler en public, pas un mannequin ni une fille de la même condition que lui, comme sa dernière petite amie... Tu sais qu'il lui a laissé deux millions de dollars ?... Un type qui veut être président et qui, à trente-trois ans, est en passe de devenir l'un des hommes les plus riches du monde, que ne donnerait-il pas à une princesse comme toi ! »

Je lui fais remarquer que ces hommes si riches ont toujours un faible pour les filles très jeunes et que moi, j'ai déjà trente-trois ans.

« Mais, bon Dieu, arrête de dire des conneries, tu as l'air d'en avoir vingt-cinq, putain ! Les multimillionnaires, ils ont toujours préféré les femmes sensationnelles, qui présentent bien, aux gamines qui n'ont pas de conversation et ne savent même pas faire l'amour ! Tu es un sex-symbol et tu vas rester belle pendant encore au moins vingt ans. Que te faut-il de plus ? Connais-tu un seul homme qui attacherait de l'importance à l'âge de Sophia Loren, connasse ? Tu es la *professional beauty* de ce pays, un pur-sang, une chose que Pablo n'a jamais eue ! Putain, et dire que je te prenais pour une femme intelligente... »

Et, pour enfoncer le clou, il s'exclame, horrifié, à la fin de son laïus :

« Au fait, si jamais tu comptes te pointer à la décharge en Gucci et en Valentino, je te préviens que tu ne pourras pas te défaire de l'odeur de toute la semaine ! Cette odeur, même en rêve, tu ne peux pas t'imaginer ce que c'est... »

Demande-moi
tout ce que tu voudras !

C'est la puanteur de dix mille cadavres en putré-
faction sur un champ de bataille, trois jours après
une défaite historique. Plusieurs kilomètres avant
d'arriver, on commence déjà à la sentir. La décharge
de Medellín n'est pas une montagne recouverte d'ordures ; c'est une montagne constituée de millions
et de millions de mètres cubes d'ordures qui se
décomposent en même temps. C'est la puanteur de
la matière organique accumulée pendant des lustres
qui passe par tous les stades du pourrissement avant
de se liquéfier totalement. L'odeur des émana-
tions de gaz qui l'accompagnent et qui s'élèvent de
toutes parts. C'est la puanteur de tout ce qu'il reste
du règne animal et du règne végétal lorsqu'ils se
mêlent à l'univers des déchets chimiques. L'odeur
de la misère la plus absolue et des formes les plus
extrêmes du dénuement le plus total. C'est la puanteur de l'injustice, de la corruption, de l'arrogance,
de l'indifférence totale. Elle imprègne chaque molé-
cule d'oxygène, et on pourrait presque la distinguer
lorsqu'elle se colle à notre peau pour pénétrer par

ses pores jusqu'à nos entrailles et nous retourner les viscères. C'est l'arôme douceâtre de la mort qui nous épie tous, un parfum tout trouvé pour le jour du Jugement dernier.

Nous entamons notre ascension par le chemin gris, couleur de cendre, que les camions gravissent lorsqu'ils viennent déverser leur contenu dans la partie la plus en hauteur de la décharge. Comme toujours, c'est Pablo qui conduit. À chaque minute, je sens qu'il m'observe, qu'il épie mes réactions : celles de mon corps, de mon cœur, de mon esprit. Je sais ce qu'il pense et il sait ce que je ressens en ce moment, nos regards se croisent furtivement, échangeant une espèce de sourire qui le confirme. Je sais qu'avec lui à mes côtés je pourrai surmonter sans encombre tout ce qui nous attend ; mais, à mesure que nous approchons de notre destination, je commence à me demander si mon assistante, Martita Brugés, et le cameraman vont être capables de travailler pendant quatre à cinq heures dans un cadre pareil, non ventilé, qui vous soulève le cœur, sous cette chaleur confinée par les parois métalliques d'une journée nuageuse, oppressante et harassante comme je ne me souviens pas d'en avoir vécu.

Cette odeur n'a été que le préambule d'un spectacle qui ferait s'enfuir de honte le plus hardi des hommes. L'enfer de Dante qui s'ouvre devant nous semble s'étaler sur plusieurs kilomètres carrés et son sommet représente l'horreur dans ce qu'elle a de plus poignant : au-dessus de nous, sur une toile de fond gris sale qu'aucune personne saine d'esprit n'oserait appeler le ciel, planent des milliers de *gallinazos*[1] et autres vautours aux becs acérés comme des poignards encadrés par de petits yeux cruels, aux plumes tellement répugnantes de saleté qu'elles ont depuis bien longtemps perdu leur noir originel. L'air supérieur, comme s'ils étaient les aigles de céans, les membres de la dynastie qui règne sur cet inframonde évaluent en quelques secondes notre état de santé et poursuivent leur festin de cadavres de chevaux dont les viscères humides luisent au soleil. En contrebas, des centaines de canidés qui viennent d'arriver nous accueillent en montrant des crocs aiguisés par une faim chronique tandis que d'autres congénères, plus âgés, moins maigres et plus insouciants, remuent la queue ou grattent leur pelage clairsemé et infesté de puces et de tiques. Toute la montagne semble en proie à une agitation frémissante et frénétique : ce sont des milliers de rats, gros comme des chats, et des millions de souris de toutes les tailles. Des nuées de mouches se posent sur nous et de gros nuages de cousins, de moustiques et d'anophèles viennent fêter cette arrivée de sang frais. Toutes les espèces de l'inframonde animal semblent trouver ici une manne de nourriture.

Au loin commencent à apparaître des êtres grisâtres et différents de tous les autres. D'abord, des petits curieux au ventre gonflé, infesté par les vers, puis des mâles au regard farouche et, finalement, des femelles tellement émaciées que seules celles qui sont enceintes semblent vraiment

---

1. Vautour à tête noire présent dans une grande partie du continent américain. *(N.d.T.)*

vivantes, ce qui est d'ailleurs, pour le bonheur de certains, le cas de toutes les plus jeunes. Ces sombres créatures semblent surgir de toutes parts, d'abord par dizaines puis par centaines ; elles nous entourent progressivement pour nous couper la route ou pour nous empêcher de fuir et, en l'espace de quelques minutes, nous nous retrouvons encerclés. Subitement, cette marée ondoyante et pressante explose en une clameur allègre et leurs visages semblent soudain illuminés de milliers d'éclairs blancs :

« C'est lui, don Pablo ! Don Pablo est arrivé ! Et il vient avec la demoiselle de la télévision ! Vous allez nous faire passer à la télévision, don Pablo ? »

Ils sont maintenant tous radieux de bonheur et pleins d'enthousiasme. Ils viennent tous le saluer, le serrer dans leurs bras, le toucher comme s'ils voulaient emporter un morceau, quelque chose de lui. À première vue, ce miraculeux sourire est la seule chose qui différencie ces pauvres hères sales et faméliques du règne animal, qui semble les avoir relégués au statut d'espèce en sus dans cet habitat réservé aux bêtes ; mais, au cours des heures qui suivront, ces êtres me donneront une des leçons les plus splendides de mon existence.

*

« Vous voulez voir mon sapin de Noël, mademoiselle ? » demande une fillette en tirant sur la manche de mon chemisier en soie.

Je m'attends à ce qu'elle me montre la branche d'un arbre couché, mais il apparaît que c'est bien un petit sapin de Noël couvert de neige artificielle, quasiment neuf et *made in USA*.

Pablo m'explique qu'ici Noël arrive avec deux semaines de retard, car tout ce que possèdent ces gens provient des ordures ; il me dit aussi que ce que les riches ne veulent plus, et leurs cartons, représente pour les plus pauvres des trésors et des matériaux de construction.

« Moi aussi, je veux te montrer ma crèche ! me lance une autre petite fille. Elle est enfin complète ! »

L'Enfant Jésus est un géant boiteux et borgne, la Vierge est de taille *medium* et saint Joseph est de taille *small*. L'âne et le bœuf en plastique appartiennent évidemment à des séries qui ne sont pas commercialisées dans le même magasin. J'essaie de me retenir de rire devant cette sympathique version d'une famille contemporaine, et je poursuis ma visite.

« Je peux vous inviter à visiter ma maison, madame Virginia ? » me propose une dame affable, avec l'assurance qu'aurait n'importe quelle femme de la classe moyenne colombienne.

Je m'attends à découvrir une cabane en carton et en boîtes de conserve comme celles des bidonvilles de Bogota, mais je fais fausse route : cette maisonnette est faite de briques maçonnées et son toit est recouvert de tuiles en plastique. À l'intérieur, elle dispose d'une cuisine et de deux chambres aux meubles certes abîmés mais propres. Dans l'une d'elles, le fils de cette dame, qui doit avoir une douzaine d'années, est occupé à faire ses devoirs.

« J'ai eu la chance de trouver à la décharge ce service à café qui est complet ! me raconte-t-elle. Et regardez ma vaisselle : elle est un peu dépareillée mais nous avons de quoi manger à six. Les couverts et les verres ne sont pas assortis, comme ceux de madame, mais moi, je les ai eus gratuitement ! »

Je souris, et je demande s'ils récupèrent aussi leur nourriture dans les poubelles. Elle s'écrie :

« Oh non, non ! Nous mourrions si nous faisions ça ! Et, de toute façon, les chiens tombent dessus les premiers. Nous descendons sur la place du marché et nous l'achetons avec le produit de notre travail de recycleurs. »

Un jeune qui a l'air du petit caïd d'un gang et porte un jean américain et des tennis branchées en parfait état, me montre fièrement sa chaîne en or dix-huit carats ; je sais que, dans n'importe quelle bijouterie, elle coûterait environ sept cents dollars, et je lui demande comment il a fait pour trouver quelque chose d'aussi petit et d'aussi précieux dans des milliards de mètres cubes d'ordures.

« Eh bien, je l'ai trouvée avec ces vêtements dans un sac en plastique. Je ne l'ai pas volée, madame, je vous le jure sur le Seigneur ! Ça doit être une femme en pétard qui a jeté son type dehors avec toute sa *quincaillerie*... C'est qu'elles ne rigolent pas, les *paisas*, Jésus Marie ! »

Puis, je demande au groupe d'enfants qui nous suivent :

« Quelle est la chose la plus étrange que vous avez trouvée ? »

Ils se regardent les uns les autres et répondent, presque à l'unisson :

« Un bébé mort ! Les rats étaient en train de le manger quand nous sommes arrivés ! Le cadavre d'une petite fille qui avait été violée a aussi été trouvé, mais beaucoup plus loin, près de l'endroit d'où vient l'eau, quelque part là-haut – ils me montrent l'endroit du doigt. Mais ça, ce sont des choses que font les gens méchants qui ne vivent pas ici. Ici, les gens sont très gentils. Pas vrai, don Pablo ?

— Tout à fait : ce sont les meilleures personnes du monde ! » dit-il, l'air totalement convaincu, et sans le moindre soupçon de paternalisme.

Vingt-quatre ans après, j'ai oublié presque tout ce que Pablo Escobar m'avait dit au cours de cette interview – la première qu'il accordait à un média national – au sujet des deux mille cinq cents familles qui habitaient dans cet enfer. Il doit bien se trouver quelque part, cet enregistrement vidéo dans lequel mon visage était en nage et où il me livrait ces paroles enthousiastes. De ces heures qui ont changé pour toujours mon échelle des valeurs pour les choses matérielles dont les gens ont besoin pour pouvoir ressentir un tant soit peu de bonheur, il ne me reste que les souvenirs de mon cœur et la mémoire de mes sens. En plus de cette pestilence omniprésente, sa main qui me guidait en me tenant l'avant-bras et qui me transmettait sa force ; les histoires que me racontaient ces survivants – quelques-uns à moitié propres, presque tous à moitié sales, mais fiers de leur débrouillardise et contents de leur sort – quant à l'origine de leurs modestes biens ou aux conditions de la découverte de certains petits trésors ; les visages de femmes éblouies par la description des maisons dont elles pourraient bientôt parler comme des leurs ; les hommes enthousiasmés à l'idée de reconquérir le respect d'une société qui les avait traités comme son rebut ; les enfants rêvant à l'idée de pouvoir abandonner cet endroit pour devenir des gens de bien. Des rêves collectifs accrochés à la foi en un leader qui les inspire et en un politicien qui ne les trahisse pas.

La joie a contaminé tout l'endroit et ce qui s'apparente à un air de fête semble maintenant flotter sur tout ce cadre. L'horreur de ma première impression a petit à petit laissé place à d'autres émotions et à des raisonnements différents. Le sens de la dignité qu'ont ces êtres humains, leur courage, leur noblesse, leur aptitude à rêver restée intacte dans un espace qui conduirait n'importe lequel d'entre nous vers les plus hautes cimes du désespoir et de la déchéance, ont fini par transformer ma compassion en admiration. Quelque part sur ce sentier poussiéreux, que je retrouverai peut-être à un autre moment, ailleurs, une infinie tendresse à l'égard de tous ces gens vient soudain frapper aux portes de ma conscience et inonde tout mon esprit. Je n'ai plus rien à faire ni de la fétidité ni de l'horreur de cette décharge, ni de la façon dont Pablo ramasse ces tonnes d'argent ; tout ce qui m'importe, ce sont les mille et un tours de magie qu'il opère avec cette manne. Sa présence à mes côtés efface comme par enchantement le souvenir de tous les hommes que j'ai aimés jusque-là, il n'y a plus que lui qui existe, il est mon présent et mon passé et mon futur et mon tout à lui tout seul.

« Qu'est-ce que tu en as pensé ? me demande-t-il tandis que nous descendons vers l'endroit où nous avons garé les voitures.

— Je suis profondément émue. Ça a été une expérience enrichissante comme aucune autre. De loin, ils me donnaient l'impression de vivre comme des animaux... De près, ils ressemblent à des anges... Et à toi seul, tu comptes les ramener à la condition humaine, pas vrai ? Merci de m'avoir invitée à les découvrir. Et merci pour tout ce que tu es en train de faire pour eux. »

S'ensuit un long silence. Puis, il passe son bras autour de mes épaules et me dit :

« Personne ne me dit des choses pareilles... Tu es tellement différente ! Que dirais-tu de dîner avec moi ce soir ?... Et, comme je crois que je sais ce que tu vas dire... j'ai pris la peine de m'assurer que le salon de beauté reste ouvert jusqu'à l'heure que tu voudras, pour que tu puisses te décoller des cheveux cette odeur de putois fétide... »

Je lui dis qu'il empeste lui aussi comme une mouffette et, d'un rire heureux, il s'exclame qu'il ne pourrait jamais être quelque chose dont le nom se termine par « ette » car il est ni plus ni moins que... Zorro !

*

Notre entrée dans le restaurant provoque plus d'un regard hébété et soulève une vague de murmures qui vont *crescendo*. On nous installe à la table la plus éloignée de la porte, depuis laquelle on peut voir entrer les gens. Je lui fais remarquer que je n'étais encore jamais allée dîner avec une personnalité que je venais d'interviewer, et encore moins avec un politicien, à quoi il me répond qu'il faut toujours un début à tout. Puis, en me regardant fixement avec un sourire, il ajoute :

« Tu sais quoi ? Ces derniers temps, chaque fois que je suis triste ou préoccupé... je me mets à penser à toi. Je te revois en train de crier sur tous ces hommes, pourtant des durs à cuire, au milieu de ce nuage de gaz lacrymogène : "Allez, un peu de dignité ! Vous n'avez donc pas honte ? On dirait des gonzesses !", comme si tu étais Napoléon à Waterloo... C'est la situation la plus comique que j'aie vue de toute ma vie ! J'en ris tout seul, pendant un bon moment, et puis... »

Pendant qu'il marque une pause pour aiguiser ma curiosité, je prépare une réponse dans ma tête.

« Je pense à toi, trempée d'eau glacée, transformée en panthère, ta tunique collée à ton corps... et je recommence à rire pendant un bon moment... et je me dis que tu es, vraiment, une femme très... très... combative. »

Avant de me laisser le temps de lui répondre que personne ne m'a jamais trouvé cette vertu, il continue :

« Tu as un sens de la gratitude bien peu commun car, en général, ce n'est pas dans les habitudes des belles femmes d'être reconnaissantes de quoi que ce soit. »

Je lui dis que j'ai effectivement un sens débordant de la gratitude car, comme je ne suis pas belle, personne ne m'a jamais rien donné et ne m'a jamais reconnu le moindre talent. Il demande ce que je suis, alors, et je lui réponds un concentré de défauts peu communs qui ne sont pas très visibles pour l'instant mais que le temps se chargera d'accentuer. Il me demande de lui raconter pourquoi je me suis lancée dans cette maison de production avec Margot.

Je lui explique qu'en 1981 cela semblait être ma seule perspective d'indépendance professionnelle.

J'avais renoncé à être la présentatrice du journal télévisé de dix-neuf heures, sur la chaîne *24 Horas* car, pour parler du M-19, son directeur, Mauricio Gómez, entendait m'obliger à les qualifier de « bande de malfaiteurs », expression que je transformais en « groupe guérillero, insurgé, rebelle ou subversif ». Mauricio me sermonnait presque tous les jours, il menaçait de me licencier et il me rappelait que je gagnais chaque mois l'équivalent de cinq mille dollars. Je lui répondais qu'il avait beau être le petit-fils du président le plus archi-conservateur de Colombie et le fils d'Álvaro Gómez, peut-être même le prochain président, moi, jusqu'à nouvel ordre, j'étais bien journaliste. Un beau jour, j'avais fini par exploser et par renoncer au poste le mieux payé de toute la télévision et, alors que j'étais bien consciente d'avoir commis une erreur monumentale en prenant cette décision, j'aurais préféré mourir plutôt que de le reconnaître devant quiconque.

Il me remercie de lui accorder ma confiance et demande si « les insurgés, rebelles ou subversifs » le savent. Je lui réponds qu'ils ne s'en doutent pas du tout car je ne les connais même pas et que, de toute façon, si j'ai quitté ce travail, ce n'est pas pour des sympathies politiques mais pour des questions de principe, de rigueur journalistique et langagière.

« Eh bien, eux, ils n'ont pas tes principes, car ils ont enlevé, entre autres personnes, la sœur de Jorge Ochoa. Moi, en revanche, je les connais très bien... Et maintenant ils me connaissent bien aussi. »

Je lui dis que j'ai lu des choses sur sa libération et je lui demande de me raconter comment ils s'y sont pris pour l'obtenir.

« J'ai réussi à réunir huit cents hommes autour de moi, à les poster à côté de chacune des huit cents cabines téléphoniques publiques que compte Medellín. Puis, nous avons pris en filature tous les hommes qui avaient passé un appel à dix-huit heures, l'heure que les preneurs d'otages avaient fixée pour discuter au téléphone des modalités du versement d'une caution de douze millions de dollars. En les suivant partout, sans arrêt, nous avons éliminé un par un tous les innocents et nous avons fini par tomber sur les guérilleros. Nous avons localisé le chef de la bande et nous avons enlevé toute sa famille. Nous avons libéré Martha Nieves et les "rebelles, insurgés ou subversifs" ont appris à leurs dépens qu'il valait mieux ne pas se frotter à nous. »

Étonnée, je lui demande comment il s'y prend pour réunir autour de lui huit cents personnes de confiance.

« C'est une simple question de logistique et, même si ça n'a pas été facile, c'était la seule chose à faire. Dans les prochains jours, si tu acceptes mon invitation à te faire découvrir mes autres projets civiques et sociaux, tu comprendras d'où sont sortis tous ces gens. Mais, ce soir, je voudrais que nous ne parlions que de toi : que s'est-il passé avec Aníbal ? Vous aviez l'air tellement heureux tous les deux. »

Je lui explique que, grâce aux « cailloux » de coke qu'il lui offrait, j'ai décidé qu'une personne comme moi ne pouvait pas continuer de vivre avec un drogué. J'ajoute que, par principe, je ne parle pas aux hommes de ceux que j'ai aimés. Il souligne que c'est là une qualité peu commune et il me demande s'il est vrai que j'ai été mariée à un réalisateur argentin de vingt ans plus âgé que moi. Je lui avoue que, hélas, je suis toujours sa femme :

« Bien que nous soyons séparés de corps et de biens, il refuse catégoriquement de signer les papiers du divorce, pour que je ne puisse pas me remarier. Et aussi pour qu'il n'ait pas lui-même à se marier avec la femme qui sait maintenant à quel point je me contentais de peu. »

Il me regarde en silence, comme s'il tâchait de mémoriser cette dernière phrase. Puis, son visage se transforme et, sur un ton qui ne laisse de place à aucune discussion, il m'indique ce que je dois faire :

« Demain, ton avocat va appeler David Stivel pour lui dire qu'il a jusqu'à mercredi, dernier délai, pour signer les papiers du divorce, et que sinon il en paiera les conséquences. On reparlera tous les deux, après l'heure de fermeture des études de notaire, et tu me raconteras ce qui s'est passé. »

Les yeux illuminés par la lueur ambrée des bougies, je lui demande si Zorro serait capable de tuer l'ogre qui retient la princesse enfermée dans le donjon. Prenant ma main et la serrant entre les siennes, il répond, très sérieux :

« Seulement s'il est vaillant, car je ne gaspille pas de plomb pour des lâches. En revanche, mourir pour toi, ça, ça a un sens… Pas vrai, mon amour ? »

Ses deux dernières phrases et cette question posée par ses yeux et par une partie de sa peau me font comprendre que nous commençons à ne plus être des amis car nous sommes voués à devenir amants.

*

Lorsqu'il m'appelle le mercredi soir, les nouvelles que j'ai à lui apprendre ne sont pas bonnes.

« Alors, il ne signe pas… Mais il est buté, ce *che*, non ?… Il a donc décidé de nous pourrir la vie… Voilà qui devient sérieux ! En revanche, avant de voir comment nous allons nous y prendre pour résoudre ce problème, j'ai une question à te poser : quand tu seras enfin une femme libre, est-ce que tu accepteras de retourner dîner avec moi au restaurant de mon ami "Pelusa" Ocampo ? »

Je réponds qu'il est plus qu'improbable que je sois encore libre pour l'an 2000, et il s'exclame :

« Non, non, non ! Je veux parler de vendredi, d'après-demain, avant qu'un nouvel ogre ne se mette en travers de mon chemin. »

Avec un soupir résigné, je lui dis que les problèmes de ce genre ne se résolvent pas en quarante-huit heures.

« Après-demain, tu seras une femme libre, et tu seras ici, avec moi. Bonne nuit, chérie. »

*

Le vendredi, quand j'arrive chez moi pour déjeuner, après avoir passé plusieurs heures au studio à travailler sur le montage du reportage sur la décharge, ma gouvernante m'informe que mon avocat, Me Hernán Jaramillo, a appelé trois fois et qu'il doit me parler de toute urgence. Lorsque je l'appelle, il s'exclame :

« Stivel a téléphoné ce matin, il était désespéré, pour me dire qu'il devait signer les papiers de ce satané divorce avant midi sous peine de mort ! Le pauvre homme s'est présenté à l'étude du notaire le teint tout cireux et en tremblant comme une feuille ; il avait l'air au bord de l'infarctus, à tel point qu'il était presque incapable de faire sa signature. Puis, sans dire un mot, il est sorti à toutes jambes comme s'il avait le diable à ses trousses. Je n'arrive pas à croire que tu aies pu rester mariée trois ans avec cette poule mouillée ! Mais, bon... te voilà redevenue une femme libre ! Toutes mes félicitations, et à tes ordres pour le prochain, mais, cette fois, choisis-en un qui soit riche et beau garçon ! »

À quatorze heures trente, ma gouvernante m'annonce que six hommes d'Antioquia viennent me livrer des fleurs, que la composition ne rentre pas dans l'ascenseur et qu'ils demandent la permission de la monter par les escaliers, requête qui lui semble très suspecte. Je lui dis qu'il est en effet possible qu'elles ne viennent pas d'une personne suspecte mais d'un criminel et, pour que nous soyons rassurées, je lui suggère de descendre à la vitesse de l'éclair chez le concierge pour voir qui les envoie. Elle remonte et me remet cette petite carte :

Pour ma Panthère royale libérée,
de la part de Zorro P.

Lorsque ces hommes s'en vont, en se retrouvant devant mille *cattleyas trianae*, la fleur nationale de Colombie, des orchidées déclinant tous les tons de violet, lavande, lilas, rose et des *phalaenopsis* blancs par-ci, par-là telles des taches d'écume dans cette mer violette, ma gouvernante croise les bras et fronce les sourcils, ne trouvant rien d'autre à dire que :

« Moi, ces types, ils ne m'ont pas plu du tout… et vos amies diraient que cette composition est la plus merveilleuse qu'elles ont jamais vue de toute leur vie ! »

Je sais que, si je leur montrais cette chose si splendide, elles mourraient effectivement d'envie, et je lui explique qu'elle n'a pu être confectionnée que par les fameux *silleteros*[1] de Medellín, ceux du marché aux fleurs.

À quinze heures, le téléphone sonne ; sans prendre la peine de vérifier qui est à l'appareil, je lui demande sur quel endroit du corps il lui a mis le revolver. À l'autre bout du fil, et malgré la distance, je parviens à saisir d'abord sa surprise, puis son bonheur. Il éclate de rire et répond qu'il ne voit pas de quoi je parle. Puis il me demande à quelle heure je veux qu'il passe me prendre à l'hôtel pour m'emmener dîner. En regardant l'horloge, je lui rappelle que l'aéroport de Medellín ferme à dix-huit heures et qu'il doit déjà y avoir au moins vingt personnes sur la liste d'attente sur le dernier vol de ce vendredi.

« Ah, bon Dieu… je n'y avais pas pensé… Et moi qui me faisais une joie de fêter ta liberté ! Comme c'est triste !… Bon, alors nous dînerons ensemble un autre jour, en l'an 2000. »

Et il raccroche. Cinq minutes plus tard, le téléphone sonne à nouveau. Cette fois, je prie le

_____

1. Nom donné aux paysans du territoire de Santa Elena, près de Medellín, qui utilisent la *silleta*, support en bois en forme de chaise, pour transporter, entre autres choses, les fleurs qu'ils vendent au marché. *(N.d.T.)*

Seigneur que ce ne soit pas une de mes amies quand, sans attendre qu'il s'identifie, je lui dis que ses mille orchidées dépassent des fenêtres du salon et qu'elles sont la plus belle chose que j'aie vue de ma vie. Je lui demande combien de temps il leur a fallu pour les réunir.

« Elles sont exactement pareilles à toi, mon amour. Ils ont commencé à les préparer à partir... du jour où je t'ai vue avec tes petits pansements sur le visage et sur les genoux, tu te souviens ? Bon, je voulais juste te dire que mon Pégase t'attend depuis hier soir. Tu peux le prendre aujourd'hui, demain, après-demain, dans une semaine, un mois, un an, car il ne bougera pas d'ici tant que tu ne monteras pas dedans. Je vais juste attendre... et t'attendre encore. »

Voilà un vrai carrosse pour une Cendrillon moderne : un Learjet flambant neuf, rutilant avec trois charmants pilotes aux manettes à la place des six percherons blancs. Il est dix-sept heures quinze et nous avons tout juste le temps d'arriver à Medellín avant la fermeture de l'aéroport. J'aurais pu le laisser mariner une semaine ou un mois, mais moi aussi je l'aime et je suis incapable d'attendre un jour de plus. Tandis que je glisse entre les nuages, je me demande s'il me fera souffrir comme plusieurs hommes cruels, peut-être plus riches que lui, que j'ai aimés il y a des siècles. Alors, je me rappelle la phrase de Françoise Sagan : « Je préfère pleurer dans une Mercedes que dans un autobus », et je me dis, heureuse :

« Eh bien, moi, je préfère pleurer dans un Learjet que dans une Mercedes ! »

Il n'y a pas de carrosses tirés par des licornes ni de dîners au clair de la lune sous la tour Eiffel, ni de parures d'émeraudes ou de rubis, ni de spectacles pyrotechniques. Juste lui, collé tout contre moi, avouant que, la première fois qu'il m'avait sentie accrochée à son corps, dans le *Río Claro*, il avait compris que, s'il m'avait sauvé la vie, ce n'était pas pour que je sois à un autre homme, mais pour que je lui appartienne, pour que je le supplie, le prie, l'implore, pour qu'il me répète sans cesse : « Demande-moi ce que tu voudras, tout ce que tu voudras ! Dis-moi simplement ce qui te ferait le plus plaisir ! » Comme s'il était Dieu et moi, je lui dis qu'il n'était qu'un homme et que même lui ne pourrait jamais arrêter le temps pour figer dans l'espace ou prolonger d'une seconde ce déluge de moments précieux dont la splendide munificence des dieux a décidé de nous gratifier.

Cette soirée secrète à l'*Hacienda Nápoles* est pour moi la dernière nuit du temps de l'innocence et la première du temps de la rêverie. Lorsqu'il tombe endormi, je vais me pencher au balcon et je contemple les astres qui scintillent sur toute cette insondable étendue bleu cobalt. Inondée de bonheur, je souris en repensant au dialogue de Pilar et María dans *Pour qui sonne le glas* et je songe aux frémissements de la terre sous les corps des amants terrestres. Puis, je me retourne pour me lover à nouveau entre ces bras qui m'attendent, pour retrouver mon univers de chair et d'os, le seul que j'aie, et d'ailleurs le seul qui existe.

Mort Aux Ravisseurs !

Je rentre à Bogota pour enregistrer mes émissions de télé et, le week-end suivant, je suis de retour à Medellín. Ce schéma se répétera pendant quinze mois, qui seront les plus heureux de toute ma vie et, pour Pablo, les plus intenses de la sienne. Ce que nous ignorons, c'est que ce laps de temps si bref sera le théâtre des derniers jours légers et sans nuage de notre existence à tous les deux.

« Mes onze avions et mes deux hélicoptères sont à ton entière disposition. Tu peux me demander tout ce que tu voudras. Tout, mon amour. Que veux-tu, pour commencer ? »

Je lui réponds que je vais simplement avoir besoin d'un de ses avions pour faire venir mon assistante et mon cameraman. Je veux faire quelques prises qui manquent et j'aimerais lui poser quelques questions supplémentaires dans un autre cadre : à un meeting politique, peut-être.

Il insiste à plusieurs reprises sur le fait qu'il veut me faire un cadeau fabuleux, en disant que je suis la seule femme à ne rien lui avoir demandé dès la première semaine. Il me dit de me choisir le plus beau penthouse de tout Bogota et la Mercedes qui me plaira.

« Et comment ferais-je pour me justifier aux yeux du fisc, de mes amis, de mes collègues et de ma famille ? Je passerais pour une femme entretenue, mon amour. Et puis, je ne conduis pas car, si je le faisais, je serais condamnée à passer le reste de mes jours dans la prison des chauffards. Merci, Pablo, mais j'ai déjà une petite Mitsubishi avec chauffeur, et ça me suffit. Je n'ai jamais été intéressée ou impressionnée par les voitures ; je ne suis vraiment pas une amoureuse des garages et, d'ailleurs, dans ce pays, posséder une voiture de luxe revient à inviter les gens à vous enlever. »

Il insiste tant et tant que je décide de lui proposer deux options : ou un Pégase comme le sien – pour l'amoureuse des hangars que je sens s'épanouir en moi – ou un million de baisers. Il éclate de rire et opte pour la seconde ; il ne compte pas ses baisers un par un mais de cent en cent, puis de mille en mille et, finalement de cent mille en cent mille. Lorsque au bout de quelques minutes il arrive à ce nombre, je l'accuse d'être un fieffé voleur de baisers et je lui demande ce que je peux lui offrir en retour. Il réfléchit quelques secondes et me dit que je pourrais lui apprendre à faire de bonnes interviews car, tout au long de sa vie, il va devoir en accorder plus d'une ; il ne tarit pas d'éloges sur les miennes et me demande quel est mon secret. Je lui réponds qu'ils sont au nombre de trois : le premier, c'est qu'il faut avoir quelque chose d'important, d'intéressant ou d'original à dire, ou quelque chose de drôle, car tout le monde aime rire. Quant au deuxième et au troisième, comme je ne suis pas une femme facile, je refuse catégoriquement de les lui confier dès la première semaine.

Il jette l'éponge avec un sourire mi-coquin, mi-coupable et me jure que, si je lui dévoile mes secrets professionnels, il me dévoilera lui aussi certains des siens.

À la vitesse de l'éclair, je lui réponds que le deuxième consiste non pas à ne pas répondre à toutes les questions du journaliste mais à lui dire ce qu'il veut entendre ; mais j'insiste auprès de Pablo sur le fait que, pour bien jouer au tennis, il faut des années de pratique, c'est-à-dire, en ce qui le concerne... des années de célébrité. Voilà pourquoi une personne comme lui ne devrait accorder des entretiens qu'aux éditeurs ou aux directeurs de médias – qui savent où s'arrête la curiosité et où commencent les insultes – et à ses amis journalistes.

« Les taureaux de caste sont pour les bons toreros, pas pour les banderilleros. Finalement, et comme tu es encore ce qu'un stagiaire de Hollywood appellerait un *"civilian"*, je te recommande, pour le moment, de n'accorder d'entretien qu'à un maître en la matière, qui connaisse certains de tes secrets professionnels et qui t'aime malgré cela de tout son cœur. En revanche, maintenant, tu vas me dire quand tu as arrêté de voler des pierres tombales et de *désosser* des voitures volées pour commencer à exporter du "tabac à priser". Parce que c'est vraiment ça, le tournant de ton activité philanthropique... N'est-ce pas, mon amour ? »

Il me regarde, blessé, et baisse les yeux. Je sais que je viens de le prendre au dépourvu et que j'ai franchi une limite, et je me demande si je n'ai pas touché son talon d'Achille un peu trop tôt. Mais je sais aussi que Pablo n'est jamais tombé amoureux d'une femme de son âge ou de mon milieu et que, si nous devons nous aimer sur la base d'une égalité parfaite, je vais devoir lui montrer dès le premier jour où s'arrêtent les jeux de deux grands enfants et où commence la relation entre un homme et une femme adultes. La première chose que je lui fais remarquer est que, pour devenir sénateur, il va devoir se laisser effeuiller par la presse qui sera sans doute intraitable avec lui.

« Bon, que veux-tu savoir ? Jouons au tennis, pour voir… » dit-il en redressant la tête avec un air de défi.

Je lui explique que, lorsque mon reportage sur la décharge sera diffusé, tout le pays se demandera comment il a fait fortune, mais s'interrogera surtout sur les réelles motivations d'une telle générosité. En passant un simple coup de fil à Medellín, n'importe quel journaliste qui se respecte n'aura besoin que de quelques minutes pour découvrir certains secrets de polichinelle. Je l'avertis que les patrons des médias vont tirer à boulets rouges quand il commencera à manipuler avec ses millions et ses bonnes œuvres les gens qui leur ont donné à manger pendant un siècle, et que tout l'establishment colombien recevra sa générosité comme une véritable gifle.

« Heureusement, tu es formidablement vif d'esprit, Pablo. Tu peux considérer comme une question de principe qu'aucun de tous les grands magnats colombiens ne serait capable de dire toute la vérité sur l'origine de sa fortune ; c'est pour cette raison que les super riches n'accordent pas d'interviews, ni ici, ni ailleurs dans le monde. Ce qui te différencie d'eux, c'est l'ampleur de ton action sociale, et c'est là-dessus que tu vas devoir t'appuyer lorsque le monde entier te tombera dessus. »

Enthousiasmé, il commence à me livrer le récit de sa vie : alors qu'il n'était encore qu'un enfant, il a supervisé une grande collecte de fonds destinés à construire le collège du quartier de La Paz à Envigado, car il n'avait pas d'endroit où poursuivre ses études, et au bout du compte, leur groupe scolaire a pu accueillir huit cents élèves. Tout petit, il louait déjà des vélos ; adolescent, il revendait des voitures d'occasion et, encore jeune homme, il commença à spéculer sur des terrains dans la vallée moyenne du Magdalena. Au bout d'un moment, il s'arrête et demande si je pense que tout ceci n'est qu'un tissu de mensonges ; je lui réponds que, bien que je sache que c'est vrai, rien ne peut justifier une fortune si colossale, et je lui demande ce que faisaient son père et sa mère. Il répond que le premier travaillait dans l'hacienda du père de Joaquín Vallejo, dirigeant industriel de renom, et que la seconde était maîtresse d'école à la campagne.

Je lui conseille donc de répondre à peu près en ces termes : « De mon père, honnête paysan d'Antioquia, j'ai appris dès mon plus jeune âge la valeur éthique du travail à la dure, et de ma mère, qui travaillait dans l'enseignement, l'importance de la solidarité à l'égard des plus démunis. » Mais je lui rappelle que, comme personne n'apprécie de voir son intelligence bafouée, il va devoir se tenir prêt pour le jour où, lorsqu'il se retrouvera devant une caméra et devant tout le pays, une journaliste culottée lui demandera :

« Combien de pierres tombales en marbre faut-il pour acheter un vélo tout neuf ? Ou, inversement : combien de vélos bas de gamme peut-on acheter avec une bonne pierre tombale, modèle de luxe, très Honorable Père de la Patrie ? »

Il dit que, sans hésiter une seconde, il répondra :

« Allez donc vérifier les prix vous-même, posez l'opération et faites le calcul. Ensuite, trouvez-vous un groupe de gamins qui n'ait pas peur des morts et des croque-morts et envoyez-le au cimetière en pleine nuit décoller et emporter ces putains de pierres tombales qui pèsent une tonne ! »

Je m'exclame qu'avec des arguments si lapidaires elle serait bien forcée de reconnaître le talent unique, l'autorité naturelle, le courage héroïque et la force hors norme de Pablo.

Il me demande si je serais quand même tombée amoureuse de lui si nous nous étions connus lorsqu'il était encore pauvre et anonyme, ce à quoi je réponds en riant par un non catégorique : nous ne nous serions jamais rencontrés ! Aucune personne saine de corps et d'esprit n'aurait eu l'idée de me présenter à un homme marié car, pendant qu'il limait ses pierres tombales, moi, je sortais avec Gabriel Echavarría, le plus bel homme de Colombie, fils de l'une des dix plus grosses fortunes du pays et, quand il *désossait* les voitures, je sortais déjà avec Julio Mario Santo Domingo, qui était célibataire, héritier de la plus grosse fortune du pays et l'homme le plus charmant de sa génération.

Il fait remarquer que, si mes critères sont réellement ceux-ci, c'est que je dois beaucoup l'aimer. Je lui avoue que, si je l'aime autant, c'est en effet grâce aux éléments de comparaison dont je dispose. Avec une caresse et un sourire de gratitude, il me dit que je suis la femme la plus brutalement honnête et la plus généreuse qu'il ait jamais connue.

Après avoir essayé une infinité de réponses, sérieuses ou hilarantes qu'il pourrait apporter pour justifier publiquement ses dons, ses avions, et, surtout, ses girafes, nous en concluons que c'est lui qui va avoir besoin de critères, des critères énoncés dans la *Logique* d'Aristote et déjà utilisés par les Grecs il y a deux mille cinq cents ans. En effet, pour justifier sa fortune, il va devoir oublier l'argument de « la spéculation sur les terres de la vallée moyenne du Magdalena » et envisager plutôt quelque chose comme des « investissements immobiliers en Floride », même si personne ne le croira et que cela pourrait donner l'idée à la DIAN[1] colombienne, à l'IRS et au Pentagone américains de lui tomber dessus.

« La notoriété, bonne ou mauvaise, est éternelle, mon amour. Pourquoi ne fais-tu pas profil bas, au moins pour l'instant, et n'exerces-tu pas le pouvoir plutôt dans l'ombre, comme les *capi di tutti capi*[2] du monde entier ? Pourquoi veux-tu être sous le feu des projecteurs, alors qu'il vaut mieux être *tétramultimillionnaire* que célèbre ? Et d'ailleurs,

---

1. Direction colombienne des douanes et des impôts. *(N.d.T.)*
2. Expression désignant les chefs des grandes organisations criminelles mondiales, en particulier de la mafia. *(N.d.T.)*

en Colombie, la seule chose qu'apporte la notoriété, ce sont des tonnes d'envieux. Regarde un peu mon cas à moi.

— Ton cas ? Mais toutes les femmes du pays rêveraient d'avoir les pieds dans tes chaussures ! »

Je lui réponds que nous reparlerons un autre jour, pas aujourd'hui, de ces choses-là. Je le prie de changer de sujet et lui dis que j'ai peine à croire que la libération de Martha Nieves Ochoa ait simplement été obtenue « en suivant les ravisseurs partout, sans arrêt ». Ma franchise a l'air de le surprendre, et il me réplique que nous aborderons aussi ce sujet une autre fois.

Je lui demande de m'expliquer ce qu'est le MAS. En baissant les yeux et sur un ton plein de détermination, il me raconte que le mouvement « Mort Aux Ravisseurs ! » a été fondé à la fin de l'année 1981 par les grands narcotrafiquants et qu'il compte déjà dans ses rangs un très grand nombre de riches propriétaires d'haciendas et de membres de certains organismes de l'État : le DAS (Département administratif de sécurité), le B-2 de l'armée (les services secrets militaires), le GOES (Groupe anti-extorsion et séquestrations) et le F2 de la police. Pour que l'argent des riches ne parte pas à Miami – et que celui de leurs associés et collègues ne reste pas bloqué à l'étranger –, le MAS est décidé à éradiquer un fléau qui n'existe qu'en Colombie :

« Nous voulons tous investir notre argent dans le pays mais, avec cette épée de Damoclès, c'est impossible ! C'est pour cela que nous ne comptons pas laisser un seul ravisseur en liberté : tous ceux que nous attraperons, nous les remettrons à l'armée pour qu'elle en dispose. Aucun narcotrafiquant ne tient à passer par ce que j'ai vécu lors de l'enlèvement de mon père, ou les Ochoa lors de celui de leur sœur, ou à endurer les tortures qu'a subies mon ami Carlos Lehder del Quindío. Actuellement, tout le monde se rallie et apporte des forces au MAS et à Lehder : nous avons déjà une armée de presque deux mille cinq cents hommes. »

Étant donné que, parmi ses collaborateurs, il y a aussi des agriculteurs, des commerçants, des exportateurs ou des industriels, je lui suggère, à partir de maintenant, de les désigner comme sa « corporation ». Je lui témoigne toute l'horreur que m'inspire ce qui est arrivé à son père et lui demande s'il a réussi à le délivrer, lui aussi, en un temps record.

« Oui, oui. Nous l'avons récupéré sain et sauf, grâce à Dieu. Je te raconterai plus tard comment. »

Je commence déjà à prendre l'habitude de laisser pour plus tard toutes les questions qui ont trait à ce qui semble être des méthodes de libération d'un effet et d'une efficacité redoutables. Mais je manifeste toute mon incrédulité quant à la capacité du MAS d'obtenir des résultats aussi probants pour les trois mille enlèvements qui se produisent chaque année en Colombie. Je lui dis que, pour en finir avec tous les ravisseurs, il devrait commencer par éliminer les différents groupes de guérilla, qui totalisent plus de trente mille hommes ; en trente ans, non seulement l'armée n'a pas eu raison de ces mouvements, mais on dirait même que leurs effectifs s'accroissent de jour en jour. Je lui fais remarquer que le MAS va arranger les affaires des secteurs traditionnellement riches, car ils ne vont pas avoir à débourser un seul peso, à tirer la moindre balle, à perdre la moindre vie, et que c'est lui qui va devoir assumer tous les frais, s'attirer tous les ennemis et avoir toutes les morts sur la conscience.

Il hausse les épaules et répond que c'est le cadet de ses soucis car la seule chose qui l'intéresse, c'est d'être à la tête de sa corporation et de bénéficier de son aval pour soutenir un gouvernement qui mette fin au traité d'extradition signé avec les États-Unis.

« Dans mon secteur d'activité, tout le monde est riche. Maintenant, ce que je veux, c'est que tu ailles te reposer pour que tu sois encore plus belle ce soir. J'ai invité deux de mes associés, mon cousin Gustavo Gaviria, mon beau-frère Mario Henao et un petit groupe d'amis. Pendant ce temps-là, je vais aller contrôler les finitions du terrain de football que nous allons inaugurer officiellement vendredi prochain. Tu vas faire la connaissance de toute ma famille. Gustavo est comme un frère pour moi ; il est très intelligent et on peut presque dire que c'est lui qui gère mes affaires, ce qui me laisse du temps pour me consacrer à ce qui m'intéresse vraiment : mes grandes causes, mes œuvres sociales et… tes leçons, mon amour.

— Quel est ton prochain objectif… après le Sénat ?

— Je t'ai déjà raconté assez de choses pour aujourd'hui et, à ce train-là, il va nous falloir mille et une nuits pour nous donner ce million de baisers. On se voit plus tard, Virginia. »

Un peu plus tard, j'entends le bruit des pales de l'hélicoptère se perdre dans la vaste étendue de sa petite république, et je me demande comment cet homme au cœur de lion va bien pouvoir s'y prendre pour conjuguer tous ses intérêts contradictoires et mener à bien des projets d'une telle ampleur en l'espace d'une seule vie.

Je me dis, en observant un vol d'oiseaux se perdre comme lui dans un horizon qui semble ne pas avoir de limites :

« Bon, à l'âge qu'il a, il a encore toute la vie devant lui... »

Je suis consciente d'assister en ce moment au déroulement d'une série de processus qui vont constituer un tournant dans l'histoire de mon pays, que l'homme que j'aime va être l'acteur d'un grand nombre d'entre eux et que presque personne ne semble s'en être encore rendu compte. Je ne sais pas si cet être que Dieu ou le Destin ont placé en travers de mon chemin – si sûr de lui-même, si ambitieux, si passionné par chacune de ses grandes causes et par tout en général – me fera un jour pleurer des torrents de larmes comme il me fait rire aujourd'hui, mais il dispose de tous les dons pour devenir un formidable leader. Heureusement pour moi, il n'est ni beau, ni éduqué, ni homme du monde : Pablo est, pour dire les choses simplement, fascinant. Je me dis :

« C'est la personnalité la plus virile que j'aie jamais connue. C'est un diamant brut et je crois qu'il n'a jamais eu une femme comme moi ; je vais essayer de le tailler, de le polir et de lui enseigner tout ce que j'ai appris. Et je vais faire en sorte qu'il ait besoin de moi comme on a besoin d'eau dans le désert. »

*

Ma première rencontre avec les associés de la famille de Pablo a lieu ce soir, sur la terrasse de l'*Hacienda Nápoles*.

Gustavo Gaviria Rivero est un homme impénétrable, silencieux, discret et distant. Aussi sûr de lui que son cousin Pablo Escobar Gaviria, ce champion de course automobile sourit rarement. Bien qu'il ait le même âge que nous, il est, sans nul doute, plus mûr que Pablo. Dès le premier regard échangé avec ce petit homme mince aux cheveux raides et à la fine moustache, tout chez lui me fait comprendre qu'il ne parle pas de ses affaires avec des *civilians*. Il semble être un fin observateur et je sais qu'il est là pour me jauger. Mon intuition me laisse rapidement entrevoir que, d'une part, il n'ambitionne absolument pas, comme Pablo, de devenir une figure publique et que, par ailleurs, il commence à s'inquiéter des dépenses somptuaires que son associé consacre à ses œuvres sociales. Contrairement à son cousin, qui est libéral, Gustavo est affilié au Parti conservateur. Ils ne consomment tous deux de la liqueur que de façon très modérée et je constate que, l'un comme l'autre, ils ne s'intéressent pas davantage à la musique ou à la danse : pour eux, seuls comptent l'observation, les affaires, la politique, le pouvoir et la maîtrise de tout ce qui se passe.

Une ravissante diva apparentée aux familles Holguín, Mosquera, Sanz de Santamaría, Valenzuela, Zuleta, Arango, Caro, Pastrana, Marroquín – et qui par sa profession a ses entrées dans les plus hautes élites du pouvoir politique et économique – est la toute dernière personne qu'ont recrutée ces barons, nouvellement venus dans le monde des très riches et des encore plus ambitieux, pour étendre leur réseau. Cela explique pourquoi, au cours des trois heures suivantes, et comme s'ils étaient tous hypnotisés, aucun de ces trois hommes n'osera détourner son regard, même l'espace d'un instant, vers une autre table ni vers une autre femme ou un autre homme, ni vers nulle part ailleurs.

Mario Henao, qui est le frère de Victoria, l'épouse de Pablo, est un grand connaisseur et un amoureux fanatique de l'opéra. Je me rends compte qu'il cherche à m'impressionner, peut-être même à m'éblouir, avec le dernier des sujets qui pourrait intéresser Pablo ou Gustavo. Comme je sais qu'il est le dernier allié qu'une personne de ma condition pourrait espérer gagner, malgré mon manque d'intérêt pour Caruso, Toscanini, la Callas et pour la passion légendaire de Capone ou de Gambino pour ces trois monstres sacrés, j'aiguille directement notre conversation vers les compétences dans lesquelles Pablo et Gustavo excellent. Il me faut des heures pour faire baisser la garde à ce champion glacial, mais ma concentration porte ses fruits : après presque cent cinquante minutes d'une discussion passionnée et une leçon enthousiaste presque aussi longue sur la façon d'atteindre la maîtrise et la précision indispensables pour contrôler une voiture qui va à deux cent cinquante à l'heure – et sur les décisions vitales qu'il faut savoir prendre en une fraction de seconde pour laisser ses concurrents derrière soi et franchir le premier la ligne d'arrivée –, nous savons tous deux que nous avons gagné, sinon l'affection, au moins le respect d'un allié-clé. J'ai appris d'où Gustavo et son associé tiennent leur détermination sans faille de vouloir être toujours les premiers, de passer au-dessus de ceux qui se mettraient en travers de leur route, et qui semble valoir pour absolument tous les aspects de leur vie.

Autour de nous, deux douzaines de tables sont occupées par des personnes dénommées Moncada ou Galeano, dont je serais aujourd'hui incapable de me rappeler le prénom ou le visage. Vers minuit, deux jeunes armés de fusils automatiques à longue portée arrivent, en nage, à l'endroit où nous sommes en train de deviser tous les quatre et nous ramènent à la réalité qui nous entoure.

« L'épouse d'untel le cherche, disent-ils à Pablo, et il est ici avec sa maîtresse. Imaginez le problème, patron ! Cette femme est une vraie furie ! Elle arrive avec deux amies et elle exige que nous les laissions entrer. Que faisons-nous ?

— Dites à madame qu'elle doit apprendre les bonnes manières. Qu'aucune femme ayant un soupçon d'amour-propre ne va chercher un homme – qu'il s'agisse de son mari, de son fiancé ou de son amant –, et encore moins la nuit. Qu'elle fasse preuve de bon sens, qu'elle reparte chez elle et qu'elle l'attende à la maison avec la poêle et le rouleau à pâtisserie pour lui donner ce qu'il mérite lorsqu'il rentrera. Mais elle n'entrera pas ici. »

Les jeunes reviennent au bout d'un moment et informent Pablo que ces femmes sont décidées à entrer, car il les connaît.

« Moi, je les connais bien, les fauves de cette espèce… » lâche-t-il dans un soupir, comme s'il venait soudain de se souvenir d'un épisode qui l'attristait profondément.

Puis, sans hésiter et sans aucune inhibition du fait de notre présence, il ordonne :

« Faites deux tirs de sommation, en visant tout près de leur voiture. Si elles franchissent le STOP, vous pointez vos armes sur elles. Et, si elles s'avancent quand même, tirez pour tuer, sans ménagement. C'est clair ? »

Nous entendons quatre coups de feu. J'en déduis qu'ils vont réapparaître avec un minimum de trois cadavres et je me demande qui peut bien être le quatrième.

Une vingtaine de minutes plus tard, les jeunes reviennent hors d'haleine, échevelés et trempés de sueur. Ils ont le visage, les mains et les avant-bras couverts d'égratignures.

« Quel combat, patron ! Elles n'ont même pas eu peur des coups de feu : elles nous ont donné des coups de pied et des coups de poing, si vous aviez vu les ongles de ces tigresses ! Pour les faire décamper, nous avons dû pointer nos armes sur elles et nous faire aider par deux autres camarades. Quand je pense à ce qui attend ce pauvre type quand il va rentrer chez lui complètement saoul !

— Oui, oui, vous avez raison. Préparez-lui une chambre pour qu'il passe la nuit ici, ordonne Pablo, faisant preuve une fois encore de solidarité masculine à l'égard de ses malheureux congénères. Sinon, demain, nous sommes bons pour aller l'enterrer !

— C'est que ces *paisas* sont de vraies teignes, hein ? Jésus Marie ! » lancent dans un soupir les trois angelots qui m'accompagnent.

Comme Alice au pays des merveilles, je poursuis ma plongée dans l'univers de Pablo. J'apprends que beaucoup de ces hommes très durs et très riches sont littéralement traités à coups de pied par leur femme... Et je crois deviner pourquoi. Je me demande qui peut bien être cette autre tigresse qu'il dit si bien connaître, et mon petit doigt me dit que ce n'est pas sa femme.

Un dimanche, avec un groupe d'amis de Pablo et Gustavo, nous décidons de sortir nous amuser avec le Rolligon. En regardant tout autour, tandis que nous couchons de jeunes arbres avec ce tracteur à chenilles géant, je sens que les rires de mes amis d'il y a sept mois me manquent et je suis nostalgique de mes *beautiful people* parmi lesquels j'ai toujours vécu et avec qui je me sens à mon aise dans n'importe quel endroit du monde et dans n'importe quelle langue. À vrai dire, ils ne me manquent pas bien longtemps car, au moment où nous heurtons un tronc, une tache noire bourdonnante d'un mètre de diamètre fond sur nous telle une locomotive. Je ne sais pas pourquoi – peut-être parce que Dieu m'a réservé un destin très singulier –, en une fraction de seconde, je me laisse tomber du Rolligon, je file me cacher dans les très hautes herbes et je reste immobile à tel point que ce n'est qu'environ un quart d'heure plus tard que j'ose à nouveau respirer.

Ce qui semble être un million de guêpes attaque en piqué cette petite vingtaine de personnes qui gagnent leur vie grâce au trafic de cocaïne. Miraculeusement, pas une seule d'entre elles ne me pique. Une heure plus tard, lorsque les hommes de Pablo me retrouvent grâce à ma robe lilas, ils me signalent que plusieurs des invités ont dû être hospitalisés.

Au cours des années suivantes, j'allais passer mille heures à ses côtés et peut-être mille dans ses bras, mais – pour des raisons que je n'ai pu comprendre que l'équivalent d'un siècle plus tard – à partir de ce soir-là, Pablo et moi n'allions plus revenir à *Nápoles* pour passer du bon temps en compagnie d'amis dans cet endroit où, par trois fois, j'avais failli mourir. Et aussi mourir de bonheur. Nous ne retournerions qu'une fois, pour vivre des heures insouciantes – et pour partager ce jour qui fut le plus parfait de son existence et de la mienne –, dans ce paradis où il m'avait un jour arrachée à l'emprise d'un tourbillon parce qu'il voulait ma vie pour lui, et où, quelque temps après, il avait décidé de m'arracher cette fois-ci aux bras d'un autre homme pour pouvoir investir des pans inexplorés de mon imagination, des moments déjà sortis de ma mémoire, et chaque centimètre carré de la peau qui enveloppait alors mon être.

Onze ans plus tard, tous ces hommes qui avaient l'âge du Christ à l'époque ne seraient déjà plus de ce monde. Ce chroniqueur des Indes leur a survécu à tous, c'est clair ; mais, si quelqu'un voulait peindre aujourd'hui le portrait d'Alice au pays des merveilles dans ce salon aux miroirs, il ne verrait se refléter à l'infini que des répétitions fragmentaires des différentes versions du *Cri* de Munch, avec ses mains bouchant ses oreilles pour ne pas entendre le vrombissement des tronçonneuses et les supplications des torturés, le rugissement des bombes et les gémissements des moribonds, le fracas des avions et les sanglots des mères ; et cette bouche ouverte lançant mon propre hurlement impuissant, un hurlement que ma gorge ne parvient à lancer qu'au bout d'un quart de siècle, et mes yeux exorbités par la terreur et l'effroi sous le ciel rouge d'un pays enflammé.

Cette immense hacienda existe encore, il est vrai, mais, de cet endroit de rêve où, un temps si fugace, nous avons connu les plus délectables manifestations de la joie et de la générosité, celles de la passion et de la tendresse, la magie s'est enfuie aussi vite qu'elle avait surgi. Ce ciel enchanté n'inspire plus aujourd'hui à nos sens terrestres que la nostalgie des couleurs, des caresses, des astres et des rires. L'*Hacienda Nápoles* deviendrait ensuite la scène de conspirations légendaires qui changeraient pour toujours le cours de l'histoire de mon pays et ses relations avec le monde, mais – comme dans ces premières scènes de *Chronique d'une mort annoncée* ou de *La Maison aux esprits* – aujourd'hui, ce paradis des êtres damnés n'est plus peuplé que de fantômes.

Ces jeunes hommes sont morts il y a longtemps déjà. C'est de leurs amours et de leurs haines, quand ils n'étaient pas encore des fantômes, de leurs grandes causes et de leurs rêves, de leurs luttes et de leurs guerres, de leurs triomphes et de leurs défaites, de leurs plaisirs et de leurs douleurs, de leurs alliés et de leurs rivaux, de leurs loyautés et de leurs trahisons, de leur vie et de leur mort que traite le reste de cette histoire que même en imagination et pour rien au monde je n'oserais échanger contre un laps de temps plus court ou

110

pour un espace moins saturé. Tout a commencé par un hymne simple, au texte cependant sublime et au rythme parfait, qui nous est un beau jour arrivé du sud :

> « Si je t'aime, c'est parce que tu es
> Mon amour, ma complice, et tout
> Et dans la rue, coude à coude,
> Nous sommes bien plus que deux. »

(Mario Benedetti, « Chansons d'amour
et de désamour », *Poemas de otros*)

Deuxième partie

LE TEMPS DE LA SPLENDEUR ET DE L'EFFROI

Oh, Dieu, si tu pouvais
Ne pas seulement t'installer dans l'arbre d'or
Mais aussi dans les terreurs de mon cœur !

Le vieux poète, citant Robert Frost,
dans *La Nuit de l'iguane*

Deuxième partie

LE TEMPS DE LA SPLENDEUR

La caresse d'un revolver

Pablo Escobar appartient à ce petit groupe d'enfants privilégiés qui, dès leur plus tendre enfance, savent déjà précisément ce qu'ils veulent faire quand ils seront grands. Et aussi ce qu'ils ne veulent pas être : Pablito n'avait jamais rêvé d'être pilote, pompier, médecin ou policicr.

« Je voulais seulement devenir riche, plus riche que les Echavarría de Medellín et plus riche que tous les riches de Colombie, à tout prix et en utilisant tous les moyens et tous les outils que la vie mettrait chaque jour à ma disposition. Je me suis juré que si, à trente ans, je n'avais pas un million de dollars, je me suiciderais. D'une balle dans la tempe, m'avoue-t-il un jour tandis que nous montons à bord du Learjet, garé dans son hangar privé de l'aéroport de Medellín comme tout le reste de sa flotte. Je vais très bientôt m'acheter un jumbo-jet que je vais aménager en bureau volant ; il sera aussi équipé de plusieurs chambres, de salles de bains avec douche, d'un salon, d'un bar, d'une cuisine et d'une salle à manger. Une sorte de yacht volant. Comme ça, nous pourrons voyager tous les deux à travers le monde, personne n'en saura rien et ne viendra nous déranger. »

Une fois dans l'avion, je lui demande comment nous allons nous y prendre pour nous déplacer incognito dans un palais aérien. Il me répond que je comprendrai au retour car, dorénavant, chaque fois que nous nous verrons, il me réservera une surprise que jamais je ne pourrai oublier. Il me dit avoir remarqué quelque chose de curieux : quand il me confie ses secrets, il croit voir les miens défiler sur mon visage et, surtout, dans mes yeux et il explique que, lorsque j'éclate de joie, mon bonheur et mon enthousiasme lui font le même effet que s'il venait de gagner une course automobile et que j'étais son champagne.

« T'a-t-on déjà dit que tu es la chose la plus pétillante du monde, Virginia ? »

Je m'exclame, heureuse, car je sais que, pour ce qui est du manque de modestie, nous avons tous les deux trouvé chaussure à notre pied :

« On me le dit toujours ! Donc, dorénavant, il va falloir que je ferme les yeux si je veux protéger mes secrets les plus intimes. Tu ne pourras les extraire que trèèès lentement… avec un tire-bouchon spécial pour le Perrier-Jouët Blason Rosé ! »

Il me répond que ce ne sera pas nécessaire car, pour la prochaine surprise, il envisage de me bander les yeux et il est même possible qu'il doive me menotter. Avec un immense sourire, je lui fais remarquer qu'on ne m'a jamais bandé les yeux ni mis de menottes et je lui demande s'il ne serait pas à tout hasard un sadique comme on en voit dans les films.

« Je suis un sadique dépravé mille fois pire que ceux des films d'horreur ; on ne t'en a encore jamais parlé, chérie ? » me susurre-t-il à l'oreille.

Puis il prend mon visage entre ses mains et le contemple un moment, comme s'il s'agissait d'un puits profond dans lequel il cherchait à étancher ses désirs les plus inavouables. Je le caresse et lui dis que nous formons un couple parfait, car je suis masochiste. Il m'embrasse et réplique qu'il l'a toujours su.

Lorsque arrive le jour de la surprise, Pablo vient me chercher à l'hôtel vers vingt-deux heures. Comme toujours, un véhicule avec quatre de ses hommes nous suit à une distance raisonnable.

« Je n'arrive pas à croire qu'une femme comme toi ne sache pas conduire une voiture, Virginia, dit-il en démarrant à vive allure. De nos jours, c'est une tare seulement réservée aux handicapés mentaux ! »

Je lui rétorque que n'importe quel chauffeur à moitié analphabète est capable de conduire un autobus à cinq vitesses et que moi, qui suis presque aveugle, plutôt que de solliciter mon QI de cent quarante-six pour conduire une petite automobile, je préfère le garder pour me mettre dans la tête dix mille ans de civilisation, pour mémoriser des flashs d'information d'une demi-heure en cinq minutes car je n'arrive pas à voir le prompteur. Il me demande à combien j'estime son QI à lui, et je lui réponds qu'il doit se situer sans doute aux alentours de cent vingt-six.

« Non, madame. Il est, c'est confirmé, au minimum de cent cinquante-six. Je te trouve bien insolente ! »

Je lui dis que ça, il va devoir m'en faire la démonstration, et je lui demande de passer la vitesse mentale car, en roulant à cent quatre-vingts à l'heure, il risque de faire de nous deux prodiges morts prématurément.

« Nous savons bien qu'aucun de nous deux n'a peur de la mort, pas vrai, madame Je-sais-tout ? Maintenant, tu vas voir ce qu'il en coûte d'être si suffisante. Aujourd'hui, je suis de très méchante humeur, j'en ai assez de ces gardes du corps qui nous suivent partout. Ils ne nous lâchent jamais d'une semelle, je ne les supporte plus. Je crois qu'il n'y a qu'une seule façon de leur échapper : vois-tu l'autre côté de l'autoroute, là-bas, en bas sur ma gauche ? Ta ceinture est bien accrochée, n'est-ce pas ? Eh bien, cramponne-toi car dans trente secondes, nous serons là-bas, en train de rouler dans l'autre sens. Si ça ne marche pas, on se retrouve dans l'au-delà, Einstein ! À la une... à la deux... à la troiiiiis ! »

La voiture part en trombe et dévale le bas-côté couvert de graminées. Après avoir fait un tonneau complet suivi d'un triple salto, elle s'arrête quelques mètres plus bas. Je prends deux terribles coups sur la tête, mais je n'émets pas le moindre son. Pablo retrouve ses esprits en un instant ; en quelques dérapages, il fait demi-tour, poursuit sa course sur l'autre voie de l'autoroute et file comme un damné en direction de son appartement. Au bout de quelques minutes, nous arrivons et nous engouffrons à toute vitesse dans le garage, la porte se referme derrière nous avec un claquement sec et la voiture pile à quelques millimètres du mur.

« Ouuuuf ! lâche-t-il en expirant. Cette fois-ci, nous les avons semés pour de bon, mais je crois que demain, il va me falloir renvoyer ces garçons.

Tu t'imagines ce qui se serait passé si quelqu'un comme moi avait voulu m'enlever ? »

Je souris intérieurement et je garde le silence. Je suis tout endolorie et je ne compte pas lui donner le plaisir de lui dire ce qu'il espère entendre, c'est-à-dire que la personne qui aurait plus de sang-froid que lui n'est pas encore née. Nous montons au penthouse, qui est désert, et je remarque une caméra devant l'entrée de la chambre. Je m'assieds sur une chaise à bas dossier, il se tient debout devant moi, les bras croisés. Sur un ton menaçant et avec une expression glaciale dans les yeux, il me dit :

« Eh bien, tu commences à voir qui a le QI le plus élevé, ici. Et aussi qui porte la culotte, non ? Si jamais tu commences à te plaindre ou à faire un geste de travers pendant que je prépare ta surprise, je vais déchirer cette jolie robe, enregistrer la suite et vendre l'enregistrement aux médias. Compris, Marilyn ? Comme je tiens toujours mes promesses, nous allons commencer par… te bander les yeux. Je crois que nous allons aussi avoir besoin d'un rouleau de sparadrap… ajoute-t-il tout en fredonnant *Feelin' Groovy* de Simon and Garfunkel et en me plaçant un bandeau noir sur les yeux, qu'il serre fermement d'un double nœud. Et de menottes… où ai-je bien pu les mettre ?

— Ah non, pas ça, Pablo ! Nous nous étions mis d'accord pour que tu me bandes seulement les yeux. Je viens de me rompre le cou et ça n'a aucun sens de menotter un poids plume groggy. Quant à me bâillonner, tu devrais au moins attendre que mon sang se remette à circuler dans ma tête !

— Accordé. Je ne te menotterai que si tu essaies de bondir, car je ne prendrais jamais le risque de sous-estimer une panthère qui prétend avoir du génie.

— Et moi, je ne prendrais pas celui de sauter, car jamais je n'irais sous-estimer un criminel qui se prétend schizophrène. »

Après une pause qui semble durer une éternité, il dit soudain :

« Nous allons voir si c'est vrai que les aveugles ont l'ouïe très fine... »

J'entends ses deux chaussures tomber sur le tapis et tout de suite après la combinaison d'un coffre-fort qui s'ouvre au quatrième tour. Puis, le son reconnaissable entre tous de six balles glissant, les unes après les autres, dans le tambour d'un revolver et le cliquetis d'une arme dont on enlève le cran de sûreté. Tout est soudain plongé dans le silence. Quelques secondes plus tard, il est derrière moi, il me parle à l'oreille d'une voix sifflante tout en me tenant les cheveux de la main gauche et en décrivant par intermittence des cercles sur mon cou avec le canon de son revolver :

« Tu sais que les gens appellent les membres de ma corporation "Les Magiques" parce que nous faisons des miracles. Eh bien, comme je suis le roi de ces magiciens, je suis le seul à connaître la formule secrète pour ressouder ce corps qui me rend fou avec cette petite tête que j'adore. Abracadabra... Imaginons que nous soyons en train de recoller avec un collier de diamants... ce cou de cygne... si délicat... si fragile que je pourrais le briser en deux rien qu'avec mes mains... Abracadabra... un tour... deux... trois... Comment vous sentez-vous ? »

Je réponds que les diamants sont gelés, qu'ils font mal et qu'ils sont bien petits à mon goût. Sans compter que ce n'est pas la promesse qu'il m'avait faite et que, comme c'est de la pure improvisation, elle n'est pas valable.

« Entre nous deux, tout est valable, chérie. Jamais tu n'avais senti un revolver sur ta peau... sur cette peau de velours... tellement dorée... si parfaitement soignée... sans une éraflure... sans une cicatrice, pas vrai ?

— Attention avec le bandeau, je le perds et c'est en train de gâcher ta surprise du siècle, Pablo ! Je crois que tu devrais savoir que je m'entraîne au tir avec la police de Bogota – avec un Smith & Wesson – et que, d'après mon moniteur, je suis plus adroite que certains de ses officiers qui ont pourtant dix sur dix aux deux yeux. »

Il assure que je suis une vraie boîte à surprises et que ce n'est pas la même chose de tenir un revolver dans sa main que d'avoir un assassin qui le pointe sur votre tempe. Il ajoute qu'il a lui aussi vécu cette expérience, et il me demande si je ne trouve pas cela absolument terrifiant.

« Bien au contraire. C'est véritablement délicieux ! Ooohhh... Y a-t-il chose plus divine... plus sublime ?... dis-je en rejetant la tête en arrière et en soupirant de plaisir tandis qu'il commence à déboutonner ma robe-chemisier et que l'arme descend le long de ma gorge vers mon cœur. En fin de compte tu n'es qu'un sadique... pas un assassin.

— Ça, c'est toi qui le dis, ma chérie. Je suis un tueur en série... Maintenant, dis-moi pourquoi cela te plaît tellement. Allez... surprends-moi... ! »

Tranquillement, je lui explique qu'une arme à feu est toujours... une tentation... une pomme appétissante comme celle d'Ève... un ami intime qui nous offre la possibilité d'en finir avec tout... et de nous envoler au Ciel lorsqu'il n'y a plus d'autre échappatoire... ou en enfer, pour ce qui est des... assassins avérés.

« Mais encore ? Continue de parler tant que je ne te donne pas la permission de t'arrêter... » souffle-t-il d'une voix rauque en baissant la partie supérieure de ma robe pour m'embrasser la nuque et les épaules.

Je m'exécute, et je poursuis :

« L'arme à feu est silencieuse... comme les parfaits complices. Elle est plus dangereuse que... tes pires ennemis réunis... Lorsqu'elle retentit, elle fait le même bruit... laisse-moi réfléchir... que... que... les grilles de la prison de San Quentin ! Oui, oui, c'est cela, les grilles des prisons des *gringos* claquent comme des coups de feu, le matin, l'après-midi, le soir. Ça, ça doit vraiment être absolument terrifiant, pas vrai, mon amour ?

— Alors, c'est donc ça, tes fantasmes, petite créature perverse... Dis-moi maintenant comment il est... physiquement... Si tu t'arrêtes, je te scotche la bouche et le nez avec du sparadrap, ça te coupera la respiration, et je ne réponds pas de ce que ce sadique simple d'esprit pourra te faire après ! m'ordonne-t-il tout en commençant à me caresser avec sa main gauche tandis que le revolver glisse lentement et tout droit le long de ma poitrine, de mon diaphragme puis de mon ventre vers mon abdomen.

— Il a l'air grand et je crois qu'il est très viril. Il est très rigide... et très dur... et il a un canal en son milieu… mais il est froid, car il est métallique… et il n'est pas fait de la même chose que toi, pas vrai ?… Maintenant que tu as déjà entendu ce que tu voulais, je te jure, Pablo, que si tu descends encore un millimètre plus bas, je me lève de cette chaise, je rentre à pied à Bogota et tu ne me revois plus jamais.

— Ça va, ça va, ça va ! lâche-t-il avec un petit rire coupable et résigné. C'est fou, les méchancetés qui peuvent nous traverser l'esprit lorsqu'on a entre ses mains un vrai sex-symbol qui se trouve dans l'incapacité la plus totale de se défendre… Bon, continuons, petite rabat-joie… mais je te préviens que tu vas devoir attendre que je finisse mon travail avec le sparadrap, car je suis presque aussi perfectionniste que toi.

— Et toi, tu dois comprendre que, pour quelqu'un comme moi, tous ces jeux sont très puérils. Cela fait des jours que j'attends ma surprise, gare à toi si elle n'est pas à la hauteur de mes attentes ! »

Sur un ton impétueux, il me dit qu'ici le seul qui décide si quelque chose est puéril ou pas, c'est lui.

« Ça y est, je sais ce que tu vas me montrer : ta collection d'armes, parce que tu veux m'en offrir une ! Comme celles des *James Bond girls*, évidemment ! Bon, je peux enlever mon bandeau, pour choisir la plus meurtrière et la plus jolie ?

— Le bandeau, tu l'enlèveras quand je t'en donnerai l'ordre ! On dirait que tu ne t'es pas encore rendu compte que celui qui donne des ordres, ici, c'est l'assassin à qui appartient ce revolver, le sadique à qui appartient cette caméra, le mâle qui est le seul détenteur de la force brute et le riche propriétaire de ce territoire, et pas une pauvre femmelette qui pèse cinquante-cinq kilos toute mouillée et au QI très clairement inférieur au mien ! Tu n'as plus que quelques minutes à attendre. Je vais cacher le pays d'origine de... ces quatre derniers... et ça y est, nous voilà prêts ! C'est pour ton bien : imagine si, un beau jour, quelqu'un te torturait de la façon la plus atroce... pendant des jours et des jours... pour te soutirer des informations sur ce que tu vas voir tout à l'heure. Ou si tu n'étais rien d'autre qu'une Mata Hari et qu'un jour... tu me trahissais ?

— Ce sont des diamants volés, mon amour ! Des milliers et des milliers de carats, voilà ce que c'est !

— Je te trouve bien optimiste ! Ceux-là, je n'irais jamais te les montrer, car tu me volerais les plus gros, tu les avalerais, et je devrais te disséquer avec des ciseaux pour te les sortir du ventre ! »

À l'idée de m'étrangler avec des diamants, je ris sans pouvoir m'arrêter. Puis une autre explication me vient à l'esprit :

« Ça y est, je sais ! Bon sang, comment n'y avais-je pas songé plus tôt ? Tu vas me montrer des kilos de coke *made in Colombia* empaquetés pour l'exportation vers les États-Unis ! Vous les emballez avec du sparadrap ? Je vais enfin savoir de quoi ces colis ont l'air ! Est-ce que c'est vrai qu'ils ont l'apparence de plaques de beurre de deux livres sur lesquelles il est écrit "La Reina" ?

— Mon Dieu, ce que tu peux manquer d'imagination ! Vraiment, tu me déçois... Ça, tous mes associés, mes hommes, mes pilotes, mes clients, et même la DEA, peuvent le voir. Je t'ai déjà dit que ce que je vais te montrer, personne ne l'a jamais vu – et ne le verra jamais – à part toi. Bon... nous sommes prêts ! Voilà, maintenant, je peux enfin m'asseoir aux pieds de ma reine pour voir la réaction de son petit minois. Je te promets que tu n'oublieras jamais cette soirée. À la une… à la deux… à la trois ! Retire ton bandeau ! »

Il y en a des bleus, des verts, des lie-de-vin, des marron, des noirs. Avant que je puisse faire un bond en avant pour essayer de les examiner de près, une menotte d'acier se referme d'un clic autour de ma cheville droite et je me retrouve attachée au pied du meuble. Si je ne tombe pas par terre sur le ventre, avec tout cela et ma chaise, c'est parce qu'il s'élance et m'attrape au vol. Il me serre dans ses bras et m'embrasse avidement, hilare, puis il s'exclame :

« Je savais bien que tu étais dangereuse, vile panthère ! Tu vas me le payer ! Si tu veux les voir, d'abord, tu dois me dire que tu m'aimes comme tu n'as jamais aimé personne ! Ha, ha, ha ! Ha, ha, ha ! Dis que tu m'adores, allez, dis-le une bonne fois pour toutes ! Sinon, je ne te laisse pas les regarder, ni de près ni de loin !

— Je ne vais pas dire ce que tu as envie d'entendre, mais ce que moi je veux, d'accord ? C'est que tu es… tu es un génie, Pablo ! Le prodige suprême de l'inframonde ! »

Et, d'une voix presque inaudible, comme si quelqu'un pouvait être en train de nous épier, je lui lance une salve de questions suivies de supplications comme il les adore :

« Ils sont tous à toi ? Mais combien y en a-t-il ? Pour combien y en a-t-il là-dedans ? Comment fais-tu pour te les procurer ? Laisse-moi voir les photos et les noms ! Allez, donne-moi la clé des menottes, Pablo, elles me blessent la cheville ! Laisse cette pauvre petite aveugle les regarder de près ; ne sois pas si sadique, je t'en supplie ! Je veux enlever le sparadrap sur le nom de tous les pays pour les voir en vrai !

— Non, non et non ! Je parie que toi, la petite prodige de la haute, tu n'aurais jamais cru que quelqu'un de mon milieu puisse être assez, et à ce point populaire pour que quatorze pays différents lui accordent la citoyenneté !

— Waouh ! Eh bien, maintenant, je sais à quoi peut servir l'argent, combiné à un quotient criminel privilégié… On dirait que la moitié de l'ONU s'est disputé cet honneur !… En revanche, je ne vois nulle part celui des États-Unis qui, dans ta profession, devraient être quelque chose comme… la priorité numéro un, non ?

— Vois-tu, mon amour… Rome ne s'est pas faite en un jour ! Et sept pour cent des pays du monde, ce n'est pas si mal… pour un début… pour mon jeune âge. Pour l'instant, tu n'as le droit de voir que les photos. Les différentes nationalités et les noms que j'ai sur ces passeports, tu les découvriras au fur et à mesure que nous les utiliserons. Même moi je ne les sais pas encore par cœur.

— Tu te rends compte ? Je suis la seule personne de toute confiance qui puisse t'aider à prononcer correctement dans cinq langues ! À seulement dix-sept ans, j'étais déjà professeur de phonétique à l'Institut colombo-américain. Ne suis-je pas un vrai bijou de fiancée ? Comment allons-nous pouvoir nous rendre dans un pays étranger si tu ne sais même pas dire ton nom, Pablo ? Nous devons commencer à nous entraîner à la prononciation dès maintenant pour que tu n'éveilles pas de soupçons le moment venu. Tu dois comprendre que c'est pour ton bien, amour de ma vie.

— Non et non, un point c'est tout. La seule chose qui t'attende encore, aujourd'hui, c'est la dernière étape : le champagne en récompense viendra après. Ce petit rosé qui est présenté dans le plus bel emballage qui soit, tu vois ce que je veux dire ? »

Sans me retirer les menottes, il m'oblige à me rasseoir sur la chaise et s'agenouille en face de moi, derrière la double rangée de passeports qui se trouve au sol, deux mètres plus loin. Il a masqué au sparadrap le nom des différents pays ainsi que, dans les pages intérieures, le sien et sa date de naissance. Puis, comme un enfant découvrant ses nouveaux jouets le matin de Noël, il me montre les unes après les autres ses quatorze photographies tandis que je regarde, comme hypnotisée, défiler devant mes yeux des avatars inimaginables, hallucinants du visage de l'homme que j'aime :

« Sur celui-ci, j'ai le crâne rasé. Là, des lunettes et une barbichette d'intellectuel marxiste. Sur celui-là, une coupe afro. Une horreur, tu ne trouves pas ? Sur cet autre, je suis en Arabe, c'est un prince saoudien de mes amis qui me l'a procuré. Pour celui-ci, j'ai dû me teindre en blond et, pour celui-là, en roux, j'ai dû aller dans un institut de beauté où les femmes me regardaient comme si j'étais un pédé. Là, je porte une perruque Sur celui-ci, je n'ai pas de moustache et, là, une grosse barbe. Que dis-tu de celui-là, chauve sur le dessus, avec de longs cheveux hirsutes et des petites lunettes comme le professeur Tournesol de *Tintin* ? Génial, non ? Je me trouve horrible sur presque tous ces passeports, mais même ma mère serait incapable de me reconnaître ! Alors, lequel te plaît le plus ?

— Tous, Pablo, je les aime tous ! Tu as l'air trop marrant. Jamais je n'avais vu une collection aussi sensationnelle ! Tu es l'objet le plus illégal que l'on puisse rencontrer au cours d'une vie, le plus grand truand qui ait foulé la surface de la Terre ! »

Je m'extasie sans cesser de rire tandis qu'il remet ses passeports à leur place.

« Comment pourrait-on s'ennuyer avec toi ou ne pas adorer la façon que tu as de t'amuser ? »

Il referme le coffre-fort, pose son revolver sur le bureau et vient vers moi. Il caresse mon visage avec une immense tendresse et, sans dire un mot, m'enlève les menottes. Il embrasse plusieurs fois ma cheville qui présente maintenant une grosse trace rouge. Puis, il me dépose sur le lit et masse doucement la partie de ma tête qui a reçu les coups dans la voiture.

« Crois-moi si tu veux, mais ce que j'aime le plus au monde, ce n'est ni cette tête ni ce corps qui sont si... multidimensionnels, me dit-il, reprenant déjà sa voix de tous les jours, et si meurtris ! ajoute-t-il en riant. C'est quand toute cette masse d'or que tu représentes vient se coller à la mienne, comme cela, comme maintenant. »

Surprise, je lui dis que s'il y a quelqu'un dans cette chambre qui ne possède pas un gramme d'or, c'est justement moi. Il me murmure à l'oreille que j'ai le plus gros cœur en or du monde car, après avoir été au début un défi pour lui, malgré toutes ces terribles épreuves auxquelles il me soumet, je ne me plains jamais et je finis par être maintenant sa récompense.

« Comme mon cœur est déjà à l'intérieur du tien, je sais tout de toi. Et, comme nous avons gagné tous les deux, maintenant, nous pouvons perdre la tête tous les deux, non ? Abracadabra, ma Marie-Antoinette comblée... »

Quand il tombe endormi, je vérifie le revolver. Il est chargé de six balles. Je me penche à la terrasse et je vois quatre voitures avec des gardes du corps garées à tous les coins de rue. Je sais qu'ils donneraient leur vie pour lui, tout comme je le ferais moi-même, sans y réfléchir à deux fois. Je suis rassurée et je m'endors paisiblement. Lorsque je me réveille, il est déjà parti.

Deux futurs présidents
et *Vingt poèmes d'amour*

Le deuxième but de Pablo, après avoir amassé une fortune colossale, est d'utiliser son argent pour devenir le leader politique le plus populaire de tous les temps. N'est-ce pas un acte profondément schizophrène, une manifestation du délire de grandeur, du culte de la personnalité le plus débridé, d'une extravagance sans précédent, d'une munificence absolument inouïe, exorbitante et, surtout, inutile, que d'aspirer à offrir dix mille maisons à des gens sans logis et de prétendre éradiquer la faim dans une ville d'un million d'habitants ? *A fortiori* dans un pays comme la Colombie dont les magnats sont sans doute les plus avares, les plus dénués de grandeur de toute l'Amérique latine.

Les propriétaires de fabuleuses fortunes sont constamment préoccupés de savoir si on les aime pour leur argent. C'est pour cela qu'ils manquent tant de confiance en eux et qu'ils sont si méfiants en matière d'amour. C'est un peu comme les femmes célèbres qui se posent la même question à propos de leur beauté et qui se demandent à chaque minute si les hommes ont en fait besoin d'elles en tant qu'épouses, en tant que petites amies, ou simplement pour les exhiber comme leur propriété et comme des trophées de chasse. Pour ce qui est de Pablo, il est parfaitement convaincu que ce n'est pas pour ses richesses mais pour lui-même qu'il est aimé de ses partisans, de son armée, de ses femmes, de ses amis, de sa famille et, bien évidemment, de moi. S'il a certes raison, je me demande cependant si sa sensibilité extrême, combinée à ce qui semble être une personnalité pathologiquement obsessionnelle, sera vraiment capable d'affronter les pièges que va lui tendre sa notoriété naissante et, surtout, la foule de rivalités que cela risque de lui coûter dans un pays où, c'est chose bien connue, les gens « ne meurent pas de cancer, mais d'envie ».

Je vois Pablo en public pour la seconde fois, à l'occasion de l'inauguration d'un de ses terrains de basket-ball. Comme son mouvement politique « Civisme en marche » préconise de se dépenser sainement et qu'il est lui-même un passionné de sport, il a décidé de doter de terrains de basket tous les quartiers populaires de Medellín et la municipalité toute proche d'Envigado où il a grandi, et d'offrir l'éclairage de tous les terrains de football de la ville. À la date où nous faisons connaissance, il en a déjà offert plusieurs douzaines. Ce soir, il me présente à toute sa famille – des gens de la basse classe moyenne dont les visages très sérieux n'expriment pas un soupçon de méchanceté – et à son épouse, Victoria Henao, âgée de vingt-trois ans, qui est la maman de Juan Pablo, son petit garçon de six ans. « La Tata », comme tout le monde l'appelle, n'est pas jolie mais son visage a une expression digne. Seules ses boucles d'oreilles – deux diamants solitaires d'une taille absolument inouïe – pourraient trahir qu'elle est l'épouse de l'un des hommes les plus riches du pays. Elle a les cheveux très courts, elle est petite et brune, et sa timidité bien visible tranche avec la désinvolture de son mari. Au contraire de nous deux, qui nous sentons comme des poissons dans l'eau au milieu de la foule, elle ne semble guère priser l'événement, et quelque chose me dit qu'elle commence à s'inquiéter de la popularité croissante de son mari. Elle me salue froidement, avec la même méfiance que celle que je peux lire dans les yeux de presque toute la famille de Pablo. Elle le regarde avec une admiration sans bornes, il la contemple comme charmé, et je les observe avec un sourire car je n'ai jamais été jalouse de personne. Par bonheur, la passion que je voue à Pablo n'est ni exclusive ni possessive ; je l'aime de toute mon âme et de tout mon cœur, de toute ma tête et de tout mon corps, à la folie, mais pas de façon irrationnelle car mon amour-propre l'emporte encore sur les sentiments que je lui porte. Mon esprit perspicace se demande si, après huit ans de mariage, ces regards de fiancés extasiés n'obéissent pas en fait à la nécessité de ne laisser planer publiquement aucun doute sur leur relation.

Pendant que j'observe sa famille avec la triple acuité que me confèrent mon intimité de maîtresse, mon objectivité de journaliste et ma distance de spectatrice, il me semble voir planer une sorte d'ombre énorme au-dessus de cette scène familiale et de la foule qui se presse vers Pablo pour le remercier pour les milliers de paniers de provisions qu'il distribue chaque semaine aux pauvres. Je me sens soudain envahie d'une inexplicable tristesse et d'une multitude de doutes, de ces doutes qui annoncent les prémonitions, et je me demande si ces scènes de triomphe, avec tous ces ballons multicolores et la musique stridente des haut-parleurs, ne sont en fait que des mirages, de purs feux d'artifice, de simples châteaux de cartes. Lorsque cette ombre s'éloigne, je vois clairement ce dont personne d'autre ne semble s'être aperçu : cette grande famille de Pablo, vêtue de ses nouveaux habits et parée de ses bijoux qui sont le fruit d'un enrichissement fabuleux et tout récent, commence à être hantée par la peur de quelque chose qui semble sourdre depuis longtemps et qui, à tout moment, pourrait exploser à la façon d'une éruption volcanique aux proportions bibliques.

Ces sensations inquiétantes m'envahissent et me quittent tandis que, de son côté, il jouit de la chaleur de la foule, de son admiration et de ses applaudissements. Tout cela représente mon pain quotidien, les aléas de mon métier de présentatrice d'émissions de télévision et d'innombrables événements, moi qui suis accoutumée depuis mes vingt-deux ans aux « bravo ! » des théâtres ou aux *broncas* des stades ; mais cela représente aussi l'oxygène de Pablo, la raison d'être de son existence, les premiers paliers de son ascension vers la gloire. Il est évident que l'ardeur de son discours politique touche au plus profond les cœurs populaires. Lorsque je l'écoute parler, je crois entendre du Shakespeare, les phrases que ce dernier fait dire à Antoine à l'enterrement de César : « Le mal que font les hommes leur survit. Le bien est quant à lui presque toujours enterré avec leurs os. » Je me demande quel destin attend cet homme à la fois mécène et bandit, si jeune et si naïf, dont je suis moi aussi tombée amoureuse. Saura-t-il bien jouer sa carte ? Réussira-t-il un jour à parler en public avec un accent moins prononcé, sur un ton plus amène ? Mon diamant brut parviendra-t-il à peaufiner son discours prosaïque et à délivrer un message qui portera au-delà de sa province ? Saura-t-il mieux contenir sa passion pour obtenir ce qu'il ambitionne et, pour le conserver, trouver une façon encore plus judicieuse de l'exprimer ? Au bout de plusieurs minutes, je suis gagnée par le bonheur qui transporte toutes ces familles aux faibles ressources, par leurs illusions et leurs espoirs. Je rends grâce à Dieu d'avoir donné vie au seul bienfaiteur laïc d'envergure que la Colombie, dans mes souvenirs, ait jamais enfanté et, tout enthousiasmée, je me joins à la liesse populaire.

Son plan pour la décharge a l'effet d'un séisme dans tout le pays. Tous mes collègues veulent interviewer Pablo Escobar pour essayer de savoir d'où vient l'argent de ce représentant suppléant à la Chambre âgé de trente-trois ans dont les ressources, qui semblent inépuisables, vont de pair avec une générosité encore jamais vue et avec un inquiétant charisme politique produit par cette singulière alliance de fortune et de bonté. Beaucoup d'entre eux veulent également connaître la nature de la relation qu'il entretient avec une star de télévision de la haute société qui a toujours jalousement protégé sa vie privée. Je nie formellement toute intrigue avec un homme marié et je conseille à Pablo de ne pas accorder d'entretien avant d'avoir passé l'examen auquel je compte le soumettre devant les caméras de son studio télé – ce qu'il accepte, bien qu'à contrecœur.

« Je vais t'inviter à assister au premier Forum contre le traité d'extradition, qui va se dérouler ici, à Medellín, la semaine prochaine, me dit-il. Puis au suivant qui sera organisé à Barranquilla, tu feras la connaissance des hommes les plus importants de ma corporation, qui sont aussi les plus grosses fortunes du pays à l'heure actuelle. Ils sont avec nous, ils ont presque tous rejoint le MAS, et ils sont bien décidés à en finir, par tous les moyens qu'il faudra, avec cette aberration. Même s'il faut mettre le pays à feu et à sang pour y arriver. »

Je lui fais remarquer qu'un langage si belliqueux risque de lui causer trop d'inimitiés à un moment où sa carrière politique commence juste à décoller. Je lui conseille d'étudier *L'Art de la guerre* de Sun Tzi, pour apprendre des règles stratégiques et la patience. Je lui cite quelques maximes du sage chinois comme « Ne jamais attaquer l'ennemi s'il est adossé à une hauteur » et il me fait remarquer qu'en matière de stratégie il sait adapter rapidement la sienne aux besoins du moment et, puisque les livres l'assomment, pour apprendre toutes ces choses sans avoir à les étudier, il m'a, moi qui suis une lectrice compulsive depuis ma plus tendre enfance. Il sait que c'est la dernière des choses qu'une femme éprise et désirable rêve d'entendre, c'est pourquoi il ajoute, d'un ton enjoué :

« Devine quel est le nom de code que je t'ai donné pour que l'on m'indique par radio l'heure à laquelle tu arrives à l'aéroport ? Eh bien, c'est ni plus ni moins que... Belisario Betancur, comme le président de la République, pour que ton entrée dans l'inframonde soit fracassante ! Franchement, tu n'as vraiment pas à te plaindre, ma VV ! »

Il rit avec cette malice qui me désarme, qui fait s'évanouir tous mes soucis et me fait fondre entre ses bras comme un bâtonnet de glace au caramel nappé de vanille et de pépites de chocolat abandonné dehors un soir d'été.

Au fil de mes voyages, je remarque que les passagers qui m'accompagnent dans l'avion forment un ensemble de plus en plus bigarré. Untel vient de s'entretenir avec Kim II-sung en Corée du Nord. Celui-ci sort de la toute récente réunion des pays non alignés. Celui-là connaît personnellement Petra Kelly, la fondatrice du parti allemand des Verts, que Pablo envisage d'inviter pour lui faire découvrir son zoo et ses œuvres sociales, et celui qui se trouve là-bas est un ami personnel de Yasser Arafat. Dans les bureaux de Pablo et de Gustavo, le bleu remplace déjà le rouge, on voit des lunettes très noires dans tous les coins, et le vert que l'on y aperçoit n'est pas tout à fait le même que celui des écologistes européens, c'est celui du F2 de la police. Ce Paraguayen est un proche du fils ou du gendre d'Alfredo Stroessner, ceux qui sont là-bas sont des généraux mexicains trois soleils, ceux qui ont les attachés-cases sont des vendeurs d'armes israéliens et ceux du fond arrivent du Libéria. Au cours de ces premiers mois de 1983, la vie de Pablo s'apparente à une Assemblée permanente des Nations unies. Petit à petit, je me rends compte que l'homme que j'aime a, en plus de son talent pour se déguiser et acheter des nationalités, la capacité d'adapter, tel un caméléon, son discours politique au public qu'il a devant lui : radicalement à gauche devant les pauvres, les partis politiques, les médias et quand il est question d'exportations, mais de la droite la plus réactionnaire et la plus répressive quand il s'agit de défendre sa famille, ses affaires, ses biens et ses intérêts lorsqu'il se trouve en face de partenaires multimillionnaires ou d'alliés en uniforme. Deux postures extrêmes et contradictoires qu'il se permet d'adopter devant la femme-défi dont il est tombé amoureux, pour lui montrer ses dons de marionnettiste de l'Histoire, sa totale maîtrise des ficelles multicolores de cette formidable pagaille qu'il est en train d'organiser. Il a choisi de faire d'elle l'observatrice des différents stades de son évolution et la possible complice de son existence, pour qu'elle puisse voir à quel point il monopolise toutes les formes de pouvoir masculin. En faisant ainsi d'elle un témoin d'exception de la capacité qu'il a de subjuguer tous les autres hommes, il entend également lui montrer son pouvoir de séduction sur les autres femmes.

Le premier Forum contre l'extradition se déroule à Medellín. Pablo m'invite à m'asseoir à la table principale, à côté du prêtre Elías Lopera, qui se trouve à sa droite. J'y écoute pour la première fois son discours nationaliste enflammé contre cette disposition juridique. Avec le temps, la lutte contre l'extradition va devenir son obsession, sa cause et son destin, le calvaire de toute une nation, de millions de compatriotes, de milliers de victimes, la croix de sa vie et de la mienne. En Colombie, un pays où la justice n'est presque toujours rendue qu'au bout de vingt ou trente ans – lorsqu'elle l'est effectivement, car entre-temps il arrive souvent qu'elle soit vendue au plus offrant –, le système est conçu pour protéger le délinquant et user la victime, ce qui signifie qu'une personne disposant des ressources financières de Pablo est assurée de jouir pendant le restant de ses jours de l'impunité la plus abjecte. Mais un nuage vient d'obscurcir son horizon et celui de toute sa corporation : la possibilité pour le gouvernement des États-Unis de demander l'extradition de tout prévenu colombien pour qu'il réponde de délits binationaux dans un pays qui, lui, dispose d'un système judiciaire efficace, de prisons de haute sécurité et qui prononce des sentences de prison à perpétuité cumulables entre elles, et même de peine de mort.

Pendant le premier Forum, Pablo s'exprime devant ses compatriotes dans un langage beaucoup plus belliqueux que celui que je lui connais. Sa voix ne tremble pas lorsqu'il attaque farouchement la figure montante du leader politique Luis Carlos Galán, candidat permanent à la présidence de la République, car celui-ci l'a rayé des listes de son mouvement, Nouveau Libéralisme, dont le principal cheval de bataille est la lutte contre la corruption. Ce que Pablo ne pardonnera jamais à Galán, c'est qu'après avoir découvert en 1982 l'origine de sa fortune ce dernier lui a notifié son expulsion – certes sans mentionner le nom d'Escobar – devant des milliers de personnes qui étaient réunies à Medellín dans le parc Berrío.

J'avais fait la connaissance de Luis Carlos Galán, douze ans plus tôt, chez une des femmes les plus sympathiques dont je me souvienne, la belle et élégante Lily Urdinola, à Cali. J'avais vingt et un ans et je venais de divorcer de Fernando Borrero Caicedo, un architecte qui était le portrait craché d'Omar Sharif et qui avait vingt-cinq ans de plus que moi. Lily s'était séparée du propriétaire d'une plantation sucrière de la vallée du Cauca, et elle avait alors trois prétendants. Un soir, elle les invita à dîner tous les trois et elle nous demanda, à son frère Antonio et à moi, de l'aider à choisir entre le millionnaire suisse et sa chaîne de boulangeries, le riche Juif et sa chaîne de boutiques de prêt-à-porter et le jeune homme timoré au nez aquilin et aux immenses yeux clairs dont le seul capital semblait être un brillant avenir politique. Bien que ce soir-là aucun de nous n'ait voté pour Luis Carlos Galán, quelques mois plus tard, ce jeune homme peu disert au regard transparent devenait à vingt-six ans le plus jeune ministre de l'Histoire. Je n'ai jamais parlé à Pablo de ce « fiasco » mais, tout le reste de ma vie, j'allais me mordre les doigts de ne pas avoir donné ma voix à Luis Carlos ce soir-là car, si Lily s'était laissé séduire par lui, à nous deux nous aurions certainement réussi à résoudre ce satané problème de Pablo et évité des milliers de morts et des millions d'horreurs.

La photographie où nous sommes tous les deux au premier Forum contre l'extradition est le tout premier des clichés qui illustreront par centaines les premiers mois de la période la plus suivie de notre relation. Quelques mois plus tard, la revue *Semana* s'en servira pour illustrer son article sur « le Robin des bois *paisa* », surnom avec lequel Pablo commencera à forger sa légende, d'abord en Colombie puis dans le reste du monde. Ensuite, chaque fois que nous nous retrouverons, après m'avoir accueillie d'un baiser et d'un câlin suivis de deux pirouettes en l'air, il me posera toujours la même question :

« Que dit-on de Reagan et de moi à Bogota ? »

Je lui raconterai en détail ce que tout le monde pense de lui, car ce que l'on dit du président Reagan n'intéresse que l'astrologue de son épouse Nancy et les élus républicains au Congrès établis à Washington ou dans le Delaware.

Pour le second Forum contre l'extradition, nous nous rendons à Barranquilla et nous logeons dans la suite présidentielle d'un immense hôtel récemment inauguré ; pas au Prado, qui a toujours été l'un de mes hôtels préférés. Pablo n'aime que ce qui est moderne et moi, que ce qui a du cachet, et nous nous chamaillerons toujours au sujet de ce qu'il juge « de style ringard » et que moi je considère comme « de style *magique* ». L'événement a pour cadre la splendide résidence d'Iván Lafaurie, joliment aménagée par mon amie Silvia Gómez, qui a également décoré tous les appartements que j'ai pu habiter depuis mes vingt et un ans.

Aucun média n'a été invité pour l'occasion. Pablo m'explique que le plus pauvre des participants possède une fortune de dix millions de dollars, tandis que celles de ses associés – les trois frères Ochoa et Gonzalo Rodríguez Gacha, « le Mexicain » – représentent au total, avec la sienne et celle de Gustavo Gaviria, plusieurs milliards de dollars et dépassent largement celles des magnats de l'oligarchie colombienne. Pendant qu'il m'explique que presque toute l'assistance fait partie du MAS, je commence à lire sur de nombreux visages l'agitation que provoque la présence à ce Forum d'une célèbre journaliste de la télévision.

« Aujourd'hui, tu vas assister à une déclaration de guerre historique. Où préfères-tu t'asseoir ? En bas, au premier rang, pour nous regarder, moi et les chefs de mon mouvement, dont tu as déjà fait la connaissance à Medellín ? Ou à la table principale, pour pouvoir observer les quatre cents hommes qui vont noyer ce pays dans un bain de sang si jamais ce traité d'extradition est approuvé ? »

Comme je commence à être habituée à sa rhétorique napoléonienne, je choisis de m'installer à l'extrême droite de la table principale, moins pour faire la connaissance de ces quatre cents nouveaux multimillionnaires qui, un jour ou l'autre, pourraient remplacer au pouvoir – et même guillotiner – mes amis et ex-petits amis de l'oligarchie traditionnelle (ce qui éveille en moi des émotions contradictoires, qui vont de la peur panique au délice exquis) que pour essayer de lire sur cette mer de visages durs et méfiants ce qu'ils pensent réellement de l'homme que j'aime. Pour savoir si ce que je vois me déplaît, si ce que j'entends me glace les sangs. Sans même m'en douter, dans cette nuit étoilée, dans cette demeure entourée de jardins, au bord de la mer des Caraïbes, je suis en train d'assister, en tant que témoin d'exception, en tant que seule femme et possible future chroniqueuse de l'Histoire, au baptême du feu du narco-paramilitarisme colombien.

Lorsque les discours s'achèvent et que le Forum prend fin, je descends de l'estrade et me dirige vers la piscine. Pablo est resté discuter avec nos hôtes et avec ses associés, qui le félicitent très chaleureusement. Une nuée de curieux m'entourent et plusieurs me demandent ce que je fais là. Enhardi par le rhum ou le whisky, un homme qui a l'air d'un propriétaire terrien et d'un éleveur traditionnel de la côte – il porte un nom comme Lecompte, Lemaitre ou Pavajeau – dit à voix haute, pour que tous les autres puissent l'entendre :

« Moi, je suis bien trop vieux pour qu'un de ces petits morveux vienne me dire pour qui je dois voter ! Moi, je suis un *godo* (membre du Parti conservateur), rétrograde et réactionnaire, de ceux de la vieille garde, des fidèles de toujours, et moi, je vote pour Álvaro Gómez et personne d'autre ! Lui, c'est un type sérieux, pas comme ce voyou de Santofimio ! D'où sort ce parvenu d'Escobar pour venir me donner des ordres ? Il s'imagine qu'il a plus de fric et de vaches que moi, ou quoi ?

— Maintenant que je sais qu'avec l'argent de la coke on peut se trouver une star de la télé, eh bien, moi, je vais jeter Magola, ma femme, pour me marier avec l'actrice Amparito Grisales ! plastronne un autre dans mon dos.

— Tu crois que cette pauvre fille se doute que ce type a été "une gâchette" et qu'il a déjà plus de deux cents morts à son actif ? » ironise à voix basse un troisième larron devant un petit groupe qui accueille ses paroles par de petits rires nerveux avant de décamper.

Un homme âgé qui semble exaspéré par les propos des autres attire mon attention :

« Doña Virginia, j'ai un fils qui est séquestré par les FARC depuis plus de trois ans. Que Dieu bénisse Escobar et Lehder et tous ces messieurs si courageux et si hardis ! Ils sont les gens dont ce pays avait besoin, car notre armée est bien pauvre pour lutter toute seule contre cette guérilla qui s'enrichit grâce aux enlèvements. Maintenant que nous voilà en train de nous unir, je sais que je peux rêver de revoir mon fils avant de mourir, qu'il va pouvoir serrer à nouveau son épouse dans ses bras et enfin connaître mon petit-fils ! »

Pablo me présente à Gonzalo Rodríguez Gacha, le Mexicain, qui est accompagné de plusieurs des producteurs d'émeraudes de Boyacá. Il est chaleureusement félicité par presque toute l'assistance et nous discutons un moment avec ses amis et ses associés. Lorsque nous rentrons à l'hôtel, je ne lui répète rien de ce que j'ai entendu et je lui fais simplement remarquer que certains des participants – en bons partisans de la droite qu'ils sont – semblent éprouver une profonde défiance à l'égard d'une personne aussi libérale que Santofimio, qui est son candidat.

« Attends un peu qu'ils aient tous un enfant qui se fasse enlever et que le numéro un de la corporation soit extradé, tu verras qu'ils se dépêcheront d'aller voter pour qui on leur dira ! »

Après avoir été expulsé du mouvement de Luis Carlos Galán, Pablo Escobar a rejoint les rangs de celui du sénateur Alberto Santofimio, chef de file libéral du département de Tolima. Santofimio est très proche de l'ex-président Alfonso López Michelsen, il est le cousin de la belle-mère de son fils. Gloria Valencia de Castaño, la « première dame de la télévision colombienne », est la fille illégitime d'un oncle de Santofimio, et sa fille unique, Pilar Castaño, est mariée avec Felipe López Caballero, l'éditeur de la revue *Semana*.

En Colombie, lors de chaque élection présidentielle ou sénatoriale, le contingent des voix *santofimistes* représente une part substantielle du total recueilli par le candidat du Parti libéral, qui dépasse le Parti conservateur en nombre de suffrages et de présidents élus. Santofimio est charismatique, et il a la réputation d'être non seulement un excellent orateur sur la place publique, mais aussi le plus habile, le plus ambitieux et le plus sagace des hommes politiques du pays. Il a une quarantaine d'années et s'affirme comme un prétendant de premier ordre à la présidence de la République. C'est un petit homme replet, presque toujours souriant et à la mine satisfaite. Nous n'avons jamais été amis, mais il m'est sympathique et je l'ai toujours appelé Alberto. (En 1983, en société, tout le monde m'appelle Virginia et je m'adresse aux personnalités par leur prénom ; je n'appelle « docteur » ou « maître » que ceux avec qui je préfère garder mes distances, et « monsieur le Président » les chefs d'État. En 2006, après vingt ans d'ostracisme, les gens m'appelleront « madame », je dirai « docteur » et « docteure » à tout le monde et, lorsqu'ils me verront venir de loin, les ex-présidents prendront leurs jambes à leur cou.)

Quelques mois avant notre rencontre, Escobar et Santofimio avaient assisté avec d'autres membres du Congrès colombien à l'investiture du chef du gouvernement espagnol, le socialiste Felipe González, dont l'homme de confiance, Enrique Sarasola, est marié avec une Colombienne. González, je l'avais interviewé pour la télévision en 1981 et Sarasola, j'avais fait sa connaissance à Madrid pendant mon premier voyage de lune de miel. Avec une expression terriblement sérieuse, Pablo m'a décrit la scène où, dans une discothèque madrilène, les autres parlementaires qui avaient assisté à la cérémonie lui demandaient de leur offrir de la coke en cadeau, ce dont il s'était offusqué. J'ai d'ailleurs eu moi-même confirmation de ce que je savais déjà : le Roi de la Coke semble détester presque autant que moi le produit d'exportation sur lequel il construit actuellement un empire à l'abri du fisc. La seule personne à qui Pablo ait jamais offert des cailloux de coke sans qu'il ait seulement besoin de les demander, c'est l'ancien petit ami de sa fiancée, et il ne l'a précisément fait ni pour des raisons humanitaires ni par philanthropie.

Comme, en 1983, les sénateurs libéraux Galán et Santofimio sont les deux options les plus sûres pour la nouvelle génération de remporter le mandat présidentiel 1986-1990, Pablo et Alberto se sont alliés pour devenir deux opposants acharnés à la candidature de Luis Carlos Galán à la présidence. Escobar m'a avoué que, pour les élections parlementaires de mi-mandat de 1984, il est en train d'injecter des millions dans les caisses du mouvement politique de Santofimio. J'essaie de le convaincre que l'heure est venue pour lui d'appeler le récipiendaire de ses dons par son prénom, comme Julio Mario Santo Domingo le fait avec Alfonso López, mais Pablo appellera toujours son candidat « docteur ».

Pendant les années suivantes, « le Saint » sera le lien indéfectible d'Escobar et de toute sa corporation avec la classe politique, la bureaucratie, le Parti libéral et, surtout, avec la famille López, voire même avec certains secteurs des forces armées, car un autre cousin de Santofimio, marié avec la fille de Gilberto Rodríguez Orejuela, est le fils d'un célèbre général de l'armée de terre.

*

Aujourd'hui, je suis radieuse de bonheur. Pablo vient assister aux séances du Congrès à Bogota et je vais enfin lui montrer mon appartement. Et il dit qu'il m'apporte une nouvelle surprise ! Les pétales des roses sont parfaits, comme tout le reste : la bossa-nova sur ma chaîne hi-fi, le champagne rosé au réfrigérateur, mon parfum favori, ma robe de Paris et les *Vingt poèmes d'amour* de Pablo Neruda sur la table basse. Clara, ma meilleure amie de l'époque, s'est déplacée de Cali, car elle vend des antiquités et elle voudrait proposer à Pablo d'acheter un Christ du XVIIIe siècle pour le père Elías Lopera. Pour l'instant, elle est, avec Margot, Martita et les associés de Pablo, la seule à être au courant de notre relation.

On sonne et je descends à toute vitesse le petit escalier qui sépare le studio et les trois chambres de la partie réception de mon appartement de deux cent vingt mètres carrés. En arrivant dans le salon, je me retrouve nez à nez avec le candidat et son parrain, mais il y a aussi avec eux plus d'une demi-douzaine de gardes du corps qui me toisent avec désinvolture avant de prendre l'ascenseur pour aller attendre leur chef dans le parking ou à la sortie de l'immeuble. L'ascenseur remonte avec une autre douzaine d'hommes et redescend avec la moitié d'entre eux. Cette scène se répète trois fois et, chaque fois, Pablo lit sur mon visage la profonde déconvenue qu'elle m'inspire. Tout, dans l'expression de ces reproches, lui fait comprendre que c'est la première et la dernière fois que je lui permettrai de pénétrer sous escorte ou en compagnie d'inconnus dans l'endroit où nous devons nous retrouver ou là où je suis en train de l'attendre.

Tout au long de ces années, je verrai Pablo environ deux cent vingt fois, dont quatre-vingts où il sera entouré d'une cohorte d'amis, de sympathisants, d'employés ou de gardes du corps. Mais, à compter de ce jour-là, il montera tout à fait seul dans nos appartements ou dans mes suites et, lorsque je le rejoindrai dans ses petites maisons de campagne, il ordonnera à ses hommes de déguerpir avant de leur laisser l'occasion de me voir. Ce soir-là, il a compris en quelques instants que, pour rendre visite à la femme qu'il aime – qui plus est, une diva –, un homme marié ne doit pas se comporter comme un général, mais comme tous les amoureux, et que le tout premier signe de reconnaissance que l'on doit manifester à l'être aimé, c'est de lui accorder une confiance presque aveugle. Pendant les journées que nous passerons ensemble, je le remercierai toujours par des gestes, jamais par des mots, d'avoir tacitement accepté les conditions que ces trois seuls regards ont suffi à lui imposer.

Clara et moi saluons tour à tour, parmi d'autres, Gustavo Gaviria, Jorge Ochoa et ses frères, Gonzalo, le Mexicain, Pelusa Ocampo, le propriétaire du restaurant où nous dînons parfois, Guillo Ángel, son frère Juan Gonzalo et Evaristo Porras qui me semble effrayé car il a la mâchoire qui tremble, mais Pablo m'explique que le bougre a consommé des quantités industrielles de cocaïne. Comme Aníbal Turbay n'a jamais claqué des dents, j'en conclus qu'Evaristo a dû « s'en enfiler » au moins une demi-livre. Après l'avoir sermonné en privé, Pablo lui demande de lui remettre une cassette vidéo, il lui dit au revoir en le poussant doucement vers l'ascenseur comme un enfant qui vient de se faire gronder et lui ordonne de rentrer à l'hôtel et d'y attendre tout le monde. Ensuite, il me dit que nous devons regarder cet enregistrement tous les deux car il a un service très urgent à me demander. Je laisse Clara prendre soin des invités et nous montons au studio.

Chaque fois que Pablo et moi nous nous voyons, nous passons six, huit heures, voire plus ensemble, et il a déjà commencé à me révéler quelques généralités sur ses affaires. Ce soir, il m'explique que Leticia, la capitale de l'Amazonie colombienne, joue désormais un rôle-clé pour le transit de la pâte de coca depuis le Pérou et la Bolivie vers la Colombie, et que Porras est l'homme de son organisation qui gère le sud-est du pays. Il me raconte que, pour justifier sa fortune aux yeux du fisc, Evaristo a, par trois fois, racheté à son heureux propriétaire la grille gagnante du gros lot de la Loterie nationale, ce qui lui vaut sa réputation d'homme le plus chanceux de la planète !

Nous allumons le téléviseur et voyons apparaître à l'écran la silhouette d'un homme jeune qui discute avec Porras sur ce qui semble être une affaire en rapport avec l'agriculture ; ces images nocturnes sont floues et on ne comprend pas distinctement ce qu'ils se disent. Pablo m'explique qu'il s'agit de Rodrigo Lara, le bras droit de Luis Carlos Galán, et qu'il est par conséquent un de ses pires ennemis. Il m'indique que ce qu'Evaristo est en train de sortir d'un paquet n'est autre qu'un chèque, un pot-de-vin d'un million de pesos – environ vingt mille dollars de l'époque –, et il m'avoue que l'enregistrement de cette scène leur a demandé à lui, à son associé et au cameraman, un long travail de préparation. Lorsque nous finissons de regarder la bande, Pablo me demande de dénoncer Lara Bonilla dans mon émission de télévision *À l'attaque !* Je m'y refuse. Je suis claire et catégorique :

« À ce moment-là, il faudrait aussi que je dénonce Alberto, qui est en dessous, car il reçoit de toi des sommes nettement plus importantes, et Jairo Ortega dont tu es le suppléant à la Chambre, et qui sait combien d'autres personnes encore ! Et si quelqu'un s'amusait à me filmer demain, quand tu me remettras l'argent du Christ de Clara, pour aller dire après que cet argent provient du trafic de la cocaïne, simplement parce que c'est toi qui me le donnes, qu'est-ce que tu en penserais ? Pendant toute ma vie, j'ai été victime de milliers de calomnies, et c'est pour cette raison que je ne me sers jamais de mon micro pour causer du tort aux autres. Qui me dit que les affaires de Lara avec Porras sont bien légales, sachant que tu me dis que c'est vous qui avez organisé cette opération ? C'est une chose de montrer dans mon émission de télévision cette épouvantable décharge et ton incroyable action sociale, mais tu dois comprendre que c'en est une autre de te servir de complices dans tes manigances pour t'en prendre à tes ennemis, qu'ils soient coupables ou innocents. Moi, ce que je veux, c'est être ton ange gardien, mon amour. Demande à quelqu'un d'autre de te rendre ce service, à quelqu'un qui veuille être ta vipère. »

Il me regarde, stupéfait, et baisse les yeux en silence. Voyant qu'il ne souhaite pas m'affronter, je continue : je le comprends mieux que personne, car moi aussi je fais partie de ces gens qui ne pardonnent et n'oublient jamais, mais si nous décidions un jour d'éliminer tous les gens qui nous ont fait du mal, en l'espace de quelques secondes, le monde se retrouverait dépeuplé de tous ses habitants. J'essaie de lui faire remarquer qu'avec la chance qu'il a dans les affaires et dans sa vie privée, en politique et en amour, il devrait se considérer comme l'homme le plus favorisé de la Terre, et je le supplie d'oublier une fois pour toutes cette épine qui s'est logée dans son cœur et qui va finir par lui gangrener l'âme.

Comme mû par un ressort, il se met debout. Il me prend dans ses bras et me berce un long moment. Il n'y a rien, rien au monde qui puisse me rendre plus heureuse car, depuis le jour où Pablo m'a sauvé la vie, ces bras m'apportent toute la sécurité et toute la protection dont une femme pourrait rêver. Il m'embrasse sur le front, il sent mon parfum, fait glisser plusieurs fois ses mains le long de mon dos et me dit qu'il ne veut pas me perdre car il a besoin de m'avoir à côté de lui pour un tas de choses. Puis, en me regardant dans les yeux, il ajoute, avec un sourire :

« Tu as entièrement raison ! Pardonne-moi ! Retournons tout de suite dans le salon. »

Quant à moi, je sens mon âme regagner mon corps et je me dis que lui et moi, tous les deux, nous grandissons un peu chaque jour, comme deux petits bambous.

Bien des années plus tard, je me demanderai si ces longs silences de Pablo, pendant lesquels il gardait la tête basse, traduisaient vraiment cette soif de vengeance dont il me parlait sans cesse, ou simplement d'effrayants et inavouables pressentiments. N'étaient-ils pas en fait la prémonition de scènes qu'il vivrait dans ce futur qui nous happe comme une locomotive incontrôlable, sans que nous puissions rien faire pour l'éviter, l'arrêter ou en modifier le cours ?

Lorsque nous descendons, nous leur trouvons à tous l'air guilleret, et Clara et Santofimio récitent ensemble à l'unisson les vers les plus célèbres des *Vingt poèmes d'amour* de Neruda :

> « Tu me plais quand tu te tais car tu es comme absente,
> Et tu m'entends de loin, et ma voix ne te touche pas.
> Dans les nuits comme celle-ci, je l'ai tenue dans mes bras.
> Je l'ai embrassée tellement de fois sous le ciel infini
> Je peux écrire les vers les plus tristes ce soir.
> Penser que je ne la tiens pas. Sentir que je l'ai perdue
> Je ne l'aime plus, c'est vrai, mais je l'ai tant aimée

L'amour est si court, et si long est l'oubli
Ma voix cherchait le vent pour toucher son
ouïe.
À quelqu'un d'autre. Elle doit être à quelqu'un
d'autre.
Comme avant mes baisers. »

Pablo et moi les interrompons et leur demandons de nous laisser choisir les nôtres.

« Dédie-moi celui-ci, lui dis-je en riant, "Pour mon cœur, ta poitrine suffit, pour ta liberté, mes ailes suffisent". Tes vingt-quatre ailes, celles de tes onze avions et les deux du jumbo-jet !

— En fait, c'est donc ça que tu veux, petite coquine, tu veux m'échapper ? Même pas en rêve ! Et qui t'a dit que je ne veux que ta poitrine ? Je te veux tout entière, et voilà ton vers : "Comme mes rêves solitaires te sentent mienne !" » Il le répète plusieurs fois. « Et celui-là aussi : "Tu as des yeux profonds où la nuit bat des ailes, et des bras frais de fleur et un giron de rose." Je te les dédie, avec un autographe, et tout et tout ! »

Après avoir signé de son nom, il dit qu'il veut maintenant m'offrir un poème à lui exclusivement écrit pour moi. Après quelques secondes de réflexion, il écrit :

Virginia :
Ne pense pas que si je ne t'appelle pas
C'est parce que tu ne me manques pas beaucoup.
Ne pense pas que si je ne te vois pas,
Je ne ressens pas ton absence.
                    Pablo Escobar G.

152

Je trouve quelque peu étrange cette accumulation de négations, une observation que je garde pour moi ; je salue sa vivacité d'esprit et, de mon plus beau sourire, je le remercie pour ce cadeau. Santofimio lui aussi me dédicace le livre : « Virginia : Pour toi, la voix discrète, la figure seigneuriale (*deux mots illisibles*) de notre Pablo. AS ».

Vers vingt heures, les *capi di tutti capi* prennent congé car ils doivent honorer un engagement social « de très, très haut niveau ». Clara est heureuse, elle a vendu à Pablo son Christ pour dix mille dollars et elle a écrit dans le recueil de poèmes qu'il lui tarde de le voir devenir président de la République. Lorsqu'elle s'en va après le départ de ses associés, il m'avoue que tout le groupe se dirige en ce moment même vers l'appartement de l'ex-président Alfonso López Michelsen et de son épouse Cecilia Caballero de López, mais il me prie de n'en dire mot à personne.

« Les choses en sont là, mon amour ! Pourquoi t'occupes-tu des *galanistes*, alors que tu as sous la main le président le plus puissant, le plus influent, le plus intelligent, le plus riche, et surtout le plus pragmatique du pays ? Ne pense plus à Galán ni à Lara. Va simplement de l'avant avec "Civisme en marche" et "Medellín sans bidonvilles", car la Bible dit : "À leurs œuvres vous les reconnaîtrez." »

Il me demande si je compte les accompagner dans leurs tournées politiques et, tout en lui donnant un baiser, je lui dis que pour ça, il pourra compter sur moi. Toujours.

« Eh bien, nous commençons dès la semaine prochaine. Je veux que tu saches que je ne peux pas t'appeler tous les jours pour te dire les folies qui me passent par la tête, car mes téléphones sont sur écoute. Mais je pense sans arrêt à toi. N'oublie jamais, Virginia, que tu ne ressembles à personne depuis que je t'aime." »

La maîtresse du Libertador

Nous sommes le 28 avril 1983 et je suis à mon bureau, quand je reçois un appel de Pablo. Il doit m'annoncer une nouvelle qui aura des répercussions historiques, mais il me demande de ne la divulguer ni la partager avec aucun média, rien qu'avec Margot, si j'y tiens vraiment. Sur un ton empreint d'une excitation qui n'est pas habituelle chez lui, Escobar m'informe que l'avion de Jaime Bateman Cayón, chef du mouvement guérillero M-19, s'est écrasé dans le Darién après être parti de Medellín pour Ciudad de Panamá. Je lui demande comment il l'a su, et il me répond qu'il est au courant de tout ce qui se passe à l'aéroport de Medellín. Mais, ajoute-t-il, la mort de Bateman ne représente qu'une partie de l'information exclusive que les journaux télévisés du monde entier développeront dans quelques heures. L'autre information, c'est que ce chef insurgé avait avec lui une valise remplie de six cent mille dollars en espèces, dont on ne retrouve aucune trace. Je lui fais part de mon incrédulité, car comment quelqu'un peut-il savoir, quelques heures après un crash aérien dans une des forêts les plus impénétrables du globe, qu'une valise ne figure pas parmi les débris d'un avion ou à côté de cadavres calcinés ? À l'autre bout du fil, Escobar rit sournoisement et rétorque qu'il sait tout à fait de quoi il parle pour la bonne et simple raison qu'un de ses avions a déjà localisé les restes de l'appareil de Bateman !

« Pablo, cela prend des semaines, voire des mois, de retrouver un avion qui s'est écrasé au cœur de la forêt. Tes pilotes sont vraiment des cadors !

— Tu l'as dit, mon amour. Et, comme toi aussi tu en es un, je te laisse ces éléments pour que tu fasses des recoupements ! Salue Margot et Martita de ma part, et on se voit samedi. »

Le gouvernement colombien allait mettre neuf mois à récupérer les corps. À la mort de Bateman, on apprit que le compte que le M-19 détenait dans une banque panaméenne était ouvert au nom de la mère de son fondateur, Ernestina Cayón de Bateman, grande championne de la cause des droits de l'homme. Elle et les leaders du groupe allaient ensuite se déchirer dans une âpre bataille pour récupérer un million de dollars déposés par son fils au Panamá et, des années plus tard, c'était un banquier équatorien qui avait été nommé en tant que médiateur ou intermédiaire qui allait rafler presque tout l'argent.

Pablo et moi n'allions plus reparler de cette mystérieuse valise. Mais une des plus précieuses leçons que j'ai apprises du seul voleur de pierres tombales et mécanicien automobile *Summa cum laude* propriétaire d'une flotte aérienne que j'aie connu, c'est qu'il est rare que les avions ou les hélicoptères de personnalités très controversées et qui ont beaucoup d'ennemis s'écrasent au sol pour des problèmes techniques d'origine divine ; ils sont presque toujours d'origine humaine. D'où l'importance d'être vigilant, très vigilant. Quant à ces six cent mille dollars – à leur valeur d'il y a vingt-cinq ans –, tout ce que je puis dire aujourd'hui, c'est citer le célèbre proverbe yankee : « S'il fait "coin, coin" comme un canard, s'il nage comme un canard et marche comme un canard, alors… c'est un canard ! »

Un nombre infini de sénateurs et de représentants ont petit à petit rallié le mouvement de Santofimio, et parmi eux figurent beaucoup de mes connaissances de Bogota, comme María Elena de Crovo, une des meilleures amies de l'ex-président López, Ernesto Lucena Quevedo, Consuelo Salgar de Montejo, cousine germaine de mon père, Jorge Durán Silva, « le Conseiller municipal du Peuple », et mon voisin du cinquième. Pendant de nombreux week-ends, nous sommes en tournée et nous convainquons les dirigeants ou « caciques » libéraux et *lopistes* de chaque région que nous visitons de rejoindre notre groupe de *santofimistes*.

Un jour, j'entends dans mon dos de bruyants éclats de rire et je demande à Lucena ce qu'il y a de si drôle. Bien à contrecœur, elle me raconte que Durán Silva se moque publiquement de moi en disant qu'Escobar envoie son avion me chercher chaque fois qu'il a envie de coucher avec moi. Imperturbable, et sans me retourner, je m'exclame à tue-tête pour que tout le monde puisse entendre :

« Les mecs d'aujourd'hui ne connaissent vraiment rien aux femmes ! C'est moi qui fais venir un avion, le plus grand des onze, quand je veux m'envoyer en l'air avec leur propriétaire ! »

S'ensuit un silence sépulcral. Après une courte pause, j'ajoute : « Ce qu'ils peuvent être naïfs, les pauvres ! » et je m'éclipse.

Ce que mon voisin semble ignorer, c'est que tous les hommes amoureux écoutent plus que quiconque la femme qui partage leur lit. Et Escobar ne fait pas exception à la règle. Pablo et moi sommes bien conscients qu'étant donné la nature des affaires qui alimentent la campagne *santofimiste* et mon statut de femme publique lui et moi sommes exposés à toutes sortes de critiques et de plaisanteries, et c'est pour cela que nous nous protégeons âprement. Comme il a un empire à gérer et qu'il ne peut pas être de toutes les tournées et de tous les meetings politiques, nous ne nous voyons en général que le soir ou le lendemain, et je lui livre un compte rendu détaillé de tout ce qui s'est passé au cours de la journée. Lorsque je lui parle du Conseiller municipal du Peuple, il rugit comme un lion :

« Et pour quelle autre raison voudraient-ils que j'aille chercher la femme que j'adore, qui vit dans une autre ville, avec un jet qui consomme des milliers de dollars de kérosène ? Pour qu'une beauté comme toi vienne me donner des cours de religion ? Tu n'as pas grand-chose à voir avec sainte María Goretti ! Ce minable me mendie du fric depuis des semaines… Si c'est comme ça, il n'aura pas un centime de moi tant que je vivrai ! Et, si jamais il m'approche à moins de cinq cents mètres, j'enverrai une douzaine de mes hommes lui couper les couilles et le chasser à coups de pied au cul ! Parce que c'est un pédé ! Et un crétin ! »

Au fil de la campagne, je prends peu à peu la mesure de l'influence impressionnante que Santofimio exerce sur Pablo. Déjà, le soir des *Vingt poèmes d'amour*, je les avais entendus répéter plusieurs fois que Luis Carlos Galán était le seul obstacle qui leur barrait la route du pouvoir. J'ai maintenant clairement compris, d'une part, que Santofimio est décidé à être le prochain président de la République et, d'autre part, que Pablo se propose de lui succéder sur le trône de Bolívar. Ils n'essaient aucunement, ni l'un ni l'autre, de masquer leur intention d'anéantir le *galanisme*, quel que soit le prix à payer. Au-delà de tout contenu pragmatique, leurs discours enflammés attaquent Galán avec virulence « parce qu'il a divisé le Parti libéral, qui s'était toujours présenté soudé aux élections, ce qui a coûté la présidence à l'insigne docteur Alfonso López Michelsen qui est pourtant l'un des hommes les plus illustres du continent et le mieux préparé du pays pour cette fonction ! ». Ils qualifient Galán de « traître à la patrie pour avoir soutenu un traité d'extradition qui livre les enfants des mères colombiennes à une puissance impérialiste, et rien de moins qu'à ces mêmes *gringos* qui nous ont arraché le Panamá parce qu'un apatride comme lui l'a vendu à Teddy Roosevelt pour une poignée de dollars ! ».

Et tout le monde s'écrie :

« À bas l'impérialisme yankee, et vive notre éternellement glorieux Parti libéral ! Santofimio président en 1986 et Escobar en 1990 ! Pablito, lui, c'est un patriote qui ne se laisse pas faire par les *gringos* ni par l'oligarchie car il a à lui seul plus de fric que tous ces charlatans réunis ! Écoute notre clameur, Pablo Escobar Gaviria, toi qui es sorti des entrailles de ce peuple maltraité, que le Seigneur et la Vierge te protègent ! Et toi aussi, Virginia, pour que la prochaine fois tu nous amènes ici tous les artistes de la télévision, car eux aussi ils font partie du peuple ! Et vive la Colombie, bordel ! »

Il m'arrive à moi aussi de prononcer des discours, je m'exprime presque toujours avant le candidat, et je tire à boulets rouges sur l'oligarchie :

« Moi, je la connais de l'intérieur, et je sais comment toute la nation est saignée par ces quatre familles dont le seul souci est de se partager les ambassades et les contrats de publicité officielle de l'État ! On comprend pourquoi il y a toutes ces guérillas mais, grâce à Dieu, Santofimio et Pablito, eux, ce sont de vrais démocrates, et ils vont prendre le pouvoir par les urnes pour occuper le trône du Libertador et transformer en réalité son rêve d'une Amérique latine unie, forte et digne ! Vive les mères de Colombie ! Vive notre Mère Patrie qui versera des larmes de sang le jour où l'on commencera à extrader ses enfants !

— Tu te mets à parler comme Evita Perón ! me dit Lucena. Je te félicite ! »

Les autres le font également et, comme je sais que tout ce que je dis est vrai, j'en suis moi-même convaincue. Quand j'en parle à Pablo, un soir à mon appartement, devant la cheminée, il sourit avec orgueil tout en gardant le silence. Après une pause, il me demande quelle est ma personnalité américaine préférée. Sans hésiter une seconde, je lui réponds que c'est le Libertador. Et il me rétorque, avec le plus grand sérieux :

« Je préfère cela, car Perón ne nous plaît pas beaucoup à tous les deux, pas vrai ? Et puis, je suis déjà marié, mon amour... Mais tu es tellement combative que, dans ma vie, tu vas avoir un destin tout à fait différent, tu vas être ma Manuelita. Et je te le répète à l'oreille, pour que tu ne l'oublies jamais : Toi... Virginia... tu... vas... être... ma... Manuelita. »

Et, aussitôt, ce fils d'institutrice commence à passer en revue tous les détails de la conspiration de septembre au cours de laquelle Manuela Saénz, la maîtresse équatorienne de Simón Bolívar, lui a sauvé la vie. J'avoue que, depuis l'époque où j'étais collégienne, jamais je n'avais repensé à cette valeureuse et belle femme. Je sais que Pablo n'a rien d'un Libertador et que tous les gens sains de corps et d'esprit ne pourraient que rire de l'image qu'il a de lui-même et de la démesure de ses rêves et ambitions. Mais, si absurde que cela puisse paraître au regard des horreurs qui allaient se produire par la suite, je lui suis reconnaissante, je n'ai jamais cessé de l'être, de cet hommage et du profond amour qui sous-tend cette idéalisation de notre couple, qui est à mes yeux la plus belle qui soit. Aussi longtemps que je vivrai, je garderai au fond de mon cœur le son de la voix de Pablo Escobar prononçant ces sept mots et l'intensité de ce si fugace moment de tendresse.

*

En Colombie, tous les gens qui ont une situation quelque part sont cousins germains ou cousins au second, troisième ou quatrième degré des grandes familles des autres régions. C'est pour cela que je ne suis pas surprise de voir Pablo me présenter un soir, après la cérémonie d'inauguration d'une de ses installations sportives, l'ancien maire de Medellín, dont la mère est la cousine du père des Ochoa. Pablo l'appelle « le Doptor Varito », et il m'est tout de suite sympathique car il me semble qu'il est l'un des rares amis de Pablo qui ait l'air bien sous tous rapports et, dans mon souvenir, le seul qui ait une tête d'intellectuel. Il a été directeur de l'Aviation civile en 1980-1982 et maintenant, à trente et un ans, tout le monde le voit promis à une brillante carrière politique, et plus d'une personne s'aventure à l'imaginer un jour élu au Sénat. Il s'appelle Álvaro Uribe Vélez, Pablo l'idolâtre totalement.

« Notre business, à moi et à mes associés, c'est le transport ; on ramasse cinq mille dollars pour chaque kilo livré, m'explique ensuite Pablo, et tout repose sur une seule chose : les pistes d'atterrissage, les avions et les hélicoptères. Avec le concours de son sous-directeur César Villegas, ce type formidable nous a autorisés à ouvrir des dizaines de pistes et il a permis à des centaines de nos appareils d'atterrir. Si nous n'avions pas nos pistes et nos avions, nous en serions encore à ramener la pâte de coca de Bolivie cachée dans les pneus des camions et à rejoindre Miami à la nage pour livrer leur came aux *gringos*. C'est grâce à lui que je suis au courant de tout ce qui se passe à l'Aviation civile à Bogota, car son successeur a été formé à coopérer avec nous pour toutes les affaires que nous pouvons avoir à traiter. C'est pour cela que l'Aviation civile fait partie des zones de pouvoir sur lesquelles "le Saint" et moi avons exigé des garanties des deux candidats lors des dernières élections. Son père Arturo est des nôtres et si un jour la route du pouvoir nous était barrée, à Santofimio et à moi, ce type serait mon candidat. Malgré sa tête de séminariste, c'est un gars qui n'a peur de rien. »

En juin, la même année, le père d'Alvarito meurt alors que les FARC tentent de l'enlever, et son frère Santiago est blessé. Comme l'hélicoptère de la famille Uribe a été endommagé, Pablo lui prête l'un des siens pour rapatrier le corps depuis son hacienda jusqu'à Medellín. Il reste plongé dans une tristesse infinie pendant plusieurs jours. Un soir où il a le moral au plus bas, il m'avoue :

« C'est vrai que le narcotrafic est un business en or, et c'est pour cela qu'on dit que "les anciens pédés et les anciens narcotrafiquants, ça n'existe pas". Mais c'est un business pour les durs, mon amour, parce que tu vois défiler des morts à longueur de journée, toujours plus de morts. Ceux qui disent que le fric de la coke, c'est de "l'argent facile" ignorent tout de notre univers, ils ne le connaissent pas non plus de l'intérieur comme tu es en train d'apprendre à le connaître. Si quelque chose devait m'arriver, je veux que tu racontes mon histoire. Mais, d'abord, je veux savoir si tu es en capacité de transcrire tout ce que je peux penser et ressentir. »

Pablo a un don singulier qui l'a toujours fait souffrir : la faculté de savoir quelles personnes vont devenir ses ennemis avant même qu'elles ne portent le premier coup contre lui, de prévoir tout ce qui va arriver autour de lui dans les deux années à venir et de savoir comment utiliser chacune des personnes qu'il pourra croiser sur sa route. À partir de ce soir-là, nos rendez-vous heureux et passionnés à l'hôtel s'achèvent presque toujours par une réunion de travail.

« Pour la semaine prochaine, je voudrais que tu me décrives ce que tu as vu et ce que tu as ressenti quand tu as visité la décharge. »

Le samedi suivant, je lui remets six pages manuscrites. Il les lit avec attention et s'exclame :

« Mais… ça donne envie de prendre ses jambes à son cou avec un mouchoir sur la bouche pour ne pas vomir ! Dis donc, tu écris avec tes tripes, toi, tu ne fais pas semblant !

— Oui, Pablo… Moi, j'écris avec mes viscères ; avec les tripes, ce serait plutôt ton genre à toi. »

Une semaine plus tard, il me charge de décrire ce que je ressens quand il… me fait l'amour. La fois suivante, je lui remets cinq pages et demie et je le regarde fixement, sans le quitter des yeux un seul instant, pendant qu'il les dévore.

« Mais… je n'ai jamais rien lu d'aussi scandaleux de toute ma vie ! Si je ne détestais pas tant les pédés, je dirais que ces pages donnent envie de devenir une femme… Tu vas être mise à l'index au Vatican. Franchement… ça me fout des érections à répétition !

— C'est ça, l'idée, Pablo… Mais, ça… tu n'es pas obligé de me le dire. »

Pour sa troisième commande, il me charge de décrire ce que je ressentirais si on m'annonçait sa mort. Huit jours plus tard, je lui remets un manuscrit de sept pages et, cette fois, pendant qu'il les lit, je regarde silencieusement par la fenêtre les montagnes que l'on aperçoit au loin.

« Mais… qu'est-ce que c'est que cette horreur ?…
C'est déchirant de douleur ! Tu penses vraiment
m'aimer autant, Virginia ?… Si ma mère lisait ça,
elle passerait le restant de ses jours à pleurer…

— C'est ça, l'idée, Pablo… »

Il me demande si je ressens vraiment tout ce que
j'écris. Je lui réponds que ce n'est qu'une petite fraction des sentiments qui habitent mon cœur depuis
que je l'ai rencontré.

« Eh bien, nous allons parler de beaucoup de
choses, mais tu n'as pas intérêt à commencer à me
critiquer ou à me juger ! Il faut que tu saches que
je n'ai rien d'un François d'Assise, compris ? »

Je ne lui pose que très rarement des questions et
je le laisse choisir lui-même le sujet dont il veut me
parler. Maintenant qu'il m'a accordé sa confiance,
j'ai appris peu à peu à reconnaître l'extrême limite
de son territoire, à ne pas essayer de tirer au clair
les choses dont il me dit « je t'expliquerai une autre
fois », et à ne pas émettre de jugements de valeur. Je
découvre qu'à l'instar de presque tous les prisonniers
qui se trouvent dans le *Death Row* (nom que l'on
donne au couloir de la mort aux États-Unis) Pablo
trouve une explication absolument rationnelle et
une parfaite justification morale à toutes ses actions
qui sortent du cadre légal : d'après lui, les êtres
humains raffinés et doués d'imagination ressentent
toutes sortes de désirs et il ne fait rien d'autre que
de pourvoir à l'un d'entre eux. Il m'explique que,
si ces plaisirs n'étaient pas condamnés par les reli-
gions et par les moralisateurs, comme cela a été
le cas de l'alcool sous la prohibition qui n'a rien
apporté d'autre que la récession économique et la

165

mort d'agents de police, son business ne serait pas illégal, il paierait énormément d'impôts et les *gringos* et les Colombiens s'entendraient à merveille.

« Toi qui es une sybarite et un esprit libre, tu es parfaitement d'accord avec l'idée que les gouvernements devraient vivre leur vie et nous laisser vivre la nôtre, n'est-ce pas ? S'ils agissaient ainsi, il n'y aurait pas autant de corruption, de veuves, d'orphelins et de gens derrière les barreaux. Toutes ces vies gâchées sont une perte pour la société et coûtent très cher à l'État. Tu verras, un jour, les drogues deviendront légales... Mais, bon... en attendant que ce jour arrive, je vais te montrer que tout le monde a un prix. »

Aussitôt, il sort d'un porte-documents des chèques libellés à l'ordre d'Ernesto Samper Pizano, le directeur de campagne d'Alfonso López Michelsen.

« Ce chèque-là est pour le président le plus puissant, le plus intelligent et le mieux préparé du pays. Et aussi le plus indépendant, car López ne s'en laisse pas conter par les *gringos* !

— Ça doit faire... environ six cent mille dollars. C'est tout ? C'est ça, la valeur du président le plus riche de la Colombie ? Eh bien, si j'étais lui... je t'aurais demandé... au moins trois millions, Pablo !

— Bon... disons que ce n'est que le premier versement, mon amour, car il va nous falloir un moment pour creuser la tombe de ce traité d'extradition ! Tu veux emporter ces copies ?

— Non, non, pas de risques inutiles ! Je n'irais jamais les montrer à personne, car tous ceux qui se sont rangés de ton côté me sont sympathiques. Et tous les gens un tant soit peu informés savent également qu'Ernesto Samper est le candidat porté par Alfonso López pour devenir président de la Colombie... Quand il aura grandi et mûri, car il a un an de moins que nous. »

Je lui recommande d'étudier les discours de Jorge Eliécer Gaitán, pour l'intonation de sa voix, mais aussi pour le contenu de son programme. Le seul leader populaire d'une envergure titanesque que la Colombie ait jamais engendré a été assassiné à Bogota le 9 avril 1948 alors qu'il se trouvait sur le point de remporter la présidence, par Juan Roa Sierra, un homme qui agissait à la solde d'intérêts obscurs et qui a été lynché dans des conditions atroces par une foule déchaînée. Des jours durant, son corps mutilé a été traîné dans les rues, et la foule a incendié le centre-ville et la maison de tous les présidents, sans distinction de parti. Mon grand-oncle Alejandro Vallejo Varela, écrivain et ami proche de Gaitán, se tenait à côté de lui lorsque Roa lui a tiré dessus, ainsi qu'à la clinique où il est décédé quelques minutes après. Les semaines suivantes, qui allaient passer dans l'Histoire sous le nom du *Bogotazo*, n'ont été qu'une orgie de sang et de feu orchestrée par des francs-tireurs alcoolisés, de mise à sac de la totalité des commerces, d'assassinats indiscriminés qui ont semé des milliers de cadavres qu'on entassait dans les cimetières car personne n'osait aller les enterrer. Au cours de ces jours effroyables, le seul homme d'État colombien, Alberto Lleras Camargo, s'est réfugié chez ses meilleurs amis, Eduardo Jaramillo Vallejo et Amparo Vallejo de Jaramillo, la charmante sœur de mon père. La mort de Gaitán a été suivie d'une époque d'une cruauté sans bornes connue comme la Violence[1] des années 1950. J'étais alors adolescente et, lorsque j'ai vu les photos de ce que les hommes étaient capables de faire, pendant la guerre, avec le corps des femmes et leurs fœtus, j'ai vomi pendant des jours et je me suis juré que jamais je ne mettrais d'enfants au monde, pour qu'ils n'aient pas à grandir dans ce pays de cafres, de monstres et de sauvages.

C'est de ce genre de choses que nous parlons, avec Gloria Gaitán Jaramillo, la fille de ce grand homme, un soir en dînant avec ses filles María et Catalina, deux jeunes femmes adorables et très parisiennes, dotées d'un esprit très curieux qu'elles doivent à une mère brillante, à un grand-père mythique et à une grand-mère aristocrate, parente de la mienne. Quelques jours plus tôt, en apprenant que Virginia Vallejo cherchait un disque ou une cassette des discours de son père, Gloria s'était déplacée de son bureau du Centre Jorge Eliécer Gaitán de Bogota pour me demander avec son sourire enchanteur pourquoi je lui portais un tel intérêt. De mon ex-mari péroniste socialiste, grand ami du richissime banquier juif des Montoneros argentins, j'avais appris que, s'il y avait bien une chose qui faisait palpiter un cœur révolutionnaire, c'était qu'un magnat se déclare sympathisant de sa cause. J'ai raconté à Gloria que le Robin des bois *paisa* – fils d'institutrice, comme Gaitán – m'a

---

1. La Violence désigne une période trouble d'affrontements entre le Parti libéral et le Parti conservateur qui a donné lieu à une véritable guerre civile, de 1948 à 1958, et qui s'est soldée par plus de 200 000 morts. *(N.d.T.)*

demandé de lui procurer les discours de son père pour que je l'aide à les étudier minutieusement pour voir s'il peut réussir à jouer sur sa voix afin d'éveiller chez les masses populaires un semblant de ce que ce grand homme leur inspirait. Après un échange enthousiaste d'une heure sur la démocratie participative et une visite des installations du Centre et du chantier de l'Exploratorio[1], Gloria m'a invitée à dîner avec ses filles le vendredi suivant.

La fille de Gaitán est une femme raffinée et un vrai cordon-bleu. Tout en savourant le repas exquis qu'elle nous a préparé, je lui raconte que Pablo Escobar a partiellement financé la campagne présidentielle d'Alfonso López et que ses co-listiers conservateurs, Gustavo Gaviria et Gonzalo Rodríguez, ont fait de même avec celle du président Betancur. Gloria connaît presque tous les *caudillos* socialistes du monde et les dirigeants de la résistance de beaucoup de pays. Entre autres choses, elle me raconte qu'elle a été la maîtresse de Salvador Allende, le président chilien assassiné, et l'ambassadrice de López Michelsen auprès du dictateur roumain Nicolae Ceauşescu, et qu'elle est une très grande amie de Fidel Castro. Je ne sais pas si c'est parce qu'elle croit à la réincarnation et au concept du temps circulaire que Gloria s'intéresse tout particulièrement aux gens nés en 1949, année qui a suivi l'assassinat de son père. Pablo et moi l'invitons à Medellín, ce qu'elle accepte avec plaisir. Pendant plusieurs heures, nous l'écoutons, comme hypnotisés, analyser l'histoire

---

1. Musée de la Mémoire consacré à cet homme d'État colombien. *(N.d.T.)*

de la Colombie à travers le prisme de l'absence omniprésente de son père, cette perte irréparable dans sa vie, ce vide qu'aucun autre leader colombien ne parviendra à combler car tous ceux qui lui ont succédé n'ont ni son intégrité, ni son courage, ni sa grandeur, et manquent également de l'aura qui était la sienne. Ils n'ont pas cette aptitude à communiquer à des auditoires émus, sans distinction de classe, de sexe ou d'âge, son indéfectible foi envers le peuple ; ils n'ont pas la vibrante puissance de cette voix entraînée à vendre son idéologie avec juste ce qu'il faut de passion et de raison ; ils n'ont pas cette force formidable dont Gaitán savait doser ses moindres gestes, ni ce pouvoir qu'irradiait sa présence virile, imposante et mémorable comme nulle autre.

Sur le vol de retour vers Bogota, dans le jet de Pablo, je demande à Gloria ce qu'elle pense de lui. Après quelques phrases polies louant son ambition et sa curiosité existentielle, l'ampleur de ses œuvres sociales et ses généreuses intentions, sa passion et la libéralité dont il fait preuve à mon égard, elle me dit, avec beaucoup d'affection et une franchise non dissimulée :

« Écoute, Virgie, Pablo a un gros défaut, c'est qu'il ne regarde pas les gens dans les yeux. Or les gens qui détournent le regard vers le sol quand ils te parlent, ils le font soit parce qu'ils te cachent quelque chose, soit parce qu'ils ne sont pas sincères ou sont faux. En tout cas, vous formez un bien joli couple ! On dirait Bonnie et Clyde ! »

Gloria est la femme la plus intelligente et fine que j'aie jamais connue. Avec Margot et Clara qui sont toutes deux dotées d'une perspicacité exceptionnelle,

elle restera une des trois seules personnes que j'aurai présentées à Pablo dans toute sa vie et, pendant les six années suivantes, nous serons de très grandes amies. J'apprendrai progressivement de cette native des signes de la Vierge et du Buffle dans l'horoscope chinois – les mêmes que moi, pure coïncidence – que la vraie intelligence se reconnaît, entre autres choses, à une profonde capacité d'analyse, à un sens rigoureux des priorités ou à une vivacité d'esprit supérieure à la moyenne, comme celle de Pablo Escobar, mais surtout à un bon sens tactique. Même si Gloria m'entendra souvent dire que la pire affaire de ma vie aura été d'avoir troqué mon innocence pour la lucidité, le temps me fera revenir sur ces mots et m'aidera à réaliser que cela était en fait la meilleure et la seule affaire que j'avais jamais faite.

Lorsque Escobar me demande ce que je pense de la fille de Gaitán, je lui dis d'abord ce que je sais qu'il veut m'entendre dire, puis ce que je sais devoir lui transmettre : j'insiste sur la question tactique et sur l'impérieuse nécessité d'effectuer un zonage géographique des électeurs d'Antioquia par municipalité, par quartier, par pâté de maisons et même par maison. Finalement – pour la toute première fois, et pour une raison inexplicable –, je lui parle du corps criblé de balles et dénudé de Bonnie Parker exposé aux caméras de la presse à même le sol, à la morgue, à côté de celui de Clyde.

Devant une autre cheminée où brûle un feu, Pablo me serrera dans ses bras et me sourira avec une tendresse infinie tout en me contemplant, le visage sérieux et les yeux très tristes. Au bout de quelques secondes, il me donnera un baiser sur le front et quelques tapes sur l'épaule, de ces tapes qui vous réconfortent. Ensuite, tout en soupirant en silence, il détournera les yeux vers les flammes. Parmi toutes ces choses dont lui et moi serons toujours conscients et que nous ne nous dirons jamais avec des mots, il y a le fait que, pour toutes les personnes qui portent les gènes du pouvoir dans leurs veines, je ne suis rien d'autre qu'une diva bourgeoise et lui, un truand multimillionnaire.

Je crois être une des seules personnes qui ne pensent que très rarement à l'argent de Pablo, même si je ne vais pas tarder à mesurer la véritable ampleur de la fortune de cet homme que j'aime comme je n'en ai aimé aucun autre, un homme que je crois comprendre comme personne d'autre ne saura jamais le faire.

Dans les bras du diable

Pablo et moi nous sommes levés très tôt, chose bien rare pour l'un comme pour l'autre, car il veut me présenter son petit garçon, Juan Pablo, qui est resté à l'hôtel Tequendama sous la protection de ses gardes du corps et qui doit être déjà réveillé. Lorsque nous descendons de ma chambre et passons par le studio pour rejoindre l'ascenseur, il s'arrête pour regarder les jardins de mes voisins à la lumière du jour. Mon appartement occupe l'ensemble du sixième étage et dispose d'une jolie vue. Il me demande à qui est l'immense maison qui occupe tout le pâté de maisons d'en face. Je lui dis qu'elle est à Sonia Gutt et à Carlos Haime, qui dirige le Groupe Moris Gutt, les Juifs les plus riches de Colombie.

« Eh bien, depuis cette fenêtre – à force de les surveiller, de beaucoup les surveiller – je pourrais les enlever d'ici... six mois !

— Non, tu n'y arriverais pas, Pablo. Ils vivent à Paris et dans le sud de la France, où ils élèvent des chevaux qui courent avec ceux de l'Aga Khan, et ils ne rentrent presque jamais en Colombie. »

Il demande aussitôt à qui sont les pelouses très soignées que l'on aperçoit au fond. Je lui dis que ce sont celles de la résidence de l'ambassadeur des États-Unis.

« Eh bien, d'ici, je pourrais... lui tirer dessus avec un bazooka et l'atomiser ! »

Stupéfaite, je lui dis que de toutes les personnes qui ont un jour regardé par cette fenêtre, il est le seul à l'avoir confondue avec l'échauguette d'une forteresse médiévale.

« Aaah, mon amour, c'est qu'il n'y a rien, rien au monde qui me plaise autant que de faire des méchancetés ! Si on y met beaucoup de soin, on arrive à toutes les réaliser, absolument toutes ! »

Avec un sourire incrédule, je le tire par le bras pour l'éloigner de la fenêtre. Une fois dans l'ascenseur, je lui dis qu'il doit me promettre de commencer à penser comme un futur président de la République et de cesser de se prendre pour le président d'un syndicat du crime organisé. Avec un autre sourire très espiègle, il me promet d'essayer.

Juan Pablo Escobar est adorable ; il porte de petites lunettes. Je lui raconte qu'à son âge moi non plus je ne voyais pas bien et, lorsqu'on m'a mis des lorgnons, je suis devenue première de ma classe. Je regarde Pablo et j'ajoute que c'est à cette époque que mon QI a commencé à augmenter à un rythme soutenu. Je lui dis que son père est aussi le meilleur, pour les courses de voitures et de bateaux, et qu'il va devenir un homme très, très important. Je lui demande s'il aimerait bien avoir un train électrique très long, avec beaucoup de wagons et une locomotive qui siffle. Il répond que ça lui ferait très plaisir et je lui dis que, lorsque j'avais sept ans, je rêvais d'en avoir un mais que personne n'offre jamais de trains aux petites filles et que, du coup, c'est mieux d'être un garçon. Lorsque, après lui avoir dit au revoir, je vois le jeune homme que j'aime s'éloigner dans le couloir de l'hôtel en tenant par la main ce petit garçon à l'air heureux, je me dis qu'ils ressemblent à Charlie Chaplin et The Kid dans cette scène émouvante qui est l'une de mes préférées du cinéma universel.

Quelques jours plus tard, je reçois un appel de Yamid Amat, le directeur de Caracol Radio, qui me demande le numéro de téléphone du Robin des bois *paisa*. Il souhaite l'interviewer ; je transmets sa requête à Pablo.

« Ne va pas lui dire que je me lève à onze heures ! Dis-lui que, de six heures à neuf heures – l'heure des informations –, je... prends des cours de français. Et que, de neuf heures à onze heures... je fais du sport ! »

Je lui conseille de faire attendre Amat environ deux semaines et de commencer à préparer des réponses originales et évasives à toutes les questions qu'il essaiera de poser pour en savoir plus sur la nature de notre relation. Pablo accorde l'entretien et, quand les journalistes lui demandent avec qui il aimerait faire l'amour, il répond... avec Margaret Thatcher ! À peine l'émission terminée, il m'appelle pour me demander mon avis et, bien entendu, ce que je pense de la déclaration publique de sa flamme pour la femme la plus puissante de la planète. Après avoir analysé le reportage, je le félicite chaleureusement :

« Tu commences à faire tes armes sur mon terrain, mon amour, et tu t'en sors très bien ! Tu as dépassé ton maître et tu peux être sûr que... ta phrase sur Thatcher va entrer dans l'histoire ! »

Nous savons tous deux que n'importe quel autre Homme le Plus Riche de Colombie et tout homme moins vaillant que lui aurait répondu, offusqué : « Je ne vous permets pas ! » ou une connerie du genre : « Je ne fais l'amour qu'avec ma respectable et distinguée conjointe, qui est la mère de mes cinq enfants ! » Après m'avoir répété que « Thatcher, c'est pour la scène publique » et que « Pour moi, il n'y a que toi, rien que toi », Pablo s'en va et je ne le revois pas avant le samedi suivant. Je suis radieuse : il n'a pas dit Sophia Loren, Bo Derek ou Miss Univers et, surtout, il n'a pas dit « mon épouse adorée ».

Escobar revient sur le devant de la scène lorsque, alors qu'il doit assister pour la première fois aux sessions du Congrès, les policiers du Capitole ne le laissent pas entrer. Non pas à cause de son esprit criminel ou de sa veste en lin beige de criminel, mais parce qu'il ne porte pas de cravate.

« Mais, monsieur l'agent, vous ne voyez pas que c'est le célèbre Robin des bois *paisa* ? proteste un membre de sa suite.

— Que ce soit le Robin des bois *paisa* ou le Robin des bois de la Côte, ici, il n'y a que les dames qui peuvent entrer sans cravate ! »

Des parlementaires de tout bord arrivent à la rescousse et proposent la leur à Pablo. Il prend celle d'un de ses accompagnateurs. Le lendemain, tous les médias rapportent l'anecdote.

Je me surprends à penser avec un sourire : « Mon Pablito Superstar ! »

Quelques semaines plus tard, je suis à New York. D'abord, j'achète à FAO Schwarz, peut-être le plus grand magasin de jouets au monde, un petit train de deux mille dollars pour son petit garçon, pareil à celui que j'ai toujours voulu avoir. Ensuite, je déambule sur la Cinquième Avenue à la recherche d'un cadeau qui soit vraiment utile à son père, qui a déjà quelqu'un pour lui acheter des cravates et qui possède déjà, par ailleurs, des petits avions, des petits bateaux, un petit tracteur, une petite voiture de James Bond et des petites girafes en pagaille. En passant devant une vitrine qui présente des appareils électriques peu communs, je m'arrête. J'entre dans le magasin et, après avoir examiné le choix d'articles, j'observe les Arabes qui tiennent le magasin : ils ont de toute évidence l'air de véritables hommes d'affaires. Je demande à celui qui semble être le gérant s'il connaît un endroit où l'on puisse acheter des dispositifs permettant de mettre des téléphones sur écoute. Dans un autre pays, évidemment. *Not in America*, Dieu m'en garde ! Il sourit et me demande de combien de lignes il pourrait s'agir. Je le prends à part et je lui réponds celles de tout le bâtiment du *Secret Service* d'un pays tropical, car je suis la maîtresse du chef de la Résistance qui ambitionne de devenir président, qui a beaucoup d'ennemis dont il doit se protéger, tout comme de l'opposition. Il me dit qu'un ange comme moi ne pourrait sans doute pas apprécier la qualité du produit qu'il a à me proposer. Je lui réponds que moi non, mais que notre mouvement, oui. Il me demande s'ils seraient disposés à payer cinquante mille dollars. Bien entendu, lui dis-je. Deux cent mille dollars ? Aussi, lui réponds-je. Six cent mille dollars ? Évidemment, lui dis-je, mais, pour une somme de cette importance, j'imagine qu'il s'agirait de plusieurs appareils d'une technologie de pointe. Il appelle quelqu'un qui semble être son père et le propriétaire de l'affaire et lui dit, en se mordant les ongles, plusieurs phrases qui se terminent par un mot qui a la même sonorité que « Watergate » en arabe. Ils arborent tous deux un large sourire, auquel je réponds d'un air entendu. Ils regardent tout autour d'eux et m'invitent à passer dans l'arrière-boutique. Ils m'expliquent qu'ils arrivent à se procurer toutes sortes d'engins qui sont jetés par le FBI, et même par le Pentagone. D'abord avec des phrases soigneusement mesurées, puis avec un enthousiasme manifeste, ils me disent qu'ils sont en mesure de me proposer des choses comme une valise pouvant décrypter un million de codes dans des dizaines de langues, des lunettes et des télescopes pour voir de nuit, et des ventouses qui se fixent aux murs et qui servent à écouter, dans un hôtel par exemple, les conversations dans la pièce d'à côté. Mais, surtout, un appareil permettant de mettre simultanément sur écoute mille lignes téléphoniques – dont aurait rêvé Richard Nixon pour sa campagne pour faire réélire, et qui coûte un million de dollars – et d'autres dispositifs garantissant de ne pas voir ses communications interceptées. Mais avant tout, ils veulent savoir si la Résistance a des liquidités. Comme je sais parfaitement que le seul problème du Mouvement est l'excédent d'argent liquide qu'il a sur le sol américain, je réponds avec un sourire de star de cinéma que ce type de choses, c'est le secrétaire de notre chef qui les règle et que moi, je passais juste par ici pour acheter un miroir cosmétique électrique. Je leur dis que nous les contacterons d'ici quelques jours et je me précipite à l'hôtel pour appeler Pablo.

« Mais tu es un vrai trésor de fiancée ! De quelle planète descends-tu ? Je te vénère ! s'exclame-t-il, terriblement excité. Mon associé, M. Molina, part pour New York par le prochain vol ! »

Je commence à faire mes armes et à jouer sur son terrain. Mais j'en reste là car, comme je ne suis pas footballeur, je préfère laisser aux professionnels le soin de shooter et de marquer les buts.

La gratitude de Pablo est et restera toujours pour moi le plus beau des cadeaux, plus encore que sa passion. Lorsque je rentre à Medellín, tout en me comblant de mercis et de caresses, il me dit qu'il a décidé de m'avouer pour quelle véritable raison il veut faire carrière en politique. C'est, ni plus ni moins, pour jouir de l'immunité parlementaire : un sénateur ou un représentant ne peut pas se faire arrêter par la police, ni par le ministère public, ni par les forces armées, ni par les services de renseignement de l'État. Mais ce n'est pas parce que je suis son trésor de fiancée ou son ange gardien qu'il me fait cette confidence, mais parce que *El Espectador*, journal outrancièrement *galaniste*, a dernièrement fait des recherches, beaucoup de recherches, sur son passé. Et, derrière tous ces vols de pierres tombales, il a trouvé deux morts qui attendent que justice leur soit rendue : les agents du DAS qui ont capturé Escobar et son cousin en 1976 avec un de leurs premiers chargements de cocaïne pure à la frontière colombo-équatorienne et qui les ont envoyés en prison.

Pablo connaît bien ma propension à la compassion à l'égard de toutes les formes de souffrance humaine et, à mesure qu'il me livre de nouveaux détails sur cette tragédie qui a marqué sa vie, je me rends compte qu'il épie en même temps mes moindres réactions.

« Quand ils m'ont fait monter dans cet avion à Medellín pour aller purger ma peine à Pasto et que je me suis retourné, menotté, pour dire au revoir à ma mère et à ma femme de quinze ans enceinte de Juan Pablo, qui sont restées en bas, à pleurer, je me suis juré de ne plus jamais laisser personne m'embarquer dans un avion pour me conduire en prison, qui plus est dans une prison de la DEA ! C'est pour cela que je suis entré en politique : parce que, pour pouvoir lancer un mandat d'arrêt à l'encontre d'un membre du Congrès, il faut d'abord lever son immunité parlementaire. Et, dans ce pays, c'est une procédure qui prend entre six et douze mois. »

Il ajoute ensuite que, grâce à l'argent et aux menaces que lui et Gustavo ont proférées tous azimuts, ils ont réussi à sortir du pénitencier au bout de seulement trois mois. Mais les mêmes agents les ont à nouveau capturés en 1977 et les ont obligés à les supplier, à genoux et les bras en croix, de leur laisser la vie sauve. S'ils sont encore vivants tous les deux, c'est parce qu'ils leur ont proposé d'énormes pots-de-vin. Après avoir remis l'argent à ces deux agents du DAS et malgré l'opposition de Gustavo, il les a tués de ses propres mains.

« Je les ai arrosés de *"chumbimba corrida"* jusqu'à ce qu'il ne me reste plus une seule balle ! Si je n'avais pas fait ça, ils nous auraient rackettés pour le restant de nos jours. J'ai juré à une femme juge qui m'avait condamné que, dorénavant, elle ne se déplacerait plus qu'en autobus : chaque fois qu'elle achète une voiture, j'y mets le feu ! Il n'y a pas de petits ennemis, mon amour ; c'est pour cette raison que je ne les sous-estime jamais et que je m'en débarrasse avant que ce ne soit eux qui me mangent. »

C'est la première fois que je l'entends parler de « *chumbimba corrida* ». D'autres personnes appellent ça du « plomb éventé » et le commun des mortels dit « une pluie de balles » ! Comme je sais ce que l'expression signifie, je lui demande, dans le même langage que lui :

« Et tu as également arrosé de *"chumbimba corrida"* les ravisseurs de ton père ? Et combien de ceux qui ont enlevé Martha Nieves Ochoa ? »

Sans attendre de réponse, et sans chercher à masquer mon ironie, je continue :

« En tout, ces morts, ils sont combien, deux, vingt, ou deux cents, mon amour ? »

Tout chez lui change instantanément d'aspect. Son expression se durcit et il attrape soudain ma tête avec ses deux mains. Il la secoue, essayant de me transmettre l'impuissance et la douleur qu'un homme n'oserait jamais avouer à une femme, et encore moins un homme comme lui à une femme comme moi. Il contemple mon visage avec une expression angoissée, comme si j'étais un rêve liquide qui lui coulait entre les doigts et qui lui échappait pour toujours. Puis, dans ce qui pourrait aussi bien être un rugissement qu'un gémissement sorti de la gorge d'un lion blessé, il s'exclame :

« Mais, tu ne te rends donc pas compte qu'ils ont déjà découvert que je suis un assassin ? Que jamais ils ne me laisseront en paix ? Que jamais je ne pourrai être président ? Avant que je te réponde, je veux que tu répondes à cette question : à tout hasard, Virginia, comptes-tu me quitter lorsqu'ils apporteront la preuve de tout cela ? »

Je dois reconnaître que, pour un ange pris au dépourvu, le fait de se retrouver soudain entre les mains couvertes de sang d'un assassin, ou d'avoir les lèvres brûlantes d'un démon posées sur les vôtres est une expérience terrifiante. Mais la danse de la Vie et de la Mort est, de tous les ballets, le plus voluptueux, le plus érotique qui soit et, entre les bras salvateurs d'un démon qui l'a arraché à l'étreinte de la Mort pour le ramener à la Vie, le pauvre ange se voit soudain saisi d'une sensation exquise, d'une ambivalence tellement perverse et sublime qu'épuisé, il finit par s'avouer vaincu et, pour avoir été traîné en extase dans le Ciel, cet ange est puni et rendu à la Terre. Déjà condamné à prendre la forme de ce pauvre pécheur qu'est l'homme, il finit par chuchoter à l'oreille de ce démon pardonné que jamais il ne le quittera et qu'il habitera, comme maintenant, son corps pour toujours, et son cœur, et son esprit, et son existence jusqu'au jour où il mourra pour de bon. Et cet assassin, déjà réconforté, au visage encore enfoui dans mon cou humide de larmes, s'abandonne lui aussi complètement et finit par avouer :

« Je t'adore comme tu ne te l'imagines même pas dans tes rêves... Oui, ceux de mon père aussi, je les ai eus, et ça m'a donné deux fois plus de plaisir ! Maintenant, tout le monde sait que personne, personne, ne rackettera et ne touchera plus à un cheveu de ma famille. Que tous ceux qui disposeront du pouvoir de me faire du mal, si petit soit-il, vont devoir faire un choix entre le plomb et l'argent. Que ne donneraient-ils pas, tous les riches de ce pays, pour pouvoir tuer de leurs propres mains le ravisseur d'un père ou d'un fils ! Pas vrai, chérie ?

— Oui, oui... Que ne donneraient-ils pas !... »

Et, avec la plus grande tranquillité, je lui demande :

« Et combien de ceux de Martha Nieves as-tu aussi arrosés de *chumbi* ?

— Nous parlerons de cela un autre jour, car c'est beaucoup plus compliqué que ça n'en a l'air. C'est avec le M-19... C'est assez pour aujourd'hui, mon amour. »

Pendant un long moment, nous restons serrés, dans le silence le plus total. Nous croyons tous les deux savoir ce que pense l'autre. Soudain, l'idée me vient de lui demander :

« Pourquoi portes-tu toujours des tennis, Pablo ? »

Il lève la tête et, après avoir réfléchi quelques secondes, il se met debout d'un bond et s'exclame :

« Tu crois peut-être que je ne suis que ton Pablo Neruda ?... Non, non, Virginia ! Je suis aussi... ton Pablo Navaja[1] » !

Il retrouve un air radieux et mes larmes s'évanouissent comme par enchantement et se

---

1. Il s'agit là d'un jeu de paronymie : le mot *navaja* signifie « canif ». *(N.d.T.)*

transforment en rire lorsqu'il se met à chanter et danser pour moi, une de ses *sneakers* dans chaque main :

> « Il porte un chapeau à larges bords mis de trois quarts
> Et des baskets, pour s'envoler en cas de problème !
> Une voiture passe tout doucement à travers l'avenue
> Ce n'est pas écrit mais tout le monde sait que c'est la police. »

Rubén Blades dit, dans cette apologie de l'impunité, arrangée sur un rythme de salsa, que « la vie te réserve des surprises, et des surprises te donne la vie », et comme la nôtre a pris l'apparence de montagnes russes, en juin 1983, un juge d'instruction du parquet de Medellín demande à l'Honorable Chambre des représentants de lever l'immunité parlementaire de Pablo Emilio Escobar Gaviria en raison de sa possible complicité dans la mort des agents Vasco Urquijo et Hernández Patiño, membres du DAS, le *Secret Service* colombien.

Un lord et un *drug lord*

Mon premier avatar de l'Homme le Plus Riche de Colombie, je l'avais rencontré au palais présidentiel en 1972. J'avais alors vingt-deux ans et lui, divorcé, en avait quarante-huit. Quelques jours plus tôt, mon premier amant m'avait confié qu'il était la deuxième fortune du pays. Mais, plusieurs semaines après, lorsque j'avais vu cette souriante réincarnation de Tyrone Power que le minuscule secrétaire du président m'avait présentée sous le nom de Julio Mario Santo Domingo – et quand ce dernier m'avait vue en *hot pants* sous un manteau qui m'arrivait aux chevilles –, il y avait eu des étincelles et ce moment avait fait date : dorénavant, et pendant les douze années qui suivraient, mon fiancé ou amant secret serait systématiquement l'occupant du trône de l'Homme le Plus Riche de Colombie.

Au fond, les hommes exceptionnellement riches ou puissants sont des êtres aussi solitaires que les femmes célèbres pour leur glamour et leur sex-appeal. Tout ce qu'elles veulent trouver dans les bras d'un grand magnat, c'est l'illusion de la protection ou de la sécurité, et eux rêvent d'avoir entre les bras,

185

le temps fugace d'un instant, l'illusion de sentir toute cette beauté collée contre leur corps avant qu'elle ne s'enfuie pour ne devenir qu'un simple épisode de leur passé. L'Homme le Plus Riche du pays qui, en Colombie, est toujours aussi le plus avare, présente deux atouts majeurs en tant que petit ami ou amant, des atouts qui n'ont rien à voir avec son argent : le premier, c'est qu'un grand magnat craint par-dessus tout son épouse et la presse et, pour cette raison, c'est le seul homme qui n'ira pas exhiber un sex-symbol comme un trophée de chasse et qui n'ira pas se livrer à des indiscrétions devant ses amis ; le second est que, devant la femme qu'il est occupé à séduire ou dont il est amoureux, il déploie, comme le fait un paon avec sa queue, des connaissances encyclopédiques sur la façon d'exercer et de manipuler le pouvoir officiel, à condition évidemment que celle-ci ait, par la classe sociale à laquelle elle appartient, les mêmes codes que lui. S'ils n'étaient pas de la même classe, ils n'auraient personne de qui se moquer tous les deux, et la complicité dans le rire est le meilleur de tous les aphrodisiaques.

Nous sommes en janvier 1982. Tous mes ex savent déjà que j'ai quitté cet « Argentin pauvre et laid avec qui j'avais fait la bêtise de me marier en 1978 et qui, en bon Juif du monde du théâtre, s'est barré avec la choriste ! » C'est mon « Juif Rothschild » qui, plus que tout autre, adore cette phrase, mais, aujourd'hui, c'est Julio Mario Santo Domingo qui m'appelle, enchanté par la vie qu'il mène :

« Comme tu es la seule femme de Colombie que l'on puisse présenter partout dans le monde, je voudrais te faire connaître mon grand ami David

Metcalfe. Il n'est pas richissime, et ce n'est pas non plus un adonis mais, comparé à ce avec quoi tu étais mariée, il est multimillionnaire et ressemble à Gary Cooper. C'est un amant de légende sur deux continents, et je me suis dit qu'il était exactement ce dont tu as besoin maintenant que tu as jeté ton mari. C'est lui, l'homme qu'il te faut, poupée, je te le dis avant que tu ailles encore t'amouracher d'un *moins que rien* ! »

Santo Domingo, le magnat colombien de la bière, m'explique que Metcalfe est le petit-fils de lord Curzon de Kedleston, vice-roi des Indes et numéro deux de l'Empire britannique sous le règne de la reine Victoria. Que la fille de Curzon, Lady Alexandra, et son mari « Fruity » Metcalfe, ont eu comme témoins de mariage les Mountbatten, derniers vice-rois des Indes. Que « Fruity » et « Baba » Metcalfe ont été à leur tour les témoins de mariage du duc de Windsor lorsque, après avoir abdiqué du trône britannique, il s'est marié avec l'Américaine Wallis Simpson, déjà deux fois divorcée. Qu'alors qu'il se nommait encore Édouard VIII, le duc, que sa famille appelait David, a accepté d'être le parrain du fils de ses meilleurs amis et qu'à la mort de son père David Metcalfe a hérité de l'anneau et des boutons de manchette aux armes du duc de Windsor quand il était encore prince de Galles. Il ajoute que Metcalfe est l'ami de toutes les plus grosses fortunes du globe, qu'il chasse avec les *royals* anglais et avec le roi d'Espagne, et qu'il est l'un des hommes les plus populaires de la haute société internationale.

« Il passera te chercher vendredi pour venir dîner dans mon appartement et, tu verras, il va vraiment te plaire. Adieu, ma jolie poupinette, ma beauté, ma fille de rêve ! »

Au moment où David entre dans le salon, ma mère est sur le point de sortir, et je les présente. Le lendemain, elle me dira :

« Cet homme de deux mètres de haut, avec sa cravate noire et ses souliers vernis, est l'homme le plus élégant du monde. On dirait un des cousins de la reine Élisabeth. »

Tout en me regardant avec un sourire enchanteur, cet Anglais presque chauve et au bronzage magnifique, aux très larges épaules, aux mains et aux pieds immenses, au visage anguleux plutôt ridé, avec des lunettes d'observateur posées sur un énorme nez aquilin, aux yeux gris sages et bienveillants bien qu'un peu froids, aux huit cents ans de pedigree et aux cinquante-cinq ans d'âge, ajoute que « Mario » lui a raconté que je suis la femme dont rêvent tous les hommes. Je lui dis que c'est vrai et que, d'après notre ami, il est lui aussi l'homme dont toutes les femmes rêvent. Puis je change de sujet car, à vrai dire, comme on dit en colombien, Metcalfe ne m'inspire pas une seule pensée coupable. J'adhère à la devise de Brigitte Bardot : « La seule qualité que j'attends du parfait amant est qu'il me plaise physiquement. » Nous, qui sommes les maîtresses de ces animaux, nous savons que, lorsque l'heure de vérité a sonné, le fait d'avoir au doigt l'anneau du prince de Galles, un *staff* de six personnes à Belgravia et un Van Gogh dans la salle à manger ne suffisent pas.

Parmi les devises imprescriptibles de l'élégant et arrogant lord Curzon, il y en avait plusieurs qu'aucune personne saine de corps et d'esprit ne serait allée contredire, comme « Un gentleman ne se promène pas en ville avec des vêtements couleur café » et « Un gentleman ne prend jamais de soupe au déjeuner ».

Dix-huit mois se sont écoulés et nous sommes au milieu de l'année 1983. L'Homme le Plus Riche de Colombie n'est ni un lord anglais ni un gentleman autochtone. Il ne se lève pas à six heures du matin pour appeler ses ambitieux esclaves, mais à onze heures pour appeler ses ténébreux « garçons ». Il boit de la soupe aux haricots à son brunch quotidien et il ne se présente tout de même pas aux sessions du Congrès en costume café, mais avec une veste beige. Il ne sait pas du tout différencier le tissu prince-de-galles d'un tissu à rideaux et il passe sa vie en tennis et en blue-jean. Il a trente-trois ans, pas cinquante-neuf, et ne sait pas précisément qui est Santo Domingo car, comme il est le propriétaire d'une petite république, il ne s'intéresse qu'aux présidents qu'il finance et aux dictateurs qui coopèrent avec lui. Dans un pays où pas un de tous ces magnats avares n'a encore d'avion à lui, il met toute une flotte aérienne à ma disposition. Il a commercialisé l'année dernière soixante tonnes de coke – mais il se propose cette année d'en doubler la production – et son organisation contrôle quatre-vingts pour cent du marché mondial. Il mesure un mètre soixante-dix et n'a pas le temps de se faire bronzer. Bien qu'il ne soit pas aussi laid que Tirofijo, le chef des FARC, il est convaincu d'avoir une certaine ressemblance avec Elvis Presley. Il n'a jamais accordé le moindre intérêt à la reine Victoria, mais plutôt aux reines de beauté des départements de Caquetá, de Putumayo ou de l'Amazone. Il fait l'amour comme un type de la campagne, mais il se prend pour un étalon et il n'a qu'une chose en commun avec les quatre Hommes les Plus Riches de Colombie : c'est moi. Et je l'idolâtre. Parce qu'il m'adore, parce qu'il est la chose la plus amusante, la plus *exciting* qui ait foulé la face de la Terre et parce qu'il n'est pas avare mais au contraire très prodigue.

« Pablo, ça me fait peur d'entrer aux États-Unis avec une somme d'argent pareille... lui avais-je dit avant mon premier voyage à New York pour faire du shopping.

— Mais ce qui importe au gouvernement américain, ce n'est pas la quantité d'argent que tu amènes, c'est celle avec laquelle tu repars, ma chérie ! Une fois, je suis arrivé à Washington avec un million de dollars dans un attaché-case, et ils m'ont fourni une escorte de police, soi-disant pour que je ne me fasse pas détrousser avant d'arriver à la banque ! Une escorte, à moi, tu te rends compte ? En revanche, ma pauvre, si jamais ils te prennent en train de repartir avec plus de deux mille dollars en liquide, alors que pourtant la loi *gringa* en autorise jusqu'à dix mille... Déclare toujours ton argent à l'entrée dans le pays. Tu le dépenses ou tu le déposes sur ton compte bancaire, à raison de deux mille dollars à la fois mais, surtout, qu'il ne te passe jamais, jamais, jamais par la tête de repartir avec. Si les "*Federicos*[1]" te chopent avec du liquide, ils te mettent mille ans

---

1. Agents fédéraux du FBI. *(N.d.T.)*

de prison, parce que là-bas le blanchiment d'actifs est un délit beaucoup plus grave que le trafic de stupéfiants en soi. Je suis une autorité morale pour tout ce qui touche à ce domaine. Ne viens pas me dire après que je ne t'avais pas avertie. »

Maintenant, pour mes voyages, j'emporte toujours des liasses de dix mille dollars que je coince dans une boîte de kleenex dans chacune de mes trois valises Gucci, j'en mets une autre dans mon bagage à main Louis Vuitton, et je déclare tout cet argent à mon arrivée. Quand les douaniers me demandent si je n'aurais pas dévalisé une banque, je leur réponds invariablement :

« Les dollars, je les achète au marché noir ; on est obligés de s'y prendre comme ça dans toute l'Amérique latine où la monnaie est le peso. Les kleenex, c'est parce que je pleure sans arrêt. Et je fais de nombreux allers-retours chaque année parce que je suis journaliste télé, regardez la couverture de tous ces magazines. »

Le fonctionnaire me répond, tout aussi invariablement :

« Allez, passe, beauté, et appelle-moi la prochaine fois que tu te sens triste ! »

Je poursuis alors mon chemin et je me dirige, telle une reine, vers la limousine de Robalino qui ne manque jamais de m'attendre et, en arrivant à l'hôtel – après avoir croisé dans le hall ou dans l'ascenseur un Rothschild, un Guinness, un Agnelli ou la suite d'un prince saoudien, une première dame française ou un dictateur africain –, je jette les kleenex à la poubelle et, heureuse, je m'accorde un bain bouillonnant puis je peaufine ma *shopping list* du lendemain, sur laquelle j'ai déjà assidûment planché pendant trois heures dans l'avion, sur mon siège de première classe, tout en buvant du champagne rosé et en me resservant de blinis au caviar car, maintenant, le Pégase de mon amoureux est presque toujours occupé à convoyer des tonnes de coke jusqu'à Norman's Cay, dans les Bahamas, île qui appartient à son ami Carlitos Lehder, et qui est un point de transit obligé de l'autre reine – la blanchette qui s'aspire – vers les Keys de Floride.

N'importe quelle femme civilisée et froidement honnête reconnaîtra que l'un des plus grands délices dont on puisse jouir à la surface de la Terre est d'aller faire du shopping sur la Cinquième Avenue à New York avec un portefeuille bien rempli, surtout lorsqu'on a déjà mis à ses pieds quatre magnats qui doivent peser ensemble aujourd'hui l'équivalent de douze milliards de dollars même si, à l'époque, ils ne me faisaient même pas livrer de fleurs.

Puis, chaque fois que je rentre en Colombie, je retrouve mon Pablo Navaja – affichant toujours aussi insolemment sa réussite – avec son Pégase ou le reste de ses appareils, ses ambitions politiques portées par l'addiction de millions de fans *gringos* reconnaissants et comblés, et son adoration, sa passion, ce besoin insatiable et fou qu'il a de me voir. Et, à ce moment-là, l'ensemble Valentino ou Chanel glisse par terre, les chaussures en crocodile de Cendrillon volent dans les airs, et l'endroit où nous sommes, suite ou cabane, se transforme en un véritable paradis terrestre, théâtre de cette étreinte mortelle ou de cette danse démoniaque, car le passé d'un homme épris, lorsqu'il se comporte en grand prince et vous offre une série de *shopping sprees*, devient tout aussi négligeable que celui de Marilyn Monroe ou de Brigitte Bardot pour l'homme qui a la chance de les accueillir dans son lit.

Mais, ce qui pose surtout des problèmes avec le passé de beaucoup d'hommes exceptionnellement riches, ce sont les délits qu'ils sont disposés à commettre, aujourd'hui ou demain, pour maquiller leurs crimes ou leurs indiscrétions d'hier. Horrifiée par les révélations que je lui ai faites sur celui de Pablo Escobar, Margot Ricci a détruit toutes les copies de mon émission sur la décharge et m'a fait savoir qu'elle ne voulait plus jamais entendre parler de Pablo Escobar ni de moi. Nous revendons notre société de production télé, maintenant libre de toute dette, à son petit ami Jaime, un homme bon qui va mourir peu de temps après, tandis qu'elle se mariera avec Juan Gossaín, directeur de RCN, la station de radio du magnat des boissons gazeuses, Carlos Ardila, dont la femme est l'ex-épouse d'Aníbal Turbay.

Le Robin des bois *paisa* a maintenant appris à se servir des médias, il me dispute les unes des magazines et profite follement de sa toute nouvelle réputation. Quand Adriana, la fille de Luis Carlos Sarmiento, le magnat de la banque et du bâtiment, est enlevée, je prie Pablo de mettre les mille hommes de son armée à la disposition de Sarmiento – pas seulement par principe, mais parce qu'il doit tâcher de faire en sorte que les gens de l'establishment qui se respectent, que tous ces puissants lui sachent gré, lui soient redevables de quelque chose. Très ému, Luis Carlos me dit que les négociations pour faire libérer sa fille vont déjà bon train, mais qu'il ne remerciera jamais assez le représentant Escobar pour son geste généreux.

La vie de Pablo prend un virage à cent quatre-vingts degrés le jour où le président Betancur nomme ministre de la Justice Rodrigo Lara, qui règne sur tout le secteur agroalimentaire avec Evaristo Porras, le triple gagnant du pactole de la Loterie nationale. À peine nommé, ce haut fonctionnaire accuse Escobar de narcotrafic et de collusion avec le MAS. Les partisans de Pablo, qui se sentent trahis par Betancur, exhibent au Congrès de la République le chèque d'un million de pesos d'Evaristo. Et le ministre issu du Nouveau Libéralisme de Luis Carlos Galán passe à l'attaque, comme un bulldozer : la Chambre des représentants lève l'immunité parlementaire de Pablo, un juge de Medellín lance un mandat d'arrêt pour la mort des deux agents du DAS, le gouvernement américain lui retire son visa touristique et le gouvernement colombien saisit les animaux de son zoo, au motif qu'ils sont arrivés en contrebande. Lorsqu'ils sont vendus aux enchères, Escobar les rachète par l'inter-médiaire de prête-noms car, à l'exception des Ochoa et du Mexicain, dans ce pays si pauvre, personne n'a d'endroit où les faire paître ni de vétérinaire pour soigner des milliers d'animaux exotiques et, surtout, de fleuves et de points d'eau qui lui appartiennent pour accueillir des éléphants et deux douzaines d'hippopotames qui ont un sens de la propriété presque aussi aigu que leur maître.

Pablo me prie de ne pas m'alarmer devant cette avalanche de problèmes et il essaie de me convaincre que sa vie a toujours été aussi agitée. Ou c'est un grand acteur, ou c'est l'homme le plus sûr de lui que j'aie jamais vu. S'il y a une chose dont je ne doute absolument pas, c'est que c'est un formidable stratège et qu'il dispose de ressources pratiquement inépuisables, aussi bien pour assurer sa défense que pour lancer de foudroyantes contre-attaques, car l'argent coule à flots dans ses caisses. Je ne lui demande jamais comment il le blanchit, mais parfois, surtout lorsqu'il me sent préoccupée, il me donne quelques indications sur l'ordre de grandeur de ses revenus : il possède plus de deux cents appartements de luxe en Floride, les billets de cent dollars arrivent sur la piste de l'*Hacienda Nápoles* dans des paquets camouflés entre des appareils élect-roménagers et cet argent liquide qui entre dans le pays suffirait à lui seul à financer les campagnes présidentielles de tous les partis politiques jusqu'à l'an 2000.

Ce mandat d'arrêt oblige Pablo à entrer dans la semi-clandestinité. Ce besoin de sentir le contact de la peau de l'autre que nous éprouvons tous les deux s'est accentué au même rythme que se sont intensifiées sa traque et la surveillance de ses lignes téléphoniques et, comme nous ne faisons ni l'un ni l'autre de confidences à personne, cette envie d'entendre la voix de l'interlocuteur aimé se fait de plus en plus pressante. Mais chacun de nos rendez-vous demande maintenant une lourde organisation et nous ne pouvons plus nous voir tous les week-ends, et encore moins à l'hôtel Intercontinental.

Au fil des mois, alors qu'il semble retrouver une certaine confiance, je commence à lui trouver, ainsi qu'à Santofimio, un langage beaucoup plus belliqueux. Il n'est pas rare que j'entende dire à celui-ci en ma présence des choses comme :

« Les guerres, on ne les gagne pas à moitié, Pablo. On ne retient que les gagnants et les perdants, pas les demi-vainqueurs et les demi-vaincus. Pour gagner en efficacité, il va falloir que tu fasses tomber plus de têtes, en tout cas, au moins les plus visibles. »

Ce à quoi Escobar répond immanquablement :

« Oui, docteur. S'ils continuent à nous pourrir la vie, nous allons devoir commencer à les arroser de *chumbimba*, pour leur apprendre à nous respecter. »

Au cours d'une tournée dans le département de Tolima, terre natale et bastion politique de Santofimio, ce dernier me prend dans ses bras devant ses responsables locaux d'une façon qui me met très mal à l'aise. Puis, lorsque ses « caciques » se retirent, le candidat se métamorphose pour se comporter en parfait homme d'affaires : je dois l'aider à convaincre mon amant d'augmenter sa contribution à sa campagne, car l'argent qu'il lui donne pour l'instant ne lui suffit pas du tout, et il représente la seule option sénatoriale et présidentielle garantissant à Pablo non seulement l'abrogation du traité d'extradition mais aussi l'enterrement quasi total de son passé.

Je rentre à Medellín absolument furieuse et, sans même laisser à Pablo le temps de me donner un premier baiser, je commence à lui détailler les événements de ces deux dernières semaines, avec une voix qui énumère, *crescendo*, une litanie de dénonciations, de signalements, d'accusations et de questions sans réponse :

« Je lui ai donné une recette pour récolter des fonds pour sa campagne, avec les chefs de tous les quartiers populaires de Bogota. Rien que parce que tu me l'as demandé, j'ai fait entrer cent cinquante curieux dans mon appartement. Quand Santofimio est arrivé, il était plus de vingt-trois heures, il est tout juste resté quinze minutes, il est parti comme un voleur et il n'a même pas appelé le lendemain pour me remercier. C'est un porc qui n'a aucune classe, un ingrat, un faux cul ! Il n'en a rien à foutre, de notre pauvre peuple ! Il va tuer tout ton idéalisme et tu vas finir par lui ressembler ! Ici, sur ton territoire et devant les tiens, jamais il n'aurait osé me prendre dans ses bras en public comme il l'a fait dans le Tolima ! As-tu déjà seulement pensé au prix que je paie pour mettre ma belle image au service de vos intérêts à tous les deux, tout ça pour qu'ensuite un de ces Iago, si jamais tu sais qui est Iago, vienne prétendre m'utiliser de la plus misérable des façons devant toute cette horde de bandits de province qui le prennent pour Dieu alors qu'il n'est qu'un délinquant sans scrupules ? »

Un mur invisible semble tomber du plafond et se glisser entre nous deux. Pablo se pétrifie comme un rocher et reste immobile, comme paralysé. Il me regarde, hébété, et s'assied. Puis, les coudes appuyés sur les jambes et les yeux rivés au sol, il me dit, d'une voix glaciale et avec des mots soigneusement mesurés :

« C'est très dur à dire, Virginia, mais il faut que tu saches que cet homme que tu traites de porc ingrat est celui qui me sert de lien avec toute la classe politique de ce pays, d'Alfonso López jusqu'à la base, avec certains secteurs des forces armées et les services de sécurité qui ne sont pas avec nous dans le MAS. Jamais je ne réussirai à me passer de lui, et c'est précisément son manque de scrupules qui le rend si précieux pour quelqu'un comme moi. Et, en effet, je ne sais pas qui est ce Iago, mais si tu dis que Santofimio et lui se ressemblent, c'est que cela doit être vrai. »

Tout le respect que je lui porte vole en éclats, comme un miroir frappé d'une balle. Déchirée de douleur et m'étouffant dans mes sanglots, je lui demande :

« Ce rat d'égout essaie peut-être de me suggérer qu'il est temps que j'envisage d'autres options... que tu lui as peut-être toi-même indiquées, mon amour ? C'est le sens de toute cette *embrassade* publique, ou est-ce que je me trompe ? »

Pablo se met debout et il regarde vers la fenêtre. Puis il me dit, dans un soupir :

« Virginia, toi et moi sommes des grandes personnes. Et des gens libres. Libres d'envisager tous les deux toutes les options que nous pouvons souhaiter. »

Pour la première fois de toute mon existence, et sans craindre de perdre pour toujours l'homme que j'ai le plus aimé dans ma vie, je fais une scène de jalousie. Incapable de me contrôler, je lui crie à la figure, tout en scandant chacune de mes phrases de coups de poing en l'air :

« Eh bien, tu es devenu un bel enfoiré, Pablo Escobar ! Et je veux que tu saches que le jour où je te remplacerai par quelqu'un d'autre, ce ne sera pas par un porc minable comme ton mendiant de candidat ! Tu n'imagines même pas dans tes rêves les mauvaises habitudes que j'ai prises avec les hommes ! Je peux me taper le plus riche ou le plus beau, et sans devoir payer, comme toi ! Je traite les rois comme des pions et les pions comme des rois, et si jamais je te remplace par un porc, ce sera par un porc plus riche que toi ! Et qui voudra aussi devenir président ! Non, qui voudra plutôt devenir dictateur, oui, monsieur ! Et toi, qui ne m'as jamais sous-estimée, tu sais que c'est exactement ce que je vais faire : je vais te remplacer par un dictateur, mais pas un comme Rojas Pinilla ! Pas un comme celui-là, mais comme... comme... comme Trujillo ! Ou comme Perón ! Comme un de ces deux-là, je te le jure devant Dieu, Pablito ! »

En entendant cette dernière phrase, il éclate de rire. Il se retourne à moitié et, sans pouvoir s'arrêter de rire, il s'avance vers moi. Il saisit mes deux bras pour m'empêcher de lui donner des coups de poing dans la poitrine et les place comme un harnais autour de son cou. Puis il me tient fermement par la taille et me serre contre lui tout en me disant :

« Le problème que tu vas avoir, avec ton mari, c'est qu'il aura besoin de moi pour se financer. Et, chaque fois qu'il t'enverra chercher l'argent, toi et moi, nous lui mettrons des cornes sur la tête, pas vrai ? Ton autre problème... c'est que les deux seuls porcs qui soient aussi riches que moi sont Jorge Ochoa et le Mexicain... et aucun des deux n'est ton genre, pas vrai ? Vois-tu que je suis la seule option pour une personne comme toi ? D'autre part, toi, tu es la seule que j'aie, car où veux-tu que je trouve une boîte à musique avec un cœur pareil et qui me fasse autant rire ? Tu es aussi une réincarnation de Manuelita... avec le QI d'Einstein. Et une nouvelle Evita... avec un corps digne de Marilyn, hein ?... Comptes-tu vraiment m'abandonner maintenant, me laisser à la merci de mes puissants ennemis qui ont lancé cette implacable chasse à l'homme contre moi... qui va avoir raison de ma pauvre humanité, provoquer ma mort prématurée et m'enfouir à jamais sous une affreuse pierre tombale choisie par leurs soins ? Jure-moi que tu ne comptes pas me remplacer tout de suite par un Amin Dada, qui m'extradera... ou qui me fera finir sur son *barbecue* ! Jure-le-moi, mon petit tourment adoré, sur ce que tu as de plus cher ! Ce que tu as de plus cher... c'est moi, n'est-ce pas ?

— Et dans combien de temps me proposes-tu de te remplacer, alors ? lui dis-je tout en cherchant un kleenex.

— Euh... dans, à peu près... un siècle. Non, disons plutôt soixante ans, pour que tu ne trouves pas que j'exagère !

— Eh bien, moi, je ne te laisse qu'un délai de dix ans ! dis-je en essuyant mes larmes. On croirait entendre Augustin d'Hippone qui, avant de devenir docteur de l'Église, suppliait : "Mon Dieu, donne-moi la chasteté et la continence, mais ne le fais pas tout de suite !" Je t'avertis que, maintenant, je vais aller pour de bon dévaliser toutes les boutiques de la Cinquième Avenue. Cette fois, je vais faire un vrai hold-up ! »

Il me regarde avec ce qui ressemble à une profonde gratitude et, expirant, soulagé, il me dit avec un sourire :

« Pouuuuf ! Eh bien, tu peux aller les dévaliser autant que tu voudras, ma panthère vénérée, à condition que tu me promettes que plus jamais, plus jamais nous ne parlerons de ces choses. »

Puis il rit et me demande :

« Ce saint dont tu parles, à quel âge est-il devenu impuissant, madame Je-sais-tout ? »

Devant la perspective de toute une garde-robe Chanel ou Valentino, quelle femme normalement constituée accorderait de l'importance au fait que Santofimio soit un hypocrite ? Je sèche mes dernières larmes, je lui réponds à quarante ans et je déclare que je ne participerai plus aux tournées politiques. En me disant que la seule absence qui lui importe est celle de mon visage sur son oreiller et de tout ce qui va avec, il se met à me caresser. Tandis qu'il énumère toutes les choses dont il peut se passer, au bout d'un moment, les seules qui restent et qui lui sont indispensables sont ma présence et son présent à lui.

Pablo semble avoir oublié que je ne pardonne jamais et qu'en ce qui concerne le sexe opposé n'importe laquelle des options qui s'offrent à moi vaut bien plus à elle seule que toutes les siennes réunies. Ainsi, le long week-end suivant, je jette l'éponge et j'accepte une invitation que j'avais déjà déclinée plusieurs fois au cours des dix-huit mois précédents : un billet en première classe pour New York, une immense suite à l'hôtel The Pierre et la chaleureuse étreinte des bras bronzés du charmant David Patrick Metcalfe. Le lendemain, après avoir fait pour trente mille dollars d'emplettes chez Saks Fifth Avenue, je dépose les sacs dans la limousine de Robalino et j'entre dans la cathédrale Saint-Patrick pour mettre une bougie au saint patron irlandais et à la Vierge de Guadalupe, celle de mes aïeux qui ont été généraux durant la Révolution mexicaine. Même si, pour le restant de mes jours, mon cœur conservera la nostalgie de toutes les choses auxquelles j'ai renoncé en m'enfonçant dans ces ténèbres de dictateurs et de porcs, plus jamais je n'accorderai la moindre importance au mannequin d'un soir, à la reine de beauté d'un week-end, et encore moins à un couple de lesbiennes se baignant dans un jacuzzi à Envigado.

Un jour, dans la Librairie centrale de mes amis Hans et Lily Ungar, je me retrouve nez à nez avec mon premier patron à la télévision, Carlos Lemos Simmonds, devenu ex-chancelier depuis. Il me dit que je devrais refaire de la radio, et il me recommande le Groupe radiophonique colombien, qui est maintenant le quatrième plus important du pays et qui est actuellement en train de réunir une vraie équipe de stars. Il appartient à la famille Rodríguez Orejuela de Cali, propriétaire de banques, de chaînes de drogueries, de laboratoires de produits de beauté, de dizaines d'autres entreprises et est le distributeur officiel de Chrysler pour toute la Colombie.

« Ce ne sont pas des gens qui font du bruit. Gilberto Rodríguez est très intelligent, il est bien parti pour devenir l'homme le plus riche du pays. Et c'est aussi un vrai grand seigneur. »

Quelques semaines plus tard, je reçois une proposition d'embauche du Groupe. Je suis agréablement surprise et, comme les références que Carlos Lemos m'en a données étaient élogieuses, je l'accepte volontiers. Ma première mission est d'aller couvrir la *feria* de Cali et sa fête de la Canne à sucre pendant la dernière semaine de décembre et la première de janvier. Pablo passe les vacances à l'*Hacienda Nápoles* avec toute sa famille. Comme cadeau de Noël, il m'a envoyé une jolie montre avec deux rangées de diamants de chez Cartier. Il l'a achetée à la maîtresse de Joaco Builes, qui est très commerçante et vend des bijoux aux narco-trafiquants de Medellín. Beatriz me met en garde :

« Virginia, surtout, ne l'apporte jamais chez Cartier à New York pour la faire réparer ! Je dois t'avouer que les montres que je vends avec Joaco sont des montres volées. Ils pourraient la saisir ou te jeter en prison. Ne viens pas me dire après que je ne t'ai pas prévenue. En tout cas, Pablo est convaincu que les montres offertes portent beaucoup de chance ! »

Un soir, alors que je dîne à Cali avec Francisco Castro, le jeune et beau président du Banco de Occidente, la banque la plus rentable de toutes celles que possède Luis Carlos Sarmiento, deux hommes entrent dans le restaurant ; s'ensuit un silence, tout le monde se retourne pour regarder, et une douzaine de serveurs se précipitent pour s'occuper d'eux. À voix basse et avec un profond mépris, « Paquico » Castro me dit :

« Ce sont les frères Rodríguez Orejuela, les rois de la coke dans la Vallée, deux sinistres mafieux dégoûtants. Ils doivent chacun posséder une fortune d'environ un milliard et être à la tête d'une centaine d'entreprises. C'est le type de clients que Luis Carlos jetterait hors de sa banque à coups de pied dans le derrière ! »

Je suis surprise, non par le fait que cette information me parvienne de la bouche d'une personne qui a une réputation d'enfant prodige dans les affaires, mais parce qu'à l'heure actuelle, alors que je connais de nom tous les membres de la corporation de Pablo ayant une quelconque importance, il est vraiment étrange que je n'aie jamais entendu parler d'eux. Le lendemain, le directeur de la radio me fait savoir que Gilberto Rodríguez et son épouse veulent faire ma connaissance et m'invitent à monter dans leur suite présidentielle de l'hôtel Intercontinental, qui est leur base opérationnelle pendant la *feria*, pour me remettre en main propre des places pour assister aux corridas au premier rang (dans des arènes, ce que l'on appelle le premier rang est en fait le troisième, derrière la contre-barrière et la barrière. La barrière donne directement sur le *callejón* où se tiennent les toreros, leur *cuadrilla*, les éleveurs et les journalistes de sexe masculin ; jamais les femmes, car elles portent soi-disant la poisse et parce que, parfois, les taureaux sautent à l'intérieur de ce couloir et piétinent et encornent tous les gens qui peuvent s'y trouver).

Rodríguez Orejuela a une allure très différente de celle des grands barons de Medellín ; il est aussi subtil que les autres sont prévisibles. Il s'habille dans le style classique et commun des hommes d'affaires et, dans tout autre endroit que Cali, il passerait complètement inaperçu. Il est très courtois, très affable, comme peuvent l'être tous les hommes riches avec les jolies femmes, et il a aussi des dehors chafouins et fourbes qui se confondent à la perfection avec une pointe d'autre chose qui, aux yeux d'un observateur moins avisé, pourrait s'apparenter à de la timidité, voire même à un discret soupçon d'élégance. Je dirais qu'il doit avoir un peu plus de quarante ans ; il n'est pas grand, il a le visage et les épaules arrondis et est dénué de la présence virile qui caractérise Pablo. Il faut reconnaître que tant Pablo Escobar que Julio Mario Santo Domingo ont ce que sur la côte on appelle de la *mandarria*, mot dont la sonorité à elle seule veut tout dire. Quand l'un des deux entre quelque part, tout dans son expression semble crier :

« Le roi du monde, l'Homme le Plus Riche de Colombie vient d'arriver ! Écartez-vous, laissez passer ! Que personne ne se mette sur mon chemin, car je suis un danger public et, aujourd'hui, je me suis levé du mauvais pied ! »

La femme de Rodríguez doit avoir trente-sept ans ; son visage, marqué par l'acné juvénile, est assez quelconque. Elle est plus grande que nous deux et, à travers sa tunique au tissu imprimé dans les tons verts, se profile une belle silhouette, ce qui est le lot de presque toutes les femmes de la vallée du Cauca. Elle a des yeux de lynx et tous les signaux qu'ils envoient semblent indiquer que son mari ne bouge jamais le petit doigt tant qu'elle ne lui en a pas donné l'autorisation.

J'ai toujours cru que derrière tous les hommes excessivement riches se cache une grande complice ou une grande esclave.

« Celle-là, ce n'est pas "la Tata" d'Escobar... me dis-je en mon for intérieur, c'est plutôt "la Tigresse" de Rodríguez, elle a même l'air d'être le général du Général ! »

À mon retour à Bogota, je reçois un appel inattendu de Gilberto, qui m'invite à le rejoindre aux arènes en compagnie des commentateurs sportifs du Groupe radiophonique. Je lui réponds :

« Merci, mais au cas où vous auriez oublié, je ne m'assieds qu'au premier rang, c'est-à-dire à l'arrière des gradins avec les pauvres lorsque je suis sur une *feria*, occupée à travailler comme une esclave, exploitée par la station de radio d'une famille présidentielle ou d'un banquier qui possède des centaines de drogueries. Ce que je veux dire, c'est que, comme je suis miro, le seul endroit où je vois et d'où je me vois, est la barrière. À dimanche ! »

Après la corrida, le Groupe me dépose chez moi. Quelques jours plus tard, Myriam de Rodríguez m'appelle pour me demander pourquoi je suis allée à la corrida avec son époux. Très agacée, je lui réponds que c'est au propriétaire du Groupe radiophonique colombien qu'il faut demander pourquoi il a envoyé ses commentateurs sportifs et l'éditeur de la rubrique internationale couvrir la saison taurine. Et, avant de raccrocher, je lui fais la suggestion suivante :

« La prochaine fois, vous pourriez leur demander de vous prendre – vous et votre micro, bien entendu – avec eux pour que vous voyiez pourquoi, lorsque Silverio torée, même pour tout l'or du monde, on ne renoncerait pas à une place à l'ombre derrière la barrière ! »

Après, je me demande pourquoi je n'ai pas planté plus de banderilles à cette tigresse. Pourquoi ne lui ai-je pas dit que son mari auquel elle tient tant ne pouvait pas, mais alors pas du tout, m'intéresser ?

Peut-être ne lui a-t-il pas expliqué que j'aime à la folie son concurrent, qui est beaucoup plus riche que lui et qui, bien qu'il soit marié, m'adore et compte les heures pour pouvoir sortir de sa grande propriété et venir se couler dans mes bras ? Qu'il va être un président au lourd passé ou un dictateur sans CV et, ne lui en déplaise, que c'est lui qui est le vrai, l'indiscutable Roi Universel de la Cocaïne ? Pourquoi ne lui ai-je pas demandé quel pourcentage du marché pèse selon elle son Gilberto – sachant que l'année dernière, Pablo en avait déjà quatre-vingts pour cent et que cette année il double sa production – pour me donner le plaisir de l'entendre me répondre : « Eh bien, mon mari en a aussi quatre-vingts pour cent, autant que votre amant ! » ?

Quand ma fureur retombe, je repense à ces quatre magnats de l'establishment : à leur intelligence très au-dessus de la moyenne, à leur cœur de pierre, à leur incapacité d'éprouver la moindre compassion, à leur légendaire propension à la vengeance. Puis, avec un sourire sorti du fin fond de mon cœur, je me rappelle aussi leurs dons de charmeurs de serpents, leur rire, leurs faiblesses, leurs aversions, leurs secrets, leurs leçons... toute cette capacité de travail, cette passion, cette ambition, cette acuité... leur pouvoir de séduction, leurs présidents...

Comment réagiraient-ils en apprenant que Pablo Escobar ambitionne la présidence ? S'il se retirait des affaires... lequel d'entre eux pourrait devenir un de ses alliés ? Lequel serait un rival, lequel un ennemi ? Lequel d'entre eux pourrait-il devenir un danger mortel pour Pablo ? Bon... je crois qu'aucun d'entre eux, car ils savent déjà tous qu'il a plus d'argent, plus de finesse et plus de couilles qu'eux... et vingt ou vingt-cinq ans de moins... En tout cas, Machiavel dit : « Les amis, il faut les avoir près de soi, et les ennemis, encore plus près. »

Je reste là à me dire que ce ne sont pas les corps des femmes qui passent entre les mains des hommes, mais les têtes des hommes qui passent entre les mains des femmes.

Le septième homme
le plus riche de la planète

Notre première étreinte et mes deux premières pirouettes en l'air de l'année 1984 précèdent une nouvelle que je reçois comme une véritable douche froide : contre l'avis de sa famille, de ses associés et, évidemment, de son candidat, Pablo envisage de se retirer de la politique et il veut savoir ce que j'en pense.

Je lui réponds qu'il ne faut pas être Einstein pour savoir ce que tout le monde en dit et je le supplie, une fois dans sa vie, de tous les envoyer au diable et de ne penser qu'à lui. Je le prie de ne pas céder devant le ministre Lara, devant les *galanistes*, le gouvernement, l'opinion publique ou les *gringos*. Je lui demande de rappeler à sa famille d'où viennent les diamants, les Mercedes, les Botero et les Picasso. Au lieu de s'attaquer de manière frontale au traité d'extradition et d'arroser les hommes politiques à grand renfort de millions, je lui conseille de se lancer à Bogota dans un programme d'aide sociale de la même envergure que « Medellín sans bidonvilles », pour que sa popularité le protège au point

de le rendre intouchable, et de n'envisager de se retirer des affaires ou de passer la main à ses associés,
qui sont tous des types loyaux et fermes comme des
rocs, qu'ensuite.

« Tu crois peut-être que la dynastie que tu vas
fonder sera la seule du pays à avoir deux morts
sur la conscience, hein ? La seule différence avec
eux, c'est que toi, à trente-quatre ans, tu as déjà
un ou deux milliards de dollars sur ton compte en
banque ! Et, dans ce pays où les votes s'achètent, tu
n'inventes rien de nouveau. Ces votes, tu les paies
simplement avec des maisons et des terrains de
sport au lieu de les payer avec des sandwichs ! Je
n'arriverai jamais à comprendre pourquoi Belisario
Betancur a nommé ministre de la Justice l'ennemi
juré des personnes qui ont financé une bonne partie
des campagnes présidentielles. Alfonso López n'aurait jamais fait une telle bêtise. Tu n'as absolument
pas besoin de Santofimio, et arrête une bonne fois
de l'appeler "docteur", car les gens comme toi et moi
peuvent se permettre d'appeler ainsi des personnes
comme Álvaro Gómez, mais pas Alberto ! »

Pablo ne perd jamais son sang-froid. Pablo ne se
plaint jamais. Pablo ne m'interrompt jamais quand
je m'enflamme. Il a déjà appris que je ne me tais que
lorsque je le décide et que je ne me calme complètement que lorsqu'il me prend dans ses bras. C'est
pour cela qu'il se conduit avec moi comme ces
dresseurs qui murmurent à l'oreille des chevaux
jusqu'à ce qu'ils s'apaisent. Il agit ainsi depuis le
jour où je lui ai avoué que si, en enfer, on collait
mon corps au sien avec de la *Krazy Glue*, de toute
l'éternité, je ne m'ennuierais pas une seconde et

j'aurais l'impression d'être au Ciel ; à quoi il m'avait répondu que c'était la phrase d'amour la mieux trouvée de tous les temps. Ce soir, il me confie que son candidat et lui ont déjà convenu d'une séparation officielle, même si leur coopération va se poursuivre en catimini car, aujourd'hui plus que jamais, la force de conviction de Santofimio à l'égard des autres parlementaires leur est indispensable, à lui et à toute sa corporation, pour enterrer le traité d'extradition. Il m'explique qu'il y a aussi une autre raison de poids qui motive sa décision d'abandonner, pour le moment, la politique aux professionnels : la voie par Norman's Cay, qu'il utilise avec Carlos Lehder, rencontre actuellement de sérieux problèmes et, tôt ou tard, elle va être découverte car son associé s'est petit à petit transformé en un drogué mégalomane et cause toutes sortes de soucis au gouvernement de Lynden Pindling aux Bahamas.

« J'ai déjà pris contact avec les sandinistes qui pleurent pour trouver de l'argent et qui sont prêts à me donner tout ce que je veux si j'utilise le Nicaragua comme escale et comme base arrière pour envoyer ma marchandise à Miami. D'ici quelques semaines, toi et moi, nous irons à Managua, ce sera l'occasion d'étrenner un de mes passeports. Je veux te faire rencontrer les gens de la junte pour que tu me dises ce que tu penses d'eux. Tu es toujours dans le vrai dans tout ce que tu me dis, mais tu dois comprendre qu'au-dessus de la politique il y a mon business et que je dois continuer à tirer tout son lait avant qu'il ne me soit physiquement plus possible d'en tirer davantage. Maintenant, c'est vrai que je peux envisager de me retirer pour retourner au Congrès quand l'orage sera passé. Tu verras, dans six mois, les choses vont commencer à s'arranger. Tu sais, les problèmes, je sais les anticiper des mois à l'avance et, quand ils surviennent, j'ai déjà une solution, soigneusement préparée et prête à être mise en œuvre. Tout, sauf la mort, peut être résolu par l'argent. Et l'argent rentre à flots dans mes caisses, mon amour. »

Je lui demande comment les fondateurs du MAS arrivent à s'entendre avec un gouvernement communiste si proche des groupes guérilleros de Colombie. Il me répond que, lorsque nous serons là-bas, je comprendrai tout. Au bout du compte, je me sens rassurée. Deux semaines plus tard, Pablo annonce son retrait de la vie politique et je pense que, tant que cette décision reste provisoire, elle est pertinente car elle va le sortir de l'œil du cyclone de la vie publique.

Les semaines suivantes sont pour nous deux une période de bonheur intense. Notre relation n'est connue que de ses associés, de trois de mes amies et d'une poignée de personnes qui travaillent à son service : Fáber, le secrétaire – un homme d'une grande bonté, qu'il charge chaque fois de passer me chercher à l'aéroport et de m'y conduire –, et ses trois hommes à qui il peut faire une entière confiance : Otto, Juan et Aguilar. De notre côté, Pablo et moi nions catégoriquement l'existence d'une relation entre nous, par égard pour son épouse mais aussi pour ma carrière qui est en train de prendre son envol : *Le Show des Stars*, mon émission de vingt heures du samedi, est suivi dans plusieurs pays et rafle cinquante-trois pour cent de parts d'audience car, en 1984, il n'existe que trois chaînes de télévision en Colombie et la chaîne officielle n'est regardée par personne. Mon autre émission, *Le Magazine du lundi*, fait de l'ombre, ce jour-là de la semaine, au journal télévisé que présente Andrés Pastrana Arango sur la chaîne concurrente, parce que je croise, paraît-il, les jambes d'une façon très sensuelle. C'est pour cette raison que la marque de bas Di Lido, qui appartient à une famille Kaplan de Caracas et de Miami, m'a embauchée pour tourner un deuxième clip commercial, car le premier lui a rapporté soixante et un pour cent des parts du marché national. Pour accepter de me rendre à Venise, j'ai imposé comme conditions à Di Lido de me verser des honoraires équivalents à ceux des cent mannequins les mieux payés du globe, de me faire voyager en première classe et de me loger dans une suite au Cipriani ou au Gritti Palace. Aux anges, j'ai dit à Pablo qu'après Venise les Kaplan vont devoir me payer comme une star de cinéma dans un pays qui n'a même pas d'industrie cinématographique ! Il sourit, car il sait qu'il y a de cela un an, j'ai reçu une offre d'un producteur de Hollywood qui avait mis à ma disposition un bungalow au Bel Air, l'hôtel favori de la princesse Grace à Beverly Hills, et qui me proposait de tourner un film avec Michael Landon, Priscilla Presley et Jürgen Prochnow. J'avais tout décliné sur l'ordre péremptoire de Margot :

« Au juste, que veux-tu être dans la vie, une journaliste sérieuse ou une artiste de cinéma ? Vous comptez nous planter, moi et notre société de production, maintenant que nous commençons enfin à sortir de la pauvreté ? »

Un matin, vers onze heures, Pablo se présente par surprise à mon appartement. Il m'annonce qu'il vient me dire au revoir car il part pour le Panamá et le Nicaragua et il ne peut pas m'emmener avec lui. Les gens qui lui servent de contact avec la junte sandiniste l'ont prié de ne voyager sous aucun prétexte en compagnie d'une journaliste de la télévision. Il me dit qu'il n'en aura que pour une semaine et me promet qu'à son retour nous ferons un voyage tous les deux, peut-être à Cuba pour faire la connaissance de Fidel Castro. Je n'en crois pas un mot, surtout lorsqu'il me propose d'aller faire du shopping en son absence pour que je ne sois pas trop affectée par ce changement de programme. Je suis furieuse, mais je ne me plains pas : New York est clairement plus chic que Managua et l'hôtel The Pierre est une version moderne du paradis terrestre. Je ne dis pas cela simplement parce qu'il n'est qu'à cent cinquante mètres du magasin Bergdorf Goodman, mais parce que la vengeance est un plat qui se mange froid.

Cette scène, qui se déroule dans mon immense suite, une semaine plus tard, est surréaliste : au bout du fil, dans sa chambre, David est en train de rire au téléphone avec « Sonny », le duc de Marlborough. Sur l'autre ligne, dans ma chambre, je suis, moi, en train de rire avec Pablito, le Roi de la Coke, qui me demande d'acheter tous les exemplaires de la revue *Forbes* avant qu'ils ne soient vendus, car il vient d'être élu le septième homme le plus riche du monde ! Quand nous raccrochons tous les deux, je trouve, dans le petit salon du milieu, Julio Mario, le Roi de la Bière, se tordant de rire car Metcalfe va être *waistcoated* ! (les *capi* des illustres familles Genovese, Bonnano, Gambino, Lucchese

214

et Maranzano se sont adonnés à une pratique bien particulière consistant à affubler leurs ennemis de gilets qu'ils tartinaient de béton liquide, à attendre patiemment qu'ils durcissent avant de les jeter en mer pour qu'ils coulent à pic, pratique que l'on pourrait définir comme le style new-yorkais de faire disparaître les gens ou la version contemporaine de « mettre une pierre au cou » des élus de leurs fiancées pour les punir de leur avoir mis sur la tête, qu'elles soient méritées ou non, des cornes dignes du Roi des Orignaux).

Julio Mario me demande si « tous ces pions » dont je suis l'amie sont vraiment si riches. Je lui réponds que ce sont maintenant les plus grosses fortunes de la planète et il me rétorque que tout ce shopping a dû me faire perdre la tête. Voyant ce jour-là les bénéficiaires d'une si belle distinction si heureux, je laisse Metcalfe et Santo Domingo à leurs moqueries et je descends chercher des cigarettes. J'achète tous les exemplaires de *Forbes* que je trouve. Je remonte et, sans dire un mot, je leur en donne un à chacun, ouvert à la page où figure la liste des hommes les plus riches cette année. Les Ochoa occupent la sixième place et Pablo, la septième.

« Donc, la concurrence pèse trois milliards... dit David. Eh bien, ces montagnes de fric, elles ne devraient pas servir qu'à acheter des girafes, à acheter *"The Dirt"* (le Crasseux) et à financer ton shopping, mais aussi à vivre avec un peu de style, comme Stavros Niarchos !

— Tu devrais avoir un enfant avec lui, poupée ! lance Julio Mario pour mettre son grain de sel. Tu ne rajeunis pas, pas vrai ? »

David est horrifié et s'exclame que je ne pourrai jamais être ce genre de fille ! Je regarde Julio Mario et, pour que David ne comprenne pas, je lui dis en espagnol :

« Oui, si je n'ai pas eu d'enfants avec toi, qui étais beau, pourquoi irais-je en avoir avec " ce pion" ? Et puis, n'oublie pas que j'aurai toujours vingt-six ans de moins que toi. »

Je lui glisse qu'ils sont un peu jaloux tous les deux parce que, maintenant, les nouveaux riches colombiens ont pris une dimension internationale qui dépasse le plan purement local, et parce que mes amis sont des pions extrêmement intelligents et des gens qui ont le même âge que moi.

« Pour l'amour de Dieu, *darling* ! s'exclame David, en décrivant en l'air un élégant geste de la main et en prenant l'attitude qu'aurait lord Curzon en découvrant que Pablo brunche avec de la soupe. L'intelligence, c'est chez Henry Kissinger qu'il faut aller la chercher !

— Ce qui est clair, c'est que maintenant, je suis bien convaincu que tu es le plus vaillant des hommes ! lui dit Julio Mario en se tordant de rire. Waouh, tu parles d'une frayeur, David ! Tu peux commencer à compter les jours qu'il te reste avant de te faire "encorseter" par Junior Corleone ! »

J'ai l'impression de vivre le plus beau jour de ma vie en voyant mes deux hommes favoris porter un regard différent sur moi. Je me dis que Dieu sait très bien ce qu'il fait et que c'est pour cette raison que je me retrouve là, en train de rire avec eux dans ma chambre, entourée de deux douzaines de sacs de shopping, au lieu de me trouver en face de Noriega « Tête d'Ananas » ou de Danielito Ortega.

Quelques jours plus tard, je suis de retour, dans les bras de Pablo et, pour diverses raisons, nous avons tous les deux le cœur à la fête. Bien que le Roi de la Coke soit, avec le petit-fils du vice-roi des Indes, le plus vaillant des hommes, quand arrive l'heure de vérité, il reste tout aussi humain que tous les Rois de la Bière :

« Ouf, tu parles d'une frousse, mon amour ! Je me trouvais là, complètement seul, avec tous ces types laids à faire peur dans leur uniforme militaire... et j'imaginais qu'ils pouvaient décider de me jeter à la mer parce que je leur avais dit que personne au monde ne disposait de cinquante millions de dollars en liquide, tu te rends compte ? C'était la somme qu'ils demandaient, tous ces fils de pute, "à titre d'avance", qu'ils disaient ! Rien que cette petite misère, qu'est-ce que tu en penses ? Les communistes, ils doivent imaginer que l'argent pousse dans les arbres, tu ne crois pas ? Nous étions dans un jardin et il y avait un muret blanc d'environ un mètre de haut, je le regardais sans arrêt en essayant de juger si je pouvais sauter par-dessus et m'enfuir en courant jusqu'à mon avion, avant qu'ils ne m'enlèvent ou qu'ils aillent me vendre aux *gringos*. Et, tout le temps, je me disais : pourquoi n'ai-je pas emmené ma blonde adorée dont j'ai tellement besoin ? Parce que ici, bon Dieu, que les femmes sont laides !... Bon, l'important c'est que nous soyons de nouveau réunis, qu'ils aient fait un très gros effort sur leur prix et que j'aie déjà cette route si les *gringos* se mettent à faire pression sur Noriega, qui est des nôtres depuis qu'il nous a servi d'intermédiaire pour faire libérer Martha Nieves Ochoa, mais qui peut retourner sa veste à tout moment car il a coutume de travailler pour le plus offrant. Et, au fait, comment ça s'est passé pour toi, à New York ? »

Et, avant de répondre, je lui demande :

« Et ce sont les sandinistes qui vont te présenter à Fidel Castro ?

— Oui, mais plus tard, ils disent qu'ils veulent attendre de voir si nos affaires se passent bien.

— Et pourquoi veux-tu faire la connaissance de Fidel Castro ?

— Parce que son île est la terre la plus proche des Keys de Floride. Et, maintenant que nous savons que nous pouvons payer le prix que demandent les dictateurs communistes...

— Oui, mais celui-là, il est vraiment intelligent et riche ; il n'est pas débile et pauvre comme ces sandinistes. Ne compte sur lui pour rien, Pablo, car Fidel n'a pas les *gringo*s près de lui : il les a au-dessus de lui dans les Keys et à l'intérieur à Guantánamo ! »

Je change de sujet et je lui raconte qu'alors que je déjeunais avec une amie au restaurant Le Cirque j'ai rencontré Santo Domingo et un lord anglais de mes connaissances. Ils avaient entendu parler de notre relation et l'article de *Forbes* avait piqué leur curiosité ; ils m'ont posé des questions sur lui, et je les ai sentis un petit peu envieux de ses trois *billion*. Julio Mario a eu le culot de me suggérer de lui donner un héritier. Pablo me demande ce que j'ai répondu, et je lui dis :

« Que lui, qui m'a offert l'autobiographie de Fernando Mazuera, savait parfaitement que, dans ma famille, plusieurs générations de très jolies femmes avaient pris la précaution de toujours se marier avant d'avoir des enfants. Et que tu étais déjà divinement marié. »

Pablo reste pensif un moment tout en analysant l'information. Je ne me rends compte que j'ai touché une corde sensible que lorsqu'il commence à parler :

« C'était très, mais vraiment très bien envoyé, mon amour... Maintenant, je vais te raconter une histoire que je n'ai jamais racontée à aucune femme... Il se trouve qu'avant de te connaître mon plus grand amour s'appelait Wendy... Oui, comme dans *Peter Pan*, ne te moque pas. Wendy Chavarriaga n'était pas une tigresse, pas du tout. C'était une meute de chiens à elle seule ! Chaque fois qu'elle me croyait avec une autre, elle emboutissait ma voiture, elle sciait la porte à la tronçonneuse, elle me frappait à coups de marteau, à coups de pied, elle menaçait de me tuer, de me désosser et de m'écarteler, elle me brocardait de tous les noms d'oiseau des florilèges espagnol, colombien et *chibcha*[1]... Et je lui passais tout, absolument tout, parce que je l'adorais, je l'idolâtrais. Moi, je mourais d'amour pour Wendy ! Quand elle partait à New York, c'était avec une douzaine de copines, elle n'y allait pas seule comme toi, et je leur payais tout ce qu'elles voulaient. Mais, malgré toutes mes mises en garde, un jour, elle est tombée enceinte. Elle s'est rendue au salon de coiffure où se trouvait ma femme, et elle lui a jeté triomphalement à la figure : "Lui, c'est l'enfant de l'amour, et pas celui du devoir, comme le vôtre !"

---

1. Langue disparue des Indiens *muiscas* du haut plateau colombien de Cundiboya, dans les départements de Cundinamarca et Boyacá. *(N.d.T.)*

« Le lendemain, j'ai envoyé quatre hommes la chercher. Ils l'ont traînée chez un vétérinaire à qui j'ai demandé de l'avorter sans anesthésie. Je ne l'ai plus jamais revue et, depuis ce jour, elle ne m'a jamais manqué, pas même une seconde. Grâce à Dieu, toi au moins, tu es une princesse. Et, à côté de Wendy, même s'il t'arrive parfois de ruer dans les brancards, pour moi, tu es un havre de paix, Virginia. »

Je reste hébétée. Glacée. Horrifiée. Un frisson me secoue tandis que je lui dis :

« Oui, grâce à Dieu, je ne m'appelle pas Wendy ni Chavarriaga. »

Une partie de l'adoration que je lui voue s'évanouit ce soir avec le récit de cette histoire horrible, qui meurtrit comme un poignard dans le cœur toutes les femmes qui ont un tant soit peu de sensibilité. Je me dis que Dieu fait très bien les choses, car je suis maintenant contente de savoir de quels actes de courage en règle générale et de monstruosité, exceptionnellement, cet homme est capable. En silence, je me demande si, un jour, toute cette veine cruelle ne pourrait pas s'abattre aussi sur moi ; mais je me dis que c'est impossible, car je suis tout l'opposé de cette pauvre fille et ce n'est pas pour rien qu'il m'appelle sa « douce panthère ».

*

Pablo ne se remet pas de sa septième place du classement de *Forbes*. Lors d'une interview qu'il accorde à la radio, il dit qu'aucun d'entre eux ne possède une telle quantité d'argent, et que ces journalistes n'ont aucune idée de la valeur du peso, que ces chiffres représentent en fait les fortunes de Santo Domingo et d'Ardila, et que *Forbes* les a confondus ! Que, s'il possédait vraiment trois milliards de dollars, il donnerait deux milliards neuf cents millions aux pauvres et n'en garderait que cent pour que sa famille puisse vivre à l'abri du besoin pendant un siècle !

Il est évident que Pablo ne s'intéresse pas aux pesos car il s'y connaît davantage en dollars que tous les banquiers suisses. Nous comptons toujours en dollars, mais en dizaines de millions, en centaines de millions et en milliards de dollars. D'abord parce que c'est la devise dans laquelle il fait son business et qu'en 1984 le dollar reste une des monnaies les plus fortes. Ensuite parce que nous avons tous les deux la conviction absolue que les estimations en pesos ne sont fiables ni à moyen ni à long terme car les constantes dévaluations de la monnaie colombienne, qui représentent environ trente-cinq pour cent par an, provoquent avec le temps une distorsion de tous ces calculs avec des rangées de zéros à droite : un million de pesos – somme qui représente beaucoup d'argent en 1974 – équivaut à quelque chose d'insignifiant en 1994, tandis que, sur les vingt mêmes années, la somme d'un million de dollars ne se déprécie que d'environ cinquante pour cent.

Une semaine plus tard, Pablo m'annonce qu'il m'apporte un cadeau : il est caché quelque part sur son corps et, si je veux le trouver, je vais devoir le chercher très, mais très, très lentement. Puisqu'il écarte les bras en croix et qu'il a les mains vides, je me dis que ce doit être quelque chose de tout petit et de grande valeur, comme une émeraude « goutte d'huile » ou un rubis « sang de pigeon ». Il reste très tranquille et silencieux quand je commence à chercher dans ses cheveux et, à mesure que je descends et que j'examine chaque centimètre carré de son corps, je commence à le dévêtir. J'enlève d'abord sa chemise, puis sa ceinture, son pantalon... et rien ! En arrivant à ses pieds et après l'avoir dépouillé de ses chaussures, je trouve, caché dans sa chaussette, un Beretta neuf millimètres avec une crosse en ivoire gravée de ses quatre initiales et complètement chargé.

« Alors, comme ça, on s'amuse avec ces petits joujoux ? Eh bien, maintenant c'est mon tour, monsieur le parlementaire suppléant, et je vais prendre ma revanche de la nuit du revolver, l'autre fois. Les mains en l'air ! »

En une fraction de seconde, il me saute dessus, me retourne le bras, me désarme et met l'arme dans ma bouche. Je crois qu'il a déjà été mis au courant de mon aventure avec David et qu'il va me tuer.

« Cette fois, ce n'est pas un jeu, Virginia, et si je te l'ai apporté c'est parce que tu vas en avoir besoin. Le port d'armes est à mon nom et c'est un prêt, compris ? Au cas où tu devrais l'utiliser, je veux que tu saches que j'ai le meilleur service de nettoyage de tapis de tout le pays, je ne laisse jamais la moindre trace de sang. Maintenant, il faut que je te dise la vérité, mon amour : je ne vais plus être parlementaire, ni président, ni rien de tout cela. Tu vas très bientôt devenir la femme d'un guerrier et je suis venu t'expliquer ce que les services de sécurité vont te faire le jour où ils se présenteront ici pour te poser des questions sur moi. Je vais aussi te montrer comment tirer la balle qui va te tuer sur le coup sans te défigurer ni te laisser paraplégique. Tu peux être très adroite au stand de tir, mais si tu n'arrives pas à te libérer de la peur de tuer, un expert te désarmera en l'espace de quelques secondes. La première chose que feront tous ces bouchers sera d'arracher tes vêtements... Et tu es... la plus belle chose de la Terre, pas vrai, ma chérie ?... C'est pour cela que tu vas tout de suite enlever cette robe de deux ou trois mille dollars que tu as sur toi avant que je ne la mette en lambeaux, venir dans la salle de bains et te tenir debout devant tous ces miroirs en pied. J'ai dit immédiatement ! Qu'est-ce que tu attends ? »

J'obéis. Je ne vais pas le laisser déchirer une robe Saint Laurent parce que je ressens à la fois un grand soulagement et une immense curiosité et parce qu'à dire vrai j'ai toujours aimé ces regards de braise qu'il me lance chaque fois avant de commencer à me caresser. Pablo vide le chargeur du Beretta et se met derrière moi. Il me dit que, bien que l'on ne dégaine pas toujours son arme pour tuer, il faut toujours le faire avec la tête bien froide pour être sûr de garder son self-control. Ensuite il me montre comment il faut poser ses pieds, mettre ses jambes, tenir son torse et ses bras, ses épaules et sa tête lorsque l'on a plusieurs hommes devant soi et que l'on a une arme à feu. Il m'explique quelle expression doivent avoir les yeux, la bouche, tout le visage, quel langage corporel il faut adopter. Ce que je dois ressentir, comment je dois penser, ce qu'ils vont essayer de faire. Avec un éclat singulier dans les yeux, il m'indique quel est celui que je dois d'abord tuer s'ils sont deux, s'ils sont trois, ou s'ils sont quatre et désarmés, ou s'ils se trouvent à une bonne distance. Car, s'ils sont cinq ou plus et s'ils sont armés, ou s'ils s'approchent, je dois me tirer une balle avant de tomber entre leurs mains. Il me montre ce qu'il convient de faire en pareil cas : comment placer les doigts et où mettre exactement le canon. Il appuie de temps en temps sur la gâchette, me tord le bras jusqu'à ce que je ne supporte plus la douleur ; j'apprends ainsi à ne pas me laisser désarmer. Tandis que j'observe dans les miroirs les images de nos deux corps nus luttant pour maîtriser cette arme, je ne peux m'empêcher de penser à deux discoboles athéniens ou à deux lutteurs spartiates. Comme il est cent fois plus fort que moi, il me terrasse à plusieurs reprises tout en m'imposant sans la moindre compassion toute cette chorégraphie qui me chavire comme une montagne russe, pour m'obliger à expérimenter la terreur, à vaincre ma peur, à garder le contrôle, à me représenter la douleur... à mourir d'amour. Soudain, il jette le Beretta au sol, me saisit par les cheveux avec sa main gauche et la dernière partie de cette leçon est maintenant égrenée par ses lèvres dans mon oreille, par son autre main sur ma peau : c'est une interminable litanie, ponctuée des moindres détails, des formes les plus aberrantes de la torture, des modalités les plus terrifiantes, les plus inimaginables et glaçantes du supplice. J'essaie de le faire taire, de me boucher les oreilles avec les doigts pour ne pas l'entendre, mais il me tient les deux bras et couvre ma bouche de sa main tandis qu'il continue, sans s'arrêter une seconde. Quand il finit de réciter tout ce châtiment digne d'un inquisiteur bénédictin, toute cette souffrance digne de l'esprit dépravé d'un militaire sud-américain pendant l'opération Condor, ce démon qui s'amuse à voler ma vie et à me la rendre, cet homme qui m'aime et me gâte comme personne d'autre ne saura jamais le faire, me dit à l'oreille, d'une voix sifflante, que tout ceci n'est qu'une fraction de ce qui m'attend si je n'apprends pas à me défendre de ses ennemis, à les détester avec cette sauvagerie qui est la sienne, à les tuer sans hésitation s'ils se plantent devant moi, et à ne pas douter que, moi aussi, je serai capable de les éliminer si un jour ils osent venir me chercher pour retrouver sa trace.

Après deux minutes d'un silence cosmique, je lui demande pourquoi il s'y connaît si bien en la matière. Encore hors d'haleine, il me répond :

« Parce que, dans ma vie, j'ai dû tirer sur beaucoup de gens... sur beaucoup de ravisseurs. C'est pour cette raison, mon amour. »

Après deux nouvelles minutes de calme idyllique, je lui demande sur environ combien de gens. Après une pause, et dans un soupir, il me répond, le plus calmement du monde... environ deux cents. Deux minutes plus tard, je lui demande combien de ces deux cents personnes « y sont restées ». Après une autre pause, et dans un nouveau soupir, il me répond « beaucoup, beaucoup ». Cette fois, je ne lui laisse pas le temps de souffler et je lui demande ce qui est arrivé à tous ceux qui en ont réchappé. Cette fois, Escobar ne me répond pas. Alors, je me lève de l'endroit où se terminent toujours nos batailles de chiffonniers, je ramasse les balles et je charge le Beretta. Je l'emporte et me dirige vers mon coffre-fort, je prends le double des clés de l'ascenseur privé qui donne directement dans mon appartement, je reviens avec l'arme dans une main et mon porte-clés en or dans l'autre, et je le lui donne.

« Je ne l'ai jamais donné à personne, Pablo. Si un jour tu ne sais plus où aller, tu pourras toujours venir te cacher ici. Aucune personne saine de corps et d'esprit n'aurait l'idée de venir te chercher dans ma maison ; ils viendraient peut-être pour moi, mais pas pour toi. Ici, dans ce petit cœur, il y a la combinaison de mon coffre-fort ; tu y trouveras toujours ton arme quand je serai en déplacement car, à partir d'aujourd'hui, je l'aurai toujours sur moi et je ne m'en séparerai que lorsque je prendrai des vols commerciaux. Maintenant, dis-moi quel nom tu veux que je laisse au concierge pour qu'il te laisse entrer dans le garage et que tu puisses monter quand je ne serai pas là. »

Une tendre caresse pendant un long silence, la profonde tristesse du regard qu'il a toujours et deux mots impossibles à oublier répondent maintenant à la gratitude infinie que je dépose dans les mains de cet homme formidable, unique et terrible. Il me laisse un pistolet, je lui remets un cœur en or. Lorsque nous nous séparons, quand je ne me retrouve plus avec deux, mais avec deux cents âmes qui se disputent ma compassion et ma raison, un démon intérieur vient dire à ma conscience que, si les amants qui détiennent les réponses répondaient toujours aux questions des amants qui connaissent les vérités, le monde entier se glacerait en un instant.

*

« Si tu veux tuer l'oiseau, coupe l'arbre où il pond ses œufs », dit le proverbe. Ainsi, en mars 1984, « Tranquilandia », le plus grand laboratoire de fabrication de drogue du monde, tombe. Cette forteresse des forêts du Yarí a été détectée par un satellite nord-américain, et le gouvernement des États-Unis a passé l'information au ministre Yara et à la police colombienne. Cet ensemble de quatorze laboratoires qui s'étend sur une totalité de cinq cents hectares produit trois mille cinq cents kilos de cocaïne par semaine et dispose de plusieurs pistes d'atterrissage permettant d'expédier directement la drogue à l'étranger, de routes privées et de confortables installations pouvant accueillir presque trois cents employés. Quatorze tonnes de coke sont jetées dans le fleuve Yarí par la police, qui saisit sept avions, un hélicoptère, des véhicules, des armes et presque douze mille bidons de produits servant à l'élaboration de la cocaïne pure à partir de la pâte de coca.

Je revois Pablo quelques jours avant de partir pour Venise. Il est souriant et tranquille. Il m'explique que les laboratoires de Tranquilandia et de Villa Coca étaient à Jorge et à Gonzalo, pas à lui, et que les quantités qui ont été réellement saisies sont infiniment inférieures aux chiffres rapportés par la police. Il m'explique que ça leur servira de leçon et qu'à partir de maintenant les « cuisines » qu'ils ont dans la forêt seront mobiles et que, dans les zones de guérilla, il versera un droit de passage aux groupes rebelles. En tout cas, seulement dix pour cent de la marchandise « tombe », face aux quatre-vingt-dix pour cent qui arrivent à bon port ; la perte reste donc négligeable. Il gagne cinq mille dollars de livraison et d'assurance sur chaque kilo produit par ses clients et, sur chaque kilo qu'il produit lui-même, comme il n'a pas de transport à payer puisque les avions et les routes lui appartiennent, il a un résultat net de plus du double, une fois déduits les frais comme le salaire des pilotes, le kérosène et les pots-de-vin aux autorités qui coopèrent avec lui dans les différents pays que traverse ce que, dans l'argot de sa corpo-ration, on appelle « sa route ». Sur les chargements de plusieurs tonnes, l'équipage des appareils peut gagner jusqu'à un million de dollars par voyage. Ainsi, si ces pilotes tombent entre les mains de la justice et si les pots-de-vin ne fonctionnent pas, ils peuvent se payer les meilleurs avocats et régler leur caution sans avoir à appeler la Colombie. J'apprends petit à petit qu'à l'exception des États-Unis et du Canada les dessous-de-table marchent partout. Sur chaque « route », les personnes-clés sont le dictateur ou le dirigeant du pays, le commandant des forces armées ou de la police ou le directeur des douanes du pays tropical où l'avion se pose pour faire le plein de carburant. Qu'ils soient chimistes, « cuisiniers », vigiles, pilotes ou comptables, ils sont tous gratifiés de salaires astronomiques pour éviter qu'ils n'aillent voler, dénoncer leurs supérieurs dans l'organisation ou livrer les routes. Pablo parle presque toujours de « marchandise », pas de cocaïne, et il me raconte toutes ces choses pour me rassurer et pour que j'arrête de m'inquiéter à ce point de la tournure que prend cette traque implacable orchestrée par le ministre Lara Bonilla.

Comme cette fois-ci je pars en Italie, mon budget shopping est de cent mille dollars. Je demande des congés au Groupe radiophonique, j'enregistre pour trois semaines de programmes et je pars le cœur léger pour Venise, la ville la plus somptueuse que les plus riches marchands de l'Histoire aient pu construire à la surface de la Terre et sur les eaux de la mer.

Au début du mois d'avril 1984, tout dans mon univers est presque parfait : mon jeune amant est peut-être le plus splendide marchand de son temps et, grâce à lui, je me sens moi aussi la plus heureuse, la plus choyée et la plus belle femme de la Terre. Je passe d'abord par Rome pour acheter les tenues que nous allons porter sur le tournage du spot à Venise. Aujourd'hui, alors que je suis en train de sortir du salon de beauté de Sergio Russo, je me demande pourquoi, en Colombie, je ne peux jamais me promener ainsi ; c'est sûrement parce que cette coiffure vient de me coûter des centaines de dollars, une somme insignifiante quand on pense au prix de mon ensemble Odicini, de mon sac à main et de mes chaussures en crocodile.

Après Pablo, rien ne me rend plus heureuse que de sentir le regard des gens se poser sur moi lorsque je déambule à travers la rue principale d'une ville européenne flanquée de dizaines de boutiques de luxe, aux côtés de deux hommes beaux, très élégants, souriants et fiers, avec leur impeccable blazer bleu marine et leur chevalière à écusson. Pendant cette journée idéale, j'arpente le centre de la Via Condotti avec Alfonso Giraldo y Tobón et Franco, le comte Antamoro y Céspedes. Alfonso est un playboy de légende et l'homme le plus adorable et raffiné qu'ait enfanté la Colombie. Initialement à la tête d'une énorme fortune gagnée grâce au « Caspidosán », un produit antipelliculaire inventé par son père, il l'a complètement dilapidée dans les dancings avec Soraya, cette impératrice de Perse qui était un vrai enchantement, et en faisant la noce avec des princes comme Johannes von Thurn und Taxis, le plus riche de tout le Saint Empire romain germanique, « Princy » Baroda, celui de l'Inde, et Raimondo Orsini d'Aragona, celui du Saint-Siège. Après avoir largement goûté aux plaisirs charnels en compagnie de Porfirio Rubirosa – qui a d'abord été le gendre de Trujillo puis des deux hommes les plus riches de son temps –, Alfonso vit maintenant dans sa ville favorite dans l'aile d'un *palazzo* appartenant à Orsini. Franco, quant à lui, est actionnaire d'une banque privée de Genève et petit-fils de Carlos Manuel de Céspedes, ce grand homme qui a sonné la cloche de la liberté à Cuba et qui a été le premier des grands propriétaires terriens à affranchir tous ses esclaves. Mes deux vieux amis me font rire sans cesse, me donnent des surnoms gentils et ont des paroles incroyablement généreuses à mon égard.

Franco s'exclame :

« Tu as l'air tellement jeune pour tes trente-quatre ans que c'en est révoltant, Cartagenetta, car c'est à quarante ans que les jolies femmes sont au summum de leur beauté. Que diable fait donc en Colombie une femme comme toi ? Une créature aussi lumineuse, il faut qu'elle se trouve urgemment un mari riche, bel homme, qui ait ses titres de noblesse et qui soit un très bon amant !

— Demain, dit Alfonso, tu vas dîner avec un joueur de polo, le plus bel homme de Rome, pour te faire inviter dimanche au Polo Club, qui est le point de rendez-vous de tous les plus beaux hommes d'Italie. Ça, c'est de l'*eye candy*, Amorosa ! J'ai déjà averti mes amis de l'arrivée à Rome de la plus belle femme de Colombie, et ils meurent tous d'envie de te rencontrer ! »

Je souris, amusée, car moi aussi j'ai enfin un titre ! Je ris intérieurement car j'adore de toute mon âme le septième homme le plus riche du monde, j'ai un amant de rechange du niveau de Porfirio Rubirosa et le plus beau joueur de polo de la Colombie ne m'a pas encore fait perdre la tête. Comme Alfonso a un goût parfait pour tout ce qui touche à la mode, je le prie de m'accompagner chez Battistoni pour acheter des chemises et chez Gucci pour trouver les chaussures les plus divines et des blousons en cuir pour « un mustang revêche qui ne porte que des jeans et des tennis pour superviser, à coups de cravache, des centaines de *ponies* et mille lads dans son *estancia* ». Quand Aldo Gucci entre dans sa boutique, Alfonso nous présente et, très souriant, il m'accuse de lui avoir acheté soi-disant pour vingt-cinq mille dollars de sacs en crocodile. Bien que la somme ne soit en fait que de cinq mille dollars, le propriétaire enchanté revient au bout de quelques minutes avec deux foulards qu'il m'offre, l'un représentant des petits chevaux de polo et un autre, des fleurs, que je conserve encore aujourd'hui.

Je pars à Venise chargée d'une demi-douzaine de valises remplies de trésors et je m'installe dans ma suite du Gritti Palace. J'arpente la ville, le cœur léger, j'achète du cristal de Murano et un bronze que Pablo m'a commandé pour la Tata, et je me présente pour l'enregistrement du spot. Tout a été soigneusement préparé jusque dans les moindres détails, mais il est tout bonnement impossible de travailler sur le Grand Canal : comme je porte un magnifique ensemble blanc à fleurs de chez Léonard, une grande capeline en paille, mes turquoises à diamants et que mes jambes sont croisées sous un angle parfait, chaque fois que les bateaux de touristes voient les caméras, six ou sept d'entre eux viennent se masser autour de nous. Le guide me montre du doigt en criant : « *Un'attrice, vieni ! Un'attrice !* », et des dizaines de Japonais nous tombent dessus pour prendre des photos de moi et me demander des autographes. Au début, tout cela m'amuse énormément. Mais, après cent prises qui s'étalent sur presque trois jours, nous décidons de nous rabattre sur un *canaletto* surmonté d'un petit pont depuis lequel un *ragazzo* en costume médiéval me jette une rose, que je reçois avec un sourire en lui lançant un baiser. Trouver le *bello ragazzo biondo* n'a pas été une mince affaire car, à Venise, tout le monde vit du tourisme et les mannequins blonds demandent des cachets de plusieurs milliers de dollars. Pour finir, tout se passe bien et, en fin de compte, mon spot vénitien marchera très bien et restera l'un des plus inoubliables de toute l'histoire de la publicité colombienne. Je le paierai le restant de mes jours car ce voyage inoubliable et mes honoraires exorbitants feront dire à mes collègues, avec mépris, que je n'ai « été rien d'autre qu'un mannequin ». Les mauvaises langues de ce pays prétendront même que, pour économiser mes frais de voyage et d'hôtel, Alas Pubicidad est allé jusqu'à construire la réplique d'une grande partie de Venise sur le Río Grande du Magdalena !

Ces derniers temps, Pablo m'appelle deux fois par semaine pour me dire que tout va bien et que les choses se sont un peu tassées. Je suis de retour aujourd'hui et je compte les heures pour aller le retrouver, pour que nous nous coulions dans les bras l'un de l'autre et que nous nous confiions combien nous nous sommes manqué, pour lui offrir ses cadeaux et lui dire à quel point je suis gâtée par la vie et à quel point les gens sont merveilleux avec moi lorsque je suis à l'étranger et que, dans d'autres pays que le nôtre, ce n'est ni un crime ni un péché mortel d'afficher son bonheur éclatant au grand jour. Je sais qu'il me sourira avec une immense tendresse tout en me contemplant fièrement car il me comprend comme personne et parce qu'il connaît mieux que quiconque l'étendue des ravages que peut causer l'envie.

Après presque un mois d'absence, et avec toutes les raisons que nous avions de nous réjouir et d'être contents, qui aurait pu imaginer les proportions que prendraient la colère et la haine des propriétaires qui venaient de perdre une forteresse de cinq cents hectares, à qui l'on avait saisi la bagatelle de quatorze ou dix-sept tonnes de coke à quarante ou cinquante mille dollars le kilo, son prix dans la rue aux États-Unis, sans compter les avions, les produits et le reste ? Comment aurais-je pu imaginer que Tranquilandia appartenait aussi à Pablo et que le montant de leurs pertes se montait à presque un milliard de dollars de l'époque, soit environ deux milliards et demi de dollars d'aujourd'hui ?

Le coup de tonnerre qui éclate le lendemain de mon arrivée à Bogota résonne jusque dans les coins les plus reculés de la Colombie, dans tous les journaux télévisés et dans la presse écrite de toute la planète. Il explose dans ma tête, mon bonheur est atomisé et toutes mes illusions volent en éclats. Il éclate dans mes oreilles, mon univers s'effondre en un instant et mes rêves tombent en miettes. Je sais que plus rien ne sera jamais plus comme avant. Que, jusqu'à la fin de mes jours, je ne connaîtrai plus une seule journée de bonheur total. Que ce que j'ai le plus aimé a cessé de vivre et nous a condamnés à seulement survivre. Qu'à partir de maintenant, l'être le plus libre de la Terre ne sera plus désormais qu'un éternel fugitif poursuivi par la justice. Que l'homme que j'aime ne sera plus qu'un éternel fuyard, jusqu'au jour où on le capturera ou jusqu'à la nuit où on le tuera.

Le jour du Beretta, pourquoi ne me suis-je pas rendu compte qu'il s'apprêtait à aller tuer le ministre de la Justice ? Pourquoi suis-je partie en Italie au lieu de rester à ses côtés et de lui donner un million de bonnes raisons pour le dissuader de commettre pareille folie ? Pourquoi n'est-il entouré que d'imbéciles qui ne mesurent pas les conséquences de ses actes ou par des tueurs à gages qui lui obéissent en toutes circonstances comme s'il s'agissait d'un dieu ? Pourquoi me punis-tu ainsi, Seigneur, moi qui n'ai jamais fait de mal à personne ? Pourquoi la vie est-elle aussi cruelle, pourquoi donc rien ne dure et tout est si fugace ? Pourquoi l'as-tu mis sur mon chemin pour qu'il devienne ma croix, alors qu'il avait déjà une famille et des femmes, des associés, des politiciens, des partisans, une armée, alors que moi je n'avais personne et je n'avais jamais rien eu ?

Aux funérailles de Rodrigo Lara Bonilla, le président Belisario Betancur annonce la signature du traité d'extradition avec les États-Unis, et son entrée en vigueur *ipso facto*. Je vois plusieurs fois à la télévision le visage de la jeune veuve Nancy Lara, qui est aussi trempé de larmes que le mien. Deux heures plus tard, Pablo m'appelle. Il me supplie de ne pas parler, de ne pas l'interrompre et de mémoriser chacune de ses paroles :

« Tu sais qu'ils vont m'imputer la responsabilité de sa mort et qu'il faut que je quitte tout de suite le pays. Je vais partir très loin et je ne vais pas pouvoir t'écrire ni t'appeler car, à partir de maintenant, tu vas devenir la femme la plus surveillée de Colombie. Ne te sépare pas de cet ivoire que je t'ai offert et applique à la lettre chacune des leçons que je t'ai données. Ne fais confiance à personne, encore moins à tes amies et aux journalistes. Si quelqu'un te pose des questions sur moi, tu lui diras, quel qu'il soit, que tu ne me vois plus depuis un an et que je suis en Australie. Laisse tes cadeaux chez la fiancée de mon ami, je ferai récupérer cette valise plus tard. Si je ne peux pas rentrer en Colombie, je te ferai chercher dès que la situation deviendra un peu plus calme. Souviens-toi bien que je t'aime de toute mon âme et que tu vas me manquer chaque jour. À bientôt, Virginia. »

« Dieu te garde, mon chéri. Dieu te garde, mon amour », chante Connie Francis dans ces adieux déchirants qui ont ému chacune des fibres de mon cœur alors que je n'étais encore qu'une enfant, sans que je sache seulement pourquoi. Mais… comment pourrais-je confier à Dieu un pareil assassin, sachant que mon idéaliste est mort pour laisser place à ce vengeur impitoyable ?… Alors que je suis consciente que tout, chez mon leader populaire, est mort pour laisser la place à ce guerrier dénué du moindre soupçon de compassion ?

Désormais tout ce que je sais, c'est que je ne suis qu'une femme et que je suis impuissante. Qu'à partir de maintenant il me sera de plus en plus étranger, qu'il m'appartiendra de moins en moins… Qu'il sera de plus en plus absent, de plus en plus éloigné… Que sa capacité à se défendre le rendra de moins en moins miséricordieux et sa soif de vengeance, de plus en plus impitoyable… Que, dorénavant, chacun de ses morts sera aussi un peu le mien et que le fait de les avoir tous sur la conscience était peut-être mon seul destin.

Cocaine Blues

Au cours des semaines qui suivent l'assassinat de Rodrigo Lara Bonilla se succèdent des centaines d'arrestations, de perquisitions, de saisies d'avions, d'hélicoptères, de yachts et de voitures de luxe. Pour la première fois dans l'histoire de la Colombie, toute personne conduisant une Mercedes en ville ou une Ferrari sur la route est sommée de s'arrêter, car considérée comme suspecte. On la fait sortir de sa voiture sous une pluie d'injures proférées sur un ton militaire et le véhicule est réquisitionné par la police sans la moindre miséricorde. Cette fois, la proverbiale « *mordida* » avec un gros billet ne sert à rien, car l'armée est partout. Les Colombiens qui paient des impôts disent avec fierté que ce pays est enfin en train de changer et qu'on va en finir avec toute cette corruption, parce que c'est devenu insupportable, parce que nous sommes en train de nous *mexicaniser* et que l'image de la Colombie était au plus bas. Les grands barons prennent la poudre d'escampette pour un endroit qui, d'après les rumeurs, pourrait être le Panamá, car c'est là qu'ils cachent leur argent pour ne pas se le faire confisquer par les *gringos*. On considère comme une certitude que les États-Unis vont nous envahir pour installer une base navale sur la côte pacifique, car le canal de Panamá est en train de s'assécher et il faut commencer à envisager une solution de remplacement et à défricher le Darién pour enfin pouvoir construire la route Panaméricaine, qui doit aller d'Alaska jusqu'en Patagonie, ainsi qu'une base militaire sur la côte atlantique, comme celle de Guantánamo ; car la guérilla se renforce tellement en ce moment que tous nos voisins, quelle honte, disent déjà que leur pays se *colombianise*. La nation est sur les dents, les esprits très remontés et tout le monde comprend que les gens comme il faut sont favorables à la construction de ces bases car soixante pour cent de ceux qui y sont opposés sont ou des narcotrafiquants, ou des communistes.

Pendant plusieurs semaines, ma vie se transforme en un véritable enfer : toutes les demi-heures, un inconnu appelle pour me dire toutes les choses que l'on n'oserait jamais crier à la figure de Pablo et qui ressemblent étrangement à celles qu'il m'avait récitées à l'oreille la soirée du Beretta et des miroirs. Avec le temps, j'apprends à m'habituer aux insultes, aux menaces et aux jours qui passent sans m'apporter de ses nouvelles. J'ai aussi cessé de pleurer, je deviens de plus en plus forte et je pense que c'est mieux ainsi, car cet assassin n'était pas un homme pour moi, et il est peut-être préférable qu'il reste en Australie à élever des moutons et qu'il laisse les Colombiens vivre en paix, car ce sont les meilleures personnes du monde, et aussi les plus travailleuses. Comme la vie est très courte, au bout du compte, comme nous ne nous souvenons que des choses que nous avons mangées et des rythmes sur lesquels nous avons dansé, pour me prouver à moi-même que l'absence de Pablo ne me fait plus de mal, je pars avec David Metcalfe pour Río de Janeiro et Salvador de Bahía, pour manger de la *moqueca bahiana* et écouter Gal Costa, Caetano Veloso, Maria Bethania, Gilberto Gil et tous les autres prodiges de ce sous-continent qu'un dieu miséricordieux a créé depuis le Ciel pour les plus hédonistes de la Terre. Nous arpentons la ville des artistes et des penseurs du Brésil, qui vient d'être repeinte de toutes les couleurs en raison du succès de *Dona Flor e Seus Dois Maridos*, le film de Sonia Braga, que je viens d'interviewer pour une de mes émissions télé. David a une merveilleuse allure en *resort wear*, avec ses blazers Savile Row et ses pantalons rose, corail et jaune canari de Palm Beach. Dans la *cidade maravilhosa cheia de encantos mil*, j'étrenne tous les paréos et bikinis que je m'étais achetés en Italie, j'ai l'impression d'être la Fille d'Ipanema et je contemple le quartier de Lagoa qui resplendit sous le ciel étoilé de la nuit carioca. Je ne danse pas la samba car un associé de White's de deux mètres de haut et de vingt-deux ans plus âgé que moi s'accorde des *caipirinhas* et *caipirissimas* mais se refuse catégoriquement à danser la samba, la salsa, le reggae, le *vallenato* et toute cette « *Spanish Music* » des Latino-Américains de ma génération. Pendant quelques jours fugaces, j'ai l'impression d'être au paradis et je me dis qu'enfin, après avoir versé des torrents de larmes pour Pablo et autant sur mon sort, pour les morts de Pablo, pour notre pays à tous les deux, la vie commence à me sourire à nouveau.

Au bout de quelques mois, tout revient à la normale. Il paraît que l'OEA a soutenu la Colombie et s'est opposée à son invasion, car il y avait déjà un Guantánamo, et une seconde prison de ce type aurait porté préjudice à la stabilité de l'hémisphère, et parce que, qui aurait pu faire face à tous les écologistes européens si l'on avait détruit la forêt humide du Darién au nom d'arguments impérialistes sous couvert de libre commerce ? La totalité du pays sans exception – guérilla, étudiants, ouvriers, classe moyenne, bourgeoisie et employés domestiques – salue le fait que les Yankees se soient retrouvés le bec dans l'eau, et les grands patrons commencent à rentrer au pays pour reprendre la direction de leurs banques, de leurs chaînes de drogueries et de leurs équipes de football.

Qui mieux que Gilberto Rodríguez Orejuela, collègue émérite de Pablo et patron de dizaines de journalistes, pour connaître la vérité sur tout ce qui arrive à Escobar et à son univers ? Grâce à Dieu, les Rodríguez ne sont pas des ennemis de l'establishment mais des amis de toute l'élite bureaucratique et politique. Ils n'ont pas de sang sur les mains et ne torturent pas les gens. Bon, la rumeur dit qu'il y a de cela un bon nombre d'années, ils ont participé à l'enlèvement de Suisses à Cali, mais cela remonte à si longtemps qu'il n'est plus évident que ça se soit réellement passé ainsi. Gilberto ne cache pas son argent dans des tonneaux enterrés sous terre, comme Pablo et le Mexicain, mais dans ses propres banques. Il ne tue pas de ministres, mais il est l'ami personnel de Belisario Betancur. On le surnomme « le Joueur d'échecs » car il a plus un cerveau de stratège que de tueur en série. Il ne porte pas de vêtements en lin beige de Bogota et il s'habille en bleu marine. Il ne met pas de tennis car il n'est pas Pedro Navaja, mais des Bottega Veneta car il est John Gotti. Dernièrement, tous mes collègues de travail disent sous le manteau qu'avec le coup à un milliard de dollars que les propriétaires de Tranquilandia ont pris sur la tête Gilberto Rodríguez est devenu l'homme le plus riche de Colombie.

Rodríguez passe de plus en plus de temps à Bogota et, chaque fois qu'il vient, il me fait monter dans son bureau du Groupe radiophonique pour que je lui raconte tout ce qui se passe, car il dit qu'il est un homme simple qui vient de la province et qu'il n'est pas très au courant de l'actualité des potins de la capitale. Évidemment, Gilberto sait tout, car ses trois meilleurs amis sont Rodolfo González García, Eduardo Mestre Sarmiento et Hernán Beltz Peralta, les huiles de la classe politique colombienne. Tous les parlementaires de la vallée du Cauca et un grand nombre de ceux des autres départements lui téléphonent et il reçoit un appel venant de l'un d'entre eux toutes les dix à quinze minutes. Leurs noms défilent dans mes oreilles tandis que je l'observe depuis le sofa qui fait face à son bureau. Ce que Gilberto veut en fait me montrer, c'est qu'il est un homme vraiment élégant, populaire et puissant, qu'il achète les ministres et les sénateurs par douzaines, que mon amant n'est qu'un fugitif poursuivi par la justice et que, maintenant, c'est lui qui tire les ficelles derrière le fauteuil présidentiel. Il répond favorablement à tous ceux qui l'appellent pour lui demander de l'argent – c'est d'ailleurs la seule chose qu'ils lui demandent quand ils l'appellent. Il m'explique qu'il envoie à ses amis cent pour cent de la somme qu'il leur a promise ; à ceux qui ne lui sont pas sympathiques, il ne leur en vire que dix pour cent et, une fois qu'il sait quel est le prix qu'ils demandent, il leur promet de leur faire parvenir le reste prochainement. Gilberto offre au président Alfonso López Michelsen – qu'il idolâtre car il est détenteur de ce qu'il considère comme « l'intelligence la plus formidable, la plus complète et la plus perverse du pays » – des voyages en Europe en première classe. Or le président López et son épouse Cecilia Caballero partent constamment en voyage pour Londres, Paris et Bucarest pour se faire injecter de la procaïne par la célèbre gérontologue Ana Aslam, dont les patients ont la réputation de jouir d'un parfait état de santé, de conservation, de rester alertes et d'avoir encore toute leur lucidité au moment où ils entament leur second siècle d'existence.

Gilberto est de ces rouges très acharnés car, lorsqu'il était enfant, sa famille a dû fuir les violences perpétrées par les conservateurs dans sa Tolima natale, la région productrice de riz et de café, et il s'est établi dans la vallée sucrière du Cauca. À la différence d'Escobar et des Ochoa en Antioquia, dans la Vallée, toute la police lui est acquise, tout comme les services de sécurité et l'armée. Gilberto et moi parlons de tout, mais nous ne nommons jamais Pablo, même lorsque le sujet abordé est le *Guernica* de Picasso ou le *Nouveau chant d'amour à Stalingrad* de Neruda. Escobar et Rodríguez sont comme deux pôles complètement opposés sur presque tout. Quand Pablo me voit, il n'a qu'une chose en tête : m'enlever ma robe, et nos huit heures de conversation attendront. En revanche, quand Gilberto me regarde, il n'a qu'une seule chose en tête : la maîtresse d'Escobar. Et quand j'observe Gilberto, je n'ai qu'une seule chose en tête : le concurrent de Pablo. Si Pablo est un drame, Gilberto est une comédie, un charmeur de serpents et une boîte à musique, il a une de ses chaussures italiennes dans l'inframonde et l'autre dans l'establishment. En fin de compte, nous parlons tous les deux le même langage : nous adorons rire ensemble, nous sommes l'homme riche et important et la femme riche et célèbre les mieux informés du pays et, en outre, chacun adhère à la cause de l'autre et la compassion que nous ressentons tous les deux est à double sens.

« Mais, comment peut-on se contenter d'avoir pour maîtresse une beauté pareille, une telle reine, une telle déesse ? Une femme comme toi est faite pour être épousée, pour être choyée chaque jour, et pour nous dissuader de porter les yeux sur aucune autre femme pour le reste de notre vie ! Dire que je suis déjà marié... et avec une de ces harpies ! Avec elle, j'ai l'impression de vivre sous les coups de poing de Kid Pambelé[1] pendant la journée et sous les coups de pied de Pelé le soir ! Tu ne vois même

---

1. Surnom du boxeur colombien Antonio Cervantes Reyes, plusieurs fois champion du monde chez les super-légers. *(N.d.T.)*

pas dans tes rêves, tu es incapable d'imaginer, ma reine, ce que c'est que d'avoir à supporter chaque jour une harpie qui t'impose un vrai chemin de croix quand, de l'autre côté, tu te fais stigmatiser par la société et par le mépris des autres banquiers comme un paria. Grâce à Dieu, toi, au moins, tu me comprends. Les riches pleurent eux aussi, contrairement à ce que tu crois ! Toi, tu es vraiment ce que l'on peut appeler un havre de paix ! »

L'autre différence de fond entre Pablo et Gilberto, c'est que l'homme que j'aime encore et qui me manque tant ne m'a jamais sous-estimée. Pablo n'insulte pas mon intelligence et ne fait preuve de galanterie à mon égard que lorsqu'il me sent au bout du rouleau, quand il me voit souffrir à cause de choses qui le concernent et dont jamais je n'oserais venir lui parler. Pablo ne dit pas de mal de ses complices, seulement des *galanistes*, ses ennemis jurés. Pablo envoie toujours dès le lendemain la totalité des sommes qu'il promet et ne demande jamais de reçu. Pablo ne parle jamais de vétilles et ne baisse jamais la garde devant personne, surtout devant moi car, pour lui et pour moi, rien n'est jamais parfait : tout devrait être mieux, mille fois plus grand, être le summum, ce qu'il y a de meilleur. Dans notre univers, dans notre relation, dans notre langage, dans nos conversations, tout est XXL. L'un autant que l'autre, nous sommes prosaïques et terre à terre, rêveurs et ambitieux, terribles et insatiables, et le seul problème qui nous sépare, ce sont nos codes éthiques respectifs qui s'entrechoquent en permanence. Je lui dis que la cruauté de l'évolution humaine m'effraie sans cesse et que c'est pour cette raison que le Fils de Dieu est descendu sur la Terre, pour nous apprendre la compassion. Après une discussion byzantine, je l'ai finalement convaincu d'envisager le présent comme une période longue de cent ans car, pour le protagoniste de l'Histoire qu'il est, il est extrêmement dangereux de vivre continuellement dans la définition conventionnelle de quelque chose qui n'existe pas sans en analyser les causes ni en prévoir les conséquences. Pablo et moi n'arrêtons pas de nous surprendre, de nous bouleverser, de nous contredire, de nous affronter, de nous choquer l'un l'autre, de flirter avec les limites avant de ramener l'autre à la réalité après lui avoir brièvement donné l'illusion de jouir de la toute-puissance divine et que, pour lui, rien n'est impossible. Car, en ce bas monde, rien ne flatte plus l'ego que de se retrouver en face d'un autre ego aussi brillant que lui, à condition que ce dernier soit du sexe opposé et que l'un d'eux parvienne à vaincre le corps de l'autre et à le sentir palpiter sous le sien.

Un soir, Gilberto Rodríguez m'invite à célébrer un succès historique de l'América de Cali, l'équipe de football de son frère Miguel. Miguel est un homme aimable, un gentleman, il est sérieux et complètement dénué de la sournoiserie envoûtante de son aîné. Mon instinct me dit qu'il est également dépourvu des inquiétudes intellectuelles de Gilberto, qui sont nombreuses et plus d'ordre artistique et existentiel qu'historique et politique, comme celles de Pablo. J'interviewe Miguel Rodríguez, je discute avec lui pendant quelques minutes pour voir comment il réagit à ma présence – je suis sûre que « Gilberto le Loquace » lui a déjà parlé de moi – et nous posons pour les photographes. Je fais la connaissance des enfants du premier mariage de Gilberto, qui sont tous très cordiaux avec moi, et je prends congé. Il insiste pour m'accompagner jusqu'à la voiture et, moi, j'insiste sur le fait que ce n'est pas nécessaire car je sais qu'en voyant ma Mitsubishi la famille Rodríguez va marquer le seul but qu'elle n'avait pas encore inscrit.

« Mais quelle belle voiture vous avez là, ma reine ! s'exclame-t-il, triomphant, comme s'il avait devant lui une Rolls-Royce Silver Ghost.

— Arrête, ce n'est pas le carrosse de Cendrillon. C'est la petite voiture d'une journaliste exploitée par le Groupe radiophonique colombien. Et, d'ailleurs... je crois qu'il est temps que je t'avoue que... je ne suis pas une "amoureuse des garages" mais plutôt des hangars. En fait... ce n'est pas un, mais trois hangars.

— Waouh ! Et qui est actuellement l'heureux occupant de ce triple hangar, petite reine ?

— Un homme qui est en Australie et qui ne va pas tarder à rentrer.

— Mais... cet homme-là, tu ne sais pas que ça fait déjà un bon moment qu'il est rentré ?! Que toute sa flotte se trouve dans un seul hangar... celui de la police ?! Et... quand penses-tu passer du côté de Cali, mon amour ?... Histoire de voir si nous pouvons enfin sortir dîner un soir tous les deux ? »

Je lui réponds qu'il y a des restaurants à Bogota depuis le temps des colonies, mais que samedi, je serai à Cali pour acheter des antiquités à mon amie Clara, et je lui dis au revoir.

Je pleure sans arrêt jusqu'à dix-neuf heures le samedi car Clara sait déjà, par Beatriz, la fiancée de Joaco qui est la voisine de la sœur de Pablo, qu'il est rentré au pays et qu'il a filé tout droit à son jacuzzi avec une reine de beauté ou cette immanquable paire de mannequins clonés assaisonnés à la marijuana. Je me dis que, grâce à Dieu, Gilberto n'a pas l'air porté sur les lesbiennes, la *Samarian Gold* que cultivent les Dávila, ou pourchassé par la justice et qu'il est sans conteste le Roi couronné qui règne sans partage sur la vallée du Cauca. Comme je traite les rois comme des pions et les pions comme des rois, et que lui et moi avons déjà passé deux cents heures à parler et à rire de tout ce qu'il y a de divin et d'humain, de politique et de finance, de musique et de littérature, de philosophie et de religion, dès la première gorgée de whisky, je lui dis qu'étant donné sa condition d'importateur de produits, de chimiste *Summa cum laude*, et non de banquier émérite ou d'autres choses sans intérêt, il serait temps que nous ayons des discussions en rapport avec le monde réel :

« Au fait... quelle est la formule de la cocaïne, Gilberto ? »

Il accuse le coup, avant de renvoyer la pareille avec un grand sourire :

« Mais... tu parles d'une mafieuse, mon amour ! Tu veux dire que, pendant tout ce temps... tu n'as pas reçu de cours intensifs ? Mais, alors, de quoi parlais-tu avec ton Australien ? Vous comptiez les moutons, ou quoi ?

— Non, nous parlions de la théorie de la relativité ; je la lui ai expliquée pas à pas jusqu'à lui faire voir des petites étoiles, et là, il l'a enfin comprise ! Ne viens jamais, jamais plus me poser de questions sur ce psychopathe car, par principe, je ne parle jamais aux hommes de ceux que j'ai aimés. Revenons un peu à ta recette de cuisine... et je te promets de ne la vendre à personne pour moins de cent millions de dollars...

— Oui... il n'a jamais réussi à accepter que, dans ce business, comme pour tout dans la vie, il arrive que l'on gagne comme il arrive que l'on perde. On vous vole deux cents kilos par-ci... trois cents par-là... et il faut apprendre à l'accepter... car, qu'y a-t-il d'autre à faire ? Lui, en revanche, chaque fois qu'on lui en vole cinq kilos, il laisse cinq morts derrière lui. À ce train-là, il va anéantir toute l'humanité ! »

Sans plus attendre, il me dispense un cours intensif de chimie : tant de pâte de coca, tant d'acide sulfurique, tant de permanganate de potassium, tant d'éther, d'acétone, etc., etc. Dès qu'il en a terminé, il me dit :

« Bon, mon amour, comme nous parlons tous les deux le même langage... je vais te proposer un marché parfaitement légal pour te faire devenir multimillionnaire. Comment t'entends-tu avec Gonzalo, le Mexicain ? »

Je réponds que tous les grands barons me respectent, car je suis la seule star de la télévision à avoir participé aux Forums contre l'extradition, que cette prise de position me coûtera un jour ou l'autre ma carrière et que c'est pour cette raison que j'ai accepté de travailler pour le Groupe radiophonique colombien :

« C'est le seul parachute qu'il me restera le jour où l'on m'enlèvera toutes mes autres émissions... et le drame, pour moi, c'est que je devine toujours à l'avance ce qui va m'arriver.

— Non, non, Virginia ! Ne pense pas à tout cela ! Une reine comme toi n'est pas venue sur Terre pour se soucier de ces bêtises ! Écoute. Puisque je passe de plus en plus de temps à Bogota et que Gonzalo y vit, j'aimerais que tu m'aides à le convaincre que, le mieux qu'il ait à faire après le terrible coup qu'ils viennent de lui porter dans le Yarí, c'est de travailler avec nous car nous sommes les plus gros importateurs de produits chimiques du pays. Ce type est intelligent, lui. À Los Angeles, il y a un million de Mexicains qui rêvent de travailler, même dans n'importe quoi, et ce sont les gens les meilleurs et les plus honnêtes du monde ! Les types qui transportent la marchandise du Mexicain ne lui en volent pas un gramme. En revanche, ton ami, le seigneur de Miami, doit travailler avec tous ces *Marielitos* – les assassins, les violeurs et les voleurs que Fidel Castro a envoyés aux *gringos* en 1980 – et ceux-là, ils se font prier pour comprendre. C'est pour cela que ce type est devenu aussi fou ! Moi, je ne suis pas aussi ambitieux, et je ne veux pas non plus gagner sur tous les plans : je me contente du marché de Wall Street et des richards du Studio 54. Avec ça, j'en ai assez pour vivre tranquillement pour le restant de mes jours. Ces choses-là, on les fait en pensant à ses enfants, ma petite... »

Je sais comment pensent et agissent Pablo Escobar, Gustavo Gaviria, Jorge Ochoa et Gonzalo Rodríguez : comme un seul et même bloc de béton, et plus encore maintenant que le monde entier leur est tombé sur le dos. Comme mon business n'est pas la vente de produits chimiques et que ma passion est la collecte, le traitement, le classement et le stockage de toutes sortes d'informations utiles et inutiles, je ne laisse pas passer cette occasion en or et je demande à Gonzalo un rendez-vous.

Le Mexicain me reçoit au siège champêtre du Club Millonarios, son équipe de football. Il sort et me prie de l'attendre car il a des généraux dans son bureau et il ne veut pas qu'ils me voient. Je me promène dans ses jardins, qui sont magnifiques, parsemés d'étangs avec des canards, et je fais passer le temps en étudiant le comportement des mâles dominants vis-à-vis des femelles et de leurs rivaux. J'attends patiemment que tout le monde soit parti et que Gonzalo soit complètement libre de discuter avec moi. Les associés de Pablo m'ont toujours traitée avec beaucoup d'affection et je suis enchantée de le voir sourire lorsque je lui dis qu'ils me sont tous beaucoup plus sympathiques que lui. Gonzalo me raconte qu'il ne peut plus parler nulle part en toute sécurité, même pas dans ses bureaux, car n'importe qui pourrait venir y cacher un micro. C'est un homme terrible, qui a commencé sa carrière au plus profond des bas-fonds et dans le monde des producteurs d'émeraudes et, à côté de lui, Pablo ressemble à la duchesse d'Albe. Il a deux ans de plus que nous, il est mince et très brun ; il doit mesurer environ un mètre soixante-dix, il est peu disert, calculateur et très malin. Il possède dix-sept haciendas dans les Llanos colombiens de l'Est, qui servent de frontière avec le Venezuela et, bien que la valeur de ces propriétés soit nettement inférieure à celle de l'*Hacienda Nápoles*, plusieurs d'entre elles la dépassent en superficie. Comme tous les propriétaires terriens de Colombie, c'est un anticommuniste forcené et il déteste au plus haut point la guérilla, qui vit des enlèvements et du vol de bétail. C'est pourquoi l'armée est toujours la bienvenue sur ses terres ; elle est toujours accueillie avec du succulent veau à la *llanera* et des bottes pour ses soldats, car celles qu'ils portent sont trouées faute d'un budget suffisant pour les remplacer. Lorsque je lui passe le message de Gilberto, le Mexicain reste pensif un long moment, avant de me dire :

« Je ne sais pas ce qui se passe entre Pablo et toi, Virginia... Je ne peux prendre aucun engagement de ce type, car Pablo est mon ami, mais il faut que tu saches qu'il est dingue de toi depuis qu'il t'a rencontrée. Personnellement, je crois qu'il n'ose pas te regarder en face après ce qui s'est passé... Mais tu dois comprendre que ce coup qu'on nous a donné était monumental, de ces coups que personne ne peut pardonner... Les choses ne pouvaient pas en rester là, car il faut savoir se faire respecter. »

Dans la foulée, il commence à me raconter tout ce qui a pu se passer au Panamá et il m'explique pourquoi, avec l'aide de l'ex-président Alfonso López, les choses vont très prochainement commencer à s'arranger. Il ajoute que presque tous leurs avions sont maintenant en lieu sûr dans différents pays d'Amérique centrale ; pour ce genre de problèmes, c'est une bonne chose d'avoir dans sa poche le directeur de l'Aviation civile. Je lui parle des menaces que je reçois chaque jour depuis la mort du ministre Lara et de la terreur dans laquelle je vis. Il me propose de mettre des hommes à ma disposition pour remonter jusqu'à la source de ces appels et éliminer ces personnes qui me pourrissent la vie. Lorsque je lui réponds que j'en ai déjà bien assez sur la conscience avec les morts de Pablo et, que hélas pour moi, je suis de ces gens qui préfèrent être des victimes que des bourreaux et que, peut-être pour cette raison, je comprends parfaitement les gens qui, dans un pays comme le nôtre, décident de se faire justice, il me dit que je pourrai toujours compter sur lui, surtout lorsque Pablo ne sera pas là, car pendant toute sa vie, il me sera reconnaissant d'avoir tourné cette émission sur « Medellín sans bidonvilles » et d'avoir été présente aux Forums contre l'extradition. Je lui signale que son ami ne m'a jamais remerciée de quoi que ce soit, ce à quoi il objecte de façon péremptoire et avec une voix qui va *crescendo* avec chaque phrase :

« S'il ne te dit rien, à toi, c'est parce qu'il est très orgueilleux et, depuis qu'il t'a conquise, il se prend pour le roi du monde ! Mais il m'a souvent parlé de ton courage et de ta loyauté. Cet homme a réellement besoin de toi, Virginia. Tu es la seule femme adulte et avec de l'éducation qu'il ait eue de toute sa vie, et la seule qui le remette à sa place. Tu crois, toi, qu'il en connaîtra une autre qui aura ta classe et qui misera tout sur un bandit comme lui, sans rien lui demander en échange ?... Mais, pour changer de sujet... Comment peux-tu être si naïve ? Tu ne vas pas me dire que tu ne sais pas que Gilberto Rodríguez est le pire et le plus sournois des ennemis que Pablo Escobar puisse avoir ? De quel

droit ce minable se permet-il d'envoyer une princesse comme toi traîner dans des affaires mafieuses
comme les siennes ? S'il veut devenir mon associé, qu'il commence par se couvrir les mains de
sang avec le MAS, qu'il tue des ravisseurs et des
communistes et qu'il arrête une bonne fois de se
la jouer grand prince, car il n'est rien d'autre qu'un
"Indien parvenu", comme nous tous, un livreur de
droguerie à vélo ! Contrairement à lui, moi, je sais
bien quel est mon territoire et qui sont mes associés ! Dis-lui que j'ai assez de produits pour tenir
jusqu'à l'an 3000 et que ce genre de marché n'est
pas à la hauteur d'un ange comme toi mais plutôt
d'un *fils de pute* comme lui, mais de quelqu'un qui
ait les couilles de Pablo Escobar ! Je veux que tu
saches bien que je ne compte pas dire un mot de
cette réunion à mon associé. Et rappelle donc au
"Joueur d'échecs" qu'il n'y a rien, rien, rien de plus
dangereux dans la vie pour quelqu'un que de planter
des banderilles à Pablo Escobar ! »

Gonzalo sait parfaitement que moi non plus je
ne me verrais pas rapporter ces mots à Gilberto.
Je le remercie pour sa confiance et pour le temps
qu'il m'a accordé, et je m'en vais. Je viens de recevoir l'une des plus belles leçons de ces dernières
années : c'est que la très puissante corporation du
narcotrafic est bien plus profondément divisée que
tout le monde ne pourrait le croire et qu'à quelque
endroit que se trouve Pablo les plus durs serreront
toujours les rangs autour de lui.

Je n'ai jamais réussi à comprendre comment
Escobar s'y prenait pour s'attirer une loyauté aussi
farouche et une telle admiration des autres hommes

forts. J'ai vu Gonzalo trois ou quatre fois dans ma vie et, quand il a été tué, en 1989, j'ai compris que Pablo n'avait plus que quelques mois devant lui. On dit qu'il était lui aussi un psychopathe, qu'il avait à lui seul décimé tout un parti politique de gauche et qu'il avait été l'un des pires monstres que la Colombie ait connu de toute son histoire. Tout cela, et bien d'autres choses encore, est désespérément vrai. Mais, pour faire honneur à la vérité, je dois reconnaître que cet homme affreusement laid, cet homme sans cœur qui, pendant les années 1980, avec l'aide de l'armée et des services de sécurité du pays, a envoyé au Ciel des centaines d'âmes de l'Union patriotique et ses candidats à la présidence, disposait d'une qualité que j'ai rarement rencontrée en Colombie : il avait le caractère d'un homme. Gonzalo Rodríguez Gacha savait être un vrai ami, et « Gacha », comme on l'avait appelé pour lui donner la condition d'un bâtard, était un homme entier, d'un seul tenant.

En rentrant à mon appartement, j'appelle Luis Carlos Sarmiento Angulo. Je lui fais savoir que le président de son Banco de Occidente, établi à Cali, s'oppose fermement à l'ouverture de comptes bancaires au nom de la famille Rodríguez Orejuela qui est actuellement la plus riche de la vallée du Cauca, à la tête d'une fortune de plusieurs milliards de dollars et de dizaines de compagnies tout à fait légales parmi lesquelles le Banco de los Trabajadores, le First Interamericas du Panamá et plusieurs centaines de drogueries.

« Quoooooi ? » gronde l'homme le plus riche de l'establishment colombien.

Je revois Gilberto à Cali car il est convaincu que mon téléphone est sur écoute et que je suis sous surveillance rapprochée. Je lui dis que j'apporte deux nouvelles, une bonne et une mauvaise. La mauvaise est que Gonzalo le remercie de son offre, mais qu'il a des produits pour jusqu'à l'an 3000.

« Donc, il me fait dire d'aller au diable... Et il t'a précisé qu'il était l'associé des *paisas* et pas le mien, pas vrai ? Il t'a aussi sûrement dit que j'étais un enfoiré et que je ne faisais pas partie du MAS... Combien de temps avez-vous parlé ? »

Je lui réponds environ un quart d'heure, car il était très occupé. Gilberto s'exclame :

« Arrête tes mensonges, ma beauté, quand on a devant soi une mine d'informations comme toi, on lui parle trois heures si on en a envie ! Personne ne parle que quinze minutes avec toi ! Qu'a-t-il dit d'autre ?

— Eh bien, qu'il comprend parfaitement que toi et Miguel soyez très libéraux lorsqu'il s'agit de tuer des communistes... et qu'il respecte les différences idéologiques... Que tu es un homme brillant, tu sais ce que cela veut dire... car ça lui fait de la peine de te le faire savoir par une princesse comme moi. Mais la bonne nouvelle, c'est que Luis Carlos Sarmiento ne voit aucune raison pour que tes drogueries ne puissent pas devenir clientes de ses banques ! Je lui ai raconté que tu mettais un point d'honneur à payer tes impôts au centime près – toi et moi savons que ce n'est pas par patriotisme, pas vrai ? –, ce qui l'a enchanté, car il est le plus gros contribuable du pays. Et ma modeste théorie, c'est que plus il y aura de grands magnats enfin disposés à payer des impôts, plus tous les autres seront soulagés d'une partie de leurs charges fiscales. Mais le problème c'est que, mis à part vous, qui êtes les deux hommes les plus riches de Colombie, les autres, lorsqu'ils entendent ce type de discours, hurlent : « *Vade retro, Satanas !* » Sarmiento te fait dire qu'il est disposé à te recevoir quand tu le souhaiteras.

— Mais, tu es vraiment une fille prodige ! Tu dois être une fiancée de rêve ! Non, non, pas une fiancée : tu es née pour faire des choses bien plus importantes, mon amour !

— Oui, je suis née pour être ange gardien. Pour rendre des services sans rien demander en retour, pas pour négocier des produits, Gilberto. Une personne comme moi comprend parfaitement qu'on ne puisse pas détenir deux milliards de dollars dans la même banque. Maintenant que tu avances sur le droit chemin, qu'il ne te vienne pas à l'idée de rejoindre le MAS et mes amis *paisas*. Surtout pas. »

Comme l'occasion mérite bien d'être fêtée, nous partons danser à la discothèque de Miguel. Ce soir-là, Gilberto boit énormément, et je me rends compte que l'alcool le transforme et qu'il perd totalement son *self-control*. De retour à l'hôtel Intercontinental, il insiste pour m'accompagner jusqu'à ma chambre. Je me sens terriblement mal à l'aise lorsque nous traversons le lobby car, à Cali, tout le monde le connaît et, dans le pays, tout le monde me connaît. Quand nous arrivons devant la porte, il insiste pour l'ouvrir lui-même. Il me pousse à l'intérieur et le reste est une autre histoire : les quelques banderilles noires qu'il plante à Escobar signent le début d'une nouvelle guerre de Troie.

Quelques jours plus tard, Gilberto vient à Bogota. Il s'excuse pour ce qui s'est passé, il dit qu'il ne se souvient de rien et je lui réponds que, grâce à Dieu, moi non plus, ce qui est totalement faux car j'ai une mémoire d'éléphant pour les choses les moins mémorables. Il m'annonce que, pour me prouver à quel point je compte pour lui, il veut m'inviter à l'accompagner au Panamá à une réunion avec l'ancien président Alfonso López. Il me demande si je le connais.

« Bien sûr. Alors que je n'avais encore que vingt-deux ans, Julio Mario Santo Domingo me faisait déjà asseoir à la table principale de la campagne présidentielle, aux côtés du président López et du président Turbay. De même, Pablo Escobar m'a aussi fait prendre place à la table principale de deux Forums contre l'extradition, où tu as d'ailleurs brillé par ton absence. Je crois que je suis la personne tout indiquée pour couvrir la nouvelle. »

Au Panamá, je fais la connaissance des associés de Gilberto et des dirigeants de ses entreprises. On dirait qu'ils sont tous réunis pour un conclave de cardinaux, et aucun d'eux ne s'appelle Alfonso López Michelsen. Les premiers sont une douzaine d'hommes de la classe moyenne et les autres ressemblent à des experts en comptabilité et en finance. Je ne peux m'empêcher de me dire que les gens qui entourent Pablo sont toujours en train de parler de politique, tandis que l'entourage de Gilberto ne parle que de business. La dernière chose qui me vient à l'esprit est qu'il les a invités simplement pour venir parader en ma compagnie mais, tout ce que je sais, c'est que, dans quatre jours, en rentrant à Bogota, je connaîtrai le fin mot d'une histoire qui me poursuivra pendant les vingt années suivantes et me coûtera ma carrière. Pendant mon absence, la société Jorge Barón Televisión, qui produit mon *Show des Stars,* a reçu une douzaine d'appels d'une personne dont la voix ne peut être que la mienne, et qui s'est excusée de ne pas pouvoir venir assister aux enregistrements programmés car mon visage a affreusement été tailladé à la lame de rasoir sur ordre de la femme de Pablo Escobar qui voulait récupérer l'énorme 4 × 4 SUV noir qui m'a été offert par son époux ! Lorsque j'entre dans le studio d'enregistrement, radieuse avec ma longue robe et un hâle magnifique, j'entends les assistants et les techniciens dire à voix basse que je viens de rentrer de Río de Janeiro où j'ai subi une opération de chirurgie plastique et que le chirurgien Pitanguy a pu faire des miracles pour sauver mon visage, car rien n'est impossible quand on dispose des millions de Pablo. Tout le pays s'amuse des multiples versions qui circulent sur cette histoire et qui divergent quant au modèle et à la couleur de la voiture dont j'ai été dépossédée (certaines versions parlent plutôt d'une fabuleuse collection de bijoux). Presque tous mes collègues du monde de la presse et les femmes de la haute société se lamentent dans leurs réunions de me voir si proche d'Ivo depuis qu'il m'a refait le nez en 1982, car il m'a rendue « encore plus jeune et encore plus belle qu'avant ».

Il me faut plusieurs jours pour me rendre compte qu'une féroce joueuse d'échecs a fait d'une pierre plusieurs coups : bien que je n'aie été frappée, piétinée et défigurée que dans les fantasmes d'une femme à la méchanceté maladive, pour les journalistes d'*El Tiempo* et d'*El Espacio*, une centaine de collègues armés de micros, avec lesquels je n'ai même jamais pris un café, et un million de femmes convaincues que la jeunesse et la beauté s'achètent dans les cabinets des chirurgiens plastiques, je suis devenue la protagoniste d'un des scandales les plus sordides. Scandale qui donne par ailleurs de l'innocente épouse de Pablo Escobar l'image d'une délinquante vengeresse très dangereuse et, de lui, celle d'un imbécile qui permet que sa maîtresse soit dépouillée de ses cadeaux à coups de rasoir, d'un lâche qui n'a pas levé le petit doigt pour l'empêcher ou pour punir les coupables.

Un soir, je rentre à la maison après avoir réalisé le lancement d'un produit pour une agence de publicité. Après m'avoir examinée de près pendant cinq heures, tout le monde s'accorde sur le fait qu'avec mon long ensemble blanc Mary Mc Fadden et mes cheveux remontés en chignon j'ai bien plus belle allure qu'il y a deux semaines. En entrant dans mon appartement, je suis surprise de voir de la lumière dans le salon. Je me penche en avant et je le trouve là, en train de parcourir mes albums de photos ; il se dit soulagé de me voir entière et intacte. Il a l'air heureux de vivre, comme s'il n'avait pas assassiné le ministre Lara. Souriant, comme si, après des mois de menaces de tortures et de viols à longueur de journée et comme si, depuis quinze jours, je ne passais pas mon temps à essayer de démentir des histoires qui voudraient que j'aie pris une dérouillée et que j'aie été défigurée. Comblé, comme si notre dernière rencontre ne remontait pas à un siècle. Radieux, comme si, parmi les huit millions d'hommes adultes que compte la Colombie, il était mon seul prétendant. Dans l'expectative, comme si j'étais sa Pénélope attendant impatiemment qu'il rentre de son Odyssée et comme si je devais me sentir obligée de voler et de fondre dans ses bras comme une glace à la maracudja avec des petits morceaux de cerise, tout cela parce qu'il apparaît tous les jours dans le journal et à la une des magazines avec sa tête de *bad boy*, d'assassin, de psychopathe, d'extradable et de fugitif de la prison Modelo de Bogota ! Je me rends tout de suite compte qu'il ne sait rien de ma fugace *histoire* avec Gilberto, car il n'y a pas une once de reproche dans son regard ; tout juste de l'admiration, l'admiration la plus absolue. Tout aussi vite, il remarque que je ne suis plus tout à fait la même qu'avant. Il cède à la tentation de recourir à des formules basiques qu'il n'avait jamais utilisées avec moi : il me dit que je suis la chose la plus belle qu'il ait vue de toute sa vie, qu'il n'aurait jamais imaginé qu'avec ce long ensemble et mes cheveux attachés je puisse autant ressembler à une déesse descendue de l'Olympe, etc., etc. Je me sers un très grand verre d'alcool et je lui réponds que c'est mon élégance et, davantage encore, mon éloquence, qui m'ont permis de devenir ce que je suis devenue. Il me dit qu'il a parcouru tous les magazines et qu'il se demande pourquoi, sur aucune des cinq douzaines de couvertures que j'ai faites, je ne suis aussi belle que dans la réalité. Je lui explique que, comme les magazines colombiens n'ont pas les moyens de se payer Hernán Díaz – qui est un génie de la photographie, qui a le meilleur goût qui soit –, la revue *Semana* a lancé la mode de mettre en une des tueurs en série et de les élever au rang de mythes contemporains. Son visage s'assombrit au fil du flot ininterrompu de mes paroles.

« Comment ça s'est passé, au Panamá avec le papa du propriétaire de ce magazine ? Est-il vrai que ta corporation va abandonner des avions et plusieurs de ses "routes" et qu'elle va investir des fortunes dans le pays si Belisario Betancur fait machine arrière en ce qui concerne l'extradition ? Mais comment Alfonso López a-t-il pu avoir l'idée de maîtriser l'inflation qui nous étrangle avec cette petite injection de capitaux qui représentent plus que toute notre dette extérieure ?

— Qui t'a tout raconté ? Et qui t'appelle tous les quarts d'heure à une heure pareille, Virginia ? »

Pour le savoir, je lui suggère d'attendre le prochain appel qui, si nous avons de la chance, lui permettra d'assister à une séance de torture complète. De sa voix la plus persuasive, il me dit de ne pas m'en faire, car toutes ces menaces ne peuvent émaner que d'une bande de *galanistes* inoffensifs.

Comme je ne décroche pas un mot, il change rapidement de sujet et de ton :

« À qui as-tu offert ce que tu as rapporté de Rome ? Beatriz certifie que tu ne lui as rien laissé pour moi et que Clara peut en témoigner. »

Je reste stupéfaite, sous le choc.

« Alors, ça, c'est le bouquet, Pablo ! Pendant ce séjour, je t'ai acheté pour dix mille dollars de cadeaux. Je crois que, depuis le temps, tu connais ma générosité et mon intégrité mais, si tu veux les mettre en doute, libre à toi de le faire. Bon Dieu, pourquoi toute cette horreur, pourquoi une telle malédiction s'abat-elle donc sur moi ? Et dire qu'avant de poursuivre mon voyage jusqu'à Rome j'ai offert à chacune de ces deux sorcières mille dollars de bons d'achat chez Saks ! Elles ont cru que tu étais parti pour toujours... ou que toi et moi ne nous reparlerions jamais... et comme elles sont toutes les deux commerçantes, elles ont volé ta valise pour vendre ces choses et ton bronze, Dieu sait pour combien ! »

Il me prie de ne rien leur dire car, pour notre sécurité à tous les deux, personne ne doit savoir qu'il est revenu et que nous nous sommes vus. Il ajoute qu'il est temps que je me fasse à l'idée qu'une personne comme moi ne peut pas avoir d'amies, et que des gens comme Clara et Beatriz sont capables de tout pour dix mille dollars. Soudain, il ouvre un attaché-case et il jette par terre une douzaine et demie de cassettes audio. Il m'explique que ce sont mes conversations qui ont été enregistrées par le F2 de la police qui travaille pour lui ; mais on ne peut pas les écouter car elles sont *rayées*. Comme il voit que je n'en crois rien, que cela ne me surprend pas, que je ne m'en alarme pas et que je suis trop épuisée sur le plan émotionnel pour m'énerver davantage, d'une voix menaçante, il me demande :

« Qui est le mari de cette *mafiosa* qui appelle les médias pour dire que mon épouse t'a défigurée ? Car toi et moi, nous savons parfaitement que ce ne sont pas des pratiques dignes des *jailosas*[1] de Bogota mais plutôt des femmes des mafieux de bas étage !

— Je crois que ce ne sont que des *galanistes*, Pablo... Ne te sous-estime pas tant, car mon amant,

---

1. Terme par lequel on désigne en Colombie les dames de la haute société. *(N.d.T.)*

par principe, est, a été et sera toujours l'Homme le Plus Riche de Colombie, pas "un mafieux de bas étage" ! Tu peux demander les bandes originales au F2 pour t'assurer de son nom. Je suis contente de savoir que tu es bien rentré. Ça fait maintenant cinq heures que je reçois en pleine figure des insultes des plus raffinées déguisées en compliments et je n'en peux plus. Bonne nuit. »

Il dit que je ne le reverrai plus jamais de toute ma vie. Je monte silencieusement dans ma chambre et, dans mon dos, j'entends descendre l'ascenseur. Pour ne pas penser aux péripéties de la soirée, j'insère dans le lecteur la cassette de mes chansons préférées et je verse dans la baignoire tous les sels de bain que je peux trouver. Je ferme les yeux, pensant que c'était une chance que, pour notre dernière rencontre, il m'ait vue en robe longue et pas en pyjama, en chignon et pas avec des bigoudis sur la tête. Je me demande pourquoi il fallait que je me trouve un de ces mafieux, un tueur en série pareil, et je me dis qu'évidemment, c'était simplement, tout simplement pour précipiter mon suicide !... Mais... alors, pourquoi est-ce que je me mets à pleurer comme ça... en écoutant Sarah Vaughan chanter *Smoke Gets in Your Eyes* et Shirley Bassey chanter *Something* ?... Je me convaincs aussi que c'est simplement parce que je suis condamnée à ne pouvoir me fier à personne, à vivre dans la plus profonde solitude, et entourée de serpents à sonnette... Oui, des serpents, voilà ce que sont toutes ces grosses journalistes, ces femmes de la haute société toujours au régime, ces hommes frustrés et ces deux voleuses que je prenais pour mes meilleures amies.

Un objet tombe avec fracas dans la baignoire. Il fait *splash* et j'ouvre les yeux, terrorisée. Et là, au milieu d'un nuage de bulles et d'écume, flotte le *Virgie Linda I*, le plus beau petit bateau du monde, avec ses voiles rayées et son nom peint en lettres blanches.

« C'est ton premier yacht et, si tu ne me dis pas le nom de ce mafieux, je te le reprends tout de suite ! Non... je te noie plutôt dans cette baignoire... Oui... Dommage que ce mur m'empêche de me placer juste devant tes pieds pour les attraper et les soulever tout doucement tous les deux... doucement... tout doucement... sans que tu puisses rien y faire. Non... cela mouillerait ta si belle coiffure, et nous voulons tous que sur la photo posthume que publiera *El Espacio* tu gardes cette belle allure divine, à côté de tous les autres cadavres dégoulinants de sang, sous un titre du genre... hum... "Adieu, la déesse !" Il te plaît ? Il est mieux que... "Assassinée parce que mafieuse !", pas vrai ? Que faut-il que je fasse pour que tu me dises qui est ce fils de pute, pour que j'aille tout de suite le couper en morceaux ? Et envoyer taillader aussi le visage de sa femme à lui, pour qu'il apprenne à ne pas s'occuper de la mienne ? Et de mon épouse ! »

En agitant les poings en l'air sans pouvoir contenir un fou rire tandis que j'essaie d'attraper mon petit voilier, je lui lance :

« Bravo, Pablo ! Voilà qui est bien parlé ! Cette mafieuse *galaniste*, nous allons la chercher tous les deux, où qu'elle puisse se trouver en Colombie, et nous allons lui refaire le portrait, oui, monsieur ! Et celui de la maîtresse de ce type aussi ! »

Hors de lui, il me l'enlève d'une main et, de l'autre, il attrape mon radiocassette. Il s'agenouille à côté de la baignoire et insiste sur le fait qu'il ne plaisante pas, qu'il le tient pour m'électrocuter, même s'il doit s'en mordre les doigts le restant de ses jours. Je me dis que cet homme devant moi, avec ses bras de crucifié, dont chaque centimètre carré du corps transpire la peur de m'avoir perdue pour un autre, est à la fois la chose la plus comique et la plus pathétique que je me souvienne avoir jamais vue. Je crois distinguer au fond de son regard un peu de ce désespoir qu'il était le seul, parmi quatre douzaines de personnes, à avoir lu dans mes yeux, le jour du tourbillon. Bien que je dise toujours qu'il n'y a que le passé et que le futur qui existent, je me rends compte soudain qu'il est la seule chose qui remplisse de présent mon existence, la seule chose qui la comble et la contienne, et la seule chose qui justifie chacune de mes souffrances passées et toutes celles qui pourraient encore m'attendre. Je m'étire vers lui et, tirant sur sa chemise pour lui passer les bras autour du cou, je lui souffle :

« Écoute, Pablo, pourquoi ne nous électrocutons-nous pas tous les deux... et, ainsi, toi et moi, nous partirons au Ciel, une bonne fois et pour... l'éternité ? »

Il réussit à ne pas tomber, chancelle, je crois même un moment qu'il va glisser dans la baignoire avec la radio, le petit bateau et tout le reste. Quelques secondes plus tard, il les laisse tomber au sol, il me sort de l'eau, il me jure que lui, on ne le laissera entrer qu'en enfer, il m'enveloppe dans un drap de bain et commence à me frictionner sauvagement.

Comme si de rien n'était, moi aussi je me mets à chantonner la version traduite et cadencée de *Fever* qui est en train de passer, tout en admirant les petits détails du jouet de mes rêves ; je lui glisse qu'il va falloir que le *Virgie Linda II* mesure au moins cent pieds pour être digne d'une vraie mafieuse... Alors, motivés par le désir de rattraper tous les instants perdus de notre présent, tous les fantasmes de son démon et tous les cauchemars de mon pauvre archange se déchaînent à nouveau, au rythme de *Cocaine Blues* et des chansons viriles pour assassins emprisonnés de Johnny Cash que je n'ai aucune intention de lui traduire car, en pareil instant, comment pourrais-je chanter à Pablo Escobar, et dans sa propre langue, *I shot a man in Reno just to watch him die* ?

Pas ce porc plus riche que moi !

« Nous préférons une tombe en Colombie à une cellule aux États-Unis ! » grondent un peu partout les communiqués des « Extradables », un groupe d'insurgés qui vient de voir le jour. Bien que les médias affirment que l'on ne connaît pas le nom de ses membres, l'identité de ses fondateurs, leur profession commune, leur propension à la vengeance déjà éprouvée et l'océan de capitaux qui les soutiennent sont connus de tous et même du dernier des demeurés du village le plus reculé de toute la Colombie. C'est l'action du nouveau ministre de la Justice, le *galaniste* Enrique Parejo, qui a servi de détonateur à cette déclaration de guerre : quelques jours après sa prise de fonctions en lieu et place de Rodrigo Lara, Parejo a signé l'extradition de Carlos Lehder et d'Hernán Botero, banquier et principal actionnaire de l'équipe de football de l'Atlético Nacional, à la demande de la justice nord-américaine, pour blanchiment de plus de cinquante millions de dollars. Lehder fuit le pays, mais Botero est extradé. Tous les matchs de football sont annulés en signe de deuil et sa photo, traîné pieds et poings liés par des agents du FBI, devient l'emblème de la cause nationaliste des Extradables.

Gilberto Rodríguez et Jorge Ochoa sont partis vivre en Espagne avec leur famille. Gilberto m'a dit qu'ils envisagent de se retirer des affaires pour investir une grande partie de leurs capitaux en Europe, que je vais beaucoup lui manquer et qu'il espère me revoir très bientôt. Il sait qu'il est possible que je sois la seule femme, journaliste de surcroît, à qui on puisse parler tranquillement de ses activités, de ses collègues et des problèmes de la corporation avec l'absolue certitude qu'elle ne commettra jamais la moindre indiscrétion. Il faut dire que, maintenant que je connais les points vulnérables de leur profession, la dernière des choses que j'irais faire serait d'aller créer de nouvelles divisions ou d'aggraver celles qui existent déjà. Je suis parfaitement consciente du fait qu'à un moment si délicat pour eux tout acte déloyal pourrait peut-être me coûter la vie et, pour cette raison, ma relation avec tout cet univers repose sur l'omerta que je m'impose à moi-même, dans le plus pur esprit de Cosa Nostra. Je vois partir Gilberto chargé d'un peu de cette *saudade* qu'inspire l'affection, pas l'amour, car nous n'avons jamais été amants. Bien que je lui dise que nos longues conversations me manqueront à moi aussi, en vérité, je ne pardonne pas à une personne aussi talentueuse que lui d'avoir géré cette fugace *affaire* avec d'inexcusables grosses doses d'indiscrétion.

Pendant les mois qui suivent, Pablo et moi retrouvons la joie de nos premiers émois mais, comme chacune de nos rencontres exige une organisation logistique méticuleuse, nous profitons de chaque minute que nous réussissons à passer ensemble pour la vivre profondément, intensément et complètement heureux. Je me déplace dans des avions de location et seuls les deux hommes qui viennent me chercher à l'aéroport, armés de fusils R16 pliables, savent que je viens le retrouver. Comme je vis à moins de cent mètres des jardins de la résidence de l'ambassadeur américain à Bogota, Pablo est très préoccupé à l'idée que la DEA me surveille ou que je puisse tomber entre les mains des services de renseignement ; c'est pourquoi, pour le rassurer, je ne demande jamais à ses pilotes ou à ses hommes où ils m'emmènent ni où il se cache. Nos rencontres ont lieu de nuit, dans de petites maisons qui donnent l'impression d'être éternellement en construction ou dont les finitions sont réellement rudimentaires, et que l'on n'atteint qu'après avoir cahoté plusieurs heures sur de terribles chemins boueux et semés d'ornières. À mesure que nous approchons de notre destination finale, de part et d'autre de la route, je commence à apercevoir des guérites d'observation et les garçons me disent que nous nous dirigeons vers une des nombreuses maisons de campagne que Pablo possède un peu partout dans la région d'Antioquia. Une fois sortis des maisons, comme il nous faut toujours cinq minutes pour atteindre la route, j'en déduis qu'ici tout est conçu pour en rendre l'accès difficile, voire impossible, et faciliter la fuite de Pablo au cas où il se trouverait cerné. Ce n'est que bien plus tard que j'ai finalement compris qu'une grande partie de ces maisons en construction se situaient à l'intérieur même de l'*Hacienda Nápoles*, car c'était le seul endroit de la Terre où il se sentait complètement en sécurité et où il préparait les cachettes qui allaient lui servir de repaire pendant la longue succession de guerres qui, il le savait déjà, et moi, je commençais à le pressentir, accompagneraient son destin tout le temps qu'il lui resterait à vivre.

Même si nous ne le disons pas, nous savons tous les deux que chacune de nos rencontres sera peut-être la dernière. Elles ont toutes comme un goût d'adieu irrévocables et, lorsque je le vois partir, je reste longtemps plongée dans une profonde tristesse, à me demander ce que je deviendrais s'il se faisait tuer. Je garde encore l'espoir de le voir se retirer des affaires et trouver une sorte d'accord avec le gouvernement ou les Nord-Américains. Fáber – le secrétaire qui venait me chercher à l'aéroport et qui était presque toujours chargé de m'apporter l'argent juste avant mes voyages – me manque, mais Pablo m'explique que son fidèle employé est un homme bon et que maintenant, il doit vivre entouré de jeunes n'ayant pas peur de tuer, car ils l'ont déjà fait de très nombreuses fois. Les deux hommes qui passent me prendre et me ramènent à l'aéroport à chacune de nos rencontres ne sont jamais les mêmes. Nous sommes tous armés, j'ai mon Beretta, Pablo a un fusil-mitrailleur MP-5 ou un pistolet allemand, et les garçons sont munis de pistolets-mitrailleurs Uzi et de fusils R-15 et AK47, les mêmes que ceux qu'utilise la guérilla.

Chaque fois, je l'attends à l'intérieur de la maisonnette, dans le silence le plus complet, le pistolet dans une poche et le sauf-conduit dans l'autre. Lorsque j'entends les jeeps approcher, j'éteins la lumière et je regarde par une des fenêtres pour m'assurer que ce n'est pas la *Dijín* – la police secrète –, le DAS ou l'armée, car Pablo m'a expliqué que, si jamais c'était eux, je devais me tuer d'une balle avant d'être interrogée. Ce qu'il ne sait pas, c'est que je me suis aussi préparée mentalement à lui tirer dessus si jamais ils l'arrêtent devant moi, car je sais qu'en moins de vingt-quatre heures il atterrira dans une cellule dont il ne ressortira jamais et je préfère lui ôter la vie de mes propres mains plutôt que de le voir être extradé.

Je souffle lorsque je le vois arriver entouré d'une petite armée d'hommes qui se disperse aussitôt ; puis, tout se retrouve à nouveau plongé dans le silence et l'on n'entend plus que le chant des grillons et le friselis de la brise dans le feuillage. J'ai l'impression qu'à l'exception des deux hommes qui me déposent et qui viennent me rechercher aucun des quinze ou vingt autres ne sait que Pablo vient me retrouver mais, depuis ma fenêtre, je commence à reconnaître certains de ceux qui deviendront plus tard ses tueurs à gages les plus réputés, connus en Colombie sous le nom de *sicarios* et appelés par les médias et les journalistes à la solde de Pablo « la Branche militaire du cartel de Medellín ». En fait, ses hommes de confiance ne sont rien d'autre qu'une petite bande d'assassins originaires des *Comunas*, les quartiers défavorisés de Medellín, armés d'un fusil et d'une mitrailleuse, et capables de recruter des émules parmi les centaines de milliers de mécontents qui grandissent en cultivant au fond d'eux une haine viscérale contre la société, qui considèrent Escobar comme leur idole, comme un symbole de lutte anti-impérialiste, et qui sont prêts à tout pour travailler sous ses ordres dans le secret espoir d'être touchés par la grâce de la légendaire réussite financière du « Patron ». Certains de ces sicaires ont des visages à faire peur et d'autres, comme « Pinina », de petits visages souriants d'angelots. Pablo n'a pas d'adjoint ni de confident car, bien qu'il aime énormément ses hommes, il n'a pleinement confiance en personne. Il est bien conscient qu'un mercenaire, si bien payé soit-il, vendra toujours son bras armé, ses informations, son cœur et son âme au plus offrant, à plus forte raison dans un business aussi rentable que le sien. Avec un semblant de tristesse, il me confie un jour que, s'il venait à mourir, tous ces garçons rejoindraient sans doute les rangs de son bourreau. En plus d'une occasion, je l'ai entendu dire : « Je ne parle pas de mes "cuisines" aux comptables ni de comptabilité à mes "cuisiniers". Je ne parle pas des politiciens aux pilotes ni de mes routes à Santofimio. Je ne parle jamais de ma maîtresse à ma famille ni à mes hommes, et jamais je n'irais te parler des problèmes de ma famille ou des missions de mes garçons. »

La « Branche financière du cartel de Medellín » – nom qui semble désigner un complexe réseau de banques et de corporations aux Bahamas, à Grand Cayman et au Luxembourg – ne représente en fait que son frère « Osito » Escobar, M. Molina, Carlos Aguilar, alias « le Crasseux », quelques garçons chargés de compter les billets et une demi-douzaine d'hommes de confiance chargés à Miami d'empaqueter les liasses et de les dissimuler parmi des appareils électroménagers. Blanchir cent millions de dollars est clairement beaucoup plus compliqué que de les glisser entre deux cents congélateurs, réfrigérateurs et téléviseurs avant de les expédier des États-Unis en Colombie, pays où la proverbiale amabilité des douaniers facilite grandement les choses et tord le bras à l'un des pires vices de l'État colombien, la « *formalitologie* ». Inutile de préciser que ces formalités, ce sont les couillons, c'est-à-dire les honnêtes gens, qui s'y plient car, au nom de quoi les riches devraient-ils faire la queue et remplir de la *paperasse*, ou encore ouvrir leurs valises et les colis qu'ils importent, comme des contrebandiers ?

Parmi la douzaine de grands barons, seul Gilberto Rodríguez, qui rêve de voir un jour ses enfants considérés par la société comme ceux d'un chef d'entreprise et non d'un narcotrafiquant, s'acquitte au centime près de tous les impôts dont ses sociétés légales sont redevables, et il a même recours aux banques traditionnelles. Dans le cas de Pablo et de Gonzalo, ces entités bancaires ont pour seule utilité de justifier aux yeux du fisc, à travers quelques sociétés inscrites au registre du commerce, l'acquisition de biens immobiliers, d'avions et de véhicules. Pour ce qui est des grosses sommes d'argent, des achats d'armes, de girafes et de joujoux de luxe, ils se moquent éperdument tout autant des banquiers locaux que des Suisses : ils ont des haciendas de deux mille cinq cents à dix mille hectares équipées de pistes d'atterrissage, et ils savent que les tonneaux ont été inventés pour enterrer cet argent dans leur propriété, le déterrer en cas d'urgence sans qu'il soit besoin d'aller demander la permission à un minable petit gérant d'agence, et le dépenser pour assurer leur protection, pour s'armer afin de faire face à une guerre éventuelle, et pour prendre vraiment du bon temps, sans avoir d'explications à donner au fisc.

C'est une époque où le pauvre directeur général de la police de Bogota gagne environ cinq mille dollars par mois tandis que le pauvre policier qui travaille dans des villages situés en zone semi-forestière en gagne entre vingt mille et cinquante mille, sans avoir à se soucier de sa pension d'invalidité, de vieillesse et de son capital décès, ni même de faire carrière dans l'institution ou d'autres bêtises du même genre. Toutes ces zones qui ont été oubliées par le gouvernement central pendant des siècles commencent à se développer à un rythme effréné et à voir essaimer un peu partout des discothèques aux jeux de lumières multicolores, bondées de filles joyeuses, et dans lesquelles discutent de façon tout à fait pacifique le commandant de la police avec le narcotrafiquant du coin, le capitaine de l'armée avec le chef paramilitaire et le maire du village avec le dirigeant du front guérillero – eux tous qui, selon les journaux de Bogota, ont commencé par s'entretuer pour des raisons policières ou militaires, idéologiques ou nationalistes, légales ou judiciaires, alors qu'en réalité ils ne l'ont fait que pour des raisons éthyliques exacerbées par le libre arbitre d'un objectif « *jupistique* » commun, ou pour des questions de trahison de confiance dans des accords financiers qui ne pourraient jamais donner lieu à des actes notariés. Dans le sud-est du pays, tout le monde boit du whisky Royal Salute, les villages sont remplis de narco-Toyota et, dans la forêt, les gens s'amusent davantage que dans les discothèques de « Pelusa » Ocampo à Medellín et de Miguel Rodríguez à Cali. Ils sont clairement plus heureux qu'à Bogota, où il pleut sans cesse et où les gens sont rendus hystériques par les embouteillages, les files d'attente dans les entreprises d'État, les voleurs à la tire qui leur arrachent leur montre, leur sac à main ou leurs boucles d'oreilles, et les milliers d'autobus qui crachent leur fumée, noire la journée et blanche la nuit. Un autre problème de la capitale, c'est que, comme Bogota ne se trouve pas dans la forêt, le narcotrafic y est tabou et les *narcos* ne sont socialement pas acceptés, non pas à cause de l'illégalité de leurs activités – qui s'en soucie ! –, mais parce qu'ils sont issus des classes les plus pauvres, parce qu'ils ont la peau sombre, parce qu'ils sont tout petits, tout laids, frimeurs, couverts de chaînes et de bracelets en or et portent une bague avec un diamant à l'annulaire ou à l'auriculaire. Ce qui est en revanche accepté et bien vu à Bogota, comme dans toute métropole qui se respecte, c'est la consommation de cailloux de cocaïne pure au sein de la haute société, qui commence également à s'aventurer dans le *bazuco*[1] et dans le crack, car il se passe pour les drogues la même chose que pour la prostitution et l'avortement : c'est très mal vu de les proposer ou de les pratiquer, mais parfaitement légitime d'en user.

La maîtresse cachée du Roi de la Coke, qui est également le fondateur et le cerveau des Extradables, pratique également le tir avec les officiers du

---

1. Drogue proche du crack. *(N.d.T.)*

commissariat de police d'El Castillo et assiste, au palais présidentiel, dans des tenues chaque jour plus élégantes, aux *cocktail parties* des ambassades et aux mariages de ses cousins au Jockey Club de Bogota et au Club Colombia de Cali. Quand, à trois heures du matin, un lave-mains rend l'âme dans son appartement et des trombes d'eau jaillissent dans toutes les directions, menaçant de l'inonder, quatre camions de pompiers se rendent sur place en moins de trois minutes en faisant un raffut atroce, les sirènes de la résidence de l'ambassadeur américain se déclenchent, ses voisins s'imaginent qu'elle vient encore de se faire agresser, qu'on la sauve et qu'on l'empêche de périr noyée tandis qu'elle, avec une gabardine Burberry's jetée sur son *négligé*, signe des autographes à ses héroïques sauveteurs jusqu'à quatre heures trente.

Un autre soir, quelqu'un de très important monte dans sa petite voiture pour aller dîner et, lorsqu'il demande à son amie ce que sont tous ces rouleaux d'étoffe rouge et noire qu'elle trimballe derrière, elle lui répond :

« C'est que, tu as si bon goût et un si bon sens de la géométrie, que je voulais te demander ton avis sur le nouveau drapeau du JEGA, le groupe guérillero urbain le plus violent de tous les temps ! »

Tous les gens bien informés savent que certaines des femmes les plus intéressantes, charmantes ou importantes des médias sont les maîtresses des commandants du M-19, mais aucune d'entre nous ne parle de ces choses car nous avons toutes eu un aperçu des méthodes de supplice à la chaîne que pratiquait la Sainte Inquisition, c'est pourquoi nous préférons nous tenir à carreau. En 1984, on trouve dans les médias colombiens des femmes extrêmement belles, certaines d'entre elles issues de la haute société, mais dont seules quelques-unes ont réellement des tripes. Les hommes, en revanche, qu'ils soient journalistes, acteurs ou animateurs, sont extrêmement ennuyeux, suffisants, hyper-conservateurs, plutôt laids, de classe vraiment moyenne pour ne pas dire moyenne basse, et il ne nous viendrait jamais à l'esprit, à moi ni à aucune d'entre elles, de sortir avec un de ces types. Ce qu'ils ont tous, en revanche – et même mes collègues du comité de direction de l'Association des animateurs colombiens – ce sont les voix les plus belles et les plus travaillées que j'aie jamais entendues dans la profession dans tous les pays de langue espagnole. Aucune de mes collègues ne me pose de questions sur Pablo Escobar, pas plus que je ne leur en pose sur les commandants Antonio Navarro ou Carlos Pizarro, car j'en déduis que, depuis l'enlèvement de Martha Nieves Ochoa, les Extradables et le M-19 doivent se détester à mort ; mais j'assume le fait qu'elles doivent sans doute tout raconter à leurs amants, car moi, je dis tout au mien. Pablo rit pendant un long moment lorsque je lui raconte l'anecdote avec les pompiers, puis il prend un air très sérieux et me demande, alarmé :

« Où se trouvait le Beretta, lorsque tu signais des autographes à deux douzaines de pompiers dans ton *négligé* de Montenapoleone ? »

Je réponds dans la poche de la gabardine que j'ai enfilée par-dessus et il me demande de ne pas faire offense à son intelligence car il sait pertinemment que, lorsque je suis à Bogota, je le garde enfermé dans mon coffre-fort. Je lui promets qu'à partir de maintenant je le mettrai sous mon oreiller pour dormir, et ce n'est qu'après que je le lui ai juré plusieurs fois tout en le couvrant de baisers qu'il se sent vraiment rassuré. Bien que l'on nous ait tous les deux baptisés « Coca-Cola » – paraît-il parce que Pablo fournit le produit et moi, à cause de ma silhouette –, il faut reconnaître que presque personne ne sait rien de cette étape clandestine de notre relation et, à tous ceux qui entendent faire des recherches sur Pablo, je soutiens que cela fait des siècles que je ne l'ai pas vu. Je ne lui demande jamais ce qu'il répond de son côté, car je préfère ne pas courir le risque d'entendre de sa bouche quelque chose qui pourrait me faire du mal et parce que Pablo trouve que les femmes souffrent beaucoup plus que les hommes. Je lui dis qu'il n'a pas tort, mais que ceci n'est vrai que pendant les guerres car, dans la vie de tous les jours, c'est plus facile d'être une femme, car nous savons toujours ce que nous avons à faire : nous occuper des enfants, des hommes, des vieux, des animaux, des champs ou du jardin et de notre maison. Avec une expression pleine de compassion pour ses congénères, j'ajoute, pour faire perdre à Pablo un peu de son complexe de supériorité masculin, qui est très affirmé chez lui car il n'admire que les hommes, qu'« être un homme, c'est beaucoup plus difficile, et que c'est un véritable défi quotidien ». Les femmes qu'il respecte réellement, on peut les compter sur les doigts des deux mains et, même s'il ne le reconnaîtrait jamais devant moi, je sais qu'il divise les femmes en trois catégories : celles de sa famille, qui sont les seules qu'il aime bien qu'elles l'ennuient horriblement ; les jolies filles qui, en revanche, l'amusent énormément et qu'il paie toujours pour l'amour qu'elles lui donnent une nuit avant de leur dire adieu pour des raisons de sécurité ; et les autres, qui sont des « laiderons » ou des « cruches » et qui le laissent globalement indifférent. Comme j'appartiens à une autre sorte de catégorie et qu'il ne m'impressionne pas parce qu'il n'est ni grand, ni beau, ni élégant ni savant, comme je suis une vraie femme, comme je le fais rire et je ne suis aucunement défigurée, comme je suis sa « panthère », comme je sors armée et je le protège de toute mon âme, comme je lui parle des choses dont parlent les hommes et dans la langue qui est la leur, et comme Pablo n'admire et ne respecte que les gens qui ont des tripes, je crois qu'il me situe dans un limbe affectif aux côtés de Margaret Thatcher qui, certes, n'a rien de féminin mais qui est clairement à l'opposé de son univers masculin.

Après sa famille, ses associés sont ce qu'il a de plus sacré. Même s'il n'irait jamais me le confier, à l'exception de son cousin Gustavo et d'Osito, les hommes de sa famille l'ennuient parce qu'il les juge trop conventionnels. Il trouve beaucoup plus *exciting* ses amis Gonzalo, Jorge et ce cinglé de Lehder, qui sont aussi audacieux, riches, hédonistes, intrépides et dénués de scrupules que lui. Je sais que le départ de Jorge Ochoa, que Pablo aime comme un frère, a été un très gros coup pour lui, car il est possible qu'il ne rentre jamais au pays. Hormis Lehder, aucun d'eux n'est sous le coup d'une demande d'extradition car les États-Unis ne disposent pas encore de preuves concrètes permettant de les identifier comme des narcotrafiquants, ce qui est sur le point de changer.

Après une semaine de bonheur idyllique, Pablo m'avoue qu'il doit repartir pour le Nicaragua. Je suis convaincue que les sandinistes lui portent la poisse, c'est pourquoi j'essaie de l'en dissuader en avançant tous les arguments qui me passent par la tête. Je lui dis que c'est une chose qu'ils soient communistes et lui, narcotrafiquant, mais qu'il n'est pas pour autant évident que les ennemis jurés de l'Oncle Sam mettront leur idéologie au service de ses milliards de dollars. J'insiste sur le fait que les États-Unis n'ont que faire des dictatures marxistes tant qu'elles ne les défient pas trop ou qu'elles sont pauvres ; mais, celles qui s'enrichissent grâce au narcotrafic et qui sont leurs voisines et celles de Fidel Castro peuvent finir par devenir une source de contrariété de moins en moins acceptable. J'insiste aussi en lui disant qu'il ne peut pas aller risquer sa vie, son business et sa tranquillité mentale pour Hernán Botero et Carlos Lehder, à quoi il rétorque, froissé, que la cause de tous et de chacun des extradables colombiens, qu'ils soient grands ou petits, riches ou pauvres, est, a été et sera la sienne aussi longtemps qu'il vivra. Il me promet qu'il sera de retour d'ici peu et que nous nous reverrons ou que nous nous retrouverons peut-être très bientôt quelque part en Amérique centrale pour passer quelques jours ensemble. Avant de partir, il me recommande à nouveau de faire très attention à mes téléphones, à mes copines et à son pistolet.

Cette fois, en le voyant partir, je me sens toute triste mais je suis en plus extrêmement préoccupée par ses accointances simultanées avec l'extrême gauche et l'extrême droite, et je me demande lequel des groupes guérilleros colombiens a pu lui servir de contact avec les sandinistes, car chaque fois que j'ai tenté d'aborder le sujet, il m'a répondu que je le saurais le moment venu. Un début de réponse survient de la plus inattendue des façons et me fait immédiatement comprendre que ce qui est en jeu est beaucoup plus complexe que je ne l'avais pensé de prime abord.

Il s'appelle Federico Vaughan et ses photos avec Escobar et Rodríguez Gacha occupés à charger sept tonnes et demie de coke dans un avion sur une piste du gouvernement « nica » font le tour du monde. Un des pilotes de l'organisation désormais baptisée « cartel de Medellín » par les Américains est tombé entre les mains de la DEA. Celle-ci lui a promis de réduire au minimum la peine qu'il encourait s'il revenait au Nicaragua comme si de rien n'était avec des appareils photo cachés sous le fuselage de son appareil, afin de permettre aux États-Unis de disposer de preuves photographiques établissant que Pablo Escobar et ses associés sont bien des narcotrafiquants et présenter ainsi au gouvernement colombien une demande officielle pour les faire extrader. Mais, pour les Nord-Américains, il y a derrière tout cela quelque chose de plus important que de jeter Escobar, Ochoa, Lehder et Rodríguez Gacha au fond d'une cellule dont ils feront disparaître la clé : la preuve que la Junte sandiniste soit mêlée au trafic de stupéfiants, qui justifierait moralement un certain type d'intervention militaire dans une région du monde qui est en train de devenir très rapidement un foyer de menaces pour eux et une véritable ceinture de gouvernements dictatoriaux, communistes, militaires ou corrompus qui pourront tôt ou tard essaimer tout autour et provoquer des migrations massives vers les États-Unis. En ce qui concerne le Mexique, l'éternel Parti révolutionnaire institutionnel (PRI) est un sympathisant déclaré de Fidel Castro et de certains des gouvernants les plus à gauche au monde. Cette nation à l'identité culturelle la plus marquée de toute l'Amérique latine, « si loin de Dieu et si près des États-Unis », est également en train de devenir la route obligée du narcotrafic qui enrichit très rapidement bien entendu les grands barons aztèques, mais aussi une police qui a pour réputation d'être l'une des plus corrompues de la planète, tout comme ses forces armées.

La publication des photos de Pablo et de Gonzalo au Nicaragua scelle le premier chapitre de l'affaire Iran-Contras et sonne le début de la fin pour le général Noriega au Panamá. En les voyant dans tous les journaux du monde, je rends grâce à Dieu que Pablo ne m'ait pas emmenée avec lui au Nicaragua lors de son premier voyage, ni après l'assassinat du ministre Lara et encore moins maintenant. Comme il s'exprime de manière de plus en plus antiaméricaine au sujet de leur gouvernement républicain, je suis obsédée par la profonde crainte qu'avec le temps l'homme que j'aime finisse par devenir l'un des plus recherchés au monde car, bien que sa plus grande qualité soit sa capacité unique d'anticiper tout ce qui est sur le point de lui tomber dessus et de préparer à la fois la plus efficace des défenses et la meilleure des ripostes, son pire défaut est un manque total d'humilité qui l'empêche de reconnaître et de corriger ses erreurs et, plus encore, de mesurer les conséquences de ses actes.

Un beau jour, Gloria Gaitán m'annonce qu'elle va passer me rendre visite avec le journaliste Valerio Riva qui arrive de Rome. Ils se présentent chez moi avec des cameramen, ils installent leurs éclairages et, presque sans m'avoir consultée, l'Italien commence à m'interviewer pour la télévision de son pays. Puis il me fait part de l'intérêt que manifestent les producteurs Mario et Vittorio Cecchi Gori – les plus puissants d'Italie avec don Dino de Laurentis – à l'idée de réaliser un film sur la vie de Pablo Escobar. Je m'engage à leur répondre dès que Pablo reviendra d'Australie et à les rencontrer avec Riva à Rome, où je pense me rendre prochainement. Oui, à Rome et à Madrid, car, alors que nous ne devions rester séparés que quelques jours, cela fait maintenant deux mois que je suis sans nouvelles de Pablo. J'ai donc décidé que, cette fois-ci, la coupe était pleine et que je n'allais pas attendre qu'il se lasse de « ces affreux types en uniforme » ou de sa reine de beauté du moment. Je viens d'accepter l'invitation pour l'Europe de Gilberto Rodríguez à qui, en revanche, je manque terriblement et qui ne peut pas discuter avec moi au téléphone. À Madrid, avec qui pourrait-il parler de « Tête d'Ananas » Noriega et de Daniel Ortega, de Joseph Conrad et de Stefan Zweig, du M-19 et des FARC, de Pierre le Grand et de Toscanini, du Mexicain et du PRI, de ses joyaux artistiques favoris – Sophia Loren et tous les Renoir –, du banquier incarcéré Jaime Michelsen et d'Alfonso López Michelsen, de Kid Pambelé et de Pelé, de Belisario Betancur et de sa Tigresse et de la bonne façon de manger les asperges ? Et, personnellement, avec qui d'autre pourrais-je parler de Carlos Lehder, du pilote Barry Seals, de la CIA et d'un tas d'autres sujets que je dois garder pour moi si je ne veux pas damner celui qui m'écoute ?

Quelques jours avant de partir, je passe devant la concession Raad Automobiles, qui est exploitée par mon ami Teddy Raad, dont Aníbal Turbay et moi avons été les témoins de mariage. Tout comme le peintre Fernando Botero, le décorateur Santiago Medina et le vendeur d'hélicoptères et de tableaux Byron López, les Raad se sont vraiment beaucoup enrichis en vendant des produits de luxe aux nouveaux riches, précisément des Mercedes, des BMW, des Porsche, des Audi, des Maserati et des Ferrari. Je descends pour admirer quelques occasions à un quart de million de dollars, pour les moins chères, et je lui demande à quelle fréquence il vend des voitures d'un tel prix.

« Je vends une Mercedes par jour, Virgie. Après, pour me la faire payer, c'est une autre paire de manches ! Mais, qui irait dire à ces types qu'on ne peut pas leur faire crédit pour une voiture sachant que chaque fois qu'ils "couronnent" un chargement, ils viennent dès le lendemain m'en acheter une demi-douzaine ? Tiens, voilà un de nos meilleurs clients, Hugo Valencia, de Cali. »

Hugo est l'archétype et l'incarnation même du petit mafieux méprisable pour toute la haute société et les gens honnêtes de toute la Colombie : il a environ vingt-cinq ans, un regard arrogant, la peau très sombre, il est parfaitement sûr de lui, mesure un mètre soixante, porte sept chaînes en or autour du cou, quatre bracelets aux poignets et un énorme diamant à chaque auriculaire. Il a l'air très content de la vie qu'il mène, est très m'as-tu-vu et tout aussi sympathique. Lors de notre première rencontre, il m'avait tout de suite fait une excellente impression, que celle-ci ne fait que confirmer lorsqu'il me dit :

« Mais, Virginia, quelle élégance, tu es sublime ! Tu pars pour Rome ? Eh bien, figure-toi que... j'ai besoin d'une personne vraiment de très bon goût pour convaincre le propriétaire de Brioni de m'envoyer un tailleur à Cali avec un million d'échantillons pour qu'il prenne mes mensurations, car je veux me faire faire deux cents costumes et trois cents chemises. Tu ne te sentiras pas offusquée si je t'avance dix mille dollars pour que tu acceptes de te charger de cette ennuyeuse mission ? À propos, qui te fournit ces somptueux bijoux que tu portes sur les couvertures des magazines ? Parce que je veux en acheter des tonnes à toutes mes fiancées, qui sont divines elles aussi, mais, bien sûr, pas autant que toi... »

J'accepte volontiers, je suis même enchantée de lui rendre ce service et je promets de lui ramener en cadeau plusieurs paires de chaussures de chez Gucci. Et, comme je veux voir tout le monde heureux, j'oublie le vol de la valise de Pablo et j'envoie Hugo chez Clara et Beatriz pour qu'elles l'aident à couvrir ses fiancées de diamants et de rubis, leur faisant ramasser, au passage, une petite fortune. Nous succombons toutes à son charme, à son immense ego, et nous le baptisons « le Gamin ». Une autre personne que Hugo et toutes ses liquidités fascinent est le jeune président du Banco de Occidente, qui considérait pourtant la famille des empereurs du narcotrafic de la Vallée comme « une bande d'immondes mafiosi ». Quand le Gamin devient l'ami du brillant banquier, ce dernier décide de présenter Hugo Valencia à sa filiale panaméenne comme un brillant chef d'entreprise et non comme un « infâme narcotrafiquant » propriétaire, comme Gilberto Rodríguez, de banques concurrentes en Colombie et au Panamá.

Avant de me rendre à Madrid, je fais un crochet par Rome pour cette réunion avec Valerio Riva et les producteurs Cecchi Gori. Aucun d'entre eux n'est présent, mais le type qui aspire à écrire le scénario du film sur « *Il Robin Hood colombiano* » m'invite à déjeuner, le dimanche, dans la maison de campagne de Marina Lante della Rovere, qui me dit être une grande amie du président Turbay, l'oncle d'Aníbal, maintenant devenu ambassadeur de la Colombie auprès du Saint-Siège.

Le lendemain, complètement horrifié, Alfonso Giraldo me fait lire les commentaires d'un des principaux quotidiens du pays sur l'interview que j'ai accordée à la télévision lors de laquelle Valerio Riva m'a présentée comme « la maîtresse de potentats latino-américains ». Plus tard, alors que nous sommes repartis faire du shopping sur la Via Condotti, la Via Borgognona et la Via Fratinna, mon cher ami, devenu très pieux depuis sa conversion au catholicisme, me prie de lui confesser tous mes péchés :

« Allez, ma jolie, dis-moi une bonne fois de qui il s'agit. Car, si les quatre amants que je te connais sont des potentats, alors, moi, je suis le cardinal de Brunei ! Tu ne vas pas me dire que ce garçon aux centaines de *ponies* et aux mille lads n'est autre que celui qui a son troupeau de girafes, d'éléphants et son armée privée ! Si c'est lui, je crois que tu cours à ta perte et que nous devons de toute urgence sortir déjeuner avec un prince comme mon ami Giuseppe, dont le palais à Palerme a servi de cadre au tournage du *Guépard* et accueille la reine Élisabeth lorsqu'elle séjourne en Sicile. »

En riant, je lui explique que, comme j'ai le toucher de Midas pour les produits dont je fais la promotion, les magazines dont je fais la couverture et les hommes que j'aime, mes ex sont devenus les cinq hommes les plus riches de Colombie, ce qu'ils ne doivent cependant pas à moi mais à leur ambition. Pour le rassurer, je lui certifie que j'ai bien quitté le barbare avec ses *ponies* et son zoo, et que le propriétaire de deux banques m'attend en ce moment à Madrid avec son associé, un autre multimillionnaire qui élève des pur-sang et des percherons et dont la famille est, selon *Forbes* et *Fortune*, la sixième la plus riche du monde.

« Que demander de plus, Poncho ! »

Il veut savoir si les costumes Brioni sont pour le banquier, car les hommes élégants se sont toujours habillés à Savile Row.

« Non, non, non. Laisse donc ces tailleurs anglais à Sonny Marlborough, Westminster et Julio Mario. C'est juste un service que j'ai promis à un poupon de Cali très nouveau riche, qui vit entouré de minettes âgées d'une quinzaine d'années et qui est l'exact opposé de cet étalon indomptable qui n'en avait rien à faire, des vêtements de luxe, des montres en or et de tous ces trucs "de tapettes", comme il dit. »

Quand je parle au gérant ou administrateur de Brioni de la générosité du Gamin – et de ses centaines de collègues –, de la légendaire beauté des femmes de Cali, du petit faible des mannequins colombiens pour les Italiens qui travaillent dans le monde de la haute couture, des très élégants planteurs sucriers de la vallée du Cauca, des disco-thèques de salsa de Cali et du climat de la ville de Pance, toute proche de Cali, il écarquille les yeux et me dit qu'il vient de voir la Vierge ; il me donne une foule de cadeaux et se réserve un billet en première classe sur Alitalia pour le dimanche suivant.

Nous déjeunons avec Alfonso et le prince San Vincenzo à la terrasse de l'Hassler, du haut de laquelle, à midi, Rome paraît nimbée d'une gaze dorée qui semble flotter sur le vieux rose éternel de la ville. À l'entrée du restaurant se tient toute la fratrie des sœurs Fendi qui fêtent, euphoriques, l'anniversaire de l'une d'elles. Poser des questions à un prince italien sur *Cosa Nostra*, c'est un peu comme interroger un Allemand sur Hitler ou un Colombien sur Pablo Escobar, et je décide de discuter avec Alfonso et Giuseppe de Luchino Visconti et du tournage du *Guépard*. Lorsque nous nous quittons, ce prince charmant me propose de me faire parcourir l'Émilie-Romagne pendant le week-end, mais je lui réponds que hélas je dois être vendredi à Madrid car je dois reprendre le travail dès la semaine prochaine.

Le vendredi, je me retrouve donc en train de dîner avec Gilberto et Jorge Ochoa au Zalacaín, qui est en 1984 le meilleur restaurant de Madrid. Ils sont tous les deux heureux de me voir si radieuse, d'écouter mes histoires et de savoir que, rien que pour être avec eux, j'ai décliné l'invitation d'un prince. Moi, je suis heureuse de savoir qu'ils se sont retirés des affaires et qu'ils envisagent de consacrer leur immense capital à des choses *chics*, comme l'élevage de taureaux de combat ou la construction à Marbella, et pas à s'acheter des hippopotames ou à entretenir des armées de mille sicaires armés de fusils R-15. Le nom du rival du premier et de l'associé du second n'est pas du tout mentionné, comme s'il n'existait tout simplement pas. Mais, pour une raison que je ne saurais expliquer, sa présence semble flotter au-dessus de toutes ces nappes et de cette atmosphère sybaritique, comme une chose inquiétante qui s'empresserait de tous nous mettre dans un accélérateur à particules pour nous atomiser si elle avait la faculté de se matérialiser.

À la fin de la semaine, pour le déjeuner, nous mangeons un cochon de lait à côté de l'Alcazar de Ségovie. Gilberto me montre une fenêtre minuscule, située à plusieurs centaines de mètres de haut, et depuis laquelle, il y a des siècles, une esclave mauresque a laissé tomber un petit prince ; quelques minutes plus tard, la jeune femme s'est défenestrée et a rejoint le bébé. J'ai le cœur triste tout l'après-midi, je pense aux terreurs qui ont dû traverser le cœur de cette pauvre enfant avant qu'elle ne se lance dans le vide. Le dimanche, plusieurs des cadres de Gilberto m'emmènent à Tolède voir *L'Enterrement du comte d'Orgaz* du Greco, une de mes œuvres d'art favorites du pays des plus grands peintres de la Terre. Je sombre à nouveau dans la tristesse, toujours sans savoir pourquoi. Ce soir-là, Gilberto et moi dînons en tête à tête et il me pose des questions sur ma carrière. Je réponds qu'en Colombie la notoriété et la beauté ne rapportent que des montagnes de jalousie qui s'expriment presque toujours à travers les médias et les menaces téléphoniques de gens d'une méchanceté pathologique. Il dit que je lui ai affreusement manqué et qu'il a cruellement ressenti le besoin de voir une femme avec qui on puisse parler de tout, et en colombien. Il prend ma main et glisse qu'il aimerait m'avoir tout près, mais pas à Madrid, plutôt à Paris, car il adore la Ville lumière par-dessus toutes les autres et parce que jamais il n'aurait pensé que ses origines modestes lui permettraient un jour de la connaître.

« C'est vrai que je n'ai pas des torrents de passion à t'offrir, mais nous nous entendons tellement bien, toi et moi, que nous pourrions peut-être finir par tomber amoureux et même envisager quelque chose de plus sérieux. Tu pourrais avoir ton propre business et nous passerions nos week-ends ensemble. Qu'est-ce que tu en penses ? »

Je dois avouer que sa proposition me prend au dépourvu, mais il est tout aussi vrai que lui et moi nous nous entendons très bien. Le centre de Paris est bien sûr mille fois plus beau que tous les quartiers chics de Bogota mais, à de multiples égards, la Ville lumière se trouve à des années-lumière de celle de l'éternel printemps, Medellín. Lentement, je commence à lui apporter une réponse, c'est-à-dire à énumérer toutes mes conditions pour devenir la maîtresse parisienne d'un des hommes les plus riches d'Amérique latine – sans sacrifier ma liberté – et les raisons pour lesquelles je pose ces conditions. Je ne pourrais pas me contenter de vivre dans un petit appartement et d'avoir une petite voiture, comme avec n'importe quel mari français de la classe moyenne, car, en Colombie, le plus médiocre des ministres a son penthouse, une Mercedes et des gardes du corps. Il faudrait qu'il me gâte, comme les hommes exceptionnellement riches du monde entier gâtent les femmes avec qui ils s'affichent et dont ils se sentent encore plus fiers en public qu'en privé car, sans forcer son talent, mon raffinement pourrait apporter de la joie dans sa vie et mes amitiés charmantes pourraient se révéler très utiles en lui ouvrant de nombreuses portes. Si nous devions tomber amoureux l'un de l'autre, je ferais en sorte qu'il se sente comme un roi tous les jours que nous passerions ensemble et il ne s'ennuierait jamais une seconde. Mais si un jour il décidait de me quitter, je ne garderais que ses bijoux et, si c'était moi qui décidais de le quitter pour me marier avec quelqu'un d'autre, je n'emporterais que ma garde-robe de grands couturiers, accessoire *sine qua non* des femmes de Paris dont les hommes souhaitent être pris au sérieux.

Avec un sourire plein de gratitude – car aucune autre femme au monde ne se montrerait si peu exigeante et si généreuse à l'égard d'un homme pesant plus d'un milliard de dollars –, il répond que nous nous reverrons dès qu'il aura fini de s'installer en Espagne et qu'il aura fait ses choix en matière d'investissements, car leur plus gros problème est de réussir à transférer leurs capitaux, et il ne peut pas m'appeler à cause de tout ce qui se passe avec mon téléphone. Lorsque nous nous quittons, déjà impatients de nous retrouver très bientôt, il me recommande de retirer au plus vite mes économies de la First Interamericas de Panamá car les Américains font actuellement pression sur le général Noriega et, d'un moment à l'autre, ils vont certainement fermer sa banque et en geler tous les actifs.

Je suis son conseil avant que cela ne se produise effectivement et, deux semaines plus tard, je me rends à Zurich pour étudier l'offre de Gilberto en consultant l'Oracle de Delphes, car il m'a vraiment surprise et je veux savoir ce qu'en pense quelqu'un qui connaît par cœur les règles du jeu de la haute société internationale. Lorsque je vois David Metcalfe arriver dans notre suite à l'hôtel Baur au Lac chargé de bottes, des Wellington, de fusils et de munitions, je lui demande comment un « terroriste de White's » comme lui s'y prend pour voyager constamment déguisé en tueur de faisans. Amusé par cette comparaison, il rit de bon cœur et me dit qu'il part chasser avec le roi d'Espagne, qui est un homme absolument adorable et pas aussi guindé que ces *royals* anglais. Quand je lui explique les raisons pour lesquelles j'ai cette fois-ci accepté son invitation, il s'exclame, horrifié :

« Mais tu es devenue folle ? Tu vas devenir la femme entretenue d'un *Don* ? T'imagines-tu vraiment que le Tout-Paris ne saura jamais comment ce type a fait fortune ? Ce que tu dois faire, *darling*, c'est partir une bonne fois pour Miami ou New York et chercher là-bas du travail dans une de ces chaînes de télévision en espagnol ! »

Je lui demande comment il se sentirait si une femme qui parle dans la même langue que lui, qui n'arrête pas de le faire rire et qui possède un milliard de dollars, lui proposait de l'entretenir à Paris dans un hôtel particulier décoré comme la maison de la duchesse de Windsor, avec un budget tout à fait convenable lui permettant d'aller s'acheter des œuvres d'art chez Sotheby's et Christie's, une Bentley avec chauffeur, le plus exigeant des chefs, les plus belles fleurs, les meilleures tables dans les restaurants de luxe, les meilleures loges aux concerts et à l'Opéra, des voyages de rêve dans les endroits les plus exotiques...

« Booon... on est aussi humains !... Qui ne serait pas capable de tuer pour tout cela ? répond-il avec un de ces petits rires qu'ont les gens qui sont pris en faute. Tu te rends compte ? Tu me fais penser à la princesse Margaret admirant à son doigt le diamant d'Elizabeth Taylor : "Il n'a pas l'air si vulgaire que cela, pas vrai, Altesse ?" »

Tandis que nous dînons dans le restaurant qui fait face au pont donnant sur l'hôtel Baur au Lac, je lui explique que Gilberto est propriétaire de plusieurs laboratoires et que j'ai toujours rêvé d'avoir une affaire de cosmétiques à la sud-américaine. J'ajoute qu'avec ma détermination et la crédibilité que j'ai dans le monde de la beauté je pourrais très certainement créer quelque chose qui marcherait très bien. Le visage très sérieux et un peu triste, il souligne que je sais de toute évidence comment on peut utiliser un homme qui possède un milliard de dollars, mais qu'un *Don* de ce genre ne saurait que faire d'une femme comme moi.

Le lendemain matin, au petit-déjeuner, il me passe le *Zeitung*, car il ne lit que le *Times* de Londres, le *Wall Street Journal* et *The Economist.*

« Je crois que ce sont tes amis. Tu n'imagines pas la chance que tu as, *darling* ! »

Il y a là – dans tous les journaux suisses, américains et anglais – les photos de Jorge Ochoa et de Gilberto Rodríguez. Ils ont été arrêtés avec leurs épouses à Madrid et vont très probablement être extradés vers les États-Unis.

Je dis au revoir à David, je prends un avion pour Madrid et me rends à la prison de Carabanchel. À l'entrée, on me demande quel est mon lien de parenté avec les deux détenus et je réponds que je suis une journaliste colombienne. On ne me laisse pas entrer et, lorsque je retourne à l'hôtel, les cadres de Gilberto me disent que je dois repartir en Colombie sans plus tarder avant que les autorités espagnoles ne m'arrêtent pour me poser toutes sortes de questions.

Une demi-douzaine de policiers et d'agents me collent au train dans l'aéroport, et je ne me sens rassurée que lorsque je monte dans l'avion. Il faut reconnaître que le champagne rosé est un palliatif à presque tous les drames et que c'est mieux de pleurer en première classe qu'en classe économique. Magnifique lot de consolation pour une pleureuse, je vois s'asseoir à côté de moi un homme très élégant qui semble être une copie conforme de l'Agent 007 des premiers James Bond. Au bout de quelques minutes, il me tend un mouchoir et me demande timidement :

« Pourquoi pleures-tu comme ça, beauté ? »

Pendant les huit heures qui suivent, ce magnifique sosie madrilène de Sean Connery me donne un cours intensif sur les groupes March et Fierro avec lesquels il travaille et qui sont les plus puissants d'Espagne ; je deviens incollable sur les flux de capitaux, les emprunts toxiques, l'investissement immobilicr à Madrid, Marbella et Puerto Banús, les appels d'offres et les adjudications dans la construction, les sœurs Koplowitz, le roi, Cayetana de Alba, Heini et Tita Thyssen, Felipe González, Isabel Preysler, Enrique Sarasola, les toreros, l'Alhambra, le *Cante Jondo*, ETA et les prix actuels des Picasso.

J'arrive à mon appartement et je consulte mes répondeurs téléphoniques. Cent menaces de mort sur l'un et, sur l'autre ligne, dont le numéro n'est connu que de trois personnes, quelqu'un qui raccroche des douzaines de fois sans laisser de message. Pour éviter de repenser à l'affreux dénouement de mon voyage, je décide de me mettre au lit mais je ne débranche pas mes téléphones, dans l'éventualité où je recevrais des nouvelles de Gilberto.

« Où es-tu allée ? demande à l'autre bout du fil cette voix que je n'avais pas entendue depuis presque onze semaines et dont le propriétaire parle comme si je lui appartenais.

— Laisse-moi réfléchir… dis-je, à moitié endormie. Vendredi, j'étais à Rome à l'hôtel Hassler, et je suis allée dîner avec un Sicilien, un prince, pas un de tes collègues ! Samedi, j'étais au Baur au Lac de Zurich, où j'ai demandé des conseils à un lord anglais, pas à un *drug lord*, quant à l'idée de me réinstaller en Europe. Lundi, j'étais au Villa Magna de Madrid, où j'ai analysé et pesé le pour et le contre de cette possibilité. Mardi, je suis allée pleurer devant la porte de la prison de Carabanchel, car je savais que c'était la fin de mes rêves de vie parisienne. Comme on ne m'a pas laissée entrer, mercredi, j'ai passé ma journée dans un avion d'Iberia à me réhydrater avec du Perrier-Jouët pour reconstituer les litres de larmes que j'avais perdus. Et hier, pour ne pas me suicider après un tel drame, j'ai dansé toute la nuit avec un homme qui était le sosie de James Bond. Je suis épuisée et je voudrais finir ma nuit. Salut. »

Il a six ou sept téléphones et il ne parle jamais plus de trois minutes d'affilée avec chacun d'eux. Quand il dit « je change » et raccroche, je sais qu'il va rappeler quelques minutes après.

« Mais quelle vie de conte de fées, princesse ! Tu essaies de me dire que, maintenant, tu peux avoir l'homme le plus noble ou le plus beau car tu viens de perdre les deux les plus riches ?

— Non, un seul, car toi et moi, cela fait un moment que nous nous sommes perdus de vue, depuis que tu es parti vivre à *Sandiland* avec une de tes petites reines. Ce que je suis en train d'essayer de te dire, c'est que mon agenda mondain a été très chargé ces derniers temps, que je suis affreusement triste et que tout ce que je veux, c'est dormir. »

Il rappelle vers trois heures du matin.

« Je viens de faire le nécessaire pour que l'on vienne te chercher. Si tu n'y mets pas du tien, ils vont te traîner dehors avec ton *négligé*. Souviens-toi que j'ai tes clés.

— Et toi, souviens-toi que j'ai ton ivoire. Je les arrose de *chumbi* et je dirai que c'était de la légitime défense. Salut. »

Quinze minutes plus tard, recourant maintenant à son ton persuasif habituel, il me dit que des amis à lui, qui sont des gens très importants, veulent faire ma connaissance. Dans notre code secret – que nous avons élaboré avec des chiffres et avec les noms des animaux de son zoo –, il me laisse entendre qu'il va me présenter à Tirofijo, le chef des FARC, et à d'autres commandants de la guérilla. Je lui réponds que tous les gens, pauvres ou riches, de gauche ou de droite, d'en haut et d'en bas, rêvent de connaître les stars du petit écran, et je raccroche. Mais, lorsque au cinquième appel il me fait comprendre qu'avec ses associés il travaille actuellement d'arrache-pied avec le gouvernement espagnol pour que son meilleur ami et « mon amant à moi » ne soient pas envoyés là-haut (aux États-Unis) mais ici-bas (en Colombie), et qu'il veut m'expliquer en privé les détails de l'opération car il ne peut pas le faire par téléphone, je décide de prendre une petite vengeance :

« Ce n'est pas mon amant… mais il allait le devenir. J'arrive. »

En entendant son silence à l'autre bout du fil, je sais que je viens de taper dans le mille. Il me met en garde :

« Il pleut à verse. Tu prends tes bottes en caoutchouc et un poncho, okay ? Ici, ce n'est pas Paris, c'est la forêt. »

Je lui propose de remettre sa réunion au lendemain car je ressens toujours le *jet-lag* et je ne veux pas me faire tremper.

« Non, non, non. Je t'ai déjà vue noyée dans le fleuve, te prendre des tonneaux d'eau sur la figure, en mer, dans les marécages... tremper dans une baignoire, dans la douche, dans tes larmes... alors, ce n'est pas un peu d'eau propre qui va te faire de mal, princesse. À ce soir. »

Pour faire la connaissance de Tirofijo, je décide de ne pas me pointer en poncho, mais dans une parka de chez Hermès. Avec un foulard sur la tête, et un sac Louis Vuitton, pour voir un peu la tête qu'il va faire, et des Wellington aux pieds, pas des rangers de guérillera, pour qu'il se rende bien compte que je ne suis pas du tout communiste.

Je ne suis jamais allée sur un campement guérillero, mais celui que je trouve semble avoir été abandonné. On n'entend qu'une radio, mais très loin, à plusieurs centaines de mètres d'ici.

« C'est sans doute que ces guérilleros se couchent tôt pour pouvoir se lever aux aurores et aller voler du bétail, capturer d'éventuels otages à moitié endormis et sortir la coke de Pablo de leur territoire avant que le soleil ne se lève et que la police n'arrive, me dis-je. Et puis les vieux se lèvent de bonne heure, bien sûr, et Tirofijo doit déjà avoir pas loin de soixante-cinq ans... »

Les deux inconnus me déposent à l'entrée d'une petite maison en construction, puis ils s'évaporent. Je commence par faire le tour de l'endroit, les mains dans les poches de ma parka, pour vérifier s'il n'y a effectivement personne. La petite porte blanche est très rudimentaire, de celles qu'on referme avec un cadenas. J'entre à l'intérieur de la bâtisse ; elle doit mesurer entre douze et quinze mètres carrés, elle est en briques et en béton avec un toit de tuiles en plastique. Il fait noir, l'endroit est froid et sombre, mais je parviens à distinguer par terre un matelas, un oreiller qui semble tout neuf et une couverture en laine marron. J'étudie les lieux et je crois voir la radio, la lanterne, une chemise, une petite mitraillette accrochée en face de moi et une lampe à pétrole éteinte. Lorsque je me penche vers la petite table pour essayer de l'allumer avec mon briquet en or, un homme jaillit de l'ombre derrière moi et m'empoigne le cou de son bras droit, si fort que j'ai l'impression qu'il va me le briser tandis que, de la main gauche, il me tient fermement par la taille et me serre contre lui.

« Tu vois dans quoi je dors, presque à la belle étoile ! Tu vois comment nous vivons, nous qui luttons pour une bonne cause pendant que les princesses font des voyages en Europe avec nos ennemis ! Regarde bien, Virginia, dit-il en me relâchant et en allumant sa lampe, parce que c'est ça, et pas l'hôtel Ritz de Paris, la dernière chose que tu vas voir de ta vie !

— Pablo, c'est toi qui as choisi de vivre comme ça, comme le Che Guevara dans la forêt bolivienne, à une différence près, c'est que lui, il ne possédait pas une fortune de trois milliards de dollars. Personne ne t'y a obligé, et ça fait déjà un moment que toi et moi on s'est quittés ! Alors, maintenant, dis-moi ce que tu attends réellement de moi et pourquoi tu te promènes torse nu par ce froid, parce que je ne suis pas venue ici pour passer la nuit avec toi ni pour dormir sur ce matelas infesté de tiques !

— Je sais bien que tu n'es pas venue ici pour dormir avec moi. Tu ne vas pas tarder à savoir pourquoi tu es venue, ma chérie, car la femme du *capo di tutti capi*, elle ne s'amuse pas à le faire cocu avec son ennemi devant ses amis.

— Et la *diva di tutti divi*, on ne la fait pas cocue avec des mannequins devant tout son public. Et arrête une bonne fois de m'appeler "ta femme", car je ne suis pas la Tata !

— Eh bien, ma diva, si tu n'enlèves pas immédiatement tous ces milliers de dollars que tu as sur le dos, je vais appeler tous mes hommes qui se feront un plaisir de t'arracher tout cela et d'en faire de la charpie avec leurs couteaux.

— Vas-y, Pablo, c'est la seule chose que tu ne m'as pas encore faite ! Si tu me tues, tu me rendras un grand service car, pour tout dire, je n'ai jamais vraiment trop aimé la vie et elle ne va pas me manquer. Si tu me défigures, sache que plus jamais aucune femme ne s'approchera de toi. Allez, appelle-les tous, les deux cents ! Qu'est-ce que tu attends ? »

Il m'arrache ma parka, déchire mon chemisier, me jette sur cet énorme matelas blanc rayé bleu, me secoue comme une poupée de chiffon et essaie de me couper la respiration, puis il commence à me violer tout en gémissant et en hurlant comme une bête fauve :

« Tu m'as dit qu'un jour tu allais me remplacer par un autre porc aussi riche que moi... mais pourquoi fallait-il que tu choisisses celui-là... justement celui-là ? Tu veux que je te raconte ce qu'il a dit sur toi à mes amis ?... Dès demain, ce bagnard pathétique va savoir que tu es revenue avec moi, le lendemain du jour où, à ce qu'il paraît, tu pleurais pour lui !... Et, dans sa prison, ça risque de lui faire vraiment très mal ! Le Mexicain m'a tout avoué il y a quelques jours... parce que j'ai écouté les bandes du F2 et je lui ai demandé pourquoi tu l'avais appelé... Il ne voulait rien me dire, mais il a bien dû s'y résoudre. Je ne pouvais pas croire que cet enfoiré, ce porc, avait eu le culot de t'envoyer voir mon associé... toi... ma fiancée... pour salir ma princesse avec ce genre de marché... ma princesse charmante... Et cette sorcière qu'il a comme femme, c'était elle, la mafieuse qui a appelé les chaînes télé... pas vrai, mon amour ? Mais comment ne me suis-je pas rendu compte !... Qui d'autre cela pouvait-il être ?... Pendant que moi, j'étais prêt à me faire tuer et à vendre mon âme pour eux, tous autant qu'ils sont, ce misérable arriviste prévoyait de me voler ma fiancée, mon meilleur ami, mon associé, mes territoires et même mon président ! T'emmener avec lui à Paris... Pas mal ?... S'il n'était pas en prison avec Jorge, je paierais ces Espagnols pour qu'ils le remettent aux *gringos* ! Tu ne peux pas savoir comment je te déteste, Virginia, combien de fois j'ai rêvé de te tuer pendant toutes ces journées ! Moi, je t'adorais et tu as tout fichu en l'air ! Pourquoi est-ce que je ne t'ai pas laissée te noyer ? Tu vois, c'est ça que l'on ressent quand on est en train de se noyer : sens-le, maintenant ! J'espère que cela te plaira car, cette fois-ci, tu vas mourir pour de bon dans mes bras ! Regarde-moi, je veux voir ce visage de déesse exhaler son dernier soupir entre ces bras ! Allez, meurs, car aujourd'hui, tu vas partir pour l'enfer avec moi sur ton dos, et dans tes entrailles ! »

Plusieurs fois, il me colle l'oreiller sur le visage. Plusieurs fois, il me bouche le nez avec ses doigts et la bouche avec ses mains. Plusieurs fois, il me serre le cou. Je découvre ce soir-là toutes les variantes possibles de l'asphyxie. Je fais des efforts surhumains pour ne pas mourir et j'en fais des millions de fois plus pour ne pas émettre une seule plainte. L'espace d'un instant, je crois voir poindre la lumière au bout du couloir de l'agonie mais, à la toute dernière seconde, il me ramène à la vie pour me laisser reprendre haleine tandis que j'entends sa voix, de plus en plus lointaine, qui me somme de crier, de l'implorer de me laisser vivre, de le supplier. Comme je ne réponds pas à ses questions, comme je ne dis pas un mot et je ne lui accorde pas même un regard, il devient fou. Soudain, j'arrête de lutter et de souffrir car je ne sais plus si je suis morte ou vivante, et je cesse aussi de me demander quel est donc ce liquide visqueux et glissant qui nous unit en même temps qu'il nous sépare – si c'est de la sueur, de l'humidité ou des larmes – et, alors que je suis sur le point de perdre connaissance et qu'il semble lassé de me châtier, de m'insulter, de me torturer, de m'humilier, de me haïr, de m'aimer, de se venger d'un autre homme ou de toute cette horreur, je parviens à percevoir sa voix, venue d'un point ni proche ni éloigné, qui me dit :

« Tu as une tête à faire peur ! Grâce à Dieu, je ne te reverrai plus jamais et, à partir d'aujourd'hui, je ne me taperai plus que des jeunes et des putes ! Je vais organiser ton retour. Je reviens ici dans une heure et tu as intérêt à être prête, car je vais te lâcher dans la forêt dans l'état où je te trouverai. »

Quand la vie commence à réinvestir mon corps, je me regarde dans mon miroir pour m'assurer que j'existe bien encore et pour voir si je n'ai pas changé de tête, comme le soir où j'avais perdu ma virginité. Oui, j'ai bien une tête à faire peur ; mais je sais que ce n'est ni à cause de ma peau ni à cause de mon visage, mais à cause de mes sanglots et de sa barbe. Quand il est de retour, j'ai presque entièrement recouvré une apparence normale et je crois même voir un éclair de reconnaissance dans un des regards fugaces qu'il me lance. Au cours des quelques minutes qui viennent de s'écouler, comme aujourd'hui je vais sortir pour toujours de sa vie, j'ai décidé que c'est moi qui prononcerai les derniers mots. J'ai préparé dans ma tête des mots d'adieu qu'aucun homme ne pourrait oublier, surtout un homme comme lui, dont la préoccupation quotidienne est d'être le plus viril de toute la planète, vingt-quatre heures sur vingt-quatre.

Il entre en marchant d'un pas lent et s'assied sur le matelas. Il appuie ses coudes sur ses genoux, prend sa tête entre ses mains et me dit tout par ce seul geste. Moi aussi je le comprends mais, comme je mémorise presque tout ce que j'écoute et tout ce que je ressens, et comme je ne peux rien oublier, je sais que je ne pourrai jamais lui pardonner même si je me le proposais. Je suis assise sur un fauteuil de direction et je le toise, ma botte gauche posée au-dessus de ma cuisse droite. Il appuie maintenant son dos contre le mur et contemple le vide. Je fais la même chose que lui, et je me dis que, très curieusement, les yeux d'un homme et d'une femme qui se sont follement aimés sont toujours parfaitement à quarante-cinq degrés les uns des autres lorsqu'ils sont sur le point de se dire adieu, car ils ne se mettent jamais face à face. Pour mieux savourer ma vengeance, je prends mon ton de voix le plus doux, comme pour prendre des nouvelles d'un nouveau-né :

« Comment va ta Manuelita, Pablo ?

— Elle est la plus belle chose du monde. Mais tu n'as absolument pas le droit de me parler d'elle.

— Alors, pourquoi as-tu donné à ta fille le petit nom que tu me donnais avant ?

— Parce qu'elle s'appelle Manuela, pas Manuelita. »

Semblant retrouver un peu d'amour-propre, et sans craindre de perdre quoi que ce soit, car aujourd'hui, c'est lui qui est en train de me perdre, je lui rappelle l'objet de ma visite :

« Alors, c'est bien vrai que vous travaillez avec Enrique Sarasola pour les faire revenir en Colombie ?

— Oui, mais ce ne sont pas les affaires de la presse. Ce sont des affaires internes qui ne concernent que les familles de ma corporation. »

Après ces deux questions de courtoisie, je lance mon attaque conformément à mes plans :

« Tu sais, Pablo ?... Moi, on m'a appris que la seule chose qu'une femme honnête doive porter, c'est un manteau de fourrure... et le seul que j'ai eu dans toute ma vie, je me le suis payé avec mon argent, il y a déjà cinq ans.

— Eh bien, ma femme, elle a des frigos entiers remplis de dizaines de manteaux de fourrure, et elle est bien plus honnête que toi. Si tu t'es mis en tête de me demander un nouveau cadeau dans un moment pareil, c'est que tu es tombée sur la tête ! » s'exclame-t-il en relevant la tête, surpris, et en me regardant avec le plus profond mépris.

Comme cette réponse est exactement celle que j'attendais, je continue :

« Ce qu'on devrait aussi nous apprendre, c'est qu'un homme honnête ne doit pas avoir plus d'un avion... C'est pour cela que jamais plus je ne tomberai amoureuse d'un homme qui en possède toute une flotte, Pablo. Ces types-là sont des gens affreusement cruels.

— Oh, tu sais, ils ne sont pas bien nombreux, ma chérie ! Combien sommes-nous, au juste ?

— Vous êtes trois. Tu croyais peut-être être le seul ?... L'expérience m'a montré que... la seule chose, la seule chose qui effraie ce genre de magnats, c'est la possibilité de voir leur rival prendre leur place. Car, à longueur de journée, ils se torturent l'esprit... en imaginant la femme qu'ils ont aimée et qui les a aimés... au plumard avec lui... en train de se moquer à deux de ses faiblesses... en train de rire de ses... carences...

— Mais, Virginia, tu n'avais pas encore compris que c'est précisément pour cette raison que j'aime tant les petites filles innocentes ? me dit-il en me lançant un regard triomphal. Je ne t'avais jamais expliqué que je les adore parce qu'elles n'ont aucune expérience pour me comparer à d'autres magnats ni à personne d'autre ? »

Avec un profond soupir résigné, je prends mon sac de voyage et je me lève. Puis – comme Manolete lorsqu'il s'apprête à donner le *descabello* à un Miura avec sa précision d'orfèvre, et sur un ton auquel je me suis entraînée dans ma tête –, je dis à Pablo Escobar ce que je sais qu'il n'a jamais entendu et qu'il n'entendra jamais de la bouche d'aucune autre femme :

« Eh bien… mon cher, tu vas te rendre compte qu'il n'y a pas non plus beaucoup de femmes aussi peu exigeantes que moi. Ce que j'ai toujours voulu te dire – sans trop risquer de me tromper –, c'est que, si tu aimes les fillettes, ce n'est pas parce qu'elles n'ont pas déjà eu d'expériences avec d'autres magnats… mais parce qu'elles n'ont aucun élément de comparaison pour ce qui est des… attributs sexuels. Adieu, Pablito. »

Je ne me donne même pas la peine d'attendre sa réaction, et je sors de cet endroit sinistre, en proie à une jubilation qui se substitue l'espace d'un instant à toute la rage que je porte en moi et à laquelle se mêle une inexplicable sensation de liberté. Après avoir parcouru presque deux cents mètres sous la pluie qui s'est mise à tomber, j'aperçois au loin Aguilar et Pinina qui sont en train de m'attendre avec leur visage souriant de toujours. Dans mon dos, j'entends les sifflets bien caractéristiques du « Patron » et j'imagine son expression au moment où il leur ordonne de transmettre ses instructions aux six hommes chargés de la délicate mission de me ramener chez moi. Cette fois, il ne m'accompagne pas en me passant le bras autour du cou, pas plus qu'il ne me dépose un baiser sur le front pour me dire au revoir. Je ne décolle pas la main de mon Beretta avant d'être rentrée chez moi ; ce n'est que lorsque je le range à sa place que je me rends compte que c'est la seule chose qu'il me reste de Pablo et dont il ne m'a pas dépossédée.

Quelques jours plus tard, *Les Travaux de l'Homme*, une des émissions en prime time les plus plébiscitées de la télévision colombienne, me consacre toute une heure pour me faire parler de ma vie de présentatrice télé. Je demande à la bijoutière de me prêter ce qu'elle a de plus clinquant et, à un moment de mon interview, je me prononce contre l'extradition. À peine l'émission terminée, le téléphone sonne. C'est Gonzalo, le Mexicain, qui veut me témoigner sa plus profonde gratitude au nom des Extradables ; il me dit que je suis la femme qui a le plus de cran de toutes celles qu'il a connues et, le lendemain, Gustavo Gaviria appelle lui aussi pour me féliciter dans des termes similaires, ne tarissant pas d'éloges sur mon caractère. Je leur réponds que c'est le moins que je puisse faire, en signe de solidarité élémentaire avec Jorge et Gilberto. La productrice me dit que cette émission a obtenu la plus grosse part d'audience de l'année ; en revanche, ni Pablo, ni les familles Ochoa ou Rodríguez Orejuela ne font entendre le son de leur voix.

*

Jorge Barón me fait savoir que, contrairement à ce que prévoyaient les termes du contrat, il a pris la décision de ne pas prolonger *Le Show des Stars* pour une troisième année consécutive. La seule explication qu'il me donne, c'est que le public ne regarde pas son show pour me voir, mais pour voir les chanteurs. L'émission obtient en moyenne cinquante-quatre pour cent de parts d'audience, le pourcentage le plus élevé de l'histoire de ce média, car la télévision par câble n'existe pas encore en Colombie ; elle est suivie dans plusieurs pays et, bien que l'on ne me paie que mille dollars par mois alors que j'en dépense des milliers pour m'habiller, elle me fait gagner beaucoup d'argent à travers les contrats de promotion des agences de publicité. Je fais comprendre à Barón qu'il ne tient sans doute pas compte de ses débouchés internationaux. Quelques semaines plus tard, toutes les chaînes étrangères résilient leur contrat avec la chaîne, mais Barón compense cette perte en s'associant avec des entrepreneurs du monde du football de sa Tolima natale dans des affaires qui pèsent des millions de dollars mais qui seront plus tard sous le coup d'une enquête diligentée par le procureur général de la République. En 1990, lorsque je serai convoquée par ce dernier à témoigner dans le cadre du procès pour enrichissement illicite ouvert à l'encontre de Jorge Barón, tout ce que je pourrai affirmer après avoir prêté serment, c'est que la seule conversation personnelle que j'ai pu avoir de toute ma vie avec cet individu n'a pas duré plus de dix minutes. J'ai expliqué qu'il voulait en savoir plus sur ma relation sentimentale avec Pablo Escobar et, après que je lui ai répondu que notre amitié n'était que d'ordre strictement politique, Barón m'a fait annoncer que mon contrat n'était pas renouvelé car sa société de production n'était pas en mesure de continuer de me verser mille dollars par mois. Mais je sais parfaitement que ce producteur affreux et médiocre n'a pas sacrifié ses audiences nord-américaines pour réaliser une économie pour le coup absolument misérable : ce sont ses nouveaux associés qui lui ont tout bonnement réclamé ma tête.

Toute cette suite d'événements qui ont émaillé cette terrible année 1984 allait se révéler les catalyseurs d'une longue et complexe série de processus historiques dont le dénouement enverrait leurs protagonistes au cimetière, les mettrait sur la paille ou les ferait échouer en prison, tout cela à cause de la loi du karma, la loi de cause à effet, qui m'a toujours inspiré autant de respect qu'une véritable peur révérencielle. C'est peut-être la même admiration ou le même effroi qui habitait ce poète soufi en vogue au XIIIᵉ siècle, lorsqu'il a résumé en deux actions absolument exquises et douze petits mots sa vision cosmique du crime et du châtiment, pour nous faire frissonner ou nous inspirer de façon sublime, à travers ce parfait condensé de la plus belle des compassions :

« Arrache le pétale d'un iris, et tu feras scintiller une étoile. »

Sous le ciel
de l'*Hacienda Nápoles*

Cet avion représente à lui seul l'équivalent des onze appareils de Pablo Escobar tous réunis et l'homme qui en descend, entouré de son équipage et de quatre jeunes couples, a l'air d'un empereur. Il a soixante-cinq ans, il marche comme s'il était le roi du monde et il porte dans ses bras un bébé âgé de quelques mois.

Nous sommes au début de l'année 1985 et je me trouve à l'aéroport de Bogota, où je discute avec deux douzaines de personnes qui sont invitées à Miami et à Caracas pour le lancement de *L'Amour au temps du choléra*, l'œuvre la plus récente de Gabriel García Márquez, et de la collection des « Grands Maîtres de la littérature universelle ». Elles vont toutes deux être distribuées par le Groupe Bloque de Armas de Venezuela, et nous, qui sommes les invités de sa filiale colombienne et de la maison d'édition, devisons avec les représentants locaux du tsar de la presse latino-américaine qui vont voyager avec nous, et avec plusieurs personnes qui ne se sont déplacées que pour saluer leur patron. Armando de Armas distribue une grande partie des livres qui sont publiés en castillan et il est le propriétaire de plusieurs dizaines de magazines, sans compter les quotidiens et les stations de radio qu'il a au Venezuela. Le bébé n'est pas son petit-fils mais le dernier-né de sa ribambelle d'enfants, dont la mère est apparemment restée à Caracas.

Alors que nous sommes déjà dans l'avion, De Armas apprend que je suis la plus célèbre présentatrice télé de Colombie et que tous les exemplaires du numéro de *Cosmopolitan* dont j'avais fait la couverture se sont vendus le jour même de sa sortie. Un peu avant le décollage, il reçoit un appel téléphonique ; lorsqu'il retourne à son siège, il me regarde et je n'ai besoin que de quelques secondes pour comprendre exactement contre quoi l'a mis en garde un de ses cadres officieux restés au sol. Il est évident que cet homme qui a trente ans de plus que moi n'a peur de rien, mais il est tout aussi évident qu'une femme qui a sur elle un ensemble de trois mille dollars, cinq mille dollars d'accessoires en crocodile, et trente ou quarante mille dollars de bijoux n'irait jamais se « remplir le corps » de drogue, surtout une personne comme moi, connue par vingt millions de personnes et qui voyage avec trois valises dans le plus grand avion privé de toute l'Amérique latine pour n'aller passer que cinq jours à Miami et à Caracas. Lorsque je prends ma première coupe de champagne rosé, je demande à Armando de me donner la couverture de *Bazaar*, « la seule qui manque à ma collection » et, pour bien me montrer qu'il n'accorde aucun crédit à toutes les choses qu'il a pu entendre dire au sujet d'une

femme de mon standing, il me répond : « Vendu ! »
Au cours de cette première demi-heure, et au nez
et à la barbe d'une douzaine d'autres personnes qui
ne se sont rendu compte de rien, s'établissent les
règles du jeu d'une amitié étrange et conflictuelle
qui va durer des années.

À notre arrivée à Miami, De Armas monte avec un
magnifique mannequin qui a voyagé avec nous dans
une Rolls-Royce couleur prune venue l'attendre au
pied de la passerelle de l'appareil. Ce soir-là, au
cours d'une interminable table ronde qu'il préside,
j'apprends par ses cadres indiscrets que Carolina
Herrera, la marque détenue par Bloque De Armas
et qui porte le nom de son élégante compatriote,
enregistre des pertes très considérables. La designer,
dont j'avais fait la connaissance peu avant lors d'un
dîner à New York chez le comte et la comtesse
Crespi auquel j'étais allée avec David, est mariée
avec Reinaldo Herrera, dont l'amitié avec tous les
gens riches et élégants de ce monde se révèle bien
précieuse pour une personne aussi puissante et
ambitieuse qu'Armando. Pour montrer au monde
entier que je n'ai été ni balafrée ni défigurée, De
Armas charge la célèbre photographe de mode Iran
Issa-Khan, la cousine du shah d'Iran, de me prendre
en photo de très près pour la couverture. Bien
qu'elle mette des heures et des heures à la réaliser,
je suis terriblement déçue par le résultat final car,
tout élégant qu'il soit, ce visage tellement sérieux
n'a rien à voir avec moi. À Caracas, au terme d'une
longue discussion que nous avons tous les deux à
l'écart du reste du groupe, De Armas m'avoue qu'il
est déjà en train de tomber amoureux de moi et il

me dit qu'il veut que nous nous revoyions au plus vite.

Armando ne m'appelle pas chaque jour, non : il appelle le matin, l'après-midi et le soir. Il me réveille à six heures du matin, ce dont je ne me plains pas. À quinze heures, il veut savoir avec qui j'ai déjeuné – car je reçois des invitations presque tous les jours – et, entre dix-neuf et vingt heures, il rappelle pour me souhaiter une bonne nuit car il a l'habitude de se lever à trois heures du matin, heure à laquelle les jeunes increvables comme nous commencent tout juste à aller se coucher. Le problème, c'est que c'est justement cette heure qu'un psychopathe violeur extradable choisit pour m'appeler, pour implorer mon pardon et, au passage, s'assurer que je suis bien chez moi et dans les bras du seul Cupidon. Je décroche le téléphone, me disant qu'il faut que je laisse sa chance à celui qui n'a pas sa propre flotte aérienne, qu'avec l'écart générationnel en termes d'horaires qui sépare ces deux hommes, qui vivent pour l'un à Caracas et pour l'autre à Medellín, ils vont finir par me faire tourner en bourrique.

Je travaille maintenant au journal d'information de midi, le seul du pays où je suis parvenue à me faire embaucher comme présentatrice. Au prix d'efforts surhumains et avec un budget pourtant indigne, nous avons réussi faire grimper notre part d'audience de quatre à quatorze pour cent, ce qui n'est malgré tout pas suffisant pour que son directeur, l'expérimenté journaliste Arturo Abella, également propriétaire d'Inravisión, puisse rentrer dans ses frais. Ma romance avec Pablo est un secret de Polichinelle dans notre milieu professionnel à tous les deux mais je dois reconnaître qu'elle n'est connue ni de l'opinion publique ni des dames de Bogota ou d'Europe avec lesquelles je déjeune à Pajares Salinas ou à La Fragata, sachant que lui et moi, nous nous sommes toujours défendus d'être amants. Au cours de ces deux dernières années, j'ai prié mes collègues en qui j'avais le plus confiance de ne pas qualifier Escobar de « narcotrafiquant » mais d'« ex-parlementaire », ce qu'ils ont presque tous accepté, bien qu'en grinçant des dents, peut-être animés par le secret espoir de voir un jour Pablo leur accorder un peu plus qu'une simple interview.

J'ai droit chaque semaine à une sérénade avec des mariachis. Le lendemain, un étrangleur non identifié m'appelle systématiquement pour me dire que tout le mérite en revient au Mexicain, qui est une autorité mondiale pour ce qui est de la musique *ranchera* et qui l'a conseillé car il n'aime que le hard rock et ne connaît pas grand-chose à la musique folklorique. Je raccroche. La stratégie qu'il adopte ensuite est de solliciter la profonde compassion que j'ai pour les pauvres et pour tous ceux qui souffrent : « Figure-toi que je n'ai plus que huit appareils, car on m'a saisi tous les autres ! », s'exclame-t-il tout en me faisant livrer quatre-vingts orchidées. Je raccroche sans dire un mot. Puis « Figure-toi qu'il ne me reste plus que six avions ! » avec soixante fleurs d'une autre couleur. Je jette furieusement mon pauvre téléphone en me demandant en quelle matière ces combinés peuvent bien être élaborés, pour aller acheter des actions de la compagnie qui les fabrique. La semaine suivante, c'est « Tu vois, maintenant, je ne suis plus qu'un pauvre gamin, avec mes quatre avions ! », et il m'envoie quarante *phalaenopsis*, comme si je ne savais pas qu'il cache au Panamá, au Costa Rica et au Nicaragua ceux que la police ne lui a pas encore confisqués. Ou comme si j'ignorais qu'il a suffisamment de ressources pour s'en acheter quelques-uns pour les remplacer et en profiter pour m'offrir une parure de rubis ou d'émeraudes au lieu de toutes ces *cattleya trianae* patriotiques. Et, pour couronner le tout, « *Cucurrucucú Paloma* », « *Tres meses sin verte, mujer* », « *María Bonita* » et tout le répertoire de José Alfredo Jiménez, Lola Beltrán, Agustín Lara et Jorge Negrete. De temps en temps, je me demande :

« Pourquoi une femme comme moi va-t-elle chercher un violeur qui possède toute une flotte aérienne quand elle a justement à ses pieds un homme honnête qui a un seul avion et cent revues, qui est toujours entouré de belles personnes, qui subventionne Reinaldo et Carolina Herrera et qui l'appelle trois fois par jour pour lui dire qu'il est fou d'elle ? »

« Imagine un peu, si tu devenais la patronne de Carolina », me lance David, goguenard, depuis Londres, pour en remettre une couche.

Armando m'informe qu'une chaîne de Miami cherche actuellement une présentatrice pour lancer son journal télévisé et qu'elle veut me faire passer un essai. Je me déplace, je leur fais une présentation impeccable et ils me disent qu'ils me feront savoir d'ici quelques mois si c'est moi qui ai été retenue. Ce soir-là, je dîne avec Cristina Saralegui, qui travaille pour Armando, et son mari Marcos Ávila, qui est heureux car sa maison de disques, dont Gloria

Estefan est l'artiste-phare, fait un carton en ce moment grâce à *La Conga*. Après plusieurs mois à me faire courtiser au téléphone, je finis par accepter l'invitation d'Armando pour le Mexique. Cette fois, nous voyageons seuls et, à l'aéroport, nous n'avons pas droit à un tapis rouge déroulé de la passerelle jusqu'au guichet de la douane comme si nous étions le président et la première dame du pacte andin. Comme les super riches qui ne se font jamais arrêter à la douane, à l'exception des stars du rock soupçonnées d'avoir aspiré quelque substance hallucinogène, nous filons et, accompagnés d'une nuée d'hommes d'affaires, nous prenons le chemin des locaux mexicains de son empire. Du haut d'un balcon intérieur, je me penche vers ce qui a l'air d'un supermarché abritant des milliers de livres et de magazines qui forment de véritables tours de plusieurs mètres de haut. Je demande ce que c'est que tout cela et Armando me répond que ce sont les titres qui vont être distribués cette semaine.

« Rien qu'en une semaine ? dis-je, presque outrée. Et combien gagnes-tu sur chaque livre ?

— Cinquante pour cent. L'auteur, lui, en gagne entre dix et quinze.

— Waouh ! Alors, c'est plus rentable d'être à ta place qu'à celle de García Márquez ou Hemingway ! »

Nous arrivons au María Isabel Sheraton et montons dans notre suite présidentielle, qui compte trois chambres. C'est là que le tsar de la distribution m'y expose le véritable mobile de tout son amour : il veut me remplir d'enfants, car il adore les petits, et il m'a choisie pour être la mère de ceux qui seront les derniers, et sans doute les plus choyés, de sa prolifique existence où coexistent avec ceux de son ménage une douzaine d'enfants nés de liaisons extraconjugales.

« Demande-moi tout ce que tu voudras ! Tu pourras vivre comme une reine le restant de tes jours ! » me dit-il, heureux, tout en me contemplant comme si j'étais la vache Holstein lauréate du Concours général agricole.

Je lui réponds que moi aussi j'adore les petits, mais que je ne serai pas la mère de bâtards, même s'ils devaient avoir pour père Charles Quint, roi d'Espagne et empereur d'Allemagne, ou Louis XIV, le Roi-Soleil. Il me demande si j'accepterais de me marier avec lui et si, une fois mariés, nous aurions des enfants. Après avoir scruté un instant son visage, je lui dis que pas davantage, même si nous passerions très certainement de très bons moments.

Il devient furieux et commence à répéter ce qu'il a toujours entendu dire de moi dans la presse :

« On m'avait bien dit que tu détestais les enfants et que tu ne voulais pas en avoir pour ne pas abîmer ta silhouette ! En plus, tu me portes la poisse, car une grève vient d'éclater !

— Dans ces conditions, si tu ne me trouves pas un billet pour rentrer dès demain en Colombie, je me joins aux groupes de grévistes et je crie devant toutes les caméras de Televisa : "À bas l'exploitation des étrangers !" Je ne veux plus jamais entendre parler de magnats propriétaires d'un ou de plusieurs avions car, tous autant que vous êtes, vous n'êtes que des tyrans ! Adieu, Armando ! »

Une semaine plus tard, il m'appelle de Caracas à six heures du matin pour me dire qu'une fois cette grève résolue, il a fait un crochet par la Colombie pour venir passer un moment avec moi, mais qu'il a dû prendre ses jambes à son cou car Pablo Escobar a essayé de le faire enlever.

« Pablo Escobar a une fortune de trois milliards de dollars, pas de trois cents comme la tienne. Il a trente-cinq ans, comme moi, et pas soixante-cinq comme toi. Il a une douzaine d'avions et pas seulement un comme toi. Ne confonds pas Escobar et Tirofijo car, selon toute logique élémentaire, c'est plutôt toi qui aurais intérêt à faire enlever Pablo, et pas le contraire. Et arrête une bonne fois de m'appeler à des heures pareilles, parce que, moi, c'est à dix heures que je me lève, et pas à trois heures du matin comme toi !

— Je comprends, maintenant, pourquoi tu ne voulais pas devenir la mère de mes enfants ! Tu es encore amoureuse du Roi de la Coke ! Mes employés m'avaient bien dit que tu étais la maîtresse de ce criminel ! »

Je lui réponds que, si j'avais été la maîtresse de la septième fortune du globe, je n'aurais jamais mis les pieds dans son avion – ni en janvier avec son groupe d'amis, ni encore moins pour me rendre au Mexique avec lui –, et je lui dis au revoir.

Je ne crois pas un traître mot de cette soi-disant tentative d'enlèvement. Deux jours plus tard, je trouve dix orchidées, une coupure de journal avec ma photo préférée et un mot d'un homme disant n'avoir désormais plus qu'un seul avion, qui ne peut se résoudre à passer le reste de sa vie sans revoir ce visage posé sur son oreiller. Il appelle, je raccroche et je me dis que, pour le prochain *pont*, il est temps que j'arrête de me faire harceler par tous ces maniaques et que je me tourne à nouveau vers la tranquillité des valeurs traditionnelles : David Metcalfe m'attend sous un parasol au Fontainebleau de Miami Beach, avec un *rhum punch* décoré d'une petite ombrelle et, le lendemain, arrive Julio Mario Santo Domingo qui, en me voyant, me prend dans ses bras et me fait faire deux tours en l'air en s'exclamant :

« Regarde-la, David ! Ça c'est une vraie femme ! Elle est revenue, elle est revenue ! Elle revient du monde des hommes les plus riches de la planète pour replonger dans celui des pauvres, comme nous ! »

Tandis que David nous observe avec ce qui semble être la première pointe de jalousie qu'il ressent de sa vie, Julio Mario chante en riant :

> *Hellooo, Dolly! It's so good to have you back where you belong!*
> *You're looking sweeelll, Dolly, we can teeelll, Dolly...*

Dans le taxi qui nous emmène à l'aéroport pour que nous prenions notre vol de retour sur Avianca, la compagnie aérienne de Santo Domingo, Julio Mario et David sont hilares, ils s'amusent à se moquer de certaines de leurs amies communes qui sont des patientes d'Ivo Pitanguy. Julio Mario déclare que, puisque David lui a fait économiser une fortune vu qu'il a payé la chambre, il est tellement heureux « qu'il aurait bien envie de rester dans ce merveilleux taxi et de rire avec nous jusqu'à la fin de ses jours ». En arrivant à Bogota, je leur dis au revoir et je les regarde s'éloigner en slalomant à toute vitesse entre une vingtaine de véhicules, accompagnés d'une armée de gardes du corps qui les attendent à la porte de l'avion. Ils ne s'arrêtent pas non plus à la douane, et une personne qui travaille pour le Grupo Santo Domingo prend mon passeport et me conduit rapidement jusqu'à une autre voiture. Je pense que ce sont les gens comme Julio Mario et Armando – et non comme Pablo et Gilberto – qui sont les véritables maîtres du monde.

Quelques jours plus tard, un journaliste que je connais me prie de le recevoir car il souhaite pouvoir me demander un grand service en toute discrétion. Je lui dis que j'ai déjà un dîner de gala, mais que je le recevrai volontiers. Il s'appelle Édgar Artunduaga, il a été le directeur d'*El Espacio*, le journal du soir bien connu pour ses cadavres sanguinolents, qui sera plus tard érigé au rang de Père de la Patrie. Il me prie de supplier Pablo de l'aider financière- ment car, depuis qu'il lui a apporté son aide pour révéler l'enregistrement vidéo du chèque signé par Evaristo Porras à Rodrigo Lara, plus personne ne veut entendre parler de lui et il se trouve dans une situation critique. Je lui explique que des dizaines de journalistes m'ont déjà demandé des services similaires et que je les ai directement orientés vers le bureau de Pablo pour savoir ce qu'il décide de faire. Ça ne m'intéresse absolument pas de connaître les problèmes financiers de mes collègues, et encore moins de leur servir d'intermédiaire pour ce genre de contributions. Mais, dans son cas, je vais faire une exception car je suis profondément émue par ce qu'il me raconte qui, d'autre part, semble exiger une solution urgente.

Pablo sait que je ne téléphone jamais, même pour leur répondre, aux hommes qui m'intéressent d'un point de vue sentimental. Je compose son numéro privé, c'est lui qui décroche et je me rends immédiatement compte qu'il est heureux de m'entendre. Mais, lorsque je lui dis que j'ai Artunduaga devant moi et lui explique ce qu'il vient me demander, il se met à crier comme un énergumène, comme un fou et, pour la première fois de sa vie, il me vouvoie :

« Sortez sur-le-champ ce rat d'égout de votre maison avant qu'il ne la contamine ! Je rappelle dans un quart d'heure et, s'il est encore là, je demande au Mexicain qui vit à un kilomètre de chez vous de me prêter trois de ses hommes pour qu'ils viennent le jeter dehors à coups de pied dans le derrière ! »

Je ne sais pas si les vociférations de Pablo parviennent aux oreilles d'Artunduaga à l'autre bout du fil : il le traite rien de moins que de crotale, de maître chanteur, de fripouille, de hyène, de suceur, de voyou de pacotille. Je me sens terriblement mal à l'aise et, lorsque je raccroche, tout ce que je trouve à lui dire, c'est qu'Escobar n'a pas apprécié que je l'appelle car ce n'est pas dans ses habitudes de gérer avec moi les questions relatives au paiement de tierces personnes. J'ajoute que, s'il n'y voit pas d'inconvénient, je peux m'entretenir demain avec Arturo Abella à ce sujet pour voir s'il n'a pas un poste à lui proposer dans son service politique. Pour lui remonter le moral, je lui dis que je sais que le directeur acceptera volontiers ma proposition car il paraît qu'il est en train de négocier la vente d'un paquet d'actions du journal télévisé à de très riches investisseurs.

Lorsque Pablo rappelle, je suis déjà partie rejoindre David Metcalfe à un dîner où je retrouve le président López, qui me demande qui est cet immense Anglais qui m'accompagne ; je lui dis qu'il est le petit-fils de lord Curzon et le filleul d'Édouard VIII et je les présente. Le lendemain, Arturo Abella m'annonce que le nouveau propriétaire du journal télévisé, Fernando Carrillo, souhaite nous inviter à dîner au Pajares Salinas et qu'il veut rencontrer Artunduaga avant de prendre sa décision quant à son recrutement. Il me raconte que Carrillo, le principal actionnaire de l'équipe de football Santa Fe, de Bogota, est un ami proche de personnes aussi différentes que César Villegas, bras droit d'Álvaro Uribe à l'Aviation civile, et Tirofijo. Il ajoute que Carrillo lui a proposé de nous prêter son hélicoptère pour qu'avec une collègue j'aille interviewer le légendaire chef guérillero au campement des FARC. Quelque chose me dit de ne pas effleurer ce sujet devant Artunduaga et, quelques heures plus tard, je prends congé d'eux car, d'après mes calculs, David doit être libéré de son dîner d'affaires et certainement déjà en train de m'attendre pour me voir avant de repartir pour Londres.

Abella m'appelle pour me demander de passer à son bureau plutôt que d'aller au studio, car il a des nouvelles pour moi. Lorsque j'arrive, il me tend ma lettre de licenciement et m'informe qu'Artunduaga a convaincu Carrillo de mettre un terme à mon contrat et de le nommer directeur du journal télévisé. Je ne peux pas en croire mes yeux et mes oreilles ! Arturo m'est reconnaissant d'avoir gagné ces dix points de parts d'audience sur la période où je me suis trouvée face aux caméras, il m'explique que le poids des nouveaux impôts l'a mis sur la paille et, la larme à l'œil, il me dit qu'il n'a pas eu d'autre choix que de vendre la totalité du journal à « ces messieurs du football ». En partant, je lui prédis la fin pure et simple de son journal dans les six mois, car personne n'allume son téléviseur, surtout à l'heure du déjeuner, pour voir la tête d'Édgar Artunduaga, que ce grand homme qu'est Pablo Escobar qualifie de « rat d'égout ». (Avant même la fin de l'année, le journal fera faillite et Carrillo perdra l'intégralité des millions qu'il a investis pour couvrir les dettes du journal.)

Un violoniste solitaire joue devant ma fenêtre *Por una cabeza*, mon tango favori. Il l'interprète trois fois de suite, avant de disparaître. Deux jours plus tard, Pablo appelle :

« J'ai appris qu'on t'a vue descendre d'un avion d'Avianca en compagnie de Santo Domingo et d'un étranger. C'est vrai que je ne suis pas comme lui propriétaire d'une compagnie aérienne, mais j'ai mon propre avion depuis mes trente ans ! Tu sais bien que je ne peux pas venir te chercher à Bogota. Finissons-en avec tous ces enfantillages, car la vie est très courte et puis, je me fiche de ce bagnard comme de l'an quarante. Je meurs d'envie de retrouver à côté de moi l'esprit qui se cache derrière ton visage, et je n'ai pas la moindre intention de l'abandonner à qui que ce soit, un point, c'est tout ! Si tu ne montes pas tout de suite dans le dernier avion qu'il me reste – pour venir me raconter pourquoi tu te retrouves sans travail –, le jour où tu seras décidée à venir me voir, tu devras voyager sur Avianca et acheter ton billet à Santo Domingo. Ce vieux radin se fera encore cent dollars sur ton dos !

Jamais pareille argumentation ne m'a semblé si efficace. Pablo est peut-être l'homme le plus recherché au monde, il n'empêche qu'au moins, c'est moi qui fixe les conditions de notre relation. Alors je m'exclame, heureuse :

« D'accord, je viens. Mais tu as intérêt à venir me chercher à l'aéroport, sinon je repars sur la première brouette que je trouve ! »

L'avion en question est minuscule, et son jeune pilote et moi en sommes les seuls occupants. Au cours du vol, nous essuyons une averse torrentielle et nous perdons soudain tout contact radio. La visibilité devient nulle et, incroyablement sereine, je me prépare mentalement et spirituellement à l'éventualité de ma mort. Un instant, je repense à l'avion de Jaime Bateman[1]. Le jeune homme me prie de m'asseoir à la place du copilote car quatre yeux valent mieux que deux. Je lui demande si nous ne pourrions pas atterrir après dix-huit heures sachant qu'à cette heure-là l'aéroport de Medellín serait fermé et que notre avion n'aurait que de très faibles chances d'entrer en collision avec un autre appareil, et il me répond que c'est précisément ce qu'il comptait faire. Quand le ciel commence à se dégager et que nous réussissons à repérer visuellement la piste, nous nous posons sans aucun problème.

Je sais que Pablo ne peut même pas s'approcher de l'aéroport, mais deux hommes m'attendent à

---

1. Jaime Bateman (1940-1983) a été le fondateur et le principal dirigeant du mouvement révolutionnaire colombien M-19. *(N.d.T.)*

l'endroit habituel pour me mener dans un premier temps au bureau pour s'assurer que je ne suis pas suivie. Si l'entrepôt d'Armando de Armas ressemble à un supermarché, celui d'« Armando Guerra », le pseudo du cousin et associé de Pablo, ressemble à un local de restauration rapide à l'heure du déjeuner. Gustavo Gaviria passe de la joie de me voir de retour parmi eux à l'*excitement* moins amène que lui inspire la gestion téléphonique d'une situation de crise causée par un excès de demande :

« C'est vraiment super de te revoir ici, Virginia ! Aujourd'hui, c'est la folie, ici... Qu'est-ce qui s'est passé avec les sept cents kilos du Negro, hein ?... Je suis en train de faire une livraison avec une demi-douzaine d'avions, de location, bien sûr... Les quatre cents kilos de la Mona, Sainte Vierge ! S'ils ne rentrent pas dans l'avion, cette bonne femme me coupe les couilles demain !... Pablo a tellement de boulot qu'il n'a même pas le temps de se changer, mais ne va pas lui dire que je te l'ai raconté... Les six cents kilos de Yáider, ne les oubliez pas !... Comment fais-tu pour toujours avoir l'air reposé, hein ? Quoi, la soute du dernier est *full* ?... Tu ne t'imagines pas le stress que donne ce boulot... Mais, c'est une vraie catastrophe, mec !... C'est que mon travail donne à manger à cent mille personnes, et indirectement à un million... Trouve-moi un autre avion, putain !... Même en rêve, tu ne peux pas t'imaginer la responsabilité que j'ai vis-à-vis de tous ces gens... Mais, bon Dieu, il n'y a plus un avion dans ce fichu pays, ou quoi ? Nous allons devoir louer le jumbo de Santo Domingo !... Et la satisfaction de réussir à livrer la clientèle... Oh, mon Dieu, comment va-t-on faire pour les deux cent cinquante kilos du Schtroumpf, qui était un nouveau client, et que j'ai oubliés ?!... Tiens, Virginia, ils sont tous là pour toi... Mon satané cousin est un petit veinard, pas un pauvre esclave comme moi ! »

Je comprends enfin pourquoi Pablo m'a envoyé ce petit avion. Ce n'était pas le dernier qu'il lui restait, c'était le tout dernier qui restait dans toute la Colombie ! Sur le trajet, je pense que les groupes des magnats génèrent chacun mille à deux mille emplois et donnent à manger à dix mille personnes, et je me demande si des chiffres comme ceux que Gustavo vient de me donner ne finissent pas par altérer notre échelle de valeurs... Un million de personnes... Au bout de deux heures de route, trois voitures sortent d'on ne sait où et nous encerclent. Horrifiée, je crois qu'on vient m'enlever ou que la *Dijín* m'a suivie. Quelqu'un prend ma valise et m'intime l'ordre de monter dans un autre véhicule. Après quelques secondes de panique, je vois que c'est Pablo qui est au volant ! Il m'embrasse, tout heureux, et notre voiture prend, tel un bolide, la direction de l'*Hacienda Nápoles*. Il me dit :

« Tout ce qu'il me manquait, après tous ces mois de problèmes, c'était que tu connaisses le même sort qu'Amelia Earhart ! Le pilote m'a dit que tu ne t'es pas plainte une seule fois, et que la seule chose qu'il a sentie en toi, c'est une paix et une tranquillité totales. Merci, mon amour. Tu vas voir : je ne permets pas que les pilotes d'avions de location atterrissent sur ma piste car je prends des mesures de sécurité de plus en plus strictes. Tu n'imagines pas à quel point je dois faire attention maintenant et m'assurer que personne n'est en train de te suivre ! Cette fois-ci, comme tu ne dois pas travailler, nous allons pouvoir en profiter pour passer de longues journées ensemble et récupérer le temps que nous avons perdu avec toutes ces bêtises, d'accord ? Tu me promets d'oublier l'incident de l'année dernière et nous n'en reparlerons plus jamais ? »

Je lui réponds que je ne peux rien oublier, mais que cela fait longtemps que je n'y pense plus. Plus tard, alors que je suis déjà dans ses bras, je lui demande s'il ne trouve pas que nous ressemblons à Charlotte Rampling et à Dirk Bogarde dans le film *Portier de nuit*, dont je lui raconte l'intrigue : plusieurs années après la fin de la Seconde Guerre mondiale, cette belle femme d'une trentaine d'années est mariée à un chef d'orchestre. Un beau jour, Bogarde, le geôlier qui la violait dans le camp de concentration, assiste à un concert du célèbre musicien. Rampling et Bogarde tombent nez à nez et se reconnaissent et, à partir de cet instant, se noue, entre la très élégante dame et le désormais respectable ancien nazi, une relation basée sur une dépendance sexuelle la plus obsessionnelle et perverse. Je ne raconte pas à Pablo que les rôles de victime et de bourreau sont désormais inversés, car cela deviendrait quelque chose de trop sophistiqué pour l'esprit criminel d'un homme qui dort avec des adolescentes stipendiées qui lui rappellent par leur silhouette encore gracile l'épouse dont il est tombé amoureux lorsqu'elle avait treize ans.

« Mais tu regardes des films vraiment horribles… répond-il. Non, non, mon amour, tu n'as jamais été infidèle à tes époux et moi, je ne suis pas un violeur nazi ! Demain, je vais t'emmener dans le plus bel endroit du monde et te faire découvrir le paradis terrestre. Je l'ai découvert il y a relativement peu de temps et je ne l'ai encore jamais montré à personne. Je sais que, là-bas, tu vas commencer à guérir et à oublier ce que je t'ai fait ce soir-là. Je sais que je suis un vrai démon... et que je n'ai pas su me contrôler... mais, maintenant, je n'ai envie que d'une chose, de te rendre heureuse, immensément heureuse. Tu peux me croire. »

Il me demande de lui raconter en détail tout ce qui s'est passé avec Jorge Barón et Arturo Abella. Il m'écoute, totalement silencieux, et, à mesure que je lui expose ma version des tout derniers événements, son visage s'assombrit.

« Je crois qu'il s'agit en fait d'une vengeance d'Ernesto Samper pour te punir d'avoir publiquement dénoncé les chèques que tu as signés à son nom pour la campagne présidentielle d'Alfonso López. Samper a envoyé Artunduaga, qui est leur lèche-cul à tous les deux, pour vérifier s'il était vrai que j'achetais des journalistes à coups de pots-de-vin, comme le prétendent mes collègues médisantes, grosses et laides qui donneraient tout pour voler dans ton jet et pour prendre ma place dans ton lit, qui se font passer pour mes amies pour en savoir plus sur nous deux et restent sur leur faim, car je ne parle jamais de toi à personne. Comme tu l'as envoyé au diable en lui disant que tu ne lui donnerais pas un sou, Artunduaga a rapporté à Samper que toi et moi continuions à nous voir, c'est-à-dire que tu continuais à tout me raconter. Ernesto Samper a demandé un service à son ami intime César Villegas ; Villegas a demandé ce service à son ami intime Fernando Carrillo et Carrillo a acheté à Abella cent pour cent des actions du journal. Samper et Artunduaga m'ont laissée sans travail, le premier parce que tu lui as donné un paquet de fric et l'autre parce que tu ne lui as rien donné. Je ne sais pas comment tu fais pour si bien connaître les gens, Pablo, mais toi, tu ne te trompes jamais ! Tu devrais cesser de tant compter sur les membres de ta corporation, car tous ces types t'envient autant que je suis jalousée par toutes ces journalistes qui ne pourront jamais inspirer de l'amour à un magnat. »

Pablo me dit qu'il peut aller parler à Carrillo, qui n'est qu'un client parmi d'autres du Mexicain, pour qu'il renvoie Artunduaga et pour qu'il me fasse réintégrer mon poste.

Je l'en remercie mais je lui demande de comprendre que je ne pourrais pas retourner à la télévision étiquetée Pablo Escobar : j'ai fait ma carrière toute seule, en faisant valoir mon talent, mon élégance et mon indépendance, je n'ai jamais été l'émanation politique de personne, pas plus que je ne suis sortie avec quiconque de ce milieu, même pour aller prendre un café. Je lui fais remarquer, chose inouïe, que maintenant que sa corporation est en train d'asseoir son pouvoir sur ma profession, les mafieux de troisième zone s'allient avec les politiciens que le *capo di tutti capi* a achetés puis dénoncés pour réclamer ma tête et me mettre sur la touche d'une activité qui me faisait manger depuis treize ans :

« Ils sont en train de se venger de toi, Pablo, mais ce n'est pas une bonne chose que tu ailles affronter à cause de moi ce misérable bandit que le "Doptor Varito" vous a laissé à l'Aviation civile. Écoute, fais attention, car si un simple associé minable du Mexicain et l'acolyte d'Alvarito me font cela, imagine un peu de quoi est capable le reste de cette corporation ingrate que tu diriges et que tu t'évertues à défendre au péril de ta vie ! En tout cas, je veux que tu saches que je suis à peu près sûre d'être dans peu de temps choisie comme présentatrice du journal d'une chaîne de Miami qui va bientôt voir le jour. Les gens qui ont regardé l'enregistrement du casting disent que je suis peut-être à l'heure actuelle la meilleure présentatrice d'informations de tout le monde hispanophone. Et je crois qu'il faut que je quitte la Colombie avant qu'il ne soit trop tard.

— Mais qu'est-ce que tu racontes ?! Comment pourrais-tu me quitter alors que tu viens juste de revenir, mon amour ? Tu verras, ils ne vont pas tarder à te contacter pour d'autres émissions. Comment pourrais-tu vivre à Miami, toi qui ne sais pas conduire, sachant qu'une chaîne hispanique ne va certainement pas te payer un chauffeur ? Tu verras qu'ils choisiront une Cubaine ! Si tu t'en vas, tu me tues ! Je suis capable de me faire extrader pour que tu viennes me voir à la prison de Miami ! Que diront les journaux de Floride lorsqu'ils découvriront qu'une vedette de la télévision rend visite chaque dimanche à un pauvre bagnard ? Ce serait un vrai scandale, tu serais renvoyée de la chaîne, déportée en Colombie et on nous séparerait pour toujours ! Nous en sortirions tous les deux perdants, tu ne comprends pas, ma chérie ? Tu verras que, dès demain, tu vas commencer à guérir, à effacer toutes ces souffrances de ta mémoire... À partir de maintenant, toi et moi, nous allons être très heureux et tu ne manqueras jamais de rien. Je te le jure sur la tête de ma fille Manuela, qui est ce que j'ai de plus cher ! »

La partie publique de ma journée du lendemain, qui représente les seules vingt-quatre heures de pur bonheur que j'aie vécues de toute ma vie en Colombie, commence presque à midi, sur une spectaculaire machine conduite par l'un des meilleurs pilotes de moto au monde. Au début, je suis crispée contre son corps, l'agrippant des deux bras comme si j'étais collée à lui à la *Krazy Glue*, les cheveux au vent, les yeux clos de terreur et d'effroi ; mais, au bout d'une heure, je me sens un peu plus rassurée et je ne saisis plus qu'occasionnellement sa chemise et sa ceinture pour contempler, les yeux grands ouverts, cette splendeur qu'il n'avait jusque-là voulu partager avec personne.

Le plus bel endroit que Dieu ait créé sur la face du monde est visible du sommet d'un petit versant couvert de magnifiques herbages, ni trop hauts ni trop ras, qui nous permettent à la fois de nous protéger du soleil tropical et de nous cacher. Nous sommes à l'ombre d'un arbre de taille moyenne, la température de cette journée est elle aussi parfaite et même le souffle intermittent d'une petite brise, qui nous rappelle que le temps n'a pas daigné s'arrêter pour faire plaisir à ces deux amants, ne parvient pas à l'altérer. Trois cent soixante degrés à la ronde et sur des kilomètres, ce ne sont que des étendues planes, vertes comme un velours couleur de jade avec, de loin en loin, quelques points d'eau qui resplendissent au soleil. Il n'y a pas la moindre trace de l'espèce humaine, pas un sentier, pas une maisonnette, pas un son, pas un animal domestique. Aucun signe indiquant que dix mille ans de civilisation nous ont précédés et n'ont même peut-être jamais existé. Nous découvrons cet endroit en même temps tous les deux, montrant du doigt des choses, de-ci de-là, et nous nous disons que nous pourrions tout aussi bien nous trouver au tout premier jour de la Création, être Adam et Ève au paradis terrestre. Nous discutons du cruel destin que ce couple a connu, et je lui fais remarquer que, si Dieu existe, ce doit être un sadique, car il a maudit l'humanité pour la faire souffrir sans raison et il l'a rendue cruelle pour l'obliger à évoluer. Je demande à Pablo si tout ce qui s'étend devant nous à perte de vue fait partie de l'*Hacienda Nápoles* ou s'il s'agit d'une de ses nouvelles acquisitions. Il sourit et répond que rien n'est vraiment à lui, puis, scrutant l'horizon, il ajoute que Dieu l'a chargé d'en prendre soin pour lui, de le préserver tel quel et de protéger ses animaux. Il reste un instant absorbé dans ses pensées, puis il me demande soudain :

« Tu crois que nous sommes vraiment maudits ? Tu crois que je suis né maudit, comme Judas… ou comme Hitler ? Et toi, comment pourrais-tu être maudite, avec cet air d'ange que tu as ? »

Je réponds qu'il m'arrive aussi d'être une vraie diablesse, que ce n'est pas pour rien que j'ai de petits airs coquins. Comme il sourit, et avant que ne lui viennent à l'esprit des idées qui nous sont réciproques, j'ajoute que, tant que nous ne serons condamnés qu'à survivre, nous serons maudits, et qu'aucun être vivant sous ce ciel ne peut échapper à ce destin. En contemplant toute cette beauté étalée devant nous, une idée me vient soudain à l'esprit :

« Est-ce que tu connais les paroles d'*Imagine* de John Lennon ? Il a dû les écrire dans un moment... et dans un endroit comme celui-ci... mais, la différence avec cette chanson, c'est que, pour tout ce que nous avons sous les yeux, cela vaut la peine de mourir, ou même de tuer, pas vrai, Pablo ?

— Tu l'as dit ! Pour tout ce ciel, aussi... et je dois en prendre soin car, à partir de maintenant, je ne vais plus pouvoir beaucoup sortir d'ici... »

Ses derniers mots me brisent le cœur. Pour qu'il ne s'en rende pas compte, je lui dis qu'avec tous ses passeports il devrait déjà commencer par quitter la Colombie, cela lui permettrait de vivre comme un roi à l'étranger sous une nouvelle identité.

« Pour quoi faire, mon amour ? Ici, je parle ma propre langue ; ici, c'est moi qui commande et je peux acheter presque tout le monde. Mon business est le plus rentable de la planète et je vis au paradis terrestre. Et ici, au-dessus de toute ma terre et sous tout mon ciel, je t'ai avec moi. Où ailleurs aurais-je la chance d'être aimé par la plus belle femme du pays comme toi tu m'aimes, de l'entendre me dire les choses que tu me dis ? Dis-moi, où veux-tu que je parte, sachant qu'à ma mort la seule chose de la Terre que je pourrai emporter avec moi en enfer, c'est la vue de toute cette perfection sur trois cent soixante degrés multipliés par un trillion de trillions, avec toi en son épicentre ? »

Je ne suis qu'un être humain, et je dois avouer que voir s'épancher une telle tendresse guérit instantanément le plus meurtri des cœurs. Pendant cette journée du mois de mai, tout est comme transparent, l'air est diaphane et la peau ne ment pas. Extasiée à la vue de ce ciel, j'ai soudain une idée :

« Sais-tu comment je vais intituler le roman que j'écrirai un jour pour raconter ton histoire, quand nous serons deux vieux blasés, revenus de tout ? *Le Ciel des maudits* !

— Ouh, nooon ! Quel horrible titre, Virginia ! Il fait penser à une tragédie grecque ! Ne déconne pas, c'est de ma biographie qu'il est question.

— Mais tu ne te rends pas compte que n'importe quel journaliste pourrait écrire ta biographie en y mettant un peu de bonne volonté ? Ton histoire, Pablo, c'est autre chose : c'est l'histoire de toutes les formes du pouvoir qui dirigent ce pays rien qu'en levant le petit doigt. Je crois que moi, en revanche, je pourrais l'écrire, car je connais les histoires de ta corporation et *la petite histoire* des familles présidentielles... et celles du reste.

— Pourquoi ne me racontes-tu pas toutes ces choses ces jours-ci ?

— Que me donnerais-tu en échange ? »

Il réfléchit un moment puis, en lâchant un soupir et en me caressant la joue, il me dit :

« Je pourrais te rendre témoin de choses que personne d'autre n'apprendra, car... si je viens à mourir avant que tu... peut-être que tu pourrais raconter beaucoup de toutes ces vérités. Regarde autour de nous. Comme tu n'as pas le sens de l'orientation et ne sais jamais trop où tu te trouves, je crois que je peux t'avouer que tout cela m'appartient en effet. Tout comme ce qui se trouve derrière l'horizon, et c'est pour cela que ma propriété n'a pas de flanc vulnérable. Maintenant, regarde en l'air. Qu'est-ce que tu vois ?

— Le ciel... et les oiseaux... et un nuage, là, regarde ! L'énorme pan de ciel que Dieu t'a prêté pour protéger tout ce qui se trouve en dessous et pour que tu prennes aussi soin de toi...

— Non, mon amour. Tu es poète et moi, je suis réaliste : tout ce que nous voyons au-dessus de nos têtes, cela s'appelle l'espace aérien du gouvernement colombien ! Si je n'enterre pas cette loi d'extradition, ça va devenir un réel problème pour moi. C'est pour cette raison qu'il faut que je pense sérieusement à me trouver un missile au plus vite...

— Un missile ? Mais on croirait entendre Gengis Khan, Pablo ! Promets-moi de ne plus parler de ces choses à personne, car ils vont croire que tu as perdu la raison ! Bon... au cas où tu le trouverais, car avec ta fortune on peut tout acheter et, avec ta piste d'atterrissage, tu peux l'emmener chez toi, je pense qu'il ne te serait pas bien utile, mon amour. Que je sache, un missile, ça ne se recharge pas... Admettons, cependant, qu'avec un, allez, disons dix de ces missiles, tu descendes tous les avions de l'armée de l'air qui viennent violer ton espace aérien, que comptes-tu faire face à ceux des *gringos* qui nous envahiront dès le lendemain, qui te largueront cent missiles et détruiront ton paradis jusqu'au dernier atome ? »

Il reste muet un moment. Puis, presque comme s'il pensait à voix haute, il commente, tout à fait sérieusement :

« Oui... il faudrait que je frappe, d'un seul coup, une cible qui en vaille la peine...

— Allez, arrête de penser à toutes ces folies. C'est plus facile et moins cher pour toi d'acheter les quarante pour cent de Colombiens les plus pauvres pour qu'ils votent pour "Pablo Président" et qu'ils en finissent par la même occasion avec l'extradition ! Et de quoi vais-je donc être témoin, et quand ?

— Oui... tu as raison... oublie ça. Les surprises, ça ne s'annonce pas à l'avance, ma chérie. »

Nous cessons déjà de former un tout pour redevenir nous deux ; comme Adam et Ève, nous avons froid et nous couvrons. Il reste absorbé par la contemplation de cet espace aérien, les mains croisées derrière la nuque, et moi, la tête posée sur sa poitrine, je reste absorbée par la contemplation de ce ciel de maudits. Il rêve de son missile, et moi, de mon roman ; il travaille sur sa partie d'échecs, et moi j'organise et je réorganise mon casse-tête. Maintenant, nos corps forment un T et je me dis que nous sommes formidablement heureux, que toute cette perfection sera sans doute aussi la vision du paradis que j'emporterai au Ciel lorsque je mourrai. Mais... comment pourrait-il y avoir un Ciel pour moi, si lui ne peut pas m'y accompagner ?

Au cours des mois suivants, Pablo et moi nous voyons une à deux fois par semaine. Toutes les quarante-huit heures, on me change d'endroit et j'apprends à être moins obsédée que lui par la sécurité. J'écris sans cesse et, comme je ne regarde pas la télévision, n'écoute pas la radio et ne lis pas les journaux, j'ignore qu'il a assassiné le juge d'instruction qui avait ouvert un procès contre lui pour la mort de Rodrigo Lara Bonilla et de Tulio Manuel Castro Gil. Il lit mes manuscrits, puis il fait des observations, apporte des précisions et nous les brûlons. Peu à peu, je lui explique tout ce que j'ai pu apprendre sur les trois grands pouvoirs qui existent en Colombie et sur le *modus operandi* des familles les plus riches du pays ; j'essaie de lui faire comprendre qu'avec la quantité d'argent et de terres qu'il possède il devrait penser davantage sur la base de critères plus « dynastiques » :

« Quand on apprend à les connaître, on sait que certains d'entre eux sont tellement misérables et cruels qu'à côté d'eux tu es blanc comme neige, Pablo ; c'est comme je te le dis, et je te supplie de ne pas te formaliser. S'il n'y avait pas eu cette guérilla sanguinaire et si elles n'étaient pas si minables, les familles présidentielles et les grands groupes économiques auraient écrasé ce pauvre peuple depuis bien longtemps. Nous avons beau détester la guérilla, elle est la seule chose qui leur fasse peur et qui les freine. Ils ont tous, absolument tous, des crimes et des morts sur la conscience : les leurs, ceux de leurs parents pendant la Violence, ceux de leurs grands-parents propriétaires terriens, ceux de leurs arrière-grands-parents esclavagistes, de leurs aïeux inquisiteurs ou propriétaires d'*encomiendas*. Joue bien tes cartes, mon amour, car, malgré tout ce que tu as déjà vécu, tu es encore un enfant et tu as encore assez de temps à vivre pour réparer presque toutes tes erreurs. À toi seul, tu es plus riche, plus futé et plus vaillant qu'eux tous réunis. Pense que tu as encore un demi-siècle devant toi pour faire l'amour et non la guerre à ce pays. Ne commets pas de nouvelles grosses erreurs, Pablo, et utilise-moi pour tout ce dont je suis capable, car nous valons tous les deux bien plus qu'une paire de nichons et une paire de couilles ! »

Comme une éponge, il m'écoute et il apprend ; il analyse et questionne, il compare et mémorise, il digère et traite l'information, il la sélectionne et l'élimine, il la classe et l'archive. En écrivant pour moi, en corrigeant pour lui, je grave petit à petit dans mon cœur les mémoires et les dialogues de ces journées, les dernières journées heureuses que lui et moi passerons ensemble avant que notre univers à trois cent soixante degrés ne commence par éclater en deux moitiés de cent quatre-vingts degrés, puis par se désagréger en mille, et enfin en un million d'atomes qui ne pourront plus jamais se retrouver ni même se reconnaître, car la vie est cruelle et imprévisible et « les voies du Seigneur sont impénétrables ».

« Santofimio vient demain, m'annonce Pablo un soir. Inutile de dire qu'il va me demander des tonnes de fric pour les élections présidentielles de l'année prochaine. Je voudrais que tu sois présente à la réunion et je te supplie de faire un effort surhumain pour ne pas laisser paraître toute l'antipathie qu'il t'inspire. Il dit à tout le monde qu'il ne m'a pas vu depuis 1983 et je veux qu'il reste une trace du fait qu'il ment. Pourquoi ? Je ne le sais pas encore, Virginia, mais j'ai besoin de toi ici. S'il te plaît, n'en parle à personne. Contente-toi d'écouter et d'observer sans rien dire.

— Tu sais que ça m'est impossible de rester sans rien dire, Pablo. Tu vas devoir me remettre un oscar ! »

Le lendemain, nous nous retrouvons dans une des énormes maisons que Pablo et Gustavo louent et changent en permanence. Il fait noir et, comme toujours, nous sommes seuls car les gardes du corps se retirent lorsque des gens importants arrivent. Tandis que Pablo est au téléphone, par la porte qui se trouve à ma gauche, je vois arriver Santofimio avec la chemisette qu'il porte toujours lors des manifestations politiques. En m'apercevant, il amorce un geste de recul, mais il se rend tout de suite compte qu'il est déjà trop tard. Il pénètre dans le petit bureau et me salue d'un baiser. Pablo nous prie de l'attendre dans la salle car il est occupé à traiter une affaire ; quelqu'un apporte deux verres de whisky avant de disparaître.

Santofimio me demande quand je suis arrivée et je lui réponds que je suis là depuis des jours. Cela semble le surprendre, il s'enquiert des raisons de mon absence à la télévision. Je lui explique que, tout comme lui, j'ai payé au prix fort mes relations avec Pablo. Gustavo nous rejoint ; je sais que, le moment venu, il aura pour mission de me délivrer pour que Pablo et « le Docteur » puissent se retrouver tête à tête pour parler argent. Nous ne sommes plus qu'à dix mois des élections présidentielles de 1986, pour lesquelles est donné possible vainqueur le candidat officiel du Parti libéral, Virgilio Barco, un ingénieur du MIT issu d'une riche famille traditionnelle et marié à une Nord-Américaine. Les deux autres candidats sont Álvaro Gómez, du Parti conservateur – un homme brillant mais honni par la gauche, moins de sa faute que de celle de son père et de la Violence – et Luis Carlos Galán, du Nouveau Libéralisme, la dissidence du parti majoritaire sur lequel règnent les ex-présidents López et Turbay.

Après avoir patiemment écouté les pronostics de Pablo et du « Saint » sur le vote dans les municipalités de la périphérie de Medellín et avant de me retirer pour les laisser disserter sur ce qui leur plaît le plus à tous les deux, je décide d'orienter la conversation vers ce qu'ils détestent le plus :

« Arturo Abella m'a récemment dit que, d'après l'une de ses "sources tout à fait fiables", Luis Carlos Galán envisagerait actuellement de laisser passer Barco pour qu'on ne l'accuse pas de diviser le parti pour la seconde fois. Galán pourrait même rejoindre les rangs du Parti libéral pour l'aider à obtenir un triomphe écrasant face aux conservateurs et, en 1990, fort de la gratitude et du soutien des ex-présidents libéraux, il se trouverait sans rival pour accéder à la présidence.

— Eh bien, elle délire complètement, sa source, à Abella ! Le Parti libéral ne pardonnera jamais à Galán ! s'exclament Escobar et Santofimio presque à l'unisson. À tout hasard, tu n'as pas vu qu'il est troisième dans tous les sondages, à des années-lumière derrière Álvaro Gómez ? Galán est fini et Virgilio Barco n'a absolument pas besoin de ses quatre voix !

— Oui, oui, je sais, mais la politique est le royaume du talentueux Mr Ripley[1]. Aujourd'hui, Galán est fini, parce qu'il a décidé d'affronter tout seul toute la "machine" du Parti libéral. Mais, en 1989, avec elle derrière lui, vous allez devoir bien réfléchir à ce

---

1. Le texte renvoie ici à Tom Ripley, personnage de plusieurs romans policiers de Patricia Highsmith, dont *Le Talentueux Mr Ripley*, publié en 1955. *(N.d.T.)*

que vous comptez faire, car Ernesto Samper est une *biche* encore un peu tendre pour être élu président en 1990, il a tout juste trente-quatre ans...

— Moi, je préfère financer Galán plutôt que ce *tétra fils de pute* ! s'exclame Pablo.

— Eh bien, Galán, il t'extradera dès le lendemain de son élection, lui lance Santofimio, un peu mal à l'aise. En revanche, si tu l'élimines, tu mets le pays à genoux ! Et ça, tu dois le lui faire comprendre, Virginia...

— Non, Alberto. Si vous éliminez Galán, vous serez extradés tous les deux du jour au lendemain. Oubliez ça tout de suite, on en a déjà eu bien assez avec Rodrigo Lara ! Ce que je me tue à vous faire comprendre, c'est que vous allez devoir essayer de trouver un autre candidat pour 1990.

— Galán est déjà fini et il reste encore cinq ans avant 1990, mon amour, me dit Pablo qui s'impatiente visiblement. Celui qu'il faut déjà commencer à manœuvrer, c'est Barco, et c'est pour cela que le Docteur est avec nous ce soir...

— Viens, Virginia, je veux te montrer les derniers diamants que j'ai reçus », propose son cousin.

Je prends congé de Santofimio et je donne rendez-vous à Pablo pour le lendemain. Tout en sortant les énormes étuis de son coffre-fort, Gustavo me dit :

« J'en ai jusque-là de toute cette politique, Virginia, et en plus, je suis conservateur ! Moi, tout ce qui me plaît, c'est le business, les voitures de course, les motos et mes brillants. Regarde un peu ces merveilles... qu'est-ce que tu en dis ? »

Je lui dis que je déteste moi aussi tous ces politiciens mais que, hélas, c'est d'eux que dépend l'extradition et, avec ce traité en vigueur, la seule de nous tous qui va rester ici, c'est moi.

« Dieu veuille que Barco se montre plus raisonnable que Betancur, car s'il donne à Galán le ministère de la Justice, je ne veux même pas imaginer la guerre que ce sera ! »

Je me prends à admirer ces centaines de bagues qui scintillent sur une interminable succession de présentoirs de velours de trente centimètres sur quarante. Il est évident que Gustavo préfère les diamants aux frigos remplis de liasses de billets et aux tonneaux enterrés. Je n'ai jamais rêvé de posséder des bijoux ou des peintures d'une valeur inestimable, mais, en contemplant tout cela, je ne peux m'empêcher de me demander, non sans une certaine tristesse, pourquoi, alors que la légende dit que « les diamants sont éternels », cet autre homme aux trois milliards de dollars, qui se trouve là, dehors, et qui dit m'aimer, me désirer et avoir tant besoin de moi, ne m'a jamais dit d'en choisir un. Rien qu'un seul.

Ce palais en flammes

Pablo a l'esprit le plus moderne que j'aie jamais connu. Véritable expert en géopolitique caribéenne, il a construit en moins d'une décennie l'industrie la plus rentable de tous les temps, une industrie qu'il contrôle maintenant d'une main de fer comme s'il s'agissait d'une véritable multinationale. Il allie un talent exceptionnel pour entrevoir le futur à une espèce de sagesse à l'antique qui lui permet de résoudre en l'espace de quelques secondes tous les problèmes pratiques et les urgences de la vie quotidienne et d'avoir toujours sous la main des solutions radicales pour chaque problème, des solutions d'un type que tout autre être humain jugerait inconcevables, voire impossibles à mettre en pratique.

Pablo n'éprouve de véritable passion que pour une chose : l'exercice du pouvoir au profit de ses propres intérêts. Tout dans sa vie semble orienté vers ce propos, ce qui, évidemment, m'inclut également. Comme je l'aime et que je n'hésite pas à le fustiger avec une démesure tout aussi comparable – je ne m'abandonne jamais totalement –, je reste pour lui un défi permanent et, pour cette raison, il use à mon égard, à l'échelle individuelle, d'une stratégie de séduction pareille à celle qu'il a commencé à appliquer à l'échelle collective dans un pays qu'il considère, qu'il entend et essaie d'utiliser comme s'il n'était rien de plus qu'une extension de l'*Hacienda Nápoles*. Je suis, de toutes les femmes qu'il a eues et qu'il aura jamais, la seule de son âge, ainsi que la seule à avoir reçu une éducation et à penser librement ; grâce à ma profession, je resterai toujours pour lui sa maîtresse du petit écran. Lorsqu'il veut anticiper les réactions que ses discours politiques pourraient provoquer chez les autres, il m'utilise souvent comme interlocutrice – à la fois comme avocat du diable, comme procureur, comme juge et comme public –, car il est bien conscient que, tandis qu'il séduit sa femme-trophée, sa femme-caméra l'analyse, le contredit, le catalogue et le compare très certainement à d'autres hommes de la même trempe que lui.

Escobar est un des hommes les plus impitoyables qu'ait produit de toute son histoire une nation où, bien fréquemment, les hommes sont initiés dès le berceau à la haine, à l'envie et à la vengeance ; mais, à mesure que le temps passe et que mon amour se transforme, je commence à le voir plutôt comme un grand enfant qui porte une croix de plus en plus lourde, la croix des responsabilités imaginaires et délirantes des gens dont l'ambition les mène à l'obsession de vouloir absolument tout contrôler et tout dominer, tout ce qui leur arrive, leur entourage, leur destin et même tous les êtres humains qui pourraient faire partie de leur passé, de leur présent ou de leur futur.

Mon amant est un des hommes les mieux informés du pays mais, en bon fils d'institutrice, il est aussi, au fond, un moralisateur qui, devant les personnes dont il veut se faire aimer ou respecter, affiche un code éthique des plus rigoureux. Toutes les semaines, des gens me demandent des rendez-vous pour lui proposer, par mon entremise, les propriétés les plus fabuleuses à un prix complètement dérisoire et, avec un sourire et une caresse, Pablo répond, indéfectiblement « non ». Un exemple édifiant des raisons qui l'animent est la réponse qu'il a donnée à l'intermédiaire du ministre Carlos Arturo Marulanda :

« Il te propose ses douze mille hectares dans le sud du Cesar pour seulement douze millions de dollars. L'*Hacienda Bellacruz* n'est pas tout à fait contiguë à l'*Hacienda Nápoles* mais, en faisant quelques acquisitions supplémentaires à bon compte par-ci par-là, lui dis-je en lui montrant les plans que l'on m'a laissés, tu pourras à terme réussir à les réunir et te constituer ainsi, en plein centre du pays, un gigantesque corridor de la côte jusqu'au Venezuela. En peu de temps, tout cela va prendre énormément de valeur, car nous savons tous qu'avec la demande de ta corporation les prix de la terre et de l'immobilier en Colombie vont s'envoler et atteindre des sommets.

— Marulanda est le beau-frère d'Enrique Sarasola. Dis à son émissaire que je sais que *Bellavista* est la plus grande hacienda du pays après celles que le Mexicain possède dans les Llanos où la terre ne vaut rien, mais que je ne lui en donne même pas un million de dollars car je ne suis pas un sans-cœur comme le père du ministre. Et je sais bien qu'elle va prendre le double de sa valeur, mon amour ! Mais, d'abord, il va falloir qu'il aille se trouver une autre personne sans scrupules, comme lui et son frère, pour chasser tous les descendants des pauvres gens que son père a expulsés de leurs parcelles par le feu et par le sang en profitant du chaos qui régnait sous la Violence. »

Il m'explique que *Bellacruz* est en train de devenir une vraie poudrière qui explosera tôt ou tard, pour donner lieu à un véritable massacre. Le père du ministre, Alberto Marulanda Grillo, en a acheté les six mille premiers hectares pendant les années 1940, puis il a doublé la taille de son latifundium en se faisant aider par les *Chulavitas*, des policiers qui incendiaient des ranchs, violaient, torturaient et assassinaient sur commande pour tous ceux qui décidaient de les prendre à leur service. La sœur de Carlos Arturo Marulanda est mariée avec Enrique Sarasola, lié à la société espagnole Ateinsa d'Alberto Cortina, Alberto Alcocer et José Entrecanales. Sarasola, ami proche de Felipe González, a ramassé dix-neuf millions et six cent mille dollars de commission et a géré l'adjudication du fameux « contrat d'ingénierie du siècle », le métro de Medellín, au consortium hispano-allemand Metromed et à ses associés, parmi lesquels figurait Ateinsa. Diego Londoño White, gérant du projet du métro, grand ami de Pablo et propriétaire, avec son frère Santiago, des demeures que Pablo et Gustavo utilisent comme bureaux, a été chargé de négocier le contrat et de répartir les juteuses commissions. D'après un témoin de cette extorsion qui a aussi pu mesurer la voracité du groupe que dirige Sarasola, l'adjudication du métro – pour laquelle des honoraires mirobolants allaient être versés à des avocats colombiens dénommés Puyo Vasco, et même à l'espion allemand Werner Mauss – « s'apparentait moins à un appel d'offres pour un contrat de génie civil qu'à un film de gangsters », une vision des choses que Pablo Escobar, social-démocrate lui aussi, semble partager pleinement.

La poudrière de l'hacienda du beau-frère d'Enrique Sarasola allait exploser en 1996, alors que Carlos Alberto Marulanda était ambassadeur auprès de l'Union européenne sous la présidence d'Ernesto Samper Pizano. Devant l'action d'escadrons comme ceux des *Chulavitas* utilisés par son père un demi-siècle plus tôt, presque quatre cents familles de paysans seraient contraintes de fuir *Bellacruz* après l'incendie de leurs maisons et la torture et l'assassinat de leurs leaders sous les yeux de l'armée. Accusé de constitution de groupes paramilitaires et de violations des droits de l'homme, Marulanda serait arrêté en Espagne en 2001 puis extradé vers la Colombie en 2002. Deux semaines plus tard, il serait libéré parce que tous ces délits avaient été commis par les groupes paramilitaires qui opéraient dans le Cesar, et non par le millionnaire ami du président. Pour Amnesty International, ce qui est arrivé dans l'*Hacienda Bellacruz* représente l'un des épisodes d'impunité les plus aberrants de l'histoire récente de la Colombie. Comme son frère Santiago, Diego Londoño White allait être ensuite assassiné ; de leur côté, presque tous les bénéficiaires de l'escroquerie du métro et des crimes de *Bellacruz*, ou leurs descendants, jouissent paisiblement d'un exil doré à Madrid ou à Paris.

« Je crois que le moment est venu de te présenter les amis qui m'ont servi de contact avec les sandinistes, me dit Pablo lorsque nous nous disons au revoir quelques jours plus tard alors que je m'apprête à rentrer à Bogota. Nous préparons en ce moment quelque chose de très important et je veux que tu me dises ce que tu penses d'eux. Si les choses se passent comme prévu, nous allons pouvoir vivre en paix. Pour des raisons de sécurité, cette fois, je ne vais même pas pouvoir t'appeler : un pilote s'en chargera d'ici dix à quinze jours, ni plus ni moins, pour t'inviter à déjeuner dans le restaurant en question. Voici la clé et toi, de ton côté, tu décides de l'heure à laquelle tu souhaites voyager les deux jours suivants. »

En rentrant à Bogota, je trouve une lettre de la chaîne de télévision de Miami. Ils souhaitent réaliser un deuxième essai et discuter de l'éventualité d'un contrat. Ils me proposent un salaire mensuel de cinq mille dollars ; je dois arriver au studio tous les jours à cinq heures du matin pour passer au maquillage avant d'enchaîner la présentation de plusieurs émissions. Quelques jours plus tard, Armando de Armas m'appelle pour me dire que cette offre est l'opportunité rêvée pour relancer ma carrière, en recommençant tout en haut ; il insiste et me dit de ne pas la laisser passer. Je réponds qu'en Colombie je gagnais déjà cette somme en 1980 pour le journal de *24 Horas* pour une seule présentation par jour, et à dix-neuf heures. Ce que je ne peux pas lui avouer – à lui ni à personne –, c'est que je crains qu'au moment où quelqu'un enverra à un journal de Miami mes photos avec Escobar mon contrat avec cette chaîne nord-américaine puisse être rompu au milieu d'un scandale épouvantable et retentissant. De retour à Medellín, je montre à Pablo la lettre avec leur proposition et je reste pétrifiée lorsque je comprends qu'il continue d'espionner mon téléphone :

« Cinq présentations par jour pour cinq mille dollars par mois ? Mais, pour qui se prennent-ils, ces Cubains ! » Tandis qu'il commence à brûler la feuille, il ajoute : « Nous allons faire quelque chose, mon amour : je vais te donner quatre-vingt mille dollars en attendant que tu trouves du travail dans une chaîne qui sache t'apprécier à ta juste valeur, ou dans une chaîne d'un pays où je puisse me rendre fréquemment. Mais je ne vais pas t'envoyer tout ce fric en une seule fois car, sinon, tu vas t'échapper à Miami avec le premier millionnaire vénézuélien venu et je ne te reverrai plus jamais. Même si, toi et moi, nous ne pouvons pas nous retrouver chaque semaine, maintenant que tu es revenue, j'ai plus que jamais besoin de toi et je tiens à ce que tu vives avec moi toute une série de processus-clés qui vont s'amorcer dans ce pays au cours des prochains mois. »

Ce qu'Armando de Armas a dit est donc vrai : Escobar l'a fait déguerpir ! En revanche, l'hypothèse que j'écarte complètement, tant elle me semble absurde, est qu'il ait tenté de l'enlever. Comme il est évident que Pablo a déjà découvert qui se cache derrière l'offre de cette chaîne cubaine, je décide de ne plus poser de questions. Je préfère lui parler de l'intérêt du journaliste italien pour son histoire et de sa proposition d'éventuellement tourner un film avec les producteurs Cecchi Gori. Devant la perspective de voir sa vie portée au cinéma, il ne se sent plus d'orgueil, mais, même radieux de bonheur, Pablo Escobar reste avant toute chose un homme d'affaires :

« Es-tu conscient que tu as beaucoup d'autres opportunités de travail qui rapportent beaucoup plus et qui sont bien plus intéressantes pour une personne comme toi ? Dis à ce Valerio Riva que, s'il veut avoir un entretien avec moi par ton intermédiaire, il doit me payer cent mille dollars pour le synopsis et à titre d'avance sur le scénario du film ; et s'il n'écrit pas son scénario à quatre mains avec toi, nous n'allons pas faire affaire. S'il refuse de payer, cela voudra dire que ces producteurs italiens multimillionnaires ne sont pas dans le coup et que ce type veut juste t'utiliser pour se faire un paquet de blé avec une histoire que tout le monde veut connaître ; surtout avec tout ce qui va se passer à partir de maintenant, car ils ne vont plus pouvoir m'extrader. Toi et moi, nous allons être libres de voyager ensemble presque partout, sauf aux États-Unis, évidemment. En tout cas, tu peux continuer d'y aller toutes les fois que tu auras besoin de souffler pour te reposer de moi... mais pour quelques jours seulement. »

Exactement deux semaines plus tard, à la mi-août de l'année 1985, je suis de retour à Medellín. En fin d'après-midi, deux jeunes hommes passent me chercher et me font monter dans une voiture discrète. Pendant tout le trajet, ils n'arrêtent pas de regarder dans leur rétroviseur pour s'assurer que je n'ai pas été suivie et pour éviter qu'à force de persévérance quelqu'un ne découvre la tanière de Pablo et vienne le débusquer. Je ne demande pas où nous nous dirigeons et je finis par m'assoupir. Je suis réveillée par la voix des hommes qui, par radio, informent leur chef que nous sommes déjà sur le point d'arriver. Alors que nous nous approchons du portail de *Nápoles*, une petite voiture blanche à bord de laquelle se trouvent trois hommes déboule devant nous et se perd au milieu des ombres et du silence de la nuit. Les hommes me disent que c'est le véhicule d'Álvaro Fayad, le chef suprême du M-19. Cela me surprend énormément – j'étais convaincue que ce groupe guérillero et le MAS se détestaient à mort – et je me retourne pour essayer de le distinguer. L'homme qui se trouve à l'arrière de la voiture se retourne lui aussi pour me voir et, pendant quelques instants, nos regards se croisent. Nous pénétrons dans la propriété à vive allure et nous nous arrêtons devant le bâtiment principal. Au fond du couloir, sous une lumière jaunâtre, je parviens à apercevoir deux ou trois hommes qui se retirent immédiatement, accompagnés de ceux qui sont arrivés avec moi. Comme ils se cachent lorsqu'ils voient sortir Pablo, je ne réussis pas à les identifier et j'en déduis que ses invités sont des gens à qui il accorde une confiance totale, et qui exigent aussi la plus grande discrétion quant aux sujets qui vont être abordés, ainsi que des mesures de sécurité exceptionnelles et le maintien à distance de tous les subalternes.

Pablo, qui est un expert en moyens de communication, est toujours informé en temps réel, à la seconde près, par radio ou par talkie-walkie, de tout ce qui se passe autour de lui. Il sort immédiatement pour venir m'accueillir, il ouvre la portière de la voiture et me prend dans ses bras, puis il me saisit à bras-le-corps et me contemple, plein d'orgueil, comme si j'étais un de ses Renoir. L'enthousiasme qu'il manifeste vis-à-vis d'une chose qu'il a de toute évidence soigneusement planifiée semble indiquer qu'il meurt d'impatience de me présenter à son invité qui, je le sais maintenant, est venu seul. Il me demande de deviner qui c'est, je l'interroge pour savoir si c'est le prince de la famille royale saoudienne qui lui transfère d'énormes quantités d'argent dans son avion diplomatique, ou un révolutionnaire centre-américain, ou un général mexicain à trois soleils, ou un des grands barons aztèques ou *cariocas*, ou peut-être un émissaire de Stroessner, l'inoxydable dictateur paraguayen. Lorsqu'il m'explique de qui il s'agit, j'ai du mal à en croire mes oreilles :

« Je voudrais te faire faire la connaissance de deux des fondateurs et principaux chefs du M-19. Ce sont de grands amis à moi depuis un moment, mais je ne pouvais pas te le dire avant d'être totalement sûr de toi. Après l'enlèvement de Martha Nieves Ochoa, nous avons conclu avec eux un pacte de non-agression. Álvaro Fayad vient de repartir, car il m'a semblé que l'idée de se retrouver avec toi le préoccupait, mais Iván Marino Ospina, le plus "dur" des commandants, se trouve à l'intérieur. Il n'a eu aucune réaction en entendant ton nom car cela fait des années qu'il vit dans la forêt et qu'il ne regarde pas la télévision. Selon la façon dont les choses tourneront, nous verrons si nous lui expliquons qui tu es ou si tu restes incognito. »

Puis, avec ce petit air de torero qu'il prend avec moi lorsqu'il est heureux, il me passe un bras autour des épaules et ajoute :

« Un petit peu d'anonymat à ce moment de ta vie ne va pas te faire de mal. Pas vrai, mon amour ? »

Je lui demande :

« Et quel âge a ce héros du XIXe siècle, Pablo ? »

En riant, il répond qu'il doit avoir environ quarante-trois ans, et je lui dis que les seuls Colombiens qui ont cet âge et qui ne savent pas qui je suis sont ceux des ethnies qui vivent au fin fond de la forêt et qui ne sont pas encore au courant de l'invention de l'espagnol ni de celle du soutien-gorge.

« Ce type est un cow-boy de la vallée du Cauca qui n'a même pas peur de moi et qui n'aime ni les conneries ni que l'on joue à l'intellectuel avec lui ! Promets-moi de respecter les règles. Pour une fois dans ta vie, tu vas parler de sujets autochtones, bien nationaux. Jure-moi, sur ce que tu as de plus cher, que tu ne vas pas aller cracher sur Pol Pot ni sur la Révolution culturelle !

— Pablo, serais-tu en train d'insinuer que je ne peux pas poser de questions au chef suprême du groupe guérillero le plus en vue de ce pays sur le *modus operandi* des Montoneros et du Sentier lumineux, de l'IRA, d'ETA, des Brigades rouges et de la bande à Baader-Meinhof, des Black Panthers et des Tigres tamouls, du Hamas et du Fatah ? lui dis-je sur le ton de la plaisanterie. Pourquoi m'as-tu amenée, alors ? Pour parler du 9 avril, des sandinistes et de Belisario ? Sur la prise du cartel Moncada, on peut lui en poser, des questions ou pas ? La Havane, c'est à deux pas d'ici, entre Carthagène et Miami...

« — Laisse-le parler de Simón Bolívar et de tout ce qu'il voudra, mais je te préviens qu'il ne te parlera pas de Fidel Castro... Cet homme est le type qu'il me fallait pour régler tous mes problèmes... Ne le faisons pas attendre davantage. Et, pour l'amour de Dieu, ne prends pas tes poses de star, tu en fais déjà bien assez avec cette robe ! Tu te la joues toute simple et charmante, comme si tu n'étais rien d'autre qu'une petite fille sage et discrète, okay ?... Au fait, il faut que je t'avertisse qu'évidemment mon ami est complètement camé... mais, les petites faiblesses des autres, toi et moi, on en est déjà revenus, pas vrai, mon amour ? »

J'imagine que ce commandant amazonien doit être habillé comme un sergent de l'armée, en tenue de camouflage, qu'il va me considérer comme une intruse dans cette réunion d'hommes bien machos, et qu'il va faire tout ce qui est humainement possible pour que je me retire afin de se retrouver seul à seul avec Pablo pour parler d'argent. Iván Marino Ospina est un moustachu de taille moyenne, aux traits grossiers et aux cheveux clairsemés et, à côté de lui, Escobar passe pour un vrai adonis. Je porte un ensemble de soie court et des chaussures à talons hauts et, lorsqu'il nous présente, Pablo est fier comme un paon. Immédiatement, je me rends compte qu'il est vrai que ce légendaire chef guérillero n'a effectivement peur ni de Pablo ni de personne car, depuis qu'il a posé ses yeux sur moi, il ne détache plus de mon visage, ni de mon corps, ni de mes jambes, un regard incandescent que je ne me souviens avoir vu chez aucun autre homme avant ce soir.

354

Ce dirigeant du M-19 est habillé en civil et me raconte qu'il vient de séjourner plusieurs mois en Libye. Personne ne se rend d'Amérique du Sud en Libye « pour découvrir », comme disent les touristes de la classe moyenne colombienne : il va y négocier du pétrole ou des ventes d'armes, et le M-19 n'est pas tout à fait la Standard Oil Company. Comme je connais la fascination de Pablo pour les dictateurs, je glisse que Mouammar Kadhafi a pris la décision de détrôner le roi Idris Ier de Libye le jour où il l'a vu perdre cinq millions de dollars – à leur valeur de la fin des années 1970 – en une seule nuit au casino de Monte-Carlo. Je demande à Ospina s'il le connaît, mais il affirme ne pas l'avoir vu car le M-19 ne se rend en Libye que pour s'y entraîner au combat. Lorsque j'essaie de savoir si le M-19 entretient de bonnes relations avec la Ligue arabe, les deux hommes échangent un regard et Pablo propose que nous ne parlions plus du lointain désert africain, mais plutôt de l'âpreté de la vie dans la forêt colombienne.

Iván Marino me raconte qu'il a passé de longues années dans les Llanos de l'est de la Colombie. Parmi tous les fleuves de cette région marécageuse, qui acquièrent des proportions colossales pendant la saison des pluies, il y a les deux cents principaux affluents de l'Orénoque, dont le bassin occupe un million de kilomètres carrés de plaines et de jungle au Venezuela, au Brésil et en Colombie. En me regardant fixement et en épiant la façon dont je réagis à chacun de ses mots, il se met à me parler des gymnotes. Il m'explique qu'à cause de ces poissons, lorsqu'ils traversent ces torrents à gué, les gens qui luttent contre l'oligarchie de Bogota et contre l'impérialisme de Washington doivent porter une tenue de protection, en particulier sous la ceinture, sinon, leurs bottes et leurs vêtements trempés deviennent une source de plaies et de souffrances supplémentaires. Horrifiés, Pablo et moi l'écoutons décrire ces animaux qui ressemblent à des tire-bouchons couverts d'épines et arrachent la chair de leurs victimes lorsqu'on les leur retire avec une espèce de forceps, épilogue d'une lutte titanesque entre le médecin du propriétaire de ce « territoire » et le gymnote qui entend le lui disputer. Je commets la bêtise de lui demander si c'est par la bouche, par le nez ou par les oreilles que ces braves petites bêtes entrent dans notre corps.

« Beaucoup plus bas. Ils entrent par tous les orifices du corps, surtout ceux qui se trouvent *bieeen* en bas ! Et, pour nos amies les dames, le problème est double ! » dit Ospina en me dévorant des yeux comme s'il voulait m'en faire la démonstration pour que j'en sois encore plus convaincue.

Comme Gloria Gaitán m'a toujours reproché de faire preuve, malgré mon âge et ma lucidité habituelle, d'une candeur hors norme, je décide de l'assumer ouvertement et, les yeux tout écarquillés, je demande au commandant suprême du M-19 :

« Et vous, Iván Marino, combien de gymnotes a-t-on dû vous enlever pendant toutes ces années de lutte révolutionnaire ? »

En regardant le mur d'en face avec une certaine tristesse, comme s'il se remémorait soudainement un chapitre sombre et douloureux qu'il pensait avoir oublié, il répond « quelques-uns, quelques-uns ».

Pablo me foudroie du regard, et je me lève pour aller aux cabinets et pour ne pas imposer à son ami davantage de questions sur le sujet qu'il a choisi pour me vendre l'idéologie de la révolution.

En sortant des toilettes, je m'arrête derrière la porte car j'entends le chef guérillero exiger de Pablo quelque chose, sur un ton des plus péremptoires :

« Non, mon frère, non, et non. Je la veux exactement comme celle-ci. Je n'en veux pas d'autre, un point, c'est tout. Exactement pareille, et qu'elle ait bien tout ce qu'il faut. Où avez-vous trouvé une telle perle, si *complète* ? Ouh, mon frère, la façon qu'elle a de croiser et de décroiser ses jambes... et comme elle sent bon... et l'allure qu'elle a quand elle marche ! Elle est pareille au lit ? Elle est divine, cette poupée ! Elle est tout à fait comme ça, la *putain de femelle* dont j'ai toujours rêvé ! Non... à bien y réfléchir... j'en veux deux comme ça ! Oui, les deux dans un jacuzzi, et vous pouvez me les déduire du million, si vous voulez !

— Du million ?... Euh, laissez-moi y réfléchir, mon frère, car... la façon dont vous me le dites me donne l'impression que... En fait, nous avons un double problème : le premier, c'est que... Virginia est la présentatrice télé la plus célèbre de Colombie... elle dit qu'elle a l'impression d'être "une star de ciné dans un pays sans industrie cinématographique"... Regardez-la sur toutes ces revues, si vous ne me croyez pas. Et le deuxième, c'est que, comme elle s'y connaît en tout et comme elle est capable de parler de tout... elle est mon trésor. Qu'est-ce que je ne donnerais pas pour en avoir deux comme elle !

— Mais pourquoi est-ce que vous ne m'aviez pas averti, mon frère ? Bon, bon, bon... excusez-moi, alors, hein ! Alors, tout compte fait... il y aurait bien moyen que je m'en tape deux dans le genre de Sophia Loren, ou pas ? Elles peuvent même être muettes... et plus elles sont bêtes, mieux c'est ! s'exclame Ospina en se tenant les côtes.

— Pour sûûûûr, camarade ! Des comme ça, je peux vous en trouver autant que vous voudrez : une Sophia Loren brune, une blonde, et même une rousse s'il y a assez de place dans le jacuzzi ! s'exclame Pablo, complètement soulagé. Et ne vous en faites pas, on ne va rien vous défalquer pour ça, mon frère. »

Je suis tentée de laisser seuls ces deux hommes et d'aller dormir, mais je décide d'entrer quand même. En franchissant le seuil de la porte, je vois les yeux du criminel le plus recherché au monde regarder, terrifiés, le guérillero le plus recherché de Colombie, comme s'ils l'imploraient de se taire. D'un geste tendre, Pablo m'invite à m'asseoir à côté de lui, mais je n'en ai cure et je m'installe à côté de la table où ils ont tous les deux laissé leurs fusils-mitrailleurs. Comme je vois qu'Ospina continue de regarder la couverture d'*Al Día* – sur laquelle je suis agenouillée et j'ai l'air nue, mais en réalité je porte un tout petit bikini de couleur chair –, je lui demande s'il veut que je la lui dédicace pour qu'il la garde en souvenir :

« Ne prenons aucun risque ! lance Pablo en réunissant les magazines avant de les mettre sous clé dans une boîte. Imaginez que l'armée tombe dessus lors d'une perquisition et qu'après ils aillent vous interroger pour trouver la cachette de ce bandit ? Et la mienne par la même occasion ! »

Je demande à Iván Marino pourquoi il est entré dans la lutte révolutionnaire. En regardant vers l'endroit de l'espace où nous gardons tous les souvenirs douloureux de notre enfance, il commence à me raconter comment, après l'assassinat de Jorge Eliécer Gaitán en 1948, dans sa Tulúa natale, les « oiseaux » conservateurs de la vallée du Cauca ont assassiné trois de ses oncles, dont l'un à coups de machette devant ses onze enfants. Après une pause, et avec une profonde tristesse, je commence également à lui raconter dans quelles conditions ma famille a perdu toutes les terres qu'elle avait à Cartago – toute proche de Tulúa – à cause de ces « oiseaux » : au cours des premières années de la Violence, mon grand-père – un ministre libéral marié à une propriétaire terrienne conservatrice – trouvait chaque semaine, lorsqu'il se rendait dans ses haciendas, un majordome mort, les oreilles, la langue et les parties génitales coupées et glissées dans le ventre de sa jeune épouse, qui avait préalablement été empalée ou éviscérée ; si jamais elle était enceinte – et les jeunes paysannes le sont presque en permanence –, il n'était pas rare de retrouver le fœtus de la pauvre femme dans une autre des cavités déchirées de son corps ou dans la bouche de son mari assassiné.

« Vous et moi savons tous les deux que le cannibalisme est la seule forme de dépravation à laquelle ne se sont pas livrés tous ces jeunes "oiseaux" conservateurs. Les hommes de ma famille n'ont jamais pris les armes, je ne sais pas si c'est par lâcheté ou parce qu'ils étaient catholiques. Ils ont préféré vendre leurs terres pour quelques piécettes à la richissime famille sucrière des Caicedo, qui stipendiait ces monstres qui étaient, à ce qu'on dit, leurs amis et leurs voisins.

— Mais comment pouvez-vous comparer votre situation à la nôtre ? s'exclame Ospina. Dans votre famille d'oligarques, les "oiseaux" tuaient les serviteurs pendant que le patron n'était pas là. Dans la mienne, qui était une famille de paysans, ils dépeçaient les gens devant leurs enfants ! »

Je lui fais part de l'effroi que m'inspirent toutes ces horreurs, de ma compassion pour toutes ces souffrances et de mon profond respect pour la cause de la lutte armée en Colombie. Je lui dis à quel point je trouve étrange que trois histoires aussi distinctes que les nôtres se trouvent réunies ici, ce soir, dans l'hacienda la plus riche du pays : celle du chef de la guérilla, celle du chef du narcotrafic et celle d'une femme ne possédant pas la moindre once de terre, mais parente de la moitié de l'oligarchie du pays et amie de l'autre moitié. Je lui fais remarquer que la vie réserve beaucoup de surprises et que Pablo, son ami, est maintenant un propriétaire terrien plusieurs fois plus puissant que n'ont pu l'être mon arrière-grand-père et ses frères réunis, et aussi que les surfaces que possède l'un de ses associés dépassent de très loin celles que possédait Pepe Sierra, l'*hacendado* le plus riche de toute l'histoire colombienne, qui était un ami de mes ancêtres.

Comme lui et Pablo restent silencieux, je demande à Iván Marino pourquoi le M-19 a rompu au mois de juin le cessez-le-feu qu'il avait signé avec le gouvernement de Betancur. Il m'explique qu'après leur démobilisation ses membres et ceux d'autres groupes insurgés qui étaient censés bénéficier d'une amnistie ont commencé à être assassinés par de sinistres forces d'extrême droite. Je lui demande si c'est du MAS qu'il veut parler.

« Non, non, non. Grâce à cet homme, dit-il en montrant Pablo, nous ne nous cherchons mutuellement pas de problèmes. Nous avons tous les deux un ennemi commun, qui est le gouvernement... et vous savez bien que "l'ennemi de mon ennemi est mon ami"... Le ministre de la Défense – le général Miguel Vega Uribe – et le chef d'état-major des armées, Rafael Samudio Molina, se sont juré d'en finir avec la gauche. On nous incarcérait et on nous torturait déjà sous le gouvernement de Turbay, mais celui de Betancur compte ne laisser la vie sauve à aucun d'entre nous. La Colombie continue d'être dirigée par les "oiseaux" de Laureano et de son fils Álvaro Gómez, sauf que ce sont maintenant des militaires qui pensent que, dans les pays comme le nôtre, la seule méthode qui vaille est celle de Pinochet : désarmer les gens de gauche, puis les exterminer comme une bande de cafards.

— Oui, c'est vrai que, parmi les gens que je fréquente, presque personne ne cache son admiration pour le modèle chilien, mais Álvaro Gómez n'est pas Laureano, commandant... Pourtant, même si cela va vous étonner, figurez-vous qu'en 1981 j'ai dû renoncer au travail le mieux payé de la télévision parce que, tous les jours, je refusais de parler de vous comme d'une "bande de malfaiteurs" au journal de *24 Horas*, qui était alors dirigé par Mauricio Gómez, fils d'Álvaro et petit-fils de Laureano. »

Ospina semble surpris qu'une personne comme moi puisse assumer une position politique si préjudiciable pour elle et je lui explique que, puisque je fais désormais partie de ceux qui n'ont rien, je n'ai plus rien à perdre non plus. Pablo nous interrompt pour lui dire :

« Virginia avait déjà été renvoyée d'un autre journal parce qu'elle avait soutenu la création du syndicat des techniciens... et elle vient de décliner l'offre d'une chaîne de Miami parce que je l'ai convaincue de rester ici en Colombie, bien que tous nos ennemis l'aient laissée sans travail. Partout où on peut la voir, mon frère, cette femme est plus combative que nous deux réunis. C'est pour cela qu'elle est si spéciale, et c'est pour cette raison que je voulais que vous fassiez connaissance. »

Il se lève et se dirige vers moi. Le chef guérillero se met debout pour nous dire au revoir et j'ai l'impression qu'il me regarde maintenant d'une autre manière ; il est assez stone et il rappelle à son hôte de ne pas oublier le service qu'il lui a promis. Escobar lui suggère d'aller dîner, et ils se donnent rendez-vous après minuit. Avant de prendre congé de lui, je lui souhaite beaucoup de succès dans sa lutte en faveur des plus faibles :

« Faites bien attention à vous et comptez sur moi si jamais vous avez besoin d'un micro... Si on m'en redonne un... un jour.

— Qu'as-tu pensé de mon ami ? » me demande Pablo lorsque nous nous retrouvons seuls.

Je lui dis qu'Iván Marino m'a fait l'effet d'un homme vaillant, audacieux et convaincu de la cause qu'il défend mais qu'en effet il semble n'avoir peur de rien.

« Les gens qui n'ont absolument peur de rien ont une personnalité suicidaire… et je crois qu'il manque de grandeur, Pablo. Je ne peux pas imaginer Lénine en train de demander deux prostituées à Armand Hammer devant une journaliste, ni Mao Zedong ni Fidel Castro ni Hô Chi Minh – qui parlait une douzaine de langues – drogués. Bon, alors, dis-moi, maintenant, pourquoi ce million ?

— Pour récupérer tous mes dossiers et y foutre le feu. Sans ces papiers, ils n'ont plus aucun moyen de m'extrader ! me lance-t-il avec un sourire triomphant.

— Mais ce n'est pas ça qui va te rendre innocent, Pablo ! La justice et les *gringos* réussiront à tout reconstituer ! C'est Iván Marino qui t'a mis cette idée dans la tête ?

— Tu sais bien que moi, personne ne me met d'idées dans la tête. C'est la seule solution, il n'y en a pas d'autre. Ils vont mettre des années à les reconstituer… et tu crois qu'il y aura des volontaires qui vont se présenter pour aller témoigner contre nous ? Où vont-ils les trouver ? Chez les Suicidaires Anonymes ? »

Il m'explique que tous les procès qui ont été ouverts contre lui et les siens se trouvent déjà au palais de justice et que les mises en garde qu'ils ont envoyées à la Cour suprême n'ont servi à rien : la Chambre constitutionnelle va commencer à les instruire afin de répondre à la justice nord-américaine, pour qu'ils soient tous extradés, ce qui n'est plus qu'une question de semaines.

« Et tu vas leur donner un million de dollars simplement pour aller récupérer une liasse de papiers qui se trouvent dans un seul et même endroit ?

— Non, il ne s'agit pas du tout d'une liasse, mon petit chou, il y a environ six mille dossiers en tout. Disons que cela représente... quelques petits cartons.

— Je pensais que ton passé tenait sur l'équivalent de quelques annuaires, pas sur des cartons entiers d'annuaires, mon Dieu !

— Ne me sous-estime pas tant, mon amour... Tu es dans les bras du plus grand criminel du monde et je voulais que tu saches que dans quelques mois je serai un homme sans le moindre passé judiciaire. Sans passé, contrairement à toi... »

Il rit et, avant que je ne puisse lui répondre quoi que ce soit, il me cloue le bec d'un baiser.

*

Tout en enfilant ses *sneakers,* il me dit qu'il va rendre son service à son ami avant que le pauvre ne perde la tête.

« Pablo, c'est vrai que le M-19 nous a habitués aux coups d'éclat, mais ce palais de justice, ce n'est pas l'ambassade de la République dominicaine... Ils ont réussi à prendre cette résidence parce qu'elle se trouve dans une rue tranquille, avec de grandes voies d'accès et de sortie. Le palais de justice, lui, donne sur la place Bolívar qui est gigantesque et entièrement dégagée. Les deux seules voies de sortie sont étroites et congestionnées en permanence, et le bataillon de la garde présidentielle se trouve juste derrière. Et s'il leur prend l'envie de tirer, et qu'ils tuent une pauvre secrétaire mère de trois enfants ou un de ces policiers qui se trouvent à la porte ? Ce bâtiment est extrêmement exposé, mon amour. Ce doit être un jeu d'enfant d'y entrer. Voler les papiers est un peu plus compliqué. Mais en sortir, ce sera impossible ! Je ne sais pas comment ils vont pouvoir s'y prendre... et bon... à vrai dire, je n'ai pas non plus envie de le savoir... »

Il s'assied au bord du lit et prend mon visage entre ses mains. Pendant un moment qui me semble une éternité, il l'explore avec les doigts, comme pour essayer de le graver dans sa mémoire. Il me regarde fixement, fouillant dans mes yeux pour s'assurer que ma réprobation évidente n'irait pas me faire commettre une nouvelle indiscrétion et il m'avertit :

« Jamais, jamais tu ne dois parler à personne de ce qui s'est passé ici cette nuit, compris ? Tu n'as jamais rencontré Ospina ni vu sortir Fayad. Et si on te pose des questions sur moi, tu ne m'as pas revu. N'oublie pas un seul instant qu'ils cuisinent les gens jusqu'à la mort pour essayer d'obtenir des informations sur l'endroit où se cachent ces types... et, dans ce genre de cas, c'est pour celui qui ne sait rien que les choses se passent le plus mal... car celui qui sait "chante" tout durant les dix premières minutes ! Mon ami est un habile stratège et son courage au combat est connu de tous. Cesse de t'en faire, ça va être un coup proprement et rondement mené. Ils sont très pros pour ces choses-là et, jusqu'à maintenant, ils n'ont jamais échoué.

Je sais choisir mes gens, c'est pour cette même raison que je t'ai choisie... parmi dix millions de femmes ! dit-il en m'embrassant sur le front.

— Oui, ça fait un paquet de femmes... Et pourquoi voulais-tu que je fasse la connaissance d'Iván Marino, Pablo ? m'enquiers-je.

— Parce que c'est un leader très important et parce que seul quelqu'un comme lui peut me rendre ce service. Il faut que tu aies une autre vision de la réalité, une vision différente de celle qu'en a la haute société dans laquelle tu vis, si fausse, si superficielle... Et puis, il y a aussi d'autres raisons... mais je ne peux les partager avec personne. Je peux te parler des miennes, pour que tu comprennes pourquoi je ne peux pas te voir ni t'appeler aussi fréquemment que je le voudrais, mais je ne peux pas être aussi clair avec toi sur les raisons qui animent mes associés. Maintenant, essaie de te reposer car, d'ici quelques heures, ils vont venir te chercher pour t'emmener à l'hôtel avant qu'il ne fasse jour. Tu verras, dans quelques semaines, nous fêterons le succès de cette opération avec une bonne bouteille de ton champagne rosé. »

Il me serre dans une étreinte réconfortante et m'embrasse plusieurs fois dans les cheveux, comme font les hommes avec les femmes qu'ils ne veulent pas perdre quand ils les savent tristes. Il me caresse les deux joues en silence, puis il se met debout.

« Je t'appelle dans quelques jours. Et, pour l'amour de Dieu, garde bien le Beretta dans ta poche et arrête de le laisser dans ton coffre-fort, car j'ai beaucoup d'ennemis, tu sais, mon amour. »

Quand nous nous quittons, nous ne savons jamais si nous nous reverrons un jour, mais j'ai toujours pris soin de ne pas le lui faire remarquer, car cela reviendrait à remettre en question la conviction absolue qu'il a qu'en matière de survie il se trouve également au-dessus des autres mortels. En ouvrant la porte, il se retourne un instant pour me souffler un dernier baiser, et je parviens à lui glisser :

« Pablo, le M-19 nous a toujours porté la poisse, à toi et à moi. Je crois que vous allez commettre une folie. »

Une fois de plus, je le vois partir, emportant dans le silence des ombres cette croix que je suis la seule à connaître. Je l'entends siffler et, quelques minutes plus tard, de ma fenêtre, je le vois s'éloigner entouré d'un petit groupe de gens. Je me demande si quelqu'un d'autre a idée d'à quel point cet homme, si riche et si puissant, mais aussi tellement impuissant face au pouvoir légitime, est terrorisé à l'idée d'être extradé. Je sais aussi que personne d'autre ne pourrait ressentir de compassion à son égard et que, en ce qui me concerne, je ne pourrais avouer à personne au monde les craintes qui m'assaillent. Je me retrouve seule, ici, à penser aux causes que défendent ces deux amis, celui qui lutte en faveur des plus pauvres et celui qui le fait en faveur des plus riches, à penser aux douleurs enkystées et aux terreurs inavouables que les hommes, vaillants ou pas, portent dans leur cœur de chair, de plomb, de pierre ou d'or. Je demeure triste et préoccupée, me demandant si c'est Pablo qui manipule Iván Marino avec son argent, ou le chef guérillero qui manipule le multimillionnaire en jouant sur le fait qu'il est le seul capable de lui rendre ce service dont va probablement dépendre le reste de sa vie. Ainsi que le reste de la mienne...

Le 29 août 1985, une dizaine de jours après cette soirée, ma toute dernière à l'*Hacienda Nápoles*, j'ouvre le journal et j'apprends qu'Iván Marino Ospina est mort au combat contre l'armée, à Cali. La disparition de ce guerillero m'inspire une douleur sincère mais, d'un autre côté, je suis profondément soulagée, car j'imagine qu'en l'absence de son esprit téméraire ce plan absurde a dû être annulé ou pour le moins remis à plus tard. Comme Pablo, j'adore Simón Bolívar, mort en Colombie, le cœur anéanti par l'ingratitude des peuples qu'il a libérés, et j'adresse au Libertador une prière pour l'âme du commandant guérillero dont la vie a croisé la mienne pendant ces quelques petites heures. Je me demande depuis combien de temps l'armée traquait Iván Marino et, secouée d'un frisson, je me rends compte que ce mort aurait pu être Pablo. Je m'interroge sur ce qu'il peut bien ressentir face à la perte de son ami, et je sais qu'à partir de cet instant il va renforcer à l'extrême les mesures de sécurité qu'il prenait déjà et que nous ne pourrons certainement pas nous voir pendant des semaines.

Début septembre, il me fait la surprise d'une sérénade de mes tangos favoris, dont *Ninguna* et *Rondando tu esquina*. Je pense que cette chanson, que j'ai toujours adorée, me rappelle simplement, maintenant, à quel point je suis surveillée. Le lendemain, Pablo appelle pour me dire que je lui manque tout le temps et pour me demander de travailler sérieusement sur le synopsis du film car, si les Italiens ne le produisent pas, il est lui en mesure de le faire. Début octobre, il m'annonce que, devant l'éventualité que la Cour approuve son extradition, il va devoir s'en aller pour quelque temps ; il me laisse entendre que le projet du palais de justice a avorté et m'explique qu'il ne peut pas m'emmener avec lui pour ne pas me faire courir de risque. Espérant que nous puissions nous retrouver dès que la situation sera plus sûre, il me dit au revoir au son d'une sérénade de mariachis et sur les romantiques promesses de *Si nos dejan* et de *Luna de octubre* :

> « Cœur qui a su souffrir et qui a su aimer en défiant la douleur...
> Si je m'en vais, ne pense jamais, au grand jamais, que c'est dans le seul but d'être loin de toi.
> Je vivrai dans l'éternelle passion qui s'est enflammée dès le jour où je t'ai vue,
> Dès le jour où j'ai rêvé que tu serais pour moi. »

Au cours des semaines suivantes, j'essaie d'oublier les événements de cette chaude journée d'août, mais le souvenir de la témérité d'Iván Marino et du ton triomphaliste de Pablo volette de temps en temps dans ma mémoire, comme un papillon aux ailes noires. À plusieurs reprises, nous, les journalistes, entendons des rumeurs sur les menaces adressées par les Extradables et le M-19 aux magistrats de la Cour suprême de justice, mais personne n'y prête attention car, comme presque tous ceux qui travaillent dans les médias, nous sommes habitués à entendre parler de menaces et convaincus qu'en Colombie « les chiens qui aboient mordent rarement ».

*

Nous sommes le 6 novembre 1985 et je me trouve, avec une collègue de travail, dans le lobby de l'hôtel Hilton pour la retransmission radiophonique du Concours national de beauté, un événement qui, d'année en année, réunit à Carthagène la majorité des journalistes colombiens, des centaines de personnalités et tout le *Who's Who* de l'industrie cosmétique et de la mode. Chaque reine de beauté fait son entrée, accompagnée du cortège de son département – c'est le nom que l'on donne aux États en Colombie –, qui comprend toujours l'épouse du gouverneur et celle du maire de la capitale. La veille de la « Soirée du couronnement » – qui se déroule dans le Centre des conventions et qui est suivie d'un somptueux bal de gala au Club Cartagena – arrivent le gouverneur, ses proches et les dignitaires de chaque département, entourés de nombreux directeurs de médias de tout le pays qui veulent interviewer toutes ces personnalités politiques et en profiter pour admirer toutes ces belles femmes. À cette époque, l'infiltration de ces concours par le narcotrafic est *vox populi*, et tout le monde sait que, sans le soutien du baron du département, le conseil départemental serait bien incapable, même dans ses rêves, de supporter les frais du cortège de la reine qui compte cent à deux cents personnes, entre les membres de sa famille, ses amis intimes, deux douzaines de dames de la haute société, les ex-reines avec leurs maris et toute la bureaucratie régionale. Il n'est pas rare non plus que la Miss en personne soit la petite amie du baron – ou du fils du baron – et que les relations des commandants de la police et de la Brigade de l'armée avec le roi local de la coke ou de la marijuana soient beaucoup plus intimes, stables, durables et rentables que celles que peut entretenir ce brillant homme d'affaires avec l'heureuse élue du moment.

Ceux qui douteraient de l'existence de femmes-objets ont juste à assister à un concours national de beauté à Carthagène : les costumes et les coiffes sont similaires à ceux des mulâtresses des *escolas de samba* du carnaval de Río de Janeiro, si ce n'est que les Brésiliennes défilent, heureuses, en dansant et en chantant à moitié nues, tandis que nos pauvres reines, perchées sur des talons de douze centimètres de haut, traînent derrière elles des capes emplumées et des scintillantes queues de sirènes lourdes de cinquante kilos sous des températures qui atteignent les quarante degrés centigrades. Les défilés dans des carrosses et sur des chars à thème, qui durent toute une semaine, mettent sur les genoux les plus résistants officiers de marine qui peuvent escorter ces filles.

Il est onze heures du matin, nous ne sommes plus qu'à cinq jours de l'élection et du couronnement, et l'énorme lobby bout d'excitation avec la présence de journalistes de radio, de photographes, de chanteurs, d'acteurs, de designers de mode, d'ex-*Señoritas Colombia* toutes plus belles les unes que les autres, qui marchent maintenant au bras de leurs orgueilleux maris et des directeurs des entreprises partenaires du concours. Les jurés, des personnalités venues d'autres pays, sont les seuls à se cacher de tout le monde pour que personne ne vienne dire ensuite qu'ils ont été manipulés par le cortège ou achetés par le futur beau-père de la Miss. Les reines sont quant à elles dans leurs chambres, en train de se préparer pour le premier défilé en maillot de bain, et les couloirs des étages qui leur sont réservés sont infestés d'affreux hommes en uniforme vert et de beaux hommes en uniforme blanc qui observent avec le plus grand mépris toute cette population gay de maquilleurs et de coiffeurs qui, de leur côté, regardent les premiers avec une haine féroce et salivent d'adoration devant les seconds. À onze heures quarante du matin, une clameur s'élève et toutes les interviews radio s'interrompent. Le M-19 a pris d'assaut le palais de justice et il semblerait qu'il retienne en otages les magistrats de la Cour suprême ! Ma collègue et moi filons dans notre suite et nous asseyons toutes les deux devant le téléviseur. Dans un premier temps, j'écarte l'idée que ce que nous voyons actuellement puisse avoir quelque chose à voir avec Pablo, car je suis convaincue qu'il se trouve en ce moment même à l'étranger. La dernière des choses que mon amie irait s'imaginer, c'est que je puisse être la maîtresse de Pablo Escobar, ou qu'une des têtes les plus visibles du MAS puisse avoir financé un assaut des guérilleros. La dernière des choses qui me passerait par la tête, à moi, c'est que ma collègue soit la petite amie d'un des dirigeants du M-19.

La place Bolívar est une immense esplanade au milieu de laquelle trône la statue du Libertador, tournée vers l'est, vers la cathédrale de l'Immaculée Conception. En face de celle-ci se trouve la mairie, flanquée du Sénat, qui donne au nord, et du palais de justice qui donne au sud. Derrière le Sénat se trouve le palais présidentiel – la Casa de Nariño –, défendu par le bataillon de la garde présidentielle.

Deux jours plus tôt, la surveillance du palais de justice, du siège de la Cour suprême et du Conseil d'État a été confiée à une entreprise privée, et c'est justement ce jour-là que la Chambre constitutionnelle aurait entamé l'examen des procédures d'extradition, dont celles de Pablo Escobar Gaviria et de Gonzalo Rodríguez Gacha. L'assaut a été lancé par le commando « Iván Marino Ospina » du M-19, chargé de « l'opération Antonio Nariño pour les droits de l'homme ». Sous les ordres des commandants Luis Otero et Andrés Almarales, trente-cinq insurgés ont fait irruption dans le palais, sept d'entre eux par la porte principale, comme de simples citoyens, et les autres de façon violente, dans deux petites camionnettes, par la porte du sous-sol qui se trouve sur le côté de l'édifice, en empruntant une des voies étroites et congestionnées du centre de Bogota. Le commando guérillero a déjà assassiné deux vigiles et l'administrateur du palais et, maintenant, après avoir pris en otages plus de trois cents personnes, dont des magistrats, des employés et des visiteurs, il exige la retransmission à la radio d'un communiqué dénonçant les accidents dont sont victimes les gens qui ont bénéficié de l'amnistie, et l'inefficacité de la justice en Colombie, qui conduit à l'extradition de Colombiens pour qu'ils soient jugés dans d'autres pays. Il entend aussi exiger que les journaux publient son programme, que le gouvernement attribue à l'opposition des fréquences radio et que la Cour suprême fasse appliquer son droit de pétition, tel que le prévoit la Constitution, pour obliger le président de la République ou son représentant à comparaître afin de le faire juger pour trahison des accords de paix signés avec les groupes qui ont déposé les armes : le M-19, l'EPL et le Quintín Lame.

À midi, le palais de justice se retrouve entièrement cerné par l'armée, à laquelle le « Président Poète » a ordonné de reprendre ce bâtiment coûte que coûte. À quatorze heures, les chars d'assaut sont déjà entrés dans le sous-sol, les hélicoptères du GOES – le Groupe opérationnel anti-extorsion et séquestration – ont lâché des troupes sur la terrasse de l'édifice, dont un tank Cascabel a enfoncé les portes qui donnent sur la place avant d'y entrer, suivi de deux autres tanks remplis d'hommes du bataillon de la garde présidentielle et de l'École d'artillerie. Belisario Betancur, qui s'est réuni avec les ex-présidents, les candidats à la présidence, des parlementaires et le président du Sénat, refuse d'écouter les magistrats ou les guérilleros. Les propositions des nations étrangères de servir d'intermédiaires entre le gouvernement et le groupe armé ne sont même pas parvenues jusqu'aux oreilles d'un président qui ne pardonne pas au M-19 la rupture du processus de paix sur lequel il a basé sa campagne présidentielle, ni le soutien que ce mouvement apporte aux Extradables, bien patent dans la proclamation qu'a faite Iván Marino Ospina au début de cette année et qui a été censurée par les autres commandants du M-19 : « Pour chaque extradé colombien, nous devons tuer un citoyen nord-américain ! »

Les tanks commencent à faire feu, et les stations de radio à retransmettre les déclarations du magistrat Reyes Echandía, le président de la

Cour suprême de justice – ainsi que de la cour pénale qui a approuvé un an plus tôt l'extradition de Colombiens vers les États-Unis –, qui supplie le président de la République de cesser le feu car il va finir par tuer tout le monde, mais ses appels sont interceptés par le chef de la police. Les paroles historiquement célèbres du jeune colonel Alfonso Plazas, de l'École d'artillerie à un journaliste présent sur les lieux définissent très bien ce moment : « Sur place, en train de défendre la démocratie, chef ! »

En Amérique latine, lorsqu'un chef d'État laisse carte blanche aux militaires pour qu'ils défendent la démocratie, ces derniers savent précisément ce qu'il leur reste à faire. Et ce qu'ils ont le droit de faire : décharger à leur aise toute la haine viscérale qu'ils ont accumulée pendant des lustres, ou même des décennies de lutte contre-insurrectionnelle, libérés – enfin ! – de toutes ces restrictions que prétendaient leur imposer les lois conçues par les hommes civilisés pour la protection des citoyens sans défense. À plus forte raison lorsque, dans ce palais de justice colombien – à côté de tous ces dossiers gros comme des annuaires téléphoniques qui contiennent le passé judiciaire d'Escobar et de ses associés –, reposent un nombre comparable de caisses contenant mille huit cents procès qui ont été ouverts contre l'armée et les services de sécurité de l'État pour des affaires de violations des droits de l'homme. Le vorace incendie qui, de façon inexplicable, ravage le palais à dix-huit heures, résout définitivement les problèmes d'une douzaine d'Extradables mais, surtout, ceux de plusieurs milliers de militaires.

Des températures infernales obligent désormais les guérilleros et leurs otages à se replier vers les toilettes et le quatrième étage ; Andrés Almarales ordonne aux femmes et aux blessés de sortir. En fin d'après-midi, les téléphones avec lesquels communiquaient le magistrat Reyes et le commandant Otero se taisent. Quand Betancur se décide à dialoguer avec le président de la Cour, ce n'est déjà plus possible : d'un point de vue technique, les militaires viennent de lui faire subir un coup d'État. Les événements du Concours national de beauté ne sont ni annulés ni remis, au prétexte que ce n'est pas une tragédie qui va briser le puissant esprit festif du peuple colombien, pas plus que les habitants de Carthagène ne vont laisser gâcher leur fête par quelque chose qui se passe « là-bas à Bogota ».

Les combats se poursuivent durant toute la nuit et, lorsque le représentant du président de la République et le directeur de la Croix-Rouge arrivent aux premières heures du jour pour négocier avec les guérilleros, les militaires ne leur permettent pas d'entrer dans le palais et les installent dans l'historique Casa del Florero à côté des deux cents otages libérés par Almarales ou sauvés par les soldats en uniforme, parmi lesquels se trouve le conseiller d'État Jaime Betancur Cuartas, frère du président de la République. Chaque personne est rigoureusement fouillée et interrogée par le directeur du B-2 (l'intelligence militaire), le colonel Edilberto Sánchez Rubiano, avec l'aide d'officiers d'artillerie et du F2 de la police. Plusieurs d'entre eux confondent des innocents avec des guérilleros, et des douzaines de fonctionnaires de justice, même des magistrats et des conseillers, n'échappent à la détention que grâce aux suppliques de leurs collègues de travail. Tous ceux qui éveillent le moindre soupçon sont entassés dans un camion militaire à destination de l'École de cavalerie d'Usaquén, au nord de Bogota, et seuls deux étudiants en droit, qui seront abandonnés sur une route éloignée après avoir été torturés, auront la chance d'être ensuite libérés.

À deux heures du matin, la planète entière assiste, incrédule, à la télévision, au moment où un tank Cascabel pilonne puis ouvre une énorme brèche dans le mur du quatrième étage où se sont réfugiés les derniers groupes de guérilleros et d'otages. À travers ce trou béant, des tireurs d'élite de la police postés sur les toits des édifices tout alentour tirent de façon indiscriminée vers l'intérieur du palais sur ordre de son directeur, le général Víctor Delgado Mallarino, tandis que l'armée lance des grenades et que les hélicoptères survolent le site. Bien que leurs munitions commencent à s'épuiser, les guérilleros refusent de se rendre à une commission humanitaire pour bénéficier ensuite d'un jugement avec certaines garanties et, tandis que cette pluie de plomb a raison de leur résistance, le feu termine de consumer tout ce qu'il reste du palais. Les militaires ont reçu l'ordre de ne laisser la vie sauve à aucune de ces soixante personnes et tous, même les magistrats témoins de ces atrocités et de cette boucherie, y restent. Parmi elles, le président de la Cour suprême et les quatre magistrats qui auraient dû se prononcer sur les extraditions, dont Manuel Gaona Cruz, défenseur des droits de l'homme. Le ministère de la Défense ordonne de dévêtir et de laver tous les cadavres sans exception, éliminant ainsi de précieuses preuves, et interdit au service de médecine légale d'entrer pour procéder à la levée des corps.

Pendant que se déroulent ces événements, et sur ordre de la ministre de la Communication Noemí Sanín Posada – cousine germaine de María Lía Posada, l'épouse de Jorge Ochoa –, les chaînes de télévision colombiennes ne retransmettent que des matchs de football et des nouvelles du Concours de beauté. Presque vingt-sept heures après le début de cette prise d'otages, on entend une dernière explosion à l'intérieur du bâtiment, puis tout reste plongé dans le silence. À deux heures et demie du matin, le général Arias Cabrales émet un communiqué informant le ministre de la Défense du succès de l'opération, et le général Vega Uribe avertit le président que la prise d'otages a été neutralisée et le palais de justice, libéré.

« Quel palais ? Cette montagne de ferraille tordue avec une centaine de cadavres calcinés à l'intérieur ? » nous demandons-nous, ébahis.

À vingt heures, Belisario Betancur s'adresse au pays :

« Pour le meilleur et pour le pire, le président de la République a assumé les responsabilités qui sont les siennes. »

« Quelles responsabilités ? Le massacre de tout le pouvoir judiciaire par un bombardement impitoyable effectué par l'armée et la police ? » me dis-je en écoutant ce commandant suprême des forces armées en qui le peuple colombien, éternellement appâté par l'illusion d'une paix qui n'existe pas, a cru voir en 1982 un futur homme d'État.

De ce véritable holocauste sont sortis trois grands vainqueurs : les militaires, les Extradables et les deux partis traditionnels. Car le futur projet politique incarné par le M-19 et par tous les autres groupes insurrectionnels a été enseveli sous les cendres des représentants du pouvoir judiciaire. Onze magistrats, quarante-trois civils, trente-trois guérilleros et onze membres des forces armées et du DAS ont perdu la vie. Les caméras des journaux télévisés ont filmé le moment où une douzaine d'employés de la cafétéria, son gérant et deux guérilleras ont été sortis du palais de justice par l'armée. Le lendemain, lorsque les familles demanderont des informations sur l'endroit où les détenus ont été transférés, on leur répondra qu'ils sont provisoirement incarcérés dans des garnisons militaires. Personne ne dira précisément de quelles garnisons il s'agit, ni où elles se trouvent ; toujours est-il qu'on n'entendra plus jamais parler d'eux.

Le 12 novembre, je rentre de ce funeste Concours, le dernier que je couvrirai de toute ma vie professionnelle. Le lendemain, le 13 novembre de cet *Annus horribilis*, se déroule en Colombie la plus grande tragédie de tous les temps, et l'attention des médias du monde entier oublie les cent victimes du palais de justice de Bogota pour se tourner vers les vingt-cinq mille morts d'Armero, dans le riche département producteur de riz et de café de Tolima. En songeant à l'incroyable sort de tous ces bouchers à la solde de l'État, je me dis qu'une malédiction s'est abattue sur ma pauvre patrie et sur nous tous ; je me demande si celui que je croyais le plus vaillant de tous les hommes ne serait pas devenu le plus lâche des monstres. Je change de numéro de téléphone et, l'âme prostrée par l'horreur, je prends la décision de ne plus jamais revoir Pablo Escobar de toute ma vie. Du jour au lendemain, j'ai fini de l'aimer.

Tarzan *vs.* Pancho Villa

Omayra Sánchez, jeune fille de treize ans, agonise devant les caméras de télévision du monde entier. Seuls sa tête et ses bras ressortent de la boue durcie qui emprisonne ses jambes, telle une colonne de béton. Le spectacle de désolation qui entoure l'adolescente, des kilomètres et des kilomètres de fange dont n'émergent que la cime d'un arbre et les restes d'une vache noyée, donne l'impression de s'étendre à l'infini. Il faudrait des jours pour sortir Omayra d'ici et la conduire à un hôpital où l'on puisse l'amputer de ses deux jambes. Tandis que la gangrène gazeuse gagne petit à petit tout son corps, la fillette adresse un message d'espérance à des millions de compatriotes et à tous ceux qui, émus par sa souffrance et son courage face à la mort, l'observent, impuissants, aux quatre coins de la planète. Nous, les Colombiens, savons qu'il est impossible de la sauver et que nous ne pouvons rien faire d'autre qu'assister à son agonie et prier pour que son calvaire s'achève au plus vite. Soixante heures plus tard, ce petit ange nous quitte pour toujours et s'envole vers le Ciel, où l'attendent déjà les âmes des vingt-cinq mille autres victimes et les cent âmes, innocentes ou coupables, des morts tombés dix jours plus tôt lors de l'attaque du palais de justice.

La petite Omayra n'est qu'une des vingt et une mille personnes blessées et sinistrées qui ont survécu au drame qui a eu lieu dans le Tolima. En l'espace de quelques minutes, l'éruption du cratère Arenas du Nevado del Ruiz a gonflé de lave et de roche volcanique le paisible fleuve Lagunilla qui, transformé en une trombe d'eau large de plusieurs kilomètres, s'est abattu vers minuit sur Armero. Ce torrent de fange et de débris a littéralement rayé de la carte ce bourg prospère qui existait depuis quatre-vingt-dix ans. Toutes les tragédies qui se déroulent en Colombie sont toujours annoncées à l'avance, et celle-ci ne fait pas exception à la règle : depuis plusieurs mois, les vulcanologues avaient mis en garde contre les énormes fumerolles du cratère, mais la proverbiale indifférence de l'État a décidé de les ignorer car comment le gouvernement aurait-il pu évacuer cinquante mille personnes et où les aurait-il hébergées pendant des jours ou des semaines ?

Ces deux catastrophes consécutives plongent le pays dans le deuil et lui laissent un très profond sentiment d'impuissance. Mais celle d'Armero devient une véritable bénédiction pour les militaires. Ceux-ci, bien las de violer, d'étouffer, d'arracher les ongles, de plonger dans l'acide sulfurique, d'incinérer, d'enterrer ou de jeter dans des décharges à ciel ouvert la dépouille des personnes arrêtées au palais de justice, soucieux de récupérer à tout prix l'image de serviteurs qui est la leur lors des calamités publiques, mettent à la disposition des deux douzaines de milliers de personnes restées invalides, blessées ou sans abri, tous leurs hommes, ressources, avions et hélicoptères. Du jour au lendemain, ils ont cessé d'être des scélérats pour devenir des sauveurs.

Tout cet effroi, ces histoires sans fin de souffrances insupportables et de pertes irréparables, occupe le petit écran du matin au soir ; toute cette douleur collective et ce torrent de larmes se mêlent aux miennes et, reconnaissant finalement l'égoïsme, l'aveuglement et l'irresponsabilité de l'homme que j'aimais, j'éprouve le sentiment coupable d'être encore vivante alors que je n'aspire qu'à trouver la paix parmi les morts.

*

Environ deux mois plus tard, mon amie Alice de Rasmussen m'invite à venir passer quelques jours dans la maison qu'elle a dans les îles du Rosario, petit archipel situé à cinquante-cinq kilomètres de Carthagène de Indias. Ce parc national est un chapelet d'îlots coralliens appartenant à la nation, mais sur lesquels des dizaines de familles traditionnelles et puissantes de Carthagène, Bogota et Medellín ont construit toutes sortes de maisons et de villas, auxquelles elles ont donné le nom technique d'« améliorations ». En Colombie, le pays de Ripley, la pratique du fait accompli finit toujours par être justifiée par la loi, ce qui semble signifier que, bien que ces îles soient la propriété de l'État, leur sol est à celui qui saura se l'approprier afin de l'améliorer par des constructions somptuaires.

Après tout, qui accorde de l'importance au fait que la partie immergée d'une petite île, dans la zone que la Colombie dédie au tourisme de luxe, appartienne à un autre propriétaire que l'État ? Vers 1986, il n'en reste plus aucune qui soit encore sauvage, chaque lot vaut une petite fortune et le prix de la maison la plus modeste ne descend pas sous la barre des deux cent cinquante mille dollars.

Rafael Vieira Op Den Bosch est le fils d'un des colons blancs du parc des îles du Rosario et d'une mère hollando-caribéenne. Il a trente-quatre ans et, bien qu'il n'ait pas de zoo, c'est un écologiste respecté des touristes, de ses voisins et du directeur lui-même de cette réserve sur le domaine de laquelle lui et sa famille ont construit la rentable affaire de l'aquarium des îles. Rafa, comme tout le monde l'appelle, n'est pas riche, mais il facture huit cents déjeuners par jour. Il n'est pas trapu, moche et rondouillard, mais très grand, beau et athlétique. Il n'a pas de *speed boats* mais un vieux bateau de pêche énorme. Il ne collectionne pas des girafes et des éléphants mais des barracudas et des dauphins, et le seul point commun qu'il ait avec Pablo Escobar, c'est Pancho Villa : pendant que Pablo tue des gens – et sur les photos où il porte un chapeau et un costume de *charro*[1], il ressemble à la réincarnation de ce bandit mexicain –, Rafa n'est que le ravisseur de « Pancho Villa », un féroce requin citron et, sans chapeau et avec son éternel maillot de bain, il est le portrait craché de Kris Kristofferson.

---

1. Gardien de vaches mexicain au costume richement décoré. *(N.d.T.)*

Cela fait des mois que je suis triste, que je me sens terriblement seule, et je n'ai aucun mal à tomber amoureuse, dès le premier regard, d'une personne aussi belle que Rafael Vieira. Comme, à ce qu'il paraît, il tombe aussi *ipso facto* amoureux de mon sourire et de ma poitrine et qu'il me baptise « Pussycat », je m'installe dès le premier jour avec lui et ses poissons, ses crustacés, ses dauphins, ses squales et sa cause : la préservation de la vie marine dans un pays et dans un parc national où l'une des traditions les plus anciennes est la pêche à la dynamite pour gagner du temps et économiser du matériel car, tout ce qui compte, c'est le rhum et le présent, et pas nos enfants ni notre futur.

À San Martín de Pajarales, la toute petite île des Vieira, il n'y a ni plages ni palmiers, et l'eau douce y est un luxe. Elle est également habitée par une douzaine et demie de travailleurs afro-colombiens, des descendants des premiers habitants de ces îles, et par la mère de Rafael, car son père et sa belle-mère résident à Miami, et ses frères, à Bogota. Il y a une douzaine de maisonnettes et la porte de la nôtre reste toujours ouverte. Rafa travaille à longueur de journée à l'agrandissement de son aquarium et je nage, je fais de la plongée et j'apprends les noms de toutes les espèces animales de la mer des Caraïbes en latin, en anglais et en espagnol. Animée d'un état d'esprit hors pair, digne de Cousteau, je deviens une véritable experte en éthologie des crustacés et, également animée par celui de Darwin, je deviens tout aussi intarissable sur les raisons pour lesquelles les requins ont une silhouette parfaite, résultat de trois cents millions d'années d'évolution tandis que nous, les humains, ne pouvons justifier que cinq millions d'années et pâtissons de toutes sortes de défauts, comme la myopie en ce qui me concerne. À ce que je comprends, c'est parce que nous, les hommes, descendons de simiens, auxquels il a fallu des millions d'années pour apprendre à marcher sur deux jambes, et bien plus encore pour devenir chasseurs, et non d'espèces marines, qui sont plus intuitives, plus libres et aventureuses.

Rafa m'apprend à pêcher, à plonger avec des bouteilles et à exorciser ma peur des raies manta, qui jouent parfois avec nous, et des curieux barracudas qui nagent autour des humains pour étudier la plus prédatrice des espèces qui est également la seule du règne animal à pratiquer la torture. Il me convainc qu'en mer les animaux n'attaquent pas, à moins qu'on ne leur marche dessus ou qu'on les ait mal harponnés, mais je me refuse à apprendre à les chasser, car je n'aime pas faire de mal aux petites bêtes, encore moins les tuer, et je préfère leur faire du bien à toutes. Chaque jour qui passe me voit descendre de plus en plus profond, sans même l'aide d'un tuba, et ma capacité pulmonaire augmente petit à petit. Comme je nage six à sept heures par jour et que je parcours des distances de plus en plus longues, je commence à devenir une véritable athlète et j'ai l'air d'avoir rajeuni de plusieurs années. En fin de journée, Rafa et moi avons l'habitude de prendre un *drink* tout en contemplant le soleil qui se couche sur l'horizon incandescent, sur le bord d'un petit embarcadère qu'il a construit de ses propres mains – comme presque tout ce qui se trouve sur cette île –, et nous parlons de choses qui ont trait à l'environnement, à ses voyages à travers l'Afrique, aux espèces animales et à leur évolution. Lui non plus n'aime pas les livres ; en revanche, il aime les histoires et, le soir, je lui lis celles de Hemingway. Mon mode de vie actuel est incroyablement rudimentaire, et nous sommes tellement heureux que nous évoquons la possibilité de nous marier un jour, et même d'avoir des enfants.

Toutes les six semaines, je rentre passer quelques jours à Bogota, qui me fait maintenant l'effet d'une ville inhospitalière et étrange où il ne faut jamais sortir sans ses défenses de *Femina sapiens* – longs ongles vernis de sorcière, maquillage, coiffure, tailleur et chemisier de soie, bas longs et chaussures à talons stilettos – et vivre en fonction d'un tas de gens cosmopolites et retors qui passent leur vie à parler d'infidélités et de conspirations et me regardent avec une profonde compassion et un semblant d'envie parce que j'ai fait une croix sur ma carrière, sur mes voyages et ma vie sociale pour partir vivre « sur une île microscopique pour l'amour d'un *beach boy* qui a la réputation d'être beau gosse, mais aussi d'être sans le sou ». Je fais un crochet par mon appartement, je paie mes factures et je m'empresse de retrouver ma vie marine et les bras aimants de Rafa. Un matin, lors d'un de ces brefs passages, vers le milieu de l'année 1986, en ouvrant mon courrier, je trouve une enveloppe en papier kraft qui semble contenir un magazine. Je l'ouvre.

Rien, rien au monde n'aurait pu me préparer à ce que j'ai reçu : les photos de seize cadavres découpés en morceaux me ramènent à la réalité de la Colombie continentale, et le texte de cette lettre anonyme me ramène à l'homme que j'ai cessé de voir et d'aimer depuis déjà plusieurs mois, et dont le souvenir n'a plus maintenant la saveur aigre-douce d'un fruit défendu pour se limiter, avec le temps, à une succession de souvenirs de plus en plus flous, d'incertitudes et d'agonies tout aussi coûteuses qu'inutiles. Il est évident que quelqu'un est allé parler de notre réunion avec le M-19 à un membre des services de sécurité ou d'intelligence militaire, qui est peut-être impliqué dans les tortures les plus terrifiantes que l'on puisse concevoir. Et ce quelqu'un, qui accuse Pablo et Gonzalo de crimes encore plus atroces que tous ceux que j'aurais pu imaginer, jure de les faire payer à chaque goutte de mon sang et à chaque millimètre carré de mon épiderme. Après avoir pleuré pendant plusieurs heures et prié pour l'âme de ces victimes afin qu'elles m'éclairent sur ce qu'il convient de faire, je prends la décision de téléphoner à deux personnes : à une femme de mes connaissances pour lui dire que j'ai changé d'avis au sujet du diamant de soixante-douze carats dont elle m'avait parlé et que j'accepte finalement d'aller le montrer au collectionneur (sa propriétaire en demande un million de dollars et m'offre cent mille dollars de commission si je le vends), et à mon amie Susanita, qui est vendeuse de biens immobiliers, pour lui demander de mettre en vente mon appartement. Puis, au lieu de retourner à Carthagène, je prends le premier vol pour Medellín.

Gustavo Gaviria me reçoit sur-le-champ, avec son affection distante mais sincère de toujours.

Tandis que nous parlons de ses affaires, de mes contrats résiliés et de la situation du pays, je décèle au fond de son regard ce qui semble être le début d'une profonde déception existentielle. Après plusieurs minutes de discussion, je lui montre le diamant qui, à ce que l'on m'a dit, a appartenu à une maison royale européenne. Prenant une loupe de joaillier qui lui permet de détecter jusqu'à la plus insignifiante trace de carbone dans ce qui pourrait sembler être la pierre la plus parfaite, il commence à analyser cet œuf de perdrix cristallin que je lui apporte :

« Réellement, c'est l'un des plus gros cailloux que j'aie vu de ma vie... il couvre entièrement une de mes phalanges... oui, il devait appartenir à une tête couronnée... vu le prix, c'est clair qu'il a été volé... mais il n'est pas très clair... jaunâtre, ni blanc, ni canari... il n'est pas cher... mais sa couleur ne me plaît pas... et il a des inclusions...

— S'il te plaît, Gustavo ! Tu sais comme moi que s'il était *D-Flawless* ou *canary*, il vaudrait quatre à cinq fois plus... »

Quelqu'un frappe à la porte et, sans attendre que Gustavo l'autorise à entrer, il entre et la referme derrière lui.

« Mais regardez donc qui nous arrive là ! Rien de moins que la Petite Sirène en personne ! Quel bronzage ! Et que nous vaut un tel honneur ?

— Elle est venue me proposer ça, Pablo, lui dit Gustavo en lui montrant le diamant. Tous les contrats de Virginia, même ceux de la publicité, ont été résiliés et elle a besoin de l'argent de la commission. »

Il prend la pierre scintillante entre son pouce et son index et l'étudie, le bras tendu, à distance, comme il pourrait le faire avec le doigt du cadavre en décomposition de son pire ennemi. Son visage exprime un tel dégoût que je crois pendant un instant qu'il va jeter le million de dollars par la fenêtre. Puis, comme si c'était pour lui un devoir de passer outre à son envie de le faire, il regarde son associé et s'exclame :

« Bon, ici on est au siège d'un business de stupéfiants – pas chez Harry Winston ! – et nous ne faisons pas d'affaires avec elle. Si elle a besoin d'argent, elle n'a qu'à s'entendre avec moi ! Et n'oubliez pas, mon frère, que l'on nous attend pour la réunion. »

Avec un profond soupir, Gaviria me dit qu'il n'achète pas de diamants d'une telle taille parce que, en cas d'urgence, il est impossible de les échanger ou de les revendre à leur vraie valeur. Je demande comment une personne qui dispose d'un milliard de dollars en liquide pourrait avoir des problèmes de liquidités pour payer une somme d'un million et, avec un haussement d'épaules et un sourire résigné, il me répond que les riches pleurent eux aussi. Il me dit au revoir en me donnant un baiser sur la joue. Lorsque son cousin et moi nous retrouvons seuls, je lui montre l'enveloppe avec les photos et la lettre anonyme.

« Je crois que tu devrais jeter un œil là-dessus, j'ai reçu ça par courrier et je pensais te le laisser en voyant Gustavo. Apparemment, l'expéditeur veut me faire payer pour une chose dont toi ou le Mexicain êtes responsables, en me soumettant aux mêmes atrocités que celles que vous avez fait subir à ces gens.

Qui d'autre était au courant de notre réunion avec Iván Marino, Pablo ? Et qui se cache derrière la mort d'Álvaro Fayad, au mois de mars ? »

Il ouvre l'enveloppe et en jette le contenu sur la table. Il reste sans voix, hébété, stupéfait, et s'assied. Il ne devient pas livide, car rien ne pourrait le faire pâlir et même les choses qui feraient perdre connaissance à n'importe qui n'ont jamais fait trembler Pablo Escobar. Avec les pincettes de joaillier de Gustavo, il prend une à une chacune des seize photos et les étudie en silence ; puis, il lit à voix haute chacun des commentaires qui les accompagne et, finalement, me dit :

« Je crois que toi et moi, il va falloir que nous ayons une discussion. Bien longue... Tu es mariée ? »

Je lui réponds que non, mais que Rafael m'attend ce soir à Carthagène. Pablo me demande dans ce cas de rendre ce diamant, de faire croire à mon amie que je vais prendre l'avion et d'aller l'attendre à son appartement jusqu'à ce qu'il puisse se libérer de ses obligations, car ce qu'il a à me dire est une question de vie ou de mort.

« Commence par appeler ton fiancé ou ce qu'il est pour toi, peu importe, pour lui dire que l'avion t'a laissée en rade et que tu rentreras demain. Et sois tranquille, personne ne va te faire de mal, même moi, je n'ai pas la moindre intention de toucher à un seul de tes cheveux. Je garde ces photos, je vais demander à des amis de comparer les empreintes digitales pour savoir qui est le dépravé qui les a prises, le schizophrène qui te les a envoyées et le fils de pute de suicidaire qui m'accuse d'être responsable de cette boucherie !

— Non, non, Pablo, il y a déjà des centaines de mes empreintes sur ces photos et tu risques d'empirer les choses ! Surtout, ne va les montrer à personne et n'essaie pas de vérifier comment elles ont été prises, je t'en supplie ! Je vis sur une petite île avec un homme qui est un véritable ange et je n'ai rien à voir avec tous ces crimes que vous commettez ! » lui dis-je en fondant en larmes et en essayant de récupérer les clichés.

Il se lève et me passe un bras derrière les épaules. Quand il parvient à me calmer, il range les photos dans l'enveloppe et me promet de les brûler une fois qu'il les aura attentivement étudiées pour voir si ces visages correspondent aux disparus du palais de justice ; du moins, ce qu'il en reste après l'action de l'acide sulfurique. Il insiste sur le fait que je dois rester cette nuit à Medellín et, lorsque je finis par accepter tout en grinçant des dents, il me dit au revoir et il sort à toute vitesse. Suivant ses instructions, j'appelle Rafael pour lui dire que je ne rentrerai que le lendemain car mon vol a été annulé en raison du mauvais temps ; jamais je ne pourrais lui parler de la terreur qui m'envahit, et encore moins des raisons que j'ai de la partager avec Pablo. En arrivant à l'appartement, lorsque je pose ma valise sur le lit pour en sortir quelques affaires, je remarque quelque chose qui brille entre les bouclettes du tapis : c'est un minuscule bracelet en or. J'essaie de le passer. Mon poignet est presque aussi fin que celui d'une petite fille mais il manque à ce bijou d'une valeur insignifiante environ un pouce pour que je puisse le refermer.

Quelques heures plus tard, en voyant Pablo entrer dans l'appartement, je me rends compte que, durant cette seule année, il a vieilli de cinq ans. Il en a à peine trente-six, mais sa démarche semble plus lente et moins assurée. Je remarque qu'il a pris du poids et que ses tempes commencent à grisonner ; les miennes aussi, je pense, mais nous, les femmes, nous pouvons le cacher plus facilement. Il a l'air plus tranquille que cet après-midi mais il semble clairement fatigué et triste, comme s'il avait besoin d'un gros câlin. Tout dans son visage semble exprimer une grande interrogation et, dans le mien, une énorme accusation. En voyant nos reflets séparés dans ce miroir qui nous a vus tant de fois réunis, il dit que j'ai l'air d'avoir dix ans de moins que lui et que je ressemble à une statue en or ; je le remercie poliment pour ce compliment alors qu'un an plus tôt je l'aurais remercié de cent baisers. Il veut savoir pourquoi j'ai changé de numéro de téléphone sans le prévenir et, en une demi-douzaine de phrases brèves et cinglantes, je lui expose mes raisons. Après un de ses silences habituels, tête baissée, il soupire, lève les yeux et dit qu'il me comprend. Puis il me regarde avec ce qui pourrait s'apparenter à la nostalgie de tous ses rêves qui se sont subitement envolés, il sourit tristement et ajoute qu'il est réellement très content de me voir et de pouvoir parler à nouveau avec moi, même si ce n'est que pour quelques heures. Il demande si ça ne me dérange pas qu'il s'allonge sur le lit et, quand je lui dis que non, il se laisse tomber lourdement, croise les mains derrière sa nuque et commence à me raconter des histoires de la vraie vie et certains des moments qu'il a vécus ces derniers temps, comme ce qui est arrivé le 6 novembre dernier :

« La secrétaire du magistrat Carlos Medellín a été transportée à l'hôpital Simón Bolívar, brûlée au troisième degré. Lorsque les hommes en uniforme sont venus l'arrêter, le directeur du Centre des grands brûlés a essayé de s'y opposer, ils ont menacé de l'accuser de complicité avec une guérillera, de l'arrêter lui aussi et de l'emmener dans une caserne pour qu'il y soit interrogé. Cette dame innocente a ensuite été écorchée vive, pendant des heures, à l'École de cavalerie de l'armée et elle a succombé alors que ces animaux étaient occupés à littéralement lui arracher la peau par lambeaux. Ils ont volé le bébé d'une femme qui avait accouché dans un camion de l'armée et, après l'accouchement, ils l'ont torturée à mort sur place. Le cadavre dépecé d'une autre femme enceinte a été jeté dans la décharge de Mondoñedo. Pilar Guarín, une jeune femme qui faisait ce jour-là un remplacement à la cafétéria, a été violée pendant quatre jours dans des garnisons militaires. Elle et plusieurs des hommes ont été plongés dans des baignoires d'acide sulfurique, d'autres encore ont été enterrés au cimetière de l'École de cavalerie, où reposent les corps des centaines des milliers de disparus du gouvernement de Turbay. Tu sais pourquoi les militaires et les membres des services de sécurité ont fait tout cela ? Pour essayer d'obtenir des informations sur les sept millions que j'aurais soi-disant donnés au M-19 pour ensuite se les partager. Les tortures, ce n'était pas pour savoir qui avait financé la prise d'otages – ça, ils le savaient déjà – mais pour trouver la cachette d'Álvaro Fayad et de tout cet argent, et même de celui que j'avais déjà remis à Iván Marino Ospina.

— Combien as-tu réellement donné au M-19, Pablo ?

— J'ai donné à Iván Marino un million en espèces et j'en ai promis autant en armes et en soutien économique pour après. Grâce à la piste de *Nápoles*, nous avons pu livrer des explosifs, mais les armes et les munitions n'ont pas pu arriver à temps, et c'est ça, le drame : l'attaque a dû être avancée car c'était ce jour-là que la Chambre allait commencer à examiner nos demandes d'extradition, et les preuves qu'ils avaient contre nous étaient accablantes. Le M-19 voulait seulement lancer un communiqué et demander des comptes au Président, mais tout a joué contre eux. Les militaires ont incendié le tribunal et ont assassiné les magistrats pour qu'il ne reste aucun témoin de ce qui s'était passé à l'intérieur. Ils ont tout raconté à Gonzalo, qui me l'a raconté ensuite. Devant toi, je peux me permettre de reconnaître qu'avec ce million et quelques de dollars, j'ai fait la plus belle affaire de toute ma vie mais, bien que le Mexicain soit très proche du B-2, et malgré toute la haine qu'il a pour la gauche, ni lui ni moi n'avons payé l'armée pour assassiner six commandants du M-19 ! C'est le mensonge le plus éhonté que j'aie jamais entendu, car Fayad et Ospina n'étaient pas seulement mes amis, ils étaient aussi notre contact à tous avec Noriega, avec les sandinistes et Cuba. Je n'ai aucune raison de te mentir,

Virginia, parce que tu me connais très bien et je pense que tu es toi-même convaincue que les choses se sont passées ainsi. Maintenant, je peux t'avouer que si je voulais que les principaux commandants du M-19 fassent ta connaissance ce soir-là, c'était parce que je savais qu'ils allaient exiger que leur gouvernement leur fournisse des fréquences radio et parce que je pensais que tu aurais pu travailler avec eux. »

Je lui demande qui d'autre était au courant de leurs réunions avec Ospina et Fayad, et il me répond qu'il n'y avait que les hommes en qui il avait le plus confiance. Je veux aussi savoir combien d'entre eux étaient informés de ma présence à celle de la mi-août 1985 ; il semble surpris et me dit que, comme d'habitude, il n'y avait que les deux hommes qui étaient passés me chercher à l'hôtel et qui m'y avaient ramenée. Je lui fais comprendre qu'un traître se cache parmi ses gens : il a certainement dû raconter des choses sur notre réunion à une de ses petites amies de passage, et elle aura appelé les services de sécurité pour m'accuser et, par la même occasion, m'écarter de son chemin ou m'obliger à sortir du pays. Et, maintenant, un inconnu qui a l'esprit le plus tordu de la Terre veut me faire avaler que Pablo et le Mexicain ont payé l'armée pour la faire éliminer aussi bien les magistrats que les guérilleros, simplement pour ne pas avoir à verser au M-19 le reste de la somme qu'ils lui ont promise si jamais l'attaque se soldait par un échec. Il répond que, s'il en avait été ainsi, l'armée et les services secrets l'auraient racketté le restant de ses jours, ce qui lui aurait coûté bien plus cher que ce qu'il a pu donner au M-19.

« Pablo, ça ne m'intéresse pas de savoir qui a parlé de notre rencontre chez Ospina, mais il faut que tu commences à te méfier de tes propres hommes et de toutes ces petites putes de luxe que tu prends tout le temps ; toi, tu as une armée qui te protège, tandis que moi, je suis à la merci de tes ennemis. Je suis une des femmes les plus célèbres de ce pays et, quand je me ferai découper en petits morceaux ou quand on me fera disparaître et que notre relation éclatera au grand jour, tu seras accusé d'être le responsable de ma mort et toutes tes petites reines de beauté et tes prostituées auront tôt fait de quitter le navire. »

Je lui jette au visage le petit bracelet en or et je lui dis qu'il est bien grand pour appartenir à sa fille Manuela.

« Ce truc, c'est à une fillette que tu l'as offert ! Non seulement tu deviens accro à la marijuana et à ton propre produit, mais en plus, tu m'as l'air bien parti pour devenir un dépravé ! Qu'est-ce que tu espères trouver chez toutes ces vierges ? Le seul idéal féminin que tu aies jamais eu, l'avatar, la réincarnation de celle qui a été un jour la femme de tes rêves, dont tu es tombé amoureux alors qu'elle n'avait que treize ans ?

— Je ne permets pas que l'on me parle sur ce ton ! Mais, putain, pour qui tu te prends ? » s'exclame-t-il en se levant et en se jetant comme un fauve sur moi.

Tandis qu'il me secoue comme une poupée de chiffon, je lui crie, incapable de me contrôler :

« Je me prends pour ta seule véritable amie, Pablo ! La seule femme qui n'a jamais rien attendu de toi, qui ne t'a pas demandé de l'entretenir, qui ne s'est jamais imaginé que tu allais quitter ta femme pour elle, et qui n'a pas cherché à te faire des enfants dans le dos ! La seule femme qui présente bien, qui t'a aimé et qui t'aimera jusqu'à la fin de tes jours ! La seule qui a perdu tout ce pour quoi elle avait travaillé toute sa vie, par amour pour toi, et la seule que le septième homme le plus riche de la planète a laissée les mains vides et sans aucun moyen de subsistance ! Tu n'as pas honte ? Alors que je croyais que tout ce que nous avions connu faisait désormais partie du passé et que j'allais enfin pouvoir vivre heureuse avec un homme bon, voilà le cadeau que je reçois d'un tortionnaire profession-nel ! Je t'ai apporté ces photos pour que tu voies ce qu'ils ont fait à toutes ces femmes innocentes par la faute de ta fameuse cause, pour te parler de choses dont personne d'autre n'oserait te parler car je suis la seule qui n'a pas peur de toi et la seule femme de ta vie à avoir une conscience ! Tu sais que j'ai horriblement peur de la torture, Pablo. Tue-moi une fois pour toutes, avant que je ne tombe entre les mains de tous ces dépravés ! Fais-le toi-même, toi qui as "broyé" deux cents personnes, toi qui es un expert de classe internationale en techniques d'étouffement ! Mais, cette fois, fais-le vite, je t'en supplie !

— Non, non, non ! Ne me demande pas quelque chose d'aussi horrible, car toi, tu es un ange, et moi, je ne tue que des bandits, c'était bien la dernière chose que je n'avais pas encore entendue ces derniers mois ! » dit-il en s'efforçant maintenant de me calmer, de me faire taire et de me prendre dans ses bras tandis que je n'arrête pas de lui envoyer des coups de poing.

Lorsque je n'en ai plus la force et que, vaincue, je sanglote, la tête sur son épaule, il m'embrasse les cheveux et me demande si je l'aime encore un petit peu. Je lui dis que j'ai fini de l'aimer depuis longtemps, mais que je l'aimerai jusqu'au jour de ma mort car il est le seul homme qui ait jamais été bon pour moi... comme il l'a été pour les plus pauvres d'entre tous les pauvres. Au cours du long silence qui s'ensuit, on n'entend plus que mes sanglots ; puis, comme s'il parlait en son for intérieur, tandis que je retrouve mon calme entre ses bras, il commence à me dire, avec une immense tendresse :

« Oui, c'est peut-être mieux que, pour un temps, tu restes vivre dans les îles, mon amour... Je me sens plus tranquille que si tu étais toute seule à Bogota... Dieu doit savoir ce qu'il fait... mais tu vas vite t'ennuyer là-bas, car tu as besoin de pouvoir déployer tes grandes ailes... et d'un homme, un vrai... Tu es une sacrée bonne femme pour un gamin comme lui... Toi... en Jane avec le Tarzan de l'aquarium ! Qui serait allé s'imaginer une chose pareille ! »

Je rétorque que après avoir connu le Tarzan du zoo, dans ma vie, plus rien n'est impossible. Nous rions avec une certaine résignation, et il s'assied à côté de moi et sèche mes larmes. Après avoir réfléchi un moment, il me dit soudain :

« Je vais te proposer un marché : avec tout le temps libre que tu as en ce moment, pourquoi n'essaies-tu pas de glisser dans le scénario du film toute la vérité sur ce qui s'est passé au palais de justice ? Si les Italiens ne te donnent pas les cent mille dollars, moi, je te les donnerai. Et ce ne sera qu'une avance. »

Je réponds qu'un journaliste italien a déjà dit que les producteurs n'allaient pas payer une telle somme et j'ajoute :

« Sans compter que ce film m'obligerait à quitter le pays et à faire une croix sur ma vie avec Rafael. En tout cas, Pablo, tu dois comprendre qu'étant donné les circonstances je ne pourrais plus écrire une version apologétique de tout ce qui s'est passé... ni de tes motivations existentielles. »

Il me regarde, l'air froissé, et, avec une profonde tristesse dans la voix, me demande si moi aussi je le considère maintenant comme un délinquant, comme rien d'autre qu'un bandit plein aux as.

« Si ce que j'ai le plus aimé dans ma vie n'était rien d'autre qu'un criminel qui a eu la chance de réussir dans les affaires, que serais-je, moi, alors ? Je sais que le coup du palais vous a échappé à tous, à vous, au M-19 et à Belisario, mais je sais aussi que ce massacre va te permettre d'enterrer la loi d'extradition. N'attends pas de moi que je te félicite, Pablo, car je suis horrifiée par tout ce qui est en train de se passer par la faute de tes agissements et de ton business. Tout ce que je peux te dire, c'est que, maintenant que tu as mis le pays à genoux, cela n'a plus de sens que tu continues à assassiner des gens. Ne te vante de cette victoire devant personne et, s'il te plaît, nie jusqu'à la fin de tes jours avoir participé, de près ou de loin, à cette attaque. Nous verrons si tu te lasses enfin de tout cet enfer et si tu nous laisses, nous autres, vivre en paix. Je garderai ce secret, si tant est qu'on puisse l'appeler ainsi, mais tu garderas sur la conscience tout ce que tu m'as raconté. D'autre part, tous tes bouchers devront un jour rendre des comptes à Dieu, et les Irlandais disent qu'il est historiquement prouvé que, tôt ou tard, la malédiction *"The crimes of the father..."* finit toujours par s'abattre, immanquablement : la dette que le père n'a pas payée de son vivant pour tous ses crimes passe à sa descendance. »

Peut-être pour ne pas penser à ses enfants, Pablo détourne la conversation et décide de me parler de la douleur dans laquelle l'a plongé la perte d'Iván Marino Ospina. Il me raconte que l'armée l'a tué à Cali, dans une maison appartenant à Gilberto Rodríguez, le chef du cartel de Cali, qui a pleuré sa mort depuis sa cellule.

« Tu me dis que ton ami et associé dans cette attaque est mort dans une maison de Gilberto ? Après t'avoir entendu dire que rien de moins que le fondateur du MAS et les chefs suprêmes des deux cartels portaient le deuil à cause de la mort du commandant d'un groupe guérillero, la dernière chose qu'il me reste encore à voir dans ce pays, c'est Julio Mario Santo Domingo et Carlos Ardila Lülle bras dessus, bras dessous, pleurant la mort de Tirofijo, qui aurait succombé à l'ingestion d'un tonneau de *refajo*[1] ! »

Il me demande pourquoi tous mes contrats publicitaires ont été résiliés eux aussi ; je lui explique que,

---

1. Boisson constituée pour moitié de bière Bavaria et de limonade Postobón. *(N.d.A.)*

d'après le journaliste Fabio Castillo d'*El Espectador*, « Pablo Escobar m'a offert l'usine de collants Di Lido et un studio de télévision pour que je n'aie pas à sortir de chez moi pour enregistrer mes émissions ». La famille Kaplan s'est sentie insultée et elle a mis fin à tous mes contrats. En avançant l'argument que cela leur revenait très cher d'employer une célébrité, ils m'ont remplacée par un mannequin. Plus personne n'a acheté leurs produits et la marque s'est retrouvée sur la paille. J'ajoute que presque tous les journalistes du pays savent qu'il n'y a pas assez de place dans mon appartement pour installer un studio de télévision, mais aucun d'entre eux ne s'est manifesté pour défendre la vérité et, bien que toutes mes collègues sachent que je n'ai jamais été battue et que j'ai une peau parfaite, les femmes qui intriguent depuis des années pour m'écarter de la télévision, surtout la cousine de Santofimio et sa fille, la bru de l'ex-président Alfonso López, qui répètent partout à qui veut bien les entendre qu'après avoir eu le visage affreusement défiguré à plusieurs reprises, et avoir subi tout autant d'opérations de chirurgie réparatrice, je me suis simplement retirée des médias pour grossir le nombre de femmes entretenues par Pablo Escobar.

« Ces deux harpies me font penser aux deux belles-sœurs de Cendrillon... *El Espectador* et ce Fabio Castillo ont orchestré tous ces coups bas pour que tu te retrouves sans travail. On m'a déjà raconté qu'il y a une collusion entre les directeurs des médias pour te faire subir maintenant ce qu'ils n'auraient pas osé te faire lorsque tu étais avec moi. C'est le colonel de la police qui a conduit la DEA jusqu'aux laboratoires du Yarí qui est allé livrer un tas d'informations à ce misérable journaliste pour qu'il s'en serve pour écrire un livre truffé de mensonges. Mais je vais m'occuper de toute la bande, mon amour : "Assieds-toi devant la porte de ta maison pour voir défiler le cadavre de ton ennemi", car tes ennemis sont avant tout les miens. »

Je me lève de ma chaise et je m'assieds sur le lit, près de ses pieds. Je lui dis que mes proverbes chinois préférés sont « Le coup qui ne te brise pas le dos te le redresse » et « Ce qui se passe est le mieux qui puisse arriver ». S'il enterre l'extradition, il doit me promettre que maintenant, il ne va plus penser qu'à une chose, à construire le demi-siècle de vie qu'il a encore devant lui et à se libérer de cette satanée obsession de savoir ce que les médias peuvent penser de lui. J'insiste sur le fait que ni lui ni moi ne sommes des juges, des bourreaux ou des dieux et je lui donne cent arguments pour lui prouver que, maintenant que je vis éloignée de tous ces gens pervers, je suis presque tellement heureuse que je ne regrette ni ma célébrité, ni ma vie sociale, ni ma carrière devant les caméras.

Il m'écoute en silence, scrutant mes yeux, mes lèvres, chaque parcelle de mon expression avec ce regard de connaisseur qu'il réserve aux autres et qu'il n'utilise que rarement avec moi. Puis, avec l'autorité que lui confère la certitude de me connaître comme personne, il répond que je suis en train de me mentir à moi-même, que je me suis enfuie sur cette île pour ne pas penser à tout le mal qu'on m'a fait et que, si je me suis réfugiée dans les bras de Rafael, c'était en fait pour essayer de l'oublier.

Il caresse ma joue, songeur, et ajoute qu'il est étrange que j'aie l'âme si pure et qu'au cours de ces années passées avec lui elle n'ait pas été souillée par la sienne, qui est plus noire que le charbon. Il se lève subitement, comme mû par un ressort, m'embrasse sur le front et me remercie d'être venue jusqu'à Medellín pour lui apporter les preuves de choses si graves. Avant de partir, il m'oblige à lui promettre de lui donner mon nouveau numéro de téléphone chaque fois que j'en changerai, d'aller l'attendre dans un endroit sûr et privé chaque fois qu'il aura besoin de moi, comme lui le fera pour moi, et de ne pas sortir complètement de sa vie.

« Je te le promets, mais seulement jusqu'au jour où je me remarierai. Tu dois comprendre que lorsque ça arrivera, toi et moi, nous ne pourrons plus nous parler. »

Je quitte Medellín un peu plus rassurée qu'à mon arrivée et convaincue que, si l'extradition est enterrée, Pablo pourra commencer à reconstruire sa vie sur l'héritage de cet esprit généreux et de cette lucidité hors du commun dont j'étais tombée amoureuse presque quatre ans plus tôt. Sur le vol pour Carthagène, je prie pour les âmes des femmes torturées, pour qu'elles comprennent mon silence, car je ne sais pas auprès de qui je pourrais bien aller dénoncer tous ces crimes contre l'humanité commis par des assassins et des voleurs stipendiés par l'État. Je sais que, si je parlais de ces horreurs que Pablo m'a confirmées, les médias complices des puissants exigeraient que l'on me jette en prison pour participation à Dieu seul sait quoi, pour satisfaire le bon plaisir d'un pays où les lâches ont l'habitude de s'acharner sur les femmes car ils n'ont pas le courage d'affronter des hommes comme Escobar.

Pour essayer d'effacer de ma mémoire ces images de supplices à vous donner la chair de poule et d'horrifiantes agonies auxquelles même Pablo, le jour du Beretta, n'aurait pas pu me préparer, je plonge dans l'onde marine et je m'entraîne à nager jusqu'à la grande île qui se trouve face à la nôtre et qui est, elle, encore à l'état naturel grâce à l'action d'une fondation appartenant à la famille Echavarría, qui l'a achetée pour éviter qu'elle ne soit colonisée. Il faut parcourir six milles nautiques pour y aller, et autant pour revenir à San Martín de Pajarales, ce qui représente en tout six heures de nage par mer calme. Je ne parle pas de ce projet à Rafa car je ne suis pas une grande nageuse de crawl. Pour le devenir, je décide de me faire opérer des yeux lors de mon prochain passage par Bogota, ce qui me permettra de me passer de lentilles de contact.

La première fois que j'atteins mon but, grâce aux palmes, au masque et au tuba – qui permettent de se propulser sans fournir d'effort supplémentaire et de nager sans avoir à sortir le visage de l'eau pour respirer –, je me félicite, toute fière et pimpante, en agitant les bras en l'air. Je suis partie de chez moi à sept heures du matin car, dans les îles, l'activité commence peu après le lever du jour, et je suis arrivée à dix heures. Sur mon trajet solitaire, je n'ai pas vu de requins ni de grands animaux, et j'en conclus que c'est à cause de la pêche à la dynamite et des moteurs des embarcations touristiques qui détruisent le récif corallien et représentent le seul vrai danger sur ce petit archipel. Après m'être reposée pendant quelques minutes sur cette plage déserte qui n'est envahie de touristes que le dimanche, je prends le chemin du retour, déjà bien plus confiante en moi, et j'arrive à San Martín à treize heures, à temps pour le déjeuner. Quand Rafa me demande pourquoi je suis si contente, je ne lui raconte pas la vérité car je sais qu'il aurait une attaque. Je préfère lui dire que je vais arrêter de nager autant pour commencer à écrire dans l'appentis abandonné d'un îlot qui n'est qu'à quelques mètres du nôtre. Je lui explique qu'étant donné ma double condition de proscrite des médias et de future aveugle j'ai toujours rêvé que mes collègues de l'association puissent enregistrer des livres quand ils se retrouveraient sans travail, pour que les non-voyants puissent les écouter lus par ces voix merveilleuses. Il fait remarquer que les gens qui ont la flemme de lire apprécieraient aussi énormément mais que ce qu'il voudrait, c'est entendre mes histoires narrées par moi.

« Et sur quoi vas-tu écrire, Pussycat ? »

Je lui dis des histoires de mafieux, comme *Le Parrain*, et de chasse et de pêche comme celles de Hemingway.

« Waouh ! Celle du requin et celles avec des animaux sont fantastiques ! Mais ne te mets pas en tête d'écrire sur ces mafieux dégénérés qui sont en train de détruire notre pays ! Je reconnais ces narco-trafiquants rien qu'à leur dégaine, même lorsqu'ils ne portent qu'un maillot de bain : leur attitude très "suffisante" dans la vie… cette façon de marcher… de regarder les femmes… de manger… de parler… tout ! Ils sont dégueulasses, immondes ! Ils seraient capables de te faire tuer, et je me retrouverais sans ma Pussytalinda ! »

Le dimanche suivant, lorsque je descends l'échelle de corde du deuxième étage où se trouvent notre chambre et la terrasse, pour vérifier à qui appartient l'énorme yacht qui est à l'ancre devant la maison, je tombe nez à nez avec Fabito Ochoa – le frère de Jorge, l'associé de Pablo – et sa femme, qui observent enchantés le petit aquarium de la salle à manger tandis que Rafa parle à leurs enfants des hippocampes enceints, qui sont les mâles chez cette espèce, et du "Petit Monstre", mon animal de compagnie, qui est d'une espèce non identifiée. Je reconnais que Rafa a fait une exception pour la famille qui règne sur le narcotrafic à Antioquia car le véritable métier des Ochoa est de donner de l'amour aux animaux, c'est d'élever les plus beaux spécimens équins et taurins, et leur seconde activité n'est qu'un... hobby très rentable. Presque tous les gens qui passent par ces îles visitent l'aquarium. Les rares personnes qui ne connaissent pas Rafa Vieira me connaissent moi, ce qui veut dire que notre vie sociale est bien plus active que l'on ne pourrait le penser. Un dimanche, tandis que nous déjeunons avec Ornella Muti et Pasqualino De Santis – qui sont en train de tourner, à Carthagène, *Chronique d'une mort annoncée* de García Márquez –, le directeur artistique me fixe. Il dit que je suis, « *veramente, una donna cinematografica* » et qu'il n'arrive pas à croire que j'aie pu me retirer de l'audiovisuel. Je sais que beaucoup d'autres gens se posent des questions sur mon absence de l'écran et des micros, et je sais également que seuls Pablo et moi en connaissons les véritables raisons. En tout cas, les mots de cette légende du cinéma italien me rendent heureuse pendant plusieurs jours, un bonheur que je ressens encore plus fort la semaine suivante, lorsque je parviens à rééditer mon exploit des douze milles nautiques.

Rafa et moi participons fréquemment à des fêtes sur les îles voisines, surtout sur celle de Germán Leongómez, dont la sœur est mariée avec l'amiral Pizarro. Leur fils, Carlos Pizarro Leongómez, a été propulsé à la tête du M-19 après la mort d'Iván Marino Ospina et d'Álvaro Fayad ; Pizarro est communément connu sous le nom de « commandant Papito » car il est le seul chef guérillero de l'histoire qui soit aussi photogénique que le Che Guevara et qui n'ait pas l'air d'un fuyard échappé de la prison Modelo de Bogota. Les aléas de la vie allaient faire que son riche oncle Germán, que j'avais connu à l'époque où il demandait la main de la veuve de Rasmussen, beaucoup plus fortunée que lui, deviendrait ensuite l'amant de la seule parlementaire colombienne qui pourrait aspirer à une carrière politique en France, Ingrid Betancourt.

Quelques mois plus tard, je retourne à Bogota car, pour savoir si je peux être opérée des yeux, il faut que je ne porte pas mes lentilles de contact pendant deux semaines. Je décide de passer ces quinze jours dans mon appartement de la capitale plutôt que sur l'île où je pourrais avoir des accidents, par exemple en glissant, et finir entre les nageoires de Pancho Villa III. Bien qu'il n'y ait que vingt personnes qui connaissent mon nouveau numéro de téléphone et qu'elles sachent toutes que je vis à Carthagène, je trouve des centaines de messages sur mon répondeur, les immanquables de David Metcalfe et d'Armando de Armas, mais aussi des douzaines de messages où les gens raccrochent sans se présenter ou le font après m'avoir menacée de me violer et de me torturer. À peine quelques jours après mon arrivée, Pablo appelle :

« Tu es enfin revenue ! Ça y est, tu es déjà fatiguée de vivre avec Tarzan ?

— Non, je ne suis pas fatiguée de vivre avec Rafael. Je suis venue voir si on peut m'opérer des yeux avant que je ne me retrouve aveugle. Et toi, ça y est, tu es las de faire ce que tu as toujours fait ?

— Non, non, mon petit amour. Chaque jour, je jouis davantage des méchancetés que je manigance ! Mais que fais-tu à longueur de journée sur cette île, à part nager et te dorer la pilule ? Tu as travaillé sur mon scénario ou sur le roman ?

— Le roman ne vient pas... chaque fois que je termine un chapitre, je suis horrifiée à l'idée que quelqu'un puisse le lire et je le déchire. Je crois que tu es la seule personne au monde à qui je n'avais pas honte de montrer ce que j'écrivais...

— Ah ! Que c'est agréable à entendre ! En voilà un honneur, ma chérie ! Je vais te parler d'un téléphone différent toutes les trois minutes, okay ? Je change. »

En une demi-douzaine d'appels successifs, Pablo me dit qu'il veut me proposer la meilleure affaire qui soit, une occasion unique dont nous ne pouvons discuter qu'en tête à tête, dans la plus grande discrétion, mais il ne peut pas m'en dire plus. Il affirme que, pour dormir tranquille, il veut assurer mon avenir une fois pour toutes car ça lui a donné un sale choc de m'entendre dire que ma carrière avait été fichue en l'air à cause de lui. Je le remercie pour sa proposition et je lui réponds qu'être riche est la dernière des choses qui m'intéresse. Le lendemain, il téléphone à nouveau pour insister sur le fait qu'il veut, une fois pour toutes, me faire récupérer ce que j'ai perdu ; il me demande d'imaginer ce que je vais devenir si, pour une raison ou une autre, je me sépare demain de Rafael et personne ne me redonne de travail et, ne plaise à Dieu, les médecins ne peuvent pas sauver mes yeux.

« Tu te rends compte que, si tu avais accepté la proposition de la chaîne de Miami, tu ne connaîtrais pas le bonheur dans lequel tu vis maintenant ? Imagine si tu y ajoutes ce que je vais te proposer pour que tu puisses enlever l'épine qu'ils t'ont enfoncée et assurer ton avenir ! C'est maintenant ou jamais, mon amour car, d'ici la semaine prochaine... je pourrais ne plus être de ce monde ! Promets-moi qu'avant de rentrer à Carthagène tu vas repasser par ici. Ne me fais pas souffrir, car c'est pour ton bien... et celui de tes enfants... car tu m'as bien dit que tu voulais avoir des enfants... pas vrai ?

— Je ne sais pas... Tu vas monter une chaîne de télévision et tu veux que j'y travaille ! C'est cela, n'est-ce pas ?

— Non, non, non ! C'est vraiment beaucoup mieux que ça ! Mais je ne peux rien te dire de plus.

— Ça va, ça va. Je vais venir mais, si c'est quelque chose qui n'en valait pas la peine, je ne t'adresse plus jamais la parole jusqu'à la fin de mes jours et je renonce à devenir ta biographe. Je laisserai à ces crétins de journalistes le soin d'écrire ton histoire et d'établir que tu n'es pas un psychopathe à girafes.

— Voilà qui est bien parlé, mon amour ! Écris que toi, tu sais mieux que quiconque que je suis un psychopathe sans cœur, pour que les gens me respectent et aient encore plus peur de moi ! »

*

Les médecins m'annoncent qu'ils ne peuvent pas m'opérer mais que mon cas n'est pas si grave. Je pense que c'est vraiment pénible de devoir continuer de porter des lentilles de contact et je meurs d'impatience de retrouver les bras de Rafa, qui m'appelle chaque jour pour me dire que je lui manque. De retour à Carthagène, je m'arrête quelques heures à Medellín pour tenir ma promesse à Pablo, qui a envoyé une personne en qui il a pleinement confiance pour coordonner notre réunion dans les moindres détails. Lorsque j'arrive à l'appartement, il appelle pour me prévenir qu'il est retardé et me demande de patienter deux petites heures ; quand les deux heures en deviennent quatre, je comprends qu'il est en fait en train de m'obliger à passer la nuit à Medellín. En arrivant, il s'excuse en arguant que chaque fois qu'il me retrouve, il doit attendre pour être sûr et certain que la voie est libre. Il m'explique qu'étant donné le matériel que j'ai reçu dans cette lettre anonyme il a dû remettre mon second téléphone sur écoute, celui que tout le monde connaît, mais il ne pouvait pas me le dire avant que nous ne nous parlions de vive voix. Il se justifie en faisant valoir que, dans l'éventualité d'un enlèvement, l'identification de toutes ces voix qui me menacent pourrait permettre de me localiser et de me libérer, mais je me demande jusqu'à quand Pablo Escobar compte continuer d'exercer ces formes de contrôle, toutes plus subtiles les unes que les autres, sur ma personne. Je décide que, à moins que le business qu'il veut me proposer ne soit quelque chose qui en vaille réellement la peine et que je puisse le concilier avec ma nouvelle vie, je lui dirai le moment venu que je suis fiancée avec Rafa et que nous ne pourrons plus nous revoir.

Il me demande si je veux « de l'herbe » car il va se fumer un petit joint. Cela me surprend, car il n'avait jamais fumé devant moi, et je lui réponds que j'accepterais volontiers si la marijuana avait des effets susceptibles de m'intéresser mais qu'en général elle me fait dormir, et même profondément, jusqu'au lendemain. Il ne comprend pas comment je peux le savoir et je lui dis que, comme mon mari argentin fumait fréquemment, j'ai déjà essayé plusieurs fois, sans que cela se révèle vraiment probant.

« Ce *che* tout vieux ? Tu parles d'une surprise ! »

Je lui raconte que le « Clan Stivel », peut-être la troupe d'acteurs les plus importants et les plus brillants d'Argentine, se faisait psychanalyser collectivement pendant les années 1970 en prenant du LSD sous la houlette d'un psychiatre qui était plus fou à lui seul que tous les autres réunis, et que c'est la seule drogue que j'aimerais essayer pour ouvrir les portes de la perception telle qu'elle est décrite par Aldous Huxley dans son œuvre éponyme. Je lui parle de mon admiration pour ce philosophe britannique, disciple de Krishnamurti, et pour ses études sur le peyotl et la mescaline, et je lui fais remarquer que, sur son lit de mort, Huxley a demandé à son épouse de lui administrer du LSD pour franchir le seuil de l'autre monde, où toute douleur est absente et où règne la clarté absolue qu'il avait cru distinguer d'autres fois, où le temps, l'espace et la matière disparaissaient. Je lui demande s'il pourrait me trouver de l'acide lysergique, pour que j'essaie une fois et pour en garder un petit peu pour le jour de ma mort.

« Tu ne serais pas, à tout hasard, en train de me suggérer de devenir importateur de drogues hallucinogènes ? Bon Dieu, quelle proposition scandaleuse, "Âme pure" ! J'en suis tout retourné ! »

À partir de ce jour-là, Pablo m'appellerait par ce surnom chaque fois qu'il aurait envie de me taquiner ou de se moquer de ce qu'il a baptisé « ma quadruple morale en matière de drogues » : ma haine viscérale pour la cocaïne, le crack et l'héroïne, mon profond dédain pour son cannabis adoré, mon intérêt pour les rituels au peyotl et au yajé des tribus mésoaméricaines et amazoniennes, et ma secrète fascination pour l'idée d'un quelque chose qui, au moment de traverser le mythologique Styx sur le chemin vers Hadès, pourrait m'aider à substituer à la douleur ou à l'effroi cette compréhension absolue qui transcende toutes les expériences de la raison, décrite par un Huxley qui avait la sensation de flotter dans un éther vaporeux et diaphane, supérieur aux plaisirs et aux délices les plus sublimes.

Pablo me demande si on consomme beaucoup de drogue dans les îles, et je lui raconte que tout le monde, sauf Rafa, en fume et en sniffe des tonnes. Il insiste pour savoir si maintenant, j'aime Vieira comme je l'ai aimé lui avant et, pour ne pas lui répondre ce qu'il veut en fait entendre, je lui explique qu'il existe autant de formes d'amour que d'intelligence, la preuve en est que des choses aussi exquises que les escargots ont été conçus et fabriqués par des créatures primitives sur la base du nombre d'or – 1,618033 –, qui est utilisé dans les grandes œuvres de la Renaissance et, de façon récurrente, dans les plus belles réussites de l'architecture, et en peinture dans les représentations les plus impressionnantes de la nature et pour de nombreux portraits humains. J'ajoute que j'ai toujours été fascinée à l'idée que des esprits aussi différents que ceux de Dieu, des génies et des mollusques puissent, instinctivement ou de façon rationnelle, appliquer la même proportion à des compositions rectangulaires pour obtenir des formes géométriques admirables.

Depuis le lit sur lequel il s'est allongé, Pablo m'écoute en silence, plongé dans ce qui semble être une idyllique sensation de paix et, depuis ce même endroit où il m'avait jadis bandé les yeux pour me caresser avec un revolver, j'observe froidement comment le Roi de la Drogue subit les effets d'un hallucinogène produit par ses concurrents. Soudain, il se lève et se dirige vers moi, comme au ralenti, et, prenant mon visage entre ses mains, doucement, comme s'il allait l'embrasser et ne voulait pas m'effrayer, il l'étudie avec attention et dit que c'est peut-être parce qu'il a les proportions du nombre divin que mon visage l'a toujours fasciné lui aussi. Mal à l'aise, je lui réponds que je n'y aurais jamais pensé et, tout en essayant de me libérer de son étreinte, je lui demande de quoi il voulait me parler. Il caresse mes joues et dit qu'il aimerait savoir si je parlais aussi à d'autres hommes richissimes de malédictions irlandaises et de géométrie. Surprise, je lui dis que non, car c'étaient eux qui m'apprenaient des choses. En me regardant très fixement, et sans me lâcher, il demande si je ressens la moindre affection pour tous ces magnats. Comme nous avons parlé de catégories d'hommes sans citer précisément le nom de personne, je rétorque « pas la moindre » et j'insiste pour qu'il me dise une fois pour toutes pourquoi il m'a fait venir à Medellín. Il veut savoir si ça me tenterait de soutirer un paquet d'argent à ce ramassis de vieux radins et, lorsque je m'esclaffe et lui réponds que ce simple fantasme pourrait procurer des orgasmes mentaux à tout le monde, il s'exclame sur un ton triomphal que c'était précisément de cela qu'il souhaitait me parler :

« Je vais enlever les hommes les plus riches du pays, et je vais avoir besoin de ton aide. Je t'offre vingt pour cent... vingt pour cent de centaines de millions de dollars, ma chérie... »

Ainsi, Armando de Armas disait donc vrai !

Pablo est tombé dans mes bras alors qu'il n'était encore qu'un enfant et comme, à ce moment-là, j'étais déjà une vraie femme, je me suis habituée à m'occuper de lui. Il ne connaît pas encore tous ces hommes aussi bien que je les connais et, incrédule, je lui dis :

« Et pourquoi as-tu tellement besoin d'enlever ces pauvres types qui pèsent deux cents, trois cents et cinq cents millions de dollars alors que toi tu en pèses trois milliards, si ce n'est plus ? Tu es à toi seul plus riche qu'eux tous réunis et, si tu te transformes en ravisseur, tes ennemis vont dire que tu n'es pas seulement devenu fou, mais pauvre aussi, et ils vont te manger tout cru ! Ce n'est pas de la *Samarian Gold* mais de l'*Hawaian Platinum* que tu as fumé, Pablo. Pour l'amour de Dieu, pourquoi veux-tu donc devenir si riche ?!

— Je n'ai tiré que trois taffes et, si tu continues à me parler sur ce ton, moi, je ne te proposerai plus de bonnes affaires. Tu vas comprendre : j'ai besoin de liquidités car les lois contre le blanchiment de fonds ont fait de notre vie un enfer et presque tout l'argent du business reste bloqué à l'étranger. On ne peut plus ramener le fric dans des appareils électroménagers comme avant, Botero ne peut pas peindre un tableau par jour ni De Beers sortir plus de diamants chaque semaine, et il n'y a plus assez de place dans les garages pour y mettre de nouvelles Ferrari. L'extradition va être enterrée, c'est sûr, mais au moment où les *gringos* vont ouvrir des procès contre nous aux États-Unis, ils vont offrir une récompense pour nos têtes, surtout pour la mienne. Ce qui veut dire que, pour la guerre qui s'annonce, ce qu'il me faut, ce sont des millions de dollars, ici en Colombie, et pas des milliards de dollars à l'étranger. Et rien ne coûte plus cher que faire la guerre. Mes amis du M-19 m'ont appris tout ce que je devais savoir sur les enlèvements, je dispose avec toi de la meilleure connaisseuse des grands magnats, et tu es l'une des rares personnes en qui j'ai une entière confiance. J'ai toujours pensé que tu étais un trésor et que, dans mon univers, tu aurais incroyablement réussi si tu n'avais pas tant de scrupules. Tu veux bien écouter mon plan, ou tu décides de te ranger du côté d'"Âme pure" ? »

Pablo ne semble pas s'être rendu compte qu'il est maintenant lui aussi un de ces magnats has been. Avec mon plus beau sourire, je lui demande quel type de société il me propose de monter avec lui et, enthousiasmé, il tombe dans le panneau :

« Ma première cible, ce sont les deux embouteilleurs : Santo Domingo est plusieurs fois plus riche qu'Ardila, et je pense l'enlever à New York, où il se promène sans gardes du corps, ou pendant un de ses voyages On t'a vue descendre d'un avion avec lui et ton ami anglais... ça doit faire environ un an, tu t'en souviens ? L'avantage, avec Carlos Ardila, c'est qu'il ne peut pas m'échapper, car il est obligé de se déplacer en fauteuil roulant. Luis Carlos Sarmiento peut te le passer au téléphone et te donner un rendez-vous avec lui, excuse-moi encore d'écouter tes conversations, ma chérie. Quant au Juif qui vend de l'huile et du jambon et qui est un intime de Belisario, ton voisin Carlos Haime, pour le prendre en filature, il faut que tu me laisses utiliser ton appartement pendant que tu es à Carthagène. »

À mesure qu'il m'expose en détail comment il compte enlever les quatre hommes les plus riches de Colombie, je commence à voir que Pablo a un plan parfaitement abouti en ce qui me concerne. Je lui explique que les Santo Domingo, Sarmiento Angulo, Ardila et Gutt ont des armées de cent à cent cinquante hommes, aussi performants que les siens, entraînés aux États-Unis et en Israël à une seule chose : à éviter que la guérilla ne réussisse à enlever un seul des membres de leur famille et à leur soutirer le moindre centime.

« Cette terreur est un de leurs sujets de conversation favoris, surtout depuis l'enlèvement de Juan et Jorge Born en Argentine et ceux de Camila Sarmiento, Gloria Lara et Adriana Sarmiento ici, en Colombie. Jusqu'à maintenant, les super riches ne se sont pas décidés à te détester car, même s'ils n'iraient jamais le reconnaître publiquement, ils applaudissent en catimini la fondation du MAS. Si tu enlèves un seul d'entre eux, ils vont tous oublier leurs vieilles querelles et ils vont se liguer contre toi. Et tu ne t'imagines pas, même dans tes rêves, ce qu'est la garde prétorienne de Carlos Ardila ni la pugnacité que peut avoir ton ennemi juré Julio Mario Santo Domingo ! Devant un tas de gens, il a tué une vipère en cage en lui jetant trois crachats. Pour se débarrasser de toi, il ne lui en faudrait pas plus de quatre ou cinq, Pablo !

— Waouh… pauvre petite bête !... Et toi, dis-moi, tu ne les détestes pas ? Ils ne t'ont jamais rien donné, et ils viennent de réussir à te faire bannir pour te laisser crever de faim !

— Oui, mais c'est une chose d'avoir une raison de les détester et c'en est une autre de vouloir leur causer du tort. Quant à Luis Carlos Sarmiento, tu devrais plutôt envisager de t'unir à lui : de toute l'Amérique latine, il est la personne qui connaît le mieux les banques, et vous pourriez élaborer un montage financier pour trouver une solution au petit problème de "ton excès de millions". Tu as mis ton armée à sa disposition quand sa fille a été enlevée, et c'est plus rentable pour toi de l'avoir de ton côté que comme ennemi. Tu ne comprends donc pas que ça vaut plus le coup de légaliser un milliard de dollars que de lui soutirer cinquante millions ? Et, comme tu écoutes mes conversations, tu dois savoir qu'il n'a fait aucune difficulté pour s'occuper de Gilberto Rodríguez. »

Un éclair lui traverse les yeux.

« Eh bien, contrairement à ce bagnard, moi, ce que j'aime, ce ne sont ni les banques, ni les cartes de crédit, mais l'odeur des liasses de billets ! Et je déteste presque autant les impôts que Santo Domingo ; c'est pour cela que lui, les FARC et moi sommes les plus riches dans ce pays ! Oublions tes ex-petits amis, parce que j'ai bien l'impression que tu veux les protéger... Descendons d'un niveau : tu connais les Echavarría, les planteurs sucriers de la vallée du Cauca, les floriculteurs de la Savane de Bogota et tous ces gens très riches qui étaient auparavant tes amis, et dont toutes les femmes t'ont tourné le dos à cause de notre relation... et dire que moi, je veux simplement t'offrir sur un plateau l'occasion de te retirer toutes ces épines du pied, ma chérie, une par une, jusqu'à la dernière !... Et il y a aussi cette petite mine d'or : la colonie juive... »

Je lui fais remarquer qu'à un moment où il a déjà sur le dos le gouvernement des États-Unis, l'État colombien et la presse, il ne peut pas en plus s'attirer aussi les foudres des riches sans envergure et encore en plus, de tous ces groupes guérilleros qui ne lui cherchent plus d'ennuis, peu ou prou depuis l'enlèvement de Martha Nieves Ochoa :

« Tu es Pablo Escobar, le plus riche magnat de toute l'Amérique latine, le fondateur de "Mort aux Ravisseurs", pas Tirofijo ! Les enlèvements, c'est le fonds de commerce des FARC ! Comment te sentirais-tu si Tirofijo se mettait en tête de devenir le nouveau Tsar de la Coke ?

— Je le briserais dès le lendemain ! N'aie pas le moindre doute là-dessus, mon petit amour ! Mais tu dois reconnaître que les enlèvements, c'est tellement rentable que les FARC sont maintenant plus riches que moi. Je ne suis pas un magnat, tu comprends cela ? Je suis le plus grand criminel d'Amérique latine, et je pense, je parle et j'agis en tant que tel. Ne me confonds pas avec ces misérables exploiteurs car, depuis que je suis né, ce sont d'autres valeurs qu'on m'a inculquées ! »

Je lui fais remarquer que personne, si vaillant, redoutable et riche soit-il, ne peut affronter simultanément les *gringos* à l'étranger et le monde entier à l'intérieur du pays, car cela reviendrait à se suicider. Quand je ne trouve plus d'argument logique à avancer, je lui dis simplement que sa mort me briserait le cœur, que je l'ai aimé plus que tous mes ex réunis, et que je me tirerais une balle le jour où ils finiraient par lui faire la peau.

Il me contemple en silence et caresse mon visage avec la même tendresse qu'en d'autres époques. Soudain, il m'enlace et s'exclame avec bonheur :

« J'étais en train de te tester, "Âme pure" ! Maintenant, je sais que, même si tu cessais complètement de m'aimer, voire même si tu me détestais, tu n'irais jamais conspirer avec personne pour me remettre aux *gringos*, même pour ramasser une fortune le jour où ma tête sera mise à prix ! »

Il m'écarte de ses deux bras et, les mains tenant mes deux épaules, ajoute :

« En tout cas, je tiens à te rappeler... qu'il y a une seule façon de mettre à l'épreuve la loyauté de quelqu'un : en lui racontant quelque chose que personne, personne d'autre au monde ne sait, peu importe que ce soit vrai ou pas. Si ce secret revient à tes oreilles, que ce soit un mois, un an ou vingt ans après, c'est que cette personne t'a trahie. N'oublie jamais cette leçon, car moi aussi je t'aime beaucoup. »

Je trouve simplement à lui répondre que, si je devais un jour parler de cette conversation à quiconque, non seulement on me ferait interner dans un hôpital psychiatrique mais, en plus, tous mes amis, ma famille et même mes domestiques prendraient la poudre d'escampette et je devrais passer le restant de mes jours non pas sur la petite île de Rafa, mais sur une île déserte. Avant que nous ne nous quittions, je lui dis :

« Tu as une imagination débordante, Pablo, et je sais que tu trouveras une façon de rapatrier cet argent sans te mettre à dos les riches et la guérilla en même temps. Pour l'amour de Dieu : "Va en paix et ne pèche plus !" Nous en avons bien assez avec ton ancien CV qui a été incinéré !

— Je devine toujours ce qui va arriver... et tu ne vas pas passer le reste de ta vie avec Tarzan ni avoir d'enfants avec lui ! Je n'ai rien à t'offrir, Virginia, mais je sais que, d'ici trois mois, tu te trouveras ici avec moi. Et, même si c'est à ton corps défendant, tu vas devoir regarder mon visage et entendre ma voix chaque jour de ta vie... »

Dans l'avion pour Carthagène, je me dis qu'il n'est pas du tout certain qu'il se contentait de me tester : bien qu'il semble avoir renoncé à l'idée d'enlever les têtes qui dirigent les plus grands groupes économiques du pays, je sais que, tôt ou tard, Escobar deviendra un ravisseur, et même l'un des plus efficaces et redoutables. C'est moi qui lui ai appris un jour que « les personnes bénies des dieux meurent jeunes », comme Alexandre de Macédoine. Même si je ne pourrais pas en jurer, je pense que Pablo s'est mis en tête de jouer sa peau, à la roulette russe ou d'une autre façon soigneusement planifiée, au nom de quelque chose qui va beaucoup plus loin que sa lutte contre l'extradition, et plus loin encore que la simple maîtrise d'un empire. Qui va, surtout, bien plus loin que son époque.

Tu as bien vite oublié Paris !

Je traverse depuis deux heures un banc de méduses qui semble réunir des centaines de milliers, peut-être de millions, d'animaux. S'il s'agissait de « méduses lunes », je serais déjà morte mais, grâce à Dieu, celles-ci sont de l'espèce inoffensive qui a des petits points marron. Il y a quelques *moon jellyfish*, mais je parviens à les éviter ; j'étrenne d'ailleurs le lycra que j'ai rapporté de Miami pour échapper au souci quotidien de leurs piqûres et ma montre-boussole, indispensable en mer. Je suis partie de la maison à neuf heures ce matin et, bien qu'il soit déjà midi, je ne touche pas encore à un but qu'en d'autres occasions j'avais atteint en moyenne en trois heures.

« Si je ne suis pas en forme, c'est sans doute parce que je n'ai pas réussi à fermer l'œil de la nuit... Je n'aurais pas dû partir de la maison si tard... C'est à cause de tous ces parents de Rafa qui sont venus passer Noël sur l'île !... Et puis, j'en ai assez de tous ces touristes qui viennent se rincer l'œil à l'intérieur de la maison... ils veulent toujours prendre des photos, et lorsque je refuse, ils me disent que je suis arrogante. Comme si je ne savais pas pourquoi tous ces hommes veulent m'avoir en photo, en bikini avec eux... Même mes ex-petits amis n'ont pas de photo avec moi en maillot de bain... Mais, bon Dieu, combien diable de millions de méduses y a-t-il dans la mer des Caraïbes ?... Bon, ça y est, j'y suis presque... aujourd'hui, c'est dimanche et je peux toujours demander à un canot de touristes de me ramener... Mais je ne suis pas fatiguée, et ce serait une marque de faiblesse... En revanche, il faut que je fasse attention à ne pas me faire mettre en charpie par les hélices de leurs moteurs... »

La plage, en général déserte, est aujourd'hui noire de gens, du type de ceux qui arrivent par dizaines entassés sur des canots et qui finissent leur *tour* par un déjeuner à l'aquarium. J'enlève mon lycra et je prends le soleil un moment tout en réfléchissant à ce que je vais faire. Le capitaine d'une des embarcations me reconnaît et me demande si je veux qu'il me ramène à San Martín ; je refuse, car je compte revenir à la nage. Il dit qu'à sa connaissance personne n'a jamais réalisé un pareil exploit et me conseille de partir le plus vite possible car, après quinze heures, j'aurai du mal à rentrer à cause de la marée. Au bout de vingt minutes, je me sens suffisamment reposée pour entreprendre mon retour et je décide que, si jamais je me sens fatiguée et que je suis près de San Martín, je pourrai toujours demander à un zodiac de me récupérer.

« Mais... c'est un vrai miracle... il ne reste pas une seule méduse !... Où ont-elles bien pu toutes partir ? C'est comme si elles avaient toutes été avalées par un aspirateur. Tu parles d'une chance !

Cette fois-ci, aucun obstacle ne m'empêchera d'être de retour en moins de trois heures... »

Un moment plus tard, je sors la tête de l'eau et San Martín semble plus éloignée que d'habitude. Je me retourne pour regarder derrière moi et je remarque que la grande île, elle aussi, semble bien plus distante encore ; en tout cas, cela n'a pas de sens que je rebrousse chemin, car les bateaux de touristes sont déjà partis. Je ne comprends pas ce qu'il se passe et je me demande si ce n'est pas mon insomnie de la nuit précédente qui me donne des hallucinations. Je décide de nager de toutes mes forces, en sortant la tête de l'eau toutes les cinq minutes mais, des deux côtés, la terre s'éloigne de plus en plus. Soudain, je me rends compte que je ne me déplace pas en ligne droite entre les deux îles, mais que je suis en train de décrire un V : un puissant courant, celui-là même qui a emporté en vingt minutes des millions de méduses, est en train de m'entraîner vers le large. Il n'y a pas une seule embarcation en vue, car c'est l'heure du déjeuner, ni une seule barque de pêcheurs car c'est dimanche.

Il est déjà quinze heures, il y a de la brise et des creux de deux mètres. Je calcule qu'il me faudra maintenant environ cinq heures pour revenir à San Martín. Comme, sous les tropiques, la nuit commence à tomber vers dix-huit heures trente, d'ici trois heures, les premières lumières s'allumeront. Elles pourront peut-être me guider. Je sais qu'avec un tuba et des palmes, on ne peut pas se noyer car on flotte et on nage sans trop se fatiguer. Mais, au large, il y a toujours des requins et, à moins de croiser un yacht qui se serait détourné de son itinéraire habituel, en haute mer mon espérance de vie ne dépassera sans doute pas les soixante-douze heures. Je décide de me préparer à mourir de soif mais, chose étrange, je ne ressens aucune peur. Je me répète que les personnes bénies des dieux meurent jeunes et je me demande quelles raisons Pablo pourrait avoir de venir me sauver cette fois-ci.

« Encore Pablo... Quand va-t-il enfin cesser de massacrer tous les gens qui lui causent du tort ? Il vient d'assassiner le colonel qui a conduit la DEA jusqu'à Tranquilandia et le directeur du journal qui le poursuit depuis quatre ans ! C'est comme une blessure qui ne se cicatrise jamais : je le retrouve chaque fois que j'ouvre un journal... avec sa tête de méchant. J'imagine un peu les messages de menaces sur mon répondeur automatique !... C'est peut-être que Dieu préfère me voir mourir en mer plutôt qu'entre les mains de ces bouchers... Oui, ce sera un vrai soulagement d'en finir avec toute cette souffrance... J'aime beaucoup Rafa, mais dans des pays comme le nôtre, lorsqu'on épouse un homme, c'est surtout avec sa famille que l'on se marie... Les familles sont épouvantables... et son père est un vieillard insupportable... Je crois que je vais me relâcher un peu, c'est inutile de lutter contre ce courant, et je vais avoir besoin de toutes mes forces pour nager vers un bateau, si tant est qu'il en apparaisse un... »

À seize heures, avec la distance, les deux îles ne sont plus maintenant que deux petits points. Au loin, j'aperçois, enfin, un beau yacht qui glisse très lentement sur la mer. Il semble s'avancer vers l'endroit où je me trouve et je me dis que j'ai une chance incroyable ; mais, un bon moment plus tard, il passe au large et je parviens à distinguer un couple d'amoureux qui s'étreint et s'embrasse à la proue du bateau et, à la barre à l'arrière, un insulaire qui sifflote. Je me mets à nager très vite derrière le bateau mais personne ne me voit et je comprends que j'ai fait une erreur en choisissant un lycra noir pour avoir l'air plus mince, au lieu d'en prendre un orange ou jaune comme Rafa me l'avait conseillé. Pendant les deux heures suivantes, je crie jusqu'à en perdre presque la voix mais personne ne m'entend à cause du bruit des moteurs. Je sais parfaitement que, si je m'approchais davantage, le sillage des hélices pourrait m'arracher mon masque et, sans tuba pour respirer ni lentilles de contact, je serais encore plus perdue. Vers dix-huit heures, alors que je suis sur le point de défaillir d'épuise-ment après avoir sauté des centaines de fois dans des creux de deux mètres cinquante, j'ai l'impres-sion que le pilote noue un contact visuel avec moi. Il éteint ses moteurs et j'utilise les forces qu'il me reste pour faire un dernier bond. Il crie au couple qu'apparemment il y a un dauphin qui les suit, et ils s'approchent de la poupe pour le voir. Lorsque je saute à nouveau et les appelle à l'aide avec le peu de voix qu'il me reste, ils n'arrivent pas à croire que ce qu'ils voient au beau milieu de l'océan est bien une femme. Ils me hissent à bord du yacht ; je leur dis que je vis à San Martín de Pajarales, que je ne sais pas nager le crawl mais que je suis dans l'eau depuis neuf heures et depuis plus de cinq en haute mer, et que j'ai été emportée par le courant. Ils me regardent incrédules ; je m'effondre sur une banquette doublée en plastique blanc, me demandant pourquoi diable, en comptant celle-ci, Dieu vient de me sauver *in extremis* pour la quatorzième fois d'une mort certaine.

Lorsque nous arrivons à San Martín, Rafa me traîne jusqu'à la douche et me donne plusieurs tapes sur le visage, pour me faire reprendre connaissance semble-t-il. Puis il appelle son père et son voisin Germán Leongómez, l'oncle du guérillero Pizarro du M-19. Les trois hommes m'imposent un véritable conseil de guerre et décident que je dois partir par le premier avion. J'essaie plusieurs fois de leur expliquer que j'ai été emportée par le courant et j'implore Rafa de me laisser me reposer jusqu'au lendemain, mais son père lui crie de ne pas me croire et lui ordonne de m'expulser immédiatement de leur île – sans même me laisser le temps de réunir mes affaires –, tandis que Leongómez répète sans arrêt que j'étais en train d'essayer de me suicider et que je représente un danger pour ses amis.

À la barre de son vieux canot, me tournant le dos, Rafael fait route vers Carthagène, complètement silencieux. Tandis que j'observe le gris plombé de la mer, je me rends compte que l'homme avec lequel j'ai vécu au cours de ces dix derniers mois n'est en fait qu'un « fils à papa » à qui d'autres lâches ordonnent ce qu'il doit faire de sa femme. Je me dis que Pablo avait raison, que Rafa n'est pas un homme mais un enfant de trente-cinq ans et qu'à son âge Escobar avait déjà bâti un empire et offert des centaines de maisons à des milliers de personnes. Quand Rafa s'approche pour me donner un baiser d'adieu, je détourne le visage et je m'éloigne rapidement en direction de l'avion. J'arrive à Bogota à vingt-deux heures, grelottant de froid dans ma tenue d'été, et assoiffée car les Vieira ou leur voisin Leongómez ne m'ont même pas permis de boire ne serait-ce qu'une gorgée d'eau. Je dors dix heures d'affilée et, en montant sur la balance de la salle de bains le lendemain, je remarque que j'ai perdu six kilos – presque douze pour cent de mon poids – en l'espace d'une seule journée.

Je n'aurai plus jamais l'occasion de parler au téléphone avec Rafael Vieira. Quand j'essaie d'identifier le pilote et le couple qui m'ont secourue en haute mer car je veux les remercier en les invitant à dîner, je ne trouve personne qui puisse me donner leur nom. Quelques mois plus tard, quelqu'un me dira que « c'étaient des mafieux, et qu'ils ont été tués », ce à quoi je répondrai que « les gens qui construisent des villas et font du business sur des terres volées à la nation sont aussi des mafieux ».

Quelques jours après mon retour, je tombe malade, victime d'une affection respiratoire et je suis reçue en consultation par le célèbre oto-rhino-laryngologiste Fernando García Espinosa :

« Mais vous êtes tombée dans les égouts, Virginia ? Figurez-vous que vous êtes infectée par trois types différents de streptocoques que l'on ne trouve que dans les excréments humains ! Il y en a un qui pourrait, à la longue, endommager gravement votre cœur, vous êtes bonne pour plusieurs années de traitement et de vaccins. »

Tous ces « *gamalotes* » – des îlots jaunes de huit à douze mètres de diamètre que je voyais flotter chaque jour, à la surface de l'eau, et que j'évitais avec dégoût parce qu'ils étaient constitués de plantes en décomposition mêlées à des détritus – répandaient en fait des millions de microbes à la ronde. Mais, en ce début d'année 1987, cette infection n'était guère que le début d'une véritable odyssée dont mon miraculeux sauvetage en haute mer ne se révélerait que l'une des péripéties. J'avais passé toute la nuit précédente à pleurer car je savais que, pour m'empêcher à tout prix de revenir à la télévision, les médias des familles présidentielles me feraient payer l'assassinat du directeur du journal et que, Pablo n'étant désormais plus mon amant ni mon protecteur, il existait maintenant une possibilité pour que les services de sécurité de l'État me fassent subir ce qu'ils n'avaient pas osé faire du temps que j'étais avec lui.

À peine quelques jours après mon retour à Bogota, Felipe López Caballero m'appelle pour m'inviter à dîner. L'éditeur de la revue *Semana* a trois obsessions dans la vie : Julio Mario Santo Domingo, Pablo Escobar et Armando de Armas et, bien que je sois la seule personne à les connaître tous les trois, j'ai toujours catégoriquement refusé de lui parler d'eux. Felipe est bel homme, grand, il a les traits sépharades comme son frère Alfonso, qui est toujours ambassadeur dans une capitale, quelque part dans le monde. Bien qu'affable et d'apparence timide, Felipe est quelqu'un de glacial qui n'a jamais réussi à comprendre pourquoi, alors qu'il est si puissant, si élégant et « présidentiel », il n'arrive pas à m'inspirer l'amour que je ressens pour ce pion laid et petit – et de surcroît criminel *Summa cum laude* – nommé Pablo Escobar.

Je suis intriguée par cette toute première invitation à sortir avec lui car, bien que les López aient toujours été un couple très « ouvert », il n'irait sans doute jamais prendre le risque d'être vu dans un restaurant accompagné de celle qui a subi durant des années les foudres les plus viscérales de son épouse et de sa belle-mère, la fille non reconnue de l'oncle de Santofimio. Tandis que nous dînons à La Bibliothèque, le restaurant de l'hôtel Charleston, il me raconte que les derniers et scandaleux événements, dont parle le Tout-Bogota, ont été pour lui la goutte d'eau qui a fait déborder le vase et qu'il a décidé de divorcer. En ce moment, il vit temporairement chez son frère Alfonso, et il me propose de me faire visiter son appartement. Devant une très longue table en bois ornée de deux énormes chandeliers en argent, Felipe me demande si j'accepterais de me marier avec lui. C'est une demande que l'on m'a faite des dizaines de fois et, bien que je me sois toujours montrée reconnaissante à l'égard de mes prétendants, il y a bien longtemps que ce genre de déclaration ne m'impressionne plus.

« *Semana* répète sur tous les toits que je suis la maîtresse de Pablo Escobar. Comme tu as toujours eu un ménage "ouvert", est-ce à dire que tu veux, à tout hasard, me partager avec lui ? »

López me prie de n'accorder aucune importance à toutes ces bêtises, car il ne peut pas s'amuser à contrôler ce que chacun de ses journalistes écrit sur moi.

« Alors, tout ce que je peux te dire, c'est que, si, pendant que tu étais marié avec la femme la plus laide de toute la Colombie, on t'appelait déjà le Roi des

Orignaux, imagine si tu te maries avec la plus belle ! Je ne mets pas de cornes à mes maris ni à mes petits amis, Felipe, encore moins sur la place publique. Et d'ailleurs, je crois que je connais déjà le seul homme avec qui je pourrais encore me remarier. »

Il me demande de qui il s'agit et je lui dis que c'est un intellectuel européen, de famille noble, et onze ans plus vieux que moi ; son principal atout tient à ce qu'il ignore personnellement qu'il deviendra un jour le seul choix intelligent que j'aurai fait de toute ma vie.

*

La décision d'empêcher, coûte que coûte, quiconque de m'embaucher repose maintenant sur des paramètres qui ne sont régis ni par l'éthique journalistique, ni par une quelconque logique : Caracol Radio en tête – celle que dirige Yamid Amat, le journaliste de chevet d'Alfonso López – et imitée par les autres, toutes les stations de radio de Colombie colportent que je me suis jetée à la mer pour me suicider parce que je suis porteuse du virus du SIDA. Certaines assurent que je suis déjà morte et que ma famille a tellement honte qu'elle m'a enterrée dans la clandestinité. Une actrice et animatrice qui s'est entraînée à imiter ma voix appelle les cabinets de médecins réputés pour leur dire, en pleurant, que je suis porteuse de toutes sortes de maladies honteuses et contagieuses, et eux relaient, à tous les cocktails où ils sont invités, sans scrupules et à qui veut les entendre, que j'ai la syphilis et que je me fais traiter.

Tandis que la radio exige à grands cris que je vienne me montrer une fois pour toutes devant leurs micros et devant les caméras si je suis bien vivante, je pars tranquillement déjeuner au Chanel, puis au Pajares Salinas avec l'épouse du gérant d'IBM, qui possède une chaîne de magasins vidéo et me propose, pour oublier ce qui s'est passé dans les îles et ne pas me laisser affecter par tout ce qui se dit, de l'accompagner au Festival de la Vidéo de Los Angeles. Beatriz Ángel, très amie avec Felipe López, me raconte qu'il va lui aussi y assister, pour négocier la distribution de son film *L'Enfant et le pape*. López a profité de la visite de Jean-Paul II en Colombie pour tourner un long-métrage avec des fonds de Focine, que dirige son amie intime María Emma Mejía. Il a ainsi pu compter sur un prêt de huit cent mille dollars de 1986 à échéance indéterminée – et sur plus deux heures de prestation gratuite du Saint-Père en personne – pour réaliser ce qui s'annonce, dans la catholique Amérique latine, comme un carton historique seulement dépassé par *La Petite Fille au sac à dos bleu*[1].

Alors que je me dirige vers la porte d'embarquement – en courant, car je suis en retard –, une demi-douzaine de photographes et de journalistes me poursuivent dans les couloirs de l'aéroport. Ils sont envoyés par la revue de Diana Turbay, la fille de l'ex-président Turbay. L'édition du lendemain, sur laquelle je serai en une avec mes lunettes de

---

1. *La niña de la mochila azul*, en espagnol, est un film mexicain réalisé en 1979 par Pedro Fernández. Il a été adapté sous la forme d'un feuilleton à succès, *Amy, la niña de la mochila azul*, en 2004. *(N.d.T.)*

soleil et mon manteau de vison, titrera : « Virginia Vallejo s'enfuit du pays ! » Le contenu de l'article suggérera quant à lui qu'en fait je ne fuis pas les *paparazzi* mais la justice.

Beatriz et moi arrivons à Beverly Wilshire. Felipe López, qui loge dans un hôtel à bon marché, appelle pour me prier de le faire passer pour mon époux à l'entrée de l'événement phare, pour qu'il n'ait pas à payer les cinquante dollars du billet. Je n'ai pas d'autre choix que d'accepter car comment pourrais-je refuser à un producteur de cinéma qui va se retrouver devant la moitié de Hollywood l'économie d'une telle fortune ? Alors que nous y sommes et que nous discutons depuis un bon moment, López me dit :

« Cela fait une demi-heure que Jon Voigt ne te quitte pas des yeux, car tu es la plus jolie fille de la fête. Maintenant que je suis enfin un homme libre, tu ne veux vraiment pas être ma petite amie ? »

Je tourne mon regard vers Jon Voigt et, en riant, je rétorque à Felipe López que, selon les dires de la revue *Semana*, le redoutable et ténébreux baron Pablo Escobar Gaviria n'est pas disposé à me partager avec le fils de l'ex-président qui l'a transformé en mythe.

*

Quand je rentre à Bogota, le téléphone sonne pendant que je suis encore occupée à défaire mes valises :

« Mais qu'est-ce que c'est que toutes ces misères qu'ils te font, mon amour ? Pourquoi disent-ils que tu as le SIDA, que tu es en fuite, et que tu as la syphilis ? C'est vrai que tu as essayé de te suicider ? Ils te tourmentent à ce point ? Faisons une chose : tu ne me donnes au téléphone aucune réponse à toutes ces questions et, demain, j'envoie un avion te chercher pour que tu me racontes ce que ces Vieira t'ont fait et ce qui se trame derrière tout ce que cette bande de hyènes te fait endurer. Je vais faire tuer tous ces bouchers et ces charlatans, et châtrer tous ces assassins radiophoniques ! Et aussi Tarzan et son père ! »

Y a-t-il seulement une femme dans ma situation qui ne danserait pas de bonheur en entendant ces bonnes nouvelles, et plus encore en écoutant la sérénade des mariachis de ce soir, avec *Amor del Alma* et *Paloma Querida*, qui lui apporte la preuve incontestable que son saint Georges la protégera toujours du dragon ? Le lendemain soir, quand il me fait faire deux pirouettes en l'air tout en disant que la seule chose qui compte pour lui, c'est de me retrouver dans ses bras, je me sens la femme la mieux protégée de tout l'univers. Plus rien ni personne ne pourra me faire de mal et, pendant quelques jours, je n'accorde plus aucune importance aux menaces et aux anonymes, aux belles-sœurs et aux bouchers, aux magnats et aux vipères, à l'extradition et aux morts, ni au fait de savoir si tout le reste de l'humanité m'aime ou me déteste. Rien, plus rien d'autre ne m'importe que de me sentir à nouveau serrée contre le visage, le cœur, le torse et les bras de Pablo Escobar. Quand je l'entends jurer que, lorsqu'il me tient comme cela, toutes les autres femmes disparaissent, que je suis la première, l'unique et la dernière, que les heures qu'il passe avec moi sont le seul véritable Ciel qu'un bandit comme lui connaîtra jamais, je flotte dans l'éther léger dont parlait Huxley, car me trouver aux côtés de cet être viril fait disparaître de ma vie et le temps et l'espace, toute la substance dont la peur est faite, et toute matière pouvant receler la plus infime part de souffrance. Avec Pablo, je perds ma raison et, avec moi, il perd sa sagesse, nous ne sommes plus qu'un homme poursuivi par la justice et une femme poursuivie par les médias qui se connaissent, s'entraident et ont besoin l'un de l'autre, malgré toutes leurs absences, et qui savent faire abstraction de ses crimes à lui, de ses péchés à elle, et de leurs douleurs à tous les deux.

« Alors, comme ça, les Vieira t'ont obligée à monter dans un avion alors que tu venais de lutter contre le courant en haute mer et de perdre six kilos en un après-midi ?! Mais ce sont des assassins... et toi, tu es une héroïne ! Je vais la lui faire sauter sa barque à ce petit fils à papa, je vais l'atomiser ! Il y a un *etarra* expert en explosifs qui veut venir d'Espagne pour travailler avec moi. Il paraît que c'est un génie, alors je vais avoir l'occasion de vérifier si c'est bien vrai.

— Mais, Pablo... ETA, ce n'est pas un peu trop... un peu beaucoup pour Tarzan ? Et puis, San Martín de Pajarales, ce n'est pas non plus... le Kremlin ou le Pentagone !

— C'est vrai, ils ne sont rien d'autre qu'une bande de lâches... mais je voudrais que ce type commence à s'entraîner dès maintenant, car c'est une véritable guerre qui s'annonce. Et, concernant le Pentagone, j'ai d'autres plans : quoi qu'il en coûte, je vais me le procurer, ce missile, même si je dois aller le chercher au bout du monde. »

Je lui demande de quel missile il veut parler et il me rappelle que c'est celui auquel il avait pensé, à l'époque, pour protéger l'espace aérien de l'*Hacienda Nápoles*. Comme un missile ne peut servir qu'une fois, il a eu une autre idée : il envisage de le consacrer à un objectif qui en vaille la peine, et ni aux avions des forces aériennes ni au palais présidentiel colombien. Le palais et le bataillon de la garde présidentielle, il peut les neutraliser en quelques tirs de bazooka, sans que cela nécessite de gâcher un missile hors de prix et très difficile à trouver. Mais, s'il le lance sur le Pentagone, bien au centre de l'édifice, il neutralisera les systèmes de défense des États-Unis et leurs communications avec ceux de leurs alliés. C'est pour cela qu'il essaie actuellement de contacter Adnan Khashoggi, le vendeur d'armes le plus riche du monde et aussi un type qui, comme lui, n'a peur de rien.

« Le Pentagone ?... Wa... Waouh... Mais... à tout hasard, tu n'as jamais vu les films de la Panthère Rose dans lesquels il y a un diamant de mille carats protégé par tout un faisceau de rayons qui s'entre-croisent et que l'on ne peut distinguer qu'avec des lunettes spéciales ? Comment pourrais-tu ne pas t'en souvenir, étant donné que ceux du Pentagone sont comme ça ! Si les choses étaient si faciles, tu ne crois pas que ça ferait longtemps que les Russes auraient lancé des missiles sur les *gringos* ? Ce sont des milliers et des milliers de kilomètres d'espace aérien qui sont protégés par un impressionnant maillage de rayons invisibles, oui, monsieur, qu'on appelle "lasers", je crois ! Et ceux de la Maison-Blanche et de Fort Knox doivent être exactement pareils. Ah, mon amour ! Tu commences à ressembler à ces méchants types des films de James Bond, comme Godfinger, qui sont prêts à anéantir l'humanité tant que ça leur permet d'arriver à leurs fins. L'extradition ne justifie sans doute pas tout cela... »

Il me regarde, fou de colère, et je pense qu'il va m'étrangler.

« C'est ce que tu crois, Virginia ! L'extradition mérite bien cela, et toutes les autres choses qu'il me faudra faire ! Tout, tout sans exception, et ne t'avise pas de redire une autre énormité comme celle-là, sinon je te jette par la fenêtre ! Et puis, d'abord, le Pentagone n'est pas protégé par des rayons, visibles ou invisibles ! Je me suis bien creusé la tête pour savoir comment leur envoyer ce missile... Les gens sont convaincus que les *gringos* sont invulnérables et très intelligents, mais rien n'est moins sûr. Comment crois-tu que j'arrive à leur fourguer des millions de tonnes de coke, une coke dont le prix est passé de cinquante mille dollars à quatorze mille dollars le kilo depuis que je t'ai rencontrée ? Tu ne t'es donc pas encore rendu compte que nous, les Colombiens, nous sommes beaucoup plus vifs d'esprit qu'eux ? »

Il me dit que Reagan est obsédé par l'idée de se débarrasser de lui, et Nancy, d'en finir avec son business – c'est pour cela que cette petite phrase a été inventée : « *Just say no to drugs!* » – et qu'il ne va s'en laisser conter ni par eux ni par personne. Je lui jure que j'ai vu un film où un missile russe visait le Pentagone et, en arrivant à la frontière de l'espace aérien nord-américain, se retournait *ipso facto* contre le terroriste qui l'avait envoyé. J'essaie de lui faire comprendre que, si son missile rebondit sur l'espace aérien américain et revient sur Medellín, il causera un demi-million de morts, comme celui d'Hiroshima ou de Nagasaki.

« Ah, mon Dieu, quelle horreur ! Je crois que tu vas faire éclater la troisième guerre mondiale, Pablo ! »

Il répond que derrière les films de Hollywood se cache une clique de Juifs républicains qui ont une vision du monde calquée sur celle de Reagan, et qu'il a l'impression que je suis en train de devenir une oie blanche, comme toutes les autres femmes :

« Je croyais que tu étais mon âme sœur et que tu étais la seule à me comprendre, mais, à bien y regarder, tu es une "Âme pure", et aussi une moraliste. Et une impérialiste avec ça ! Ce n'est pas possible... Mais... attends un peu... attends donc un peu... Hiroshima, as-tu dit ?... Nagasaki ?... Ah, "Âme pure"... mais tu es un trésor, tu es géniale ! Quel est le Ciel qui t'envoie, amour de ma vie ! ? Et moi qui pensais que j'allais devoir installer une petite base dans une *Banana Republic*... alors que la formule est tellement simple ! »

Et, comme s'il venait de résoudre la conjecture de Shimura-Taniyama-Weil et le dernier théorème de Fermat, il danse en me faisant virevolter en l'air et en chantant, guilleret :

« Je bénis le jour où tu es entrée dans ma vie, ma douce colombe ! »

Je lui dis qu'un de ces jours on va lui mettre une camisole de force et l'interner, et je le supplie d'arrêter d'imaginer toutes ces horreurs car, parfois, il me fait peur :

« Toi et moi, nous discutions toujours de politique et d'histoire mais, depuis que je suis partie dans les îles, tu ne parles plus que d'explosions, d'enlèvements et de bombardements. Neutraliser le Pentagone ! Tu te prends pour le ministre de la Défense de l'Union soviétique ? Il y a de belles choses, dans la vie, Pablo. Pense à Manuela et à Juan Pablo… Utilise donc ta tête et ton cœur pour construire quelque chose, au lieu de rêver de tout détruire, car moi aussi j'ai besoin de me reposer et d'arrêter de subir toutes ces menaces et ces coups bas… »

Il reste pensif un instant, puis me dit :

« Oui… Tu dois te reposer de toutes ces menaces pendant un moment. Tu peux faire tous les voyages que tu voudras, à condition que tu reviennes chaque fois… Mais pas en Europe, parce que là-bas, il y a trop de tentations, et tu risques d'y rester… Aux États-Unis, parce que c'est plus près, okay ? Je sais bien que toi et moi, nous ne pouvons pas nous voir tous les mois, mais je deviens fou chaque fois que tu disparais. Pour ton retour, j'aurai fait son affaire à Tarzan, comme ça les gens sauront qu'à toi non plus, ils ne doivent pas continuer de chercher des poux… Je n'en peux plus de voir les autres te harceler, ma pauvre petite ! »

*

Je suis contente de partir à Miami et Pablo me demande de passer à Medellín à mon retour. Il me raconte qu'il fait filer le train à tous les membres de la famille Vieira et qu'il a tout ce qu'il faut pour faire sauter le bateau de Rafa.

« Je vais mettre la bombe à la marina où Tarzan laisse son rafiot lorsqu'il va à Carthagène ! C'est beaucoup plus facile qu'en haute mer, où la marine pourrait ensuite venir pincer mes garçons. »

Horrifiée, je m'exclame que des dizaines d'humbles travailleurs et de touristes du Club de pêche vont sauter avec lui, sans compter une centaine de yachts. Il répond que c'est précisément son idée :

« Je t'ai déjà dit que faire des méchancetés est ce que j'aime le plus au monde, pour que tu cesses d'espérer que me range du côté d'"Âme pure". Avec ce coup, nous créons aussi un précédent pour tous ces malades mentaux qui te torturent au téléphone depuis des années. Nous faisons d'une pierre plusieurs coups et ni les bouchers, ni les vipères, ni les belles-sœurs ne t'embêteront plus. Dans la vie, il faut savoir se faire respecter. Un point, c'est tout ! »

Pendant toute l'heure qui suit, je le prie de toutes les façons possibles de ne pas aller mettre cette bombe, de penser à toutes les personnes innocentes, aux yachts des Ochoa et du couple qui m'a sauvé la vie, mais il reste inflexible. Il prend plusieurs taffes de marijuana et, au fur et à mesure qu'il retrouve son calme, je commence à comprendre que cette bombe a en fait un quadruple objectif : punir les Vieira, et tout particulièrement Rafa Vieira, lancer un avertissement aux bouchers ou aux journalistes mais aussi, plus largement, à tous les hommes susceptibles de me séparer de lui. Depuis l'époque où il donnait des cailloux de coke à Aníbal et celle de mon divorce express, Pablo a flanqué la frousse à deux de ses rivaux multimillionnaires, il s'est mis en tête d'enlever mes ex-petits amis et il a usé de tous les prétextes pour se venger de tous les gens à qui il a décidé d'attribuer la responsabilité de nos séparations après des absences si longues qu'elles ont pourtant l'air d'adieux, et de détester tous ceux qui font partie de mon passé. Maintenant, il me demande s'il peut poser sa tête sur mes cuisses ; « bien sûr », lui dis-je et je lui caresse les cheveux tandis que, regardant dans le vide et parlant comme pour lui-même, il continue :

« La coupe est pleine, j'en ai assez de les voir t'humilier et te poursuivre à cause de moi. Tout ce qu'ils veulent, c'est t'écarter de ma vie pour toujours... et tu es la seule amie de mon âme... la seule femme qui ne m'ait jamais rien demandé... la seule avec qui je puisse parler de choses dont je ne parle qu'avec d'autres hommes, mais jamais avec ma mère ou mon épouse... Il n'y a plus que trois personnes en qui je puisse avoir confiance : "Osito", Gonzalo et Gustavo. Personne ne peut trouver le bonheur avec son frère, mon amour ; le Mexicain vit à Bogota et mon associé a beaucoup changé. Sans compter qu'ils sont tous les trois comme moi, et moi, j'ai besoin d'une femme qui m'aime, mais qui sache aussi me tenir tête... qui ait une échelle de valeurs différente de la mienne, mais qui me comprenne et ne me juge pas. Tu m'as évité bien des erreurs, et je ne peux pas permettre que tu m'échappes encore une fois... comme après le coup du palais, alors qu'à ce moment-là j'avais besoin de toi et ne te trouvais nulle part... Toi, qui t'éloignais chaque fois avec un homme plus riche que moi... partir avec le propriétaire de deux dauphins et d'un requin ! Tu parles d'un tableau ! »

Je lui fais justement remarquer qu'il ne semble pas justifié qu'ETA et Pancho Villa II s'y mettent à deux pour préparer un attentat contre Pancho Villa III. Je parviens enfin à le convaincre d'oublier cette bombe et de la remplacer plutôt par quelques appels téléphoniques comme il en a le secret. Il promet du bout des lèvres de faire ce que je lui demande, mais seulement parce qu'une explosion dans la marina pourrait se retourner contre moi. Repensant soudain à un événement récent, je lui demande :

« Pablo, il ne t'est jamais arrivé d'avoir envie de tuer un autre homme à coups de poing ? »

Étonné, il me demande ce que je veux dire et je lui raconte qu'au cours d'un dîner organisé chez une célèbre chef d'entreprise argentine du monde du théâtre « El Happy » Lora m'a demandé mon numéro de téléphone et je lui ai donné celui de la conciergerie de mon immeuble pour que les portiers et mon chauffeur n'en reviennent pas s'il appelait. J'ajoute en jubilant :

« Alors, ça, c'est un combat que le pays entier paierait cher pour voir : le *Kid* Pablo Escobar *vs*. le challenger *Happy* Lora ! Je crois que, sur un combat en douze rounds, les paris en faveur du champion du monde devraient certainement être de... environ... cent contre un ?

— Nooon, mon amour, tu rêves ! Ce serait du cent contre un en faveur du *Kid* Escobar ! Car... d'après toi, pourquoi la *chumbimba corrida* a-t-elle été inventée ? »

Nous rions et parlons d'autres grandes figures de la vie du pays. Il m'avoue qu'avec le concours de Gabriel García Márquez il envisage de contacter Fidel Castro : la seule façon expéditive de faire passer de la drogue en Floride est de passer par Cuba, et il est disposé à se montrer plus généreux avec Fidel qu'il ne l'a jamais été à l'égard de Noriega ou d'Ortega.

« Pablo, imaginer qu'un Nobel de littérature puisse t'aider à faire du trafic de drogue, c'est comme demander au peintre Fernando Botero de proposer le service de bordels à Gorbatchev ! Descends de ton nuage, mon amour, car ni García Márquez ni Castro ne vont t'accorder la moindre attention et ils vont se moquer de toi. Fais passer ta marchandise par le pôle Nord ou par la Sibérie, mais oublie Cuba : Fidel a déjà Guantánamo chez lui et, avec tout ce qui se passe avec les Contras, à cause de ces sandinistes qui se sont mis à travailler avec toi, il ne va pas prendre le risque de se faire envahir ni de se faire accuser d'être "un tyran narco-trafiquant" par la planète entière !

— Les *gringos* ont financé les Contras avec de l'argent provenant de came qui a été saisie, tu le savais ? Pas avec l'argent de la coke, mais celui du crack ! Et ça, c'est une vraie drogue addictive qui fait crever les gens... J'ai essayé de la bloquer, mais je n'ai pas réussi. Si ça, ce n'est pas une morale à double sens, je ne sais pas ce que c'est ! Tu sais pourquoi Nancy Reagan n'ira pas dire à Oliver North : *"Just say no, Ollie!"* ? Rien que pour tuer du communiste, ce type a pactisé avec "Tête d'Ananas", avec des trafiquants incarcérés, et même avec le diable ! »

J'insiste sur le fait qu'il est suicidaire de faire affaire avec Castro et je lui conseille d'arrêter de mêler autant la politique à ses affaires. Tout en haussant les épaules, il me répond tranquillement :

« Et, d'abord, qui a dit que la seule option possible, c'était le chef du gouvernement ? J'ai déjà appris grâce aux généraux mexicains que les militaires n'ont pas tous ces scrupules. Si un chef de gouvernement ne va pas dans notre sens, les généraux qui se trouvent juste en dessous de lui, ils marcheront, eux. Dans les pays pauvres, tout militaire a un prix, et c'est là que ma réputation d'homme riche est utile, mon amour. Tous, ils tueraient tous pour travailler avec moi… Et Cuba, ce n'est pas la Suisse, pas vrai ? C'est une simple question de logique : si ce n'est pas Fidel ou Raúl Castro, ce sera celui qui se trouve juste en dessous de Fidel et de Raúl. C'est tout. »

J'essaie de lui faire remarquer que, si Castro apprend que quelqu'un à Cuba travaille avec Pablo Escobar, il est capable de le faire fusiller :

« Et, ce jour-là, ce n'est pas contre la Colombie, mais contre toi que les *gringos* vont envoyer des Contras ! Chacun son métier, Pablo, tu n'es ni ravisseur ni communiste, juste narcotrafiquant. Ne commets pas d'erreurs politiques, tu es à la tête d'un véritable empire et c'est la seule chose que tu dois avoir à l'esprit, sinon, tu vas dilapider toutes tes liquidités dans ces guerres et tu vas te retrouver encore plus pauvre qu'à tes débuts. Tu es en train d'engraisser tous ces dictateurs et ces généraux des Caraïbes alors que, dans ton propre pays, tu écrabouilles tout ce que tu trouves en travers de ton passage. Si ton souhait est d'entrer dans l'Histoire comme une figure d'idéaliste, tu t'y prends complètement de travers car "charité bien ordonnée commence par soi-même".

— Qui t'a dit que je voulais entrer dans l'histoire comme un idéaliste, mon petit amour ? Tu n'imagines même pas dans tes rêves tous les projets que j'ai encore ! »

*

Gustavo Gaviria m'a priée de passer à son bureau pour parler avec moi d'une affaire très privée. Quand j'arrive, il ferme la porte et m'avoue que je suis la seule personne à qui il pourrait confier ce secret qui le tourmente. J'imagine qu'il va me parler des crimes – ou des *liaisons dangereuses* – de son associé, car je sais que tout cela nuit sérieusement à la rentabilité de leur business.

« Je suis fatigué, Virginia... Pablo et le Mexicain vivent maintenant presque dans la clandestinité, Jorge Ochoa est en prison et Carlos Lehder vient d'être extradé. Toute la responsabilité de l'organisation repose presque entièrement sur mes épaules, et je me demande parfois si tout cela en vaut bien la peine... Grâce à Dieu, chaque fois que tu reviens, Pablo retrouve la raison pour un moment, mais ensuite, vous vous séparez une nouvelle fois et il se retrouve sans personne pour le brider un peu, il passe son temps à fumer de l'herbe dans ce monde de filles de joie et de tueurs à gages... entouré d'une famille qui le regarde comme un dieu tout-puissant... Tu veux que je te dise quelque chose ?

Je me suis rendu compte que, dans la vie, la seule chose qui en vaille la peine quand on a déjà assuré l'avenir de ses enfants et de ses petits-enfants – et qu'on ne peut pas partir en voyage à l'étranger pour dépenser son argent –, ce n'est pas d'accumuler des diamants mais d'être heureux avec une belle femme qui nous aime comme toi tu aimes Pablo. C'est la seule chose qui nous retienne sur terre... tu vois ce que je veux dire... »

Je lui demande de qui il est amoureux, et il m'avoue que c'est d'une actrice de la télé que je connais sans doute. Il jure qu'il a besoin d'elle pour la chérir, se marier avec elle et lui être fidèle jusqu'à la fin de ses jours. Il répète qu'elle est le plus bel être de toute la Création, qu'il souffre horriblement en pensant qu'elle pourrait l'éconduire et que, par amour pour elle, il serait capable de se retirer des affaires pour devenir un homme bien. Il me propose de m'offrir tout ce que je veux si je la convaincs de venir à Medellín pour les présenter car, pour des raisons de sécurité, il ne peut pas sortir de son territoire.

« Gustavo, je ne veux même pas savoir comment elle s'appelle, car je ne souhaite à aucune autre femme de subir tout ce que j'ai enduré pendant toutes ces années. Surtout à personne qui travaille dans les médias. Je n'ai jamais joué l'entremetteuse et tu es un homme qui a la chance d'être très bien marié. Pour l'amour de Dieu, ne me demande pas une chose pareille, j'en ai déjà assez avec les dernières propositions de Pablo. C'est un vrai crève-cœur mais, malgré toute l'affection que j'ai pour toi, je ne peux pas te rendre ce service et je ne vais pas lui faire tout ce mal à elle. »

Il me demande ce qui me ferait le plus plaisir, quel est mon rêve le plus irréalisable. Je lui réponds que ma vie s'est transformée en un enfer de menaces et que je vais, moi aussi, lui confier un secret : j'aimerais quitter le pays pour faire des études à l'École de traduction et d'interprétation de Genève, en Suisse. Si je devais rester ici, mon objectif serait de fonder ma propre entreprise de cosmétiques, mais Pablo tient absolument à ce que je devienne le témoin, la scénariste et la chroniqueuse d'une longue série de procès, tous plus effrayants les uns que les autres.

« Si tu me présentes à Ana Bolena Meza, Virginia, je te promets que tu n'auras jamais à le regretter. Je te jure que je t'aiderai à sortir du pays pour que tu puisses commencer une nouvelle vie, loin de tout cela. Tu ne mérites pas tout ce que l'on te fait endurer à cause de nous… Et ce qui s'annonce est encore pire que tout ce que tu as pu voir jusqu'à maintenant… mais je ne peux pas t'en dire plus. Promets-moi que tu vas essayer, pour que je sois libéré une bonne fois de cette incertitude qui m'empêche de trouver le sommeil. Tu sais que je ne suis pas libertin comme Pablo : je suis l'homme d'une seule femme. Je meurs d'amour pour cette fille et je veux juste la rendre heureuse. Toi qui as un grand cœur, aide-moi, car tu ne t'imagines pas à quel point je souffre ! »

Il m'émeut tellement et je le sens tellement sincère que je lui promets d'y réfléchir.

Je pars pour San Francisco, pour aller contempler les séquoias géants des Muir Woods et revoir Sausalito, cette partie du paradis terrestre ayant un temps appartenu à un général Vallejo de mes aïeux qui ne m'a pas légué le plus petit mètre carré de terre californienne. À mon retour du Far West, alors que je suis sur le point d'embarquer dans un avion à Miami, je suis arrêtée par deux agents fédéraux. Ils me demandent si je voyage avec de l'argent liquide et, lorsqu'ils montrent leurs plaques, je remarque que la main du plus jeune des deux tremble. J'en déduis que Pablo inspire aussi de la terreur au FBI. Lorsque j'ouvre mes valises pour les défaire, je découvre que tous mes bagages sont en désordre et qu'ils semblent avoir été minutieusement fouillés à la recherche d'argent ; comme je n'ai jamais plus de mille dollars sur moi lorsque je sors d'un pays, j'en conclus que ce sont des choses qui vous arrivent lorsque vous voyagez beaucoup et vous dites aux douaniers que vous vous êtes *retired* car vous étiez fatigué de travailler.

Un peu plus tôt, la petite amie de Joaquín Builes m'avait appelée, presque en larmes, pour me dire que Hugo Valencia lui devait plus de deux millions de dollars en bijoux et qu'il ne voulait pas les lui rendre. Elle me priait d'aller lui parler car il ne lui répondait plus au téléphone, tandis que moi, le Gamin m'aimait et me respectait énormément. J'avais appelé Hugo et je lui avais expliqué que mon amie connaissait de gros problèmes avec ses fournisseurs et qu'elle en appelait à sa générosité et à son esprit chevaleresque pour qu'il lui verse une partie de la somme dont il lui était redevable. Cela faisait deux ans que je n'avais pas parlé au Gamin et sa réaction m'avait complètement pétrifiée :

« Je n'arrive pas à croire que vous m'ayez appelé pour me demander des comptes pour des tiers !

Pourquoi n'appelez-vous pas plutôt vos amants, espèce de vieille peau ? Comme ce schizophrène de Pablo Escobar ou ce bagnard de Gilberto Rodríguez ? De quel droit osez-vous me parler ainsi ?

— Si tu ne veux pas que les gens te parlent comme ça, Gamin, paie tes dettes, comme le font les personnes riches comme il faut. D'ailleurs, tu sais pertinemment que je n'ai jamais été la maîtresse de Gilberto.

— Ah boooon ? Eh bien, sa femme a envoyé une tapette faire le tour des stations de radio et il paie les journalistes pour qu'ils disent tous ça ! À moins que vous ne vous en soyez même pas rendu compte ? Ou que vous soyez devenue sourde et que vous ne viviez plus en Colombie ! »

Après avoir crié pendant plusieurs minutes des choses que même nos pires ennemis n'auraient pas osé dire de Pablo ni de moi, Hugo avait raccroché, furibard. Deux jours plus tard, la bijoutière avait appelé, toute radieuse, pour me remercier car le Gamin venait de lui payer un million de dollars d'un simple trait de plume. Après lui avoir parlé de la volée d'insultes que j'avais essuyée pour lui rendre ce service, elle m'avait répondu qu'une personne comme moi ne devait pas prêter attention à ces choses-là car Huguito n'était encore qu'un enfant, et il traversait une mauvaise passe.

À l'occasion d'un voyage à Cali pour le lancement d'une campagne publicitaire, je décide de rendre visite à Clara. Je remarque d'emblée qu'elle a beaucoup changé. Après avoir écouté le récit de tout ce qui s'est passé dans les îles, elle va dans sa chambre, revient avec un étui de chez Cartier, l'ouvre et me montre un collier et des pendants d'oreilles en émeraudes et en diamants dignes d'Elizabeth Taylor. Puis, avec un mélange de rage et de douleur, elle me dit, sur un ton accusateur :

« Sais-tu que ton cher Pablito a fait découper en morceaux Hugo Valencia ? Oui, le Gamin, qui était notre ami et qui nous achetait pour des millions de dollars de bijoux pour ses petites amies ! Maintenant, Virgie, regarde bien la taille de ces émeraudes et devine qui les a commandées à Beatriz : eh bien... c'est Pablo ! Et devine pour qui ? Eh bien... pour une petite reine de beauté quelconque ! Oui, Pablo a payé cette parure de deux cent cinquante mille dollars pour un week-end avec une petite pute portant une couronne en fer-blanc sur la tête ! Et à toi, la star de télévision la plus élégante et la plus cotée de ce pays, une beauté de la haute société qui ne sortait qu'avec des nobles et des multimillionnaires, il ne s'est pas contenté de ne rien te donner, il t'a laissée sans travail, il t'a livrée en pâture au mépris et aux menaces de mort du monde entier ! Regarde ce que ton amant ou ex-amant à tête de routier offre à une putain oubliable pour quelques nuits passées avec lui ! Ce misérable assassin, que t'a-t-il donné en cinq ans ? Qu'est-ce qu'il t'a laissé, ce boucher, toi qui étais comme une reine sur son piédestal ? Regarde-la bien cette parure, un quart de million de dollars pour une boniche abrutie qui ne pourra jamais le porter devant une caméra ou à un bal à Monte-Carlo et qui le vendra pour cinq mille dollars au premier coup dur ! Regarde-la, Virgie, pour que tu n'oublies jamais que la seule chose qu'aime Pablo Escobar, ce sont les putes de luxe qui viennent du même milieu social que lui ! »

Je n'ai jamais demandé de bijoux à personne ni attendu que l'on m'en offre. Ceux que je portais à la télévision étaient des bijoux fantaisie de chez Chanel, Valentino ou Saint Laurent, et ceux des couvertures de magazines m'étaient prêtés par Beatriz. J'avais toujours pensé que, comparé aux magnats radins, Pablo était le plus généreux des hommes, le seul qui fût splendide, le seul multimillionnaire qui s'était préoccupé de me voir et de me rendre heureuse. Mais la vision de ces émeraudes dignes d'une impératrice et la description de leur destinataire, ajoutée à ce qui était arrivé au Gamin et aux mots si durs de celle qui, des années durant, avait été ma meilleure amie, me sortent de la rêverie dans laquelle j'ai vécu et me ramènent à la réalité. Je ravale mes larmes, je me dis que cette fois-ci, pour moi, la coupe est pleine. Je décide que l'heure est venue de suivre le conseil de Gloria Gaitán et de chercher un financement pour ma propre entreprise de cosmétiques. Je demande un rendez-vous au propriétaire de la moitié des laboratoires du pays, qui vient de rentrer d'un séjour prolongé en Espagne ; il me fait dire qu'il peut me recevoir sur-le-champ.

Je n'étais jamais entrée dans une prison, mais celle-ci est tout le contraire de ce que j'avais pu imaginer : on dirait un lycée, avec des gens heureux qui montent et descendent les escaliers ; il n'y a presque pas de gardiens – juste des avocates souriantes et bien habillées – et l'on entend de la salsa dans tous les coins. Dans la prison de Cali, le détenu numéro un est presque aussi puissant que le pape au Vatican, ce qui signifie que personne ne me demande mon nom, ne me met de tampon sur la main, n'ouvre mon sac et ne me fouille. Un de ses employés me conduit directement jusqu'au bureau du directeur avant de se retirer.

Comme Scarlett O'Hara quand elle va rendre visite à Rhett Butler en prison avec l'ensemble qu'elle s'est confectionné avec les rideaux de velours de sa maison de Tara dans *Autant en emporte le vent*, je lui lance : « La Vierge de la Merci vient saluer les ex-Extradables !

— Ouh, ma reine, mais quelle est cette apparition qui semble tout droit descendue du Ciel ? s'exclame Gilberto Rodríguez en me serrant tendrement dans ses bras.

— Si jamais l'opinion publique apprend comment tu vis ici, la moitié du pays va venir faire la queue pour entrer ! Cet hôtel est fantastique ! Crois-tu que je pourrai me payer six mois ici le jour où j'aurai réussi à amasser une fortune illicite aussi importante que la tienne ? »

Il rit, non sans un certain vague à l'âme, et dit que je n'ai pas du tout changé. Nous nous asseyons face à face, à une longue table et nous commençons à discuter. Il me raconte que, bien que ce soit une vraie chance pour eux d'être de retour dans leur patrie et sur leur territoire, les années de prison en Europe ont été terribles, car ils pensaient qu'à tout moment les Espagnols pouvaient les remettre aux *gringos*. Après de longues tractations entre les gouvernements de Belisario Betancur et de Felipe González, Jorge Ochoa et lui ont obtenu que des procès soient ouverts à leur encontre pour des délits mineurs, des procédures qui ont permis à la justice nationale de pouvoir les réclamer avant que celle des États-Unis ne s'en charge. Cela leur a évité d'être envoyés aux États-Unis.

« Ici, on m'apporte à manger de la maison ou du restaurant tout ce que je veux mais, en Espagne, c'était différent. On est très mal habitués, ici, ma princesse, et tu n'imagines même pas ce que c'est de devoir manger des spaghettis sans sel tous les jours... et le bruit de ces grilles qui se referment le matin, l'après-midi et le soir en faisant un tapage infernal qui vous empêche de dormir... Mais, le plus difficile, c'est de se dire à longueur de journée que votre femme est en train de vous faire cocu...

— Mais avec qui veux-tu que cette tigresse aille te mettre des cornes ? Je suis sûre que celle que tu as est une tigresse fidèle !

— Non, non, mon amour, ce n'est pas d'elle que je parle... Je parle de ce que toi et moi nous avions imaginé... Paris. Tu te souviens... ou alors tu as oublié ? » demande-t-il avec une tristesse non dissimulée.

Je ne pourrai jamais aller lui raconter ce que Pablo m'a fait subir quand il a su pour « Paris ». Ce terrible épisode est un de nos secrets les plus intimes et, en tout cas, je le lui ai fait payer avec du sang, nous sommes quittes et ma douleur est presque entièrement oubliée. D'autant que je me suis juré de ne jamais en parler à personne. Je regarde Gilberto avec tendresse, je lui dis que, durant ces trois ans, je n'ai reçu qu'une lettre de lui et je lui demande quand il va sortir. Il me répond qu'il sortira dans quelques mois et qu'il aimerait me revoir. Puis il reste à observer mes cheveux, dont il vante la beauté, et me suggère de lancer une ligne de shampoings à mon nom. Je le remercie pour le compliment et je lui dis que c'est en fait une ligne de maquillage et de produits de soin pour la peau que j'aimerais créer, mais que je n'ai pas les capitaux nécessaires. Il me promet que nous en reparlerons dès qu'il sera sorti de prison et qu'il aura retrouvé sa liberté. Pour changer de sujet, je lui demande pourquoi ils ont tué Hugo Valencia, qui devait beaucoup d'argent à une bijoutière de mes connaissances et plusieurs voitures à mes amis de Raad.

« Huguito ne payait pas ses dettes et il avait de farouches ennemis à Medellín. Dieu merci, ici, dans la Vallée, il ne se passe pas de choses aussi effroyables... Mais n'en parlons pas davantage, je ne sais plus rien de ce business car je suis retiré des affaires. Et pour de bon ! Tu ne me crois pas ? »

Je lui dis que si, que je le crois... qu'il est en retraite forcée... et provisoire. Je me rends compte qu'il ne rit plus aussi facilement qu'avant et qu'il semble avoir perdu beaucoup de la malicieuse sympathie qui le caractérisait mais, comme presque toutes les femmes, je trouve aux hommes qui ont l'air temporairement vaincus, face à ceux qui semblent invulnérables, un charme spécial. J'insiste sur le fait qu'il devrait se considérer comme l'homme le plus chanceux du monde, mais il martèle que ses années de prison l'ont profondément marqué et que plus rien ne sera plus pareil, car les stigmates que peut porter un délinquant notoire passent à ses enfants. Je lui rétorque que c'est le prix à payer pour hériter d'un milliard de dollars « stigmatisés », et que ses enfants devraient lui être très reconnaissants des sacrifices qu'il a consentis pour eux. Avec une profonde nostalgie, il m'explique qu'il ne pourra plus jamais sortir de Colombie, car il risquerait d'être arrêté dans un autre pays à la demande du gouvernement américain puis extradé vers les États-Unis, ce qui signifie que, même avec tout son argent, il ne pourra pas revoir Paris. Nous discutons de ses études et de ses lectures en prison, d'*Au cœur des ténèbres* de Joseph Conrad, de Stefan Zweig, son auteur favori, et du fait qu'il aurait aimé être chef d'orchestre. Je sais qu'il a raison et, lorsque nous nous quittons, quelques heures plus tard, il me promet de venir me rendre visite dès le lendemain de sa sortie de prison. Lorsque je rentre chez Clara, je passe à côté de l'étui en velours qui contient des diamants et des émeraudes gelés – qui pourraient tout aussi bien valoir quelques centimes que plusieurs millions – et je me dis que « les voies du Seigneur sont impénétrables » et, comme Dinah Washington, je chante, heureuse :

« *What a difference a day makes, twenty-four little hours* »...

*

Armando de Armas me propose de prendre la direction de *Hombre de mundo* mais je décline son offre, car je sais qu'il maltraite les directrices éditoriales de ses autres magazines et qu'avec moi il serait sans pitié. Puisque les gens qui m'entourent semblent tous à la tête d'un empire régnant sur quelque chose, je commence à travailler à la construction du mien : j'étudie toutes les biographies d'Helena Rubinstein, d'Elizabeth Arden et d'Estee Lauder, et je décide que l'heure est venue de créer une marque latino-américaine de produits de beauté pratiques, aux tons en phase avec la peau et les traits des femmes latines et à un prix raisonnable car, si les coûts sont si élevés dans le monde des cosmétiques, ce n'est qu'à cause de la publicité et du packaging. Je demande à Hernán Díaz de faire de nouvelles photos de moi et je constate que, pour mes trente-sept ans, mon visage et ma silhouette semblent resplendissants comme jamais. Je sais qu'avec un investissement minimal de Gilberto, et en m'appuyant sur ses énormes chaînes de distribution, je pourrais créer un business réellement rentable car, si je peux convaincre les femmes d'acheter tout ce que je montre dans les publicités, imaginez le succès qu'auront ces crèmes qui effacent les estafilades et ces vitamines qui soignent la syphilis et le SIDA ! J'achète toutes sortes de produits pour les étudier de près et décider lesquels je suis susceptible de pouvoir imiter ou améliorer et je me dis que, tôt ou tard, je lancerai aussi des produits pour homme. Je pense que je suis prête à commencer et je compte les jours en attendant que mon associé potentiel soit remis en liberté, mais je décide de ne pas lui parler de mes projets avant d'être certaine qu'il partage mon enthousiasme. Quelques semaines plus tard, nous avons une nouvelle conversation :

« Ça y est, je suis sur le point de sortir mais, dans ce business, les problèmes n'arrêtent jamais, ma petite princesse. Maintenant, ce monsieur de

Medellín, qui est un ami à toi, menace de nous faire la guerre, tout cela parce que mes associés et moi, nous ne voulons pas lui rendre un petit service… je ne peux pas te dire lequel, car ce sont des affaires d'homme. Toi aussi tu dois faire attention car il est en train de devenir fou… et il est capable de te faire tuer. »

Je lui dis que c'est une idée farfelue car, bien que Pablo et moi ne soyons plus amants, il me considère comme sa meilleure amie et il m'aime énormément. Je lui propose de me donner l'occasion d'arrondir les angles car, maintenant que Luis Carlos Galán est retourné dans les rangs du Parti libéral et qu'il va être le prochain président, lui et Pablo ont tout intérêt à envisager la création d'un front uni et pacifique contre l'extradition.

« Je ne veux pas vous voir vous entretuer ou être extradés car nous avons tous déjà suffisamment souffert… Finissez-en avec ça, vous me brisez le cœur. Laisse-moi essayer un armistice, tu veux bien ? »

Il me dit qu'il est très sceptique parce que les esprits sont déjà très échauffés, mais il ne voit aucun inconvénient à ce que je signale à Pablo son souhait de trouver un terrain d'entente.

Ce que j'ignore, à ce moment-là, c'est le type de service qu'Escobar est en train d'exiger des Rodríguez. Gilberto et Miguel ont deux principaux associés : « Chepe » Santacruz et « Pacho » Herrera, un des rares *narcos* qui préfère les éphèbes aux reines de beauté. Pablo exige qu'ils lui remettent Pacho – un de ses ennemis jurés – pour le payer d'un service qu'il a rendu à Chepe en début d'année, celui de découper Hugo Valencia en morceaux. C'est le type de choses qu'on ne fait pas à Cali, mais que l'on fait à Medellín.

Plusieurs jours plus tard, je me retrouve au salon de beauté avec Ana Bolena Meza. La réponse que me donne cette douce jeune fille est une leçon de dignité que je n'oublierai jamais. Elle et moi n'échangeons que quelques phrases courtoises, mais ses immenses yeux bleus m'en disent davantage que tout ce que ses paroles peuvent exprimer. Au fond de mon cœur, je ressens un profond soulagement devant l'échec de ma mission, mêlé à un inavouable sentiment de jubilation : il reste encore dans le monde des êtres qui n'ont pas de prix.

*

Gilberto Rodríguez me dit que ça lui fait infiniment plaisir de me voir ; il est sorti de prison la veille et se trouve déjà aujourd'hui à Bogota. Il est cinq heures de l'après-midi et je suis dans le salon, en train de vérifier que tout est parfait : le champagne, la musique, les fleurs, la vue, l'œuvre de Zweig qu'il n'a pas encore lue. J'entends la porte de l'ascenseur qui s'ouvre et je suis surprise d'entendre des rires. Je n'en crois pas mes yeux lorsque je vois deux hommes impeccablement habillés, en bleu marine, et tout radieux faire leur entrée : Gilberto Rodríguez vient m'exhiber devant Alberto Santofimio et le candidat de Pablo Escobar vient s'exhiber avec Gilberto. Ils m'avertissent qu'ils ne peuvent pas rester plus d'une heure car l'ex-président Alfonso López Michelsen les attend à sa résidence avec Ernesto Samper Pizano pour fêter la remise en liberté de Gilberto.

J'ai passé toute ma vie devant une caméra, j'ai survécu à des années d'insultes publiques et je crois que je parviens à ne pas montrer ce que je ressens pour Santofimio. Quand ils s'en vont tous les deux, je sais que les Rodríguez vont anéantir Pablo, mais je sais aussi qu'avant qu'ils n'y arrivent Escobar pulvérisera la moitié de l'humanité. Si, sur toute la planète, il ne restait que lui et Gilberto, je crois que je choisirais Pablo : il est impitoyable mais, avec lui, on sait à quoi s'en tenir. Escobar est, comme moi, quelqu'un d'entier. En cinq ans, j'ai peut-être dû l'appeler une demi-douzaine de fois, et jamais pour lui dire qu'il me manquait ou que je voulais le voir, mais aujourd'hui je décide de faire, pour la première et la toute dernière fois, ce que me dicte mon cœur : nous devons nous rencontrer de toute urgence pour parler de Cali et je vais faire le voyage sur un avion commercial. Je ne lui confie pas, pas plus qu'à Gustavo, que je viens en fait leur dire adieu à tous les deux. Et que, cette fois, c'est vraiment pour toujours.

Au cours du lustre qui vient de s'écouler, je suis peu à peu devenue le témoin impuissant des desseins de tous ces hommes. Demain, je ferai tout, même l'impossible, pour tenter de dissuader Pablo de faire cette guerre, car je suis effrayée par la stratégie qui se met en place dans sa tête. Je viens de me rendre compte que j'assiste au début de la fin de deux êtres formidables qui ont su se hisser dans le monde des puissants et que, lorsqu'ils s'entretueront et que le pouvoir en place les aura achevés, rien n'aura changé dans ce pays. Il ne restera plus que les intelligences mesquines de toujours, disposées à régner encore pour un siècle, les poches remplies de leur fortune à tous les deux. Je verrai demain pour la dernière fois l'homme qui m'a rendue pleinement heureuse, celui qui m'a toujours traitée comme son égale et ne m'a jamais sous-estimée, le seul au monde qui m'ait donné le sentiment d'être choyée et protégée. Je me regarde dans le miroir et je me dis que, d'ici quelques heures, je dirai un dernier adieu à tout ce que lui et moi avons partagé. Je me regarde pleurer devant le miroir et, un instant, derrière l'image qu'il reflète, je crois voir passer en courant *Le Cri* de Munch.

Un diamant et des adieux

L'extradition est tombée pour vice de forme il y a de cela quelques mois et Pablo est reparti travailler dans son bureau. Lorsque j'arrive, on m'informe que Gustavo et lui sont en réunion et qu'ils me prient de les attendre quelques minutes, le temps qu'ils se libèrent. Je me dis que c'est la première fois que je fais antichambre ici et que, Dieu merci, ce sera aussi la dernière. Tandis que je patiente, un de leurs hommes ou de leurs sicaires – comme on appelle maintenant en Colombie les assassins de la mafia – jette des regards lascifs sur mes jambes et fait remarquer à son collègue, d'un ton de voix suffisamment haut pour que je puisse entendre chaque mot, que celle qui m'a remplacée n'a vraiment pas ma « classe ». Depuis que j'ai fait la campagne publicitaire pour les collants Di Lido, beaucoup d'hommes ne regardent plus mon visage, mais ont les yeux rivés sur mes jambes, car les gens ordinaires croient plus à ce que les médias leur montrent qu'à ce qu'ils voient de leurs propres yeux.

J'observe tous ces garçons au regard torve et au langage obscène, qui ne cachent pas le mépris qu'ils ont pour la société et pour les femmes, et je me dis que ce sera pour moi un soulagement de me couper pour toujours de cette élite d'un inframonde de plus en plus puissant et ténébreux. Hier soir, j'ai décidé, pour la première fois depuis notre rencontre, d'aller demander de l'argent à Pablo. Tout au long de ces cinq années, et à l'occasion des dizaines de voyages que j'ai faits à l'étranger, il m'a toujours fait parvenir des sommes considérables pour couvrir mes frais, des sommes que j'ai toujours reçues comme des manifestations de son amour et de sa générosité. Mais, depuis qu'il a payé les dettes de ma société de production en échange d'un contrat publicitaire, en janvier 1983, il ne m'est jamais venu à l'esprit de lui demander quoi que ce soit car j'ai toujours disposé, grâce à mon travail, de ressources suffisantes. Je n'ai jamais eu l'ambition d'accumuler des propriétés ou des richesses, j'ai été pendant quinze ans une des professionnelles les plus cotées de la télévision colombienne et je ne croyais pas du tout pouvoir me retrouver sans travail à mon âge. Je veux simplement dire par là qu'avec les économies qu'il me reste je n'ai plus de quoi vivre que pendant douze mois.

Hier, j'avais l'espoir de pouvoir parler un bon moment avec Gilberto après ses trois longues années de prison, mais sa visite avec Santofimio m'a servi d'avertissement, et mon instinct me dit que je ne dois pas me faire beaucoup d'illusions quant à l'idée de monter mon affaire de cosmétiques avec lui. C'est pour cela que j'ai décidé de demander plutôt à Pablo de m'aider pour que je puisse partir étudier les langues en Europe et travailler ensuite dans le domaine dont j'ai toujours rêvé lorsque j'étais une petite fille, jusqu'à ce que d'abord le mariage, puis la télévision se mettent en travers de mon chemin. Mais, avant toute chose, je me propose d'essayer d'arrêter ce qui ressemble à s'y méprendre à une guerre imminente entre les cartels de Medellín et de Cali, autrement dit, entre leurs deux principaux chefs, Pablo Escobar et Gilberto Rodríguez.

La porte du bureau de Pablo s'ouvre et il en sort accompagné d'une femme. Elle doit avoir environ vingt-sept ans, porte un pull rouge de laine nationale, une jupe noire et elle a sur la poitrine une chaînette en or avec une grande médaille de la Vierge. Bien qu'elle soit plutôt sexy, qu'elle ait belle allure et qu'elle porte les cheveux longs, elle ne pourrait en aucun cas devenir mannequin ou reine de beauté. On dirait une vendeuse de cosmétiques d'une boutique chic ou une employée de magasin de décoration. Il me la présente comme sa petite amie, et je le félicite d'avoir une si jolie fille à ses côtés. Elle me regarde avec douceur et ne manifeste aucune jalousie à la vue du précieux ensemble rouge Thierry Mugler que je porte, qui me fait un corps de sirène et qui aimante tous les regards lorsque j'entre dans les restaurants de Bogota. Je l'ai choisi parmi plus de cent cinquante ensembles de grands couturiers de Milan, de Paris et de Rome, car j'ai lu quelque part que le souvenir que nous conservons des gens est celui de la dernière fois où nous les avons vus. Et j'ai beau encore aimer Pablo, j'ai décidé qu'aujourd'hui j'allais lui dire adieu pour toujours, pas seulement parce que nous avons déjà fini de nous aimer, mais parce que notre amitié est devenue, petit à petit, une source intarissable de problèmes, de souffrances et de dangers pour une personne aussi exposée et vulnérable que moi. Je prends congé de la jeune femme en lui adressant un sourire et quelques paroles cordiales, et je dis à Pablo :

« Je vais demander à ta petite amie de bien vouloir nous excuser quelques instants, car je viens de Bogota pour t'apporter un message de Gilberto Rodríguez. Je crois qu'il faut impérativement que je te le transmette tout de suite. »

Je me dirige vers son bureau sans attendre qu'il m'invite à y entrer. Ils échangent quelques brèves paroles, puis il m'emboîte le pas ; il ferme la porte et s'assied à sa table. Je vois bien qu'il a le visage déformé par la colère. La veille, dans l'après-midi, j'ai dit « Cali » et, pour me punir, il s'est volontairement exhibé devant moi avec une vendeuse de magasin. Or, devant une femme qui ne peut pas avoir grande d'importance – ni pour lui, ni pour moi –, la célébrité que je suis, qui a tout sacrifié par amour, n'a pas hésité à lui répondre en citant le nom de son pire ennemi. Pablo me regarde et, en une fraction de seconde, ces yeux de grizzly me disent tout, tout ce qui m'attend pour le restant de mes jours. Le restant de mes jours sans lui. Sans lui et sans rien. Sans rien du tout.

« Je te préviens que je n'ai que quelques minutes car ma fiancée m'attend. Qu'est-ce que tu avais à me dire ?

— Que Gilberto et Samper vont te massacrer, Pablo. Mais je n'aurai pas assez de quelques minutes pour t'expliquer comment, parce que, évidemment, en finir avec toi ne sera pas chose facile. Soit tu me respectes, soit je pars sur le prochain avion. »

Il regarde par terre et, après avoir réfléchi quelques secondes, il lève les yeux et me dit :

« Ça va. Je te ferai chercher à l'hôtel demain matin à neuf heures et demie et nous nous verrons à dix heures. Ne fais pas cette tête ! Maintenant, je me lève tôt. Oui, à neuf heures ! Mes journées sont accaparées par les rendez-vous et je suis devenu quelqu'un de ponctuel. Gustavo t'attend. À demain, Virginia. »

Sa curiosité m'a tout dit : un homme qui a dépensé deux cent cinquante mille dollars en émeraudes pour un week-end avec une de ces petites reines de beauté, mais qui, à la seule mention de « Cali », exhibe cette femme comme sa fiancée, perd clairement le sens de la mesure et est donc en train de devenir hautement vulnérable. Tous ensemble, les quatre grands barons du cartel de Cali ont plus de pouvoir et de ressources que lui, et lui, il est seul, car ses associés ne partagent pas la haine viscérale qu'il leur voue, et en particulier à Gilberto Rodríguez. Lorsqu'il a la tête froide, Escobar est une vraie calculatrice mais, lorsqu'il s'échauffe, il perd toute sagesse et laisse libre cours à ses passions. J'ai toujours su qu'il avait l'âme de feu des guerriers et que celle de son rival était de glace, comme c'est le cas de tous les banquiers. Je connais comme personne les forces et les faiblesses de Pablo Escobar et je vois que, bien qu'il soit doté du courage, de la fierté et de l'obstination des hommes exceptionnellement vaillants, il porte aussi en lui l'impatience, l'arrogance et l'opiniâtreté de ces suicidaires en puissance qui décident un beau jour d'attaquer tous leurs ennemis en même temps et sans attendre le bon moment.

J'éprouve une profonde compassion – pour lui, pour nous deux – et la nostalgie la plus sincère et la plus douloureuse pour tout ce qu'a pu être, et ne sera plus jamais, cet homme formidable et unique qui n'a même pas encore trente-huit ans et que je croyais destiné aux plus hautes œuvres.

*

Un homme fort n'est jamais autant homme que lorsqu'il laisse échapper une larme. Furtive, à cause de la perte irréparable d'un enfant, d'un parent, d'un ami très cher. Ou d'une femme inatteignable. Entre ces quatre murs, un homme qui ressemble beaucoup à Escobar, mais diamétralement opposé à tous ces subalternes dehors, ne peut cacher sa douleur en apprenant que le seul être au monde pour qui il serait capable de sacrifier sa vie et de renoncer à tout est une femme que quelqu'un comme lui ne pourra jamais avoir. Gustavo Gaviria me prie de lui dire toute la vérité, si dure soit elle, et je sais gré à cet homme, que je croyais fait d'acier et de plomb, de la confiance qu'il m'accorde. Je lui révèle que – à la seule mention de son nom et de sa parenté avec Pablo Escobar –, Ana Bolena Meza s'est sauvée en courant après m'avoir dit, scandalisée :

« Virginia, tu étais la diva de ce pays et ce narco-trafiquant a ruiné ta carrière et ton nom. Je ne suis qu'une actrice qui gagne honnêtement sa vie. Tu diras à ce M. Gaviria que, même pour tout l'or du monde, jamais je n'accepterai ce que ces misérables t'ont laissé endurer et laissent la presse te faire en ce moment. Que les femmes comme moi n'éprouvent rien d'autre que du mépris pour eux. Et que je préférerais mourir plutôt que de laisser un seul de ces narcotrafiquants m'approcher ! »

Gustavo me demande de répéter un à un tous les mots de la femme inatteignable dont il est éperdument amoureux. Quand il refuse de comprendre pourquoi cette belle fille aux immenses yeux clairs le méprise à ce point, je lui rappelle ce qu'écrivent ou crachent sur mon dos les journaux et les stations de radio : des histoires d'amants narcotrafiquants qui me donnent de terribles raclées pour récupérer des yachts et des villas, des femmes qui me font taillader le visage pour récupérer des voitures et des bijoux, les autorités qui viennent me fouiller à la recherche de drogue et d'armes, les médecins qui me soignent pour m'aider à lutter contre la syphilis et le SIDA. J'ajoute que, pour m'empêcher juste de revenir à l'écran ou de reprendre un micro, les médias semblent exiger que l'on me prive par tous les moyens – à coups de couteau, à coups de poing, à coups de pied – de tout ce qu'il peut me rester de dignité, de talent, d'élégance ou de beauté, et que l'on me conteste tout droit à l'intégrité, au travail et à l'honneur.

Sans plus pouvoir me contenir ni m'arrêter, et sachant qu'il ne tardera pas à les partager avec son meilleur ami, je commence à raconter à Gustavo toutes ces choses que je ne serais jamais capable de dire à Pablo. Je ne lui parle pas que du prix que j'ai payé pour avoir soutenu son ingrate corporation dans sa prise de position nationaliste contre l'extradition, je lui parle aussi de beaucoup d'autres choses : n'importe quel pauvre diable peut dormir à côté d'une femme qui l'aime vraiment, alors qu'au fond de leurs cœurs à tous, tout multimillionnaires qu'ils soient, ils savent qu'ils sont indignes d'être aimés et qu'ils seront condamnés toute leur vie à devoir payer les jolies femmes pour jouir de la simple illusion d'être aimés. J'ajoute qu'il est vrai que la Bible dit « Ne jetez pas de perles aux pourceaux » et que les hommes comme Pablo ne méritent pas d'autre amour que celui de ces prostituées de luxe qu'il aime tant. Je termine en disant que mon erreur a été de ne pas avoir fixé mon prix dès le début, lorsque son associé me priait de lui demander tout ce que je voulais. Je lui répondais que je ne voulais rien, car les femmes de la bonne société qui ont reçu une éducation de princesse n'aiment pas un homme en particulier parce qu'il est riche ou pauvre, ou pour qu'il leur fasse des cadeaux, mais pour le rendre heureux et le protéger du monde extérieur.

Gustavo m'a écoutée en silence tout en regardant par la fenêtre. D'une voix triste, il reconnaît qu'il est indéniable que j'ai été élevée pour devenir l'épouse d'un homme illustre et non la maîtresse d'un bandit. Il ajoute qu'ils sont eux aussi tous mariés à des femmes qui les aiment et qui les choient, sans que compte le fait qu'ils soient riches ou pauvres. À quoi je lui réponds que, si toutes ces femmes supportent les humiliations publiques, c'est parce qu'ils les couvrent de diamants et de manteaux de fourrure et que, sans cela, elles les plaqueraient presque toutes. Je lui décris la parure d'un quart de million de dollars – qui n'a certainement pas été commandée pour cette fille qui portait une médaille en or à la poitrine – et je lui demande de m'aider à convaincre son cousin de me donner juste cent mille dollars le temps que je vende mon appartement, afin que je puisse laisser derrière moi ce pays hostile et mesquin pour partir travailler en Europe et y acquérir ce dont j'ai toujours rêvé : la maîtrise orale et écrite d'une demi-douzaine de langues et la connaissance élémentaire des langues nordiques qui ressemblent à l'allemand.

Gaviria m'explique qu'ils vont avoir besoin d'énormément de liquidités pour la guerre qui s'annonce et m'avertit que je dois me préparer à ce que son associé dise NON à une somme que, quelques années plus tôt et surtout pour moi, il aurait virée sans y réfléchir à deux fois. Il ajoute que Pablo ne va pas non plus accepter de bonne grâce de me voir m'éloigner de lui pour toujours, car il a besoin de savoir que sa chère amie sera toujours là pour une foule de choses dont il ne pourrait discuter avec aucune autre femme, pas même avec celles de sa propre famille.

Gustavo est un homme petit et menu qui est toujours occupé à écarter de son front une mèche de ses cheveux raides et qui, comme son cousin, ne regarde pas non plus beaucoup droit dans les yeux. Après un bref silence et un profond soupir, il se dirige vers le coffre-fort, en tire ses présentoirs de diamants, qu'il dépose sur une *coffee table* devant le sofa sur lequel nous sommes assis. Il ouvre des étuis contenant des centaines de bagues avec des diamants dont la taille oscille entre un et deux carats et il me dit qu'il veut m'en offrir une pour que je la garde en souvenir car, lui, il m'est reconnaissant de tout ce que j'ai pu faire pour eux.

Très émue, je lui dis que non, il n'en est pas question et que je le remercie. Puis, à la vue de cette milliardième fraction éclatante de sa richesse, je change d'avis : je prends un kleenex pour sécher mes larmes et je m'exclame que je veux la plus grosse de toutes. Non seulement parce que je la mérite, mais parce qu'il était temps que l'un de ces satanés magnats m'offre enfin un bijou ! Il rit, enchanté, et déclare qu'il se sent honoré d'être le premier. Il insiste pour que je choisisse un diamant d'au moins un carat, et qui soit le plus pur possible. Je lui réponds que je laisse toute cette pureté à sainte María Goretti, que les charbons, il est le seul à les voir avec sa loupe et que, tout ce que je veux, c'est que ce soit le plus gros et celui qui ait le moins de défauts. Je suis en train de passer une bague avec un diamant ovale – forme peu commune, car la plupart des diamants sont ronds (taille brillante) ou carrés (taille émeraude) –, avec le kleenex dans l'autre main, lorsque la porte s'ouvre :

« Mais... qu'est-ce que tu fiches ici ! ? Je te croyais partie depuis longtemps ! Et c'est quoi, ce tableau que je vois là ? Le consentement matrimonial de la star ?... Madame se marie, peut-être, avec... Don Gilberto ? »

Gustavo me regarde, les yeux et la bouche grands ouverts, et je ne trouve rien d'autre à faire que de me mettre à rire et de lui dire que l'on devrait mettre une camisole à son associé. Pablo s'exclame, criant comme un énergumène :

« Elle, on ne lui offre pas de diamants ! Elle, elle est différente ! Les diamants ne l'intéressent pas !

— Comment cela, "différente" ? Elle n'a pas non plus une moustache, comme toi ! répond Gustavo. Et je n'ai toujours pas rencontré une seule femme de la Terre qui déteste les brillants ! Tu les détestes à ce point, Virginia ?

— Je les adore et, pendant cinq ans, j'ai trompé ton cousin ici présent pour qu'il n'aille pas penser que je l'aimais pour son argent sale ! Mais lui, il semble croire que je le trompe depuis des années avec un bagnard, alors que, si je suis venue jusqu'ici, telle une Hélène de Troie, c'est pour arrêter cette guerre avant qu'ils ne se châtrent entre eux et que la gent féminine tout entière ne se retrouve plongée dans le deuil !

— Tu te rends compte qu'elle est dans le camp de Cali, mon frère ? crie Pablo, furieux, en s'adressant à Gustavo tandis que, sous le charme, je contemple mon premier solitaire, décidée à le défendre au péril de ma vie. Les brillants, ils sont pour les reines de notre camp à nous !

— Ne dis pas de conneries, mec, si Virginia était avec Cali, elle ne serait pas ici ! lui dit Gustavo sur un ton de reproche. Tout le monde essaie de la faire crever de faim et moi, je veux lui offrir quelque chose qu'elle puisse conserver, quelque chose qu'elle puisse vendre si un jour elle se retrouve dans le besoin. Je n'ai aucune permission à demander, ni à toi ni à personne et, d'ailleurs, un diamant, ça protège. La seule vraie reine que tu as eue de toute ta vie, c'est cette femme. Avant que tu la connaisses, il y avait déjà des millions d'hommes qui rêvaient de la séduire !

— Eh bien, elle n'a qu'à passer son temps à écrire au lieu de poser devant tous ces photographes et pour tous ces magazines ! répond Pablo en regardant ma bague comme s'il s'apprêtait à me couper le doigt pour la jeter dans les toilettes. Oui, écrire des livres, au lieu de parler autant ! Ce qu'elle a, ce sont des histoires à raconter !

— Ouh, quelle horreur ! Virginia, promets-moi que, si tu écris, tu ne diras rien, jamais rien de nous... ni du business, pour l'amour de Dieu ! » me supplie Gustavo, alarmé.

Je lui jure qu'il en sera fait ainsi, et il expose à son cousin la raison de ce cadeau :

« Nous n'allons plus jamais la revoir, Pablo. Virginia est venue nous dire adieu pour toujours.

— Jamais ? demande son cousin déconcerté, puis, avec l'expression et le ton qu'il prend sans doute lorsqu'il interroge tous les pauvres diables accusés de lui avoir volé cent kilos de coke : Comment ça, pour toujours ?... C'est bien vrai, Virginia ?... Tu te maries, ou quoi ? Et pourquoi tu ne m'as rien dit, à moi ? »

Je continue de l'ignorer et je promets à Gustavo que chaque fois que je me trouverai en danger de mort, comme maintenant, je frotterai son diamant comme s'il était la lampe d'Aladin, que je ne le vendrai jamais et que je me ferai enterrer avec lui.

Pablo dit qu'il croyait que j'étais différente de toutes les autres femmes et moi, levant les bras, heureuse, je m'exclame qu'il se trompait et que je suis en fait exactement pareille à toutes les autres : je viens de découvrir que j'étais moi aussi fascinée par les diamants ! Gustavo rit et son cousin referme la porte, non sans lâcher d'abord, avec un mélange de déception et de résignation :

« Tu me déçois, "Âme pure"!... Bon... Toi et moi on se voit demain. »

Le cadre de notre dernier rendez-vous est une petite maison de campagne aux murs blancs, décorée de pots de géraniums, à une trentaine de minutes de l'Intercontinental de Medellín. Deux de ses hommes viennent me récupérer à l'hôtel et, quelques minutes après, il arrive au volant d'une petite voiture, suivi d'un autre véhicule à bord duquel se trouvent deux de ses gardes du corps, qui se retirent immédiatement.

Une femme balaie le sol du salon-salle à manger, elle m'observe avec curiosité. Par expérience, je sais que les gens qui sont obligés de se lever tôt, à neuf heures, sont toujours de mauvaise humeur. Pablo ne prend pas la peine de demander à la femme de ménage de sortir et me fait tout de suite comprendre qu'il est sur le pied de guerre.

« Je n'ai pas plus de vingt minutes à te consacrer, Virginia. Je sais que tu viens intercéder pour ton amant et, à ce qu'on m'a raconté, tu vas aussi me demander de l'argent. Pour la deuxième chose, n'attends pas un centime de moi et ne compte pas sur la première, car je vais le réduire en bouillie ! »

La femme tend l'oreille lorsque je dis à son patron que la seule vie pour laquelle je suis venue intercéder est la sienne. Que quelqu'un qui vient de passer trois ans en prison à Cádiz puis à Cali ne peut pas en même temps avoir été l'amant d'une femme qui vit dans les îles du Rosario ou à Bogota. J'ajoute qu'en effet je ne suis pas non plus venue pour que quelqu'un comme lui me donne des cours de guitare, mais pour lui demander de me faire sortir du pays avant que je ne me fasse dépecer par ses ennemis. Tout en regardant mes ongles tandis que je contemple mon diamant, j'ajoute, avec le plus grand calme :

« Je crois que les Rodríguez et Ernesto Samper vont t'anéantir. Si tu veux savoir comment, je te raconte tout cela en détail devant cette dame. »

Pablo demande à la femme de ménage de partir et de revenir plus tard. Elle me lance un regard furibond de désapprobation et disparaît. Il s'assied en face de moi dans un petit canapé à deux places en bambou enveloppé de chintz à fleurs marron, et je commence à tout lui raconter sur la visite de Gilberto et Santofimio :

« Ils sont restés moins d'une heure car ils partaient chez Alfonso López fêter la libération de Gilberto avec l'ex-président et Ernesto Samper. Ils étaient très élégamment habillés et je n'arrivais pas à en croire mes yeux, ni mes oreilles ! Si tu pars en guerre contre Cali, Pablo, tu ne peux plus faire confiance à Santofimio : rappelle-toi que son cousin est marié avec la fille de Gilberto et que son associé qui se trouvait dans la Chrysler, Germán Montoya, est maintenant l'homme qui tire les ficelles du gouvernement de Virgilio Barco. »

Je lui demande d'avoir toujours à l'esprit l'expression « diviser pour mieux régner » de Machiavel et je le supplie de ne pas aller se lancer dans une guerre qui semble avoir été manigancée par la DEA pour éliminer les deux plus grands barons de la drogue, une guerre qui se soldera par des centaines de morts, par un retour à l'extradition et qui entamera sérieusement leur fortune à tous les deux.

« J'imagine que tu parles de la sienne, car ce sera beaucoup plus difficile d'épuiser la mienne ! »

De mon ton le plus persuasif, je lui rappelle que, s'il était aussi riche qu'il le prétend, disons aussi « riche en liquide », il ne m'aurait pas proposé de l'aider à séquestrer des magnats ; j'ajoute que, Dieu merci, ce secret reste entre nous. Il me regarde, visiblement hors de lui et, sans me décontenancer, je continue :

« Les Rodríguez n'ont pas une armée de mille hommes à entretenir, ni toutes leurs familles, Pablo. Ce qui me fait un total d'environ six mille personnes...

— Mais comme tu as appris, Virginia ! Je suis impressionné ! Alors, qu'en est-il de son armée ? Des centaines de parlementaires et de journalistes qui coûtent à eux seuls plus cher que l'ensemble de mes hommes ! Je crois qu'en termes de dépenses fixes nous nous tenons tous les deux. Et moi, j'investis dans l'affection des gens, c'est la meilleure des façons de dépenser de l'argent ! Tu crois qu'un seul de tous ces sénateurs donnerait sa vie pour nous ? »

Je lui répète plusieurs fois que, sur leur territoire, les Rodríguez bénéficient de la protection du gouverneur, de la police, de l'armée et de milliers d'indics chauffeurs de taxi. Que le M-19 ne se frotte pas non plus à eux car Gilberto, en plus d'être ami avec Iván Marino Ospina, a été proche pendant toute sa vie du commandant Antonio Navarro, dont il a toujours dit qu'« il adore le fric ». Je l'avertis que son ennemi est l'ami personnel de plusieurs présidents et qu'entre le fric de Rodríguez et le plomb d'Escobar les cœurs choisiront sans hésiter. Je lui fais remarquer qu'il est en train de diviser une corporation qui, à sa naissance, était réunie autour de lui et qui se morcelle actuellement en des dizaines de petits cartels sanguinaires, dénués de toute forme de grandeur et prêts à tout pour leur damer le pion.

« Un tas de rescapés pêchent en eaux troubles en attendant que vous vous entretuiez tous les deux et que vous leur laissiez le champ libre. Mais, si toi et Gilberto unissez vos forces, vous réduirez vos dépenses fixes de moitié, vous doublerez vos capacités et vous gagnerez tous les deux la bataille finale contre l'extradition car, si Galán devient le prochain président, dès le lendemain de son investiture, il la restaurera. Gilberto a des relations avec presque tous les puissants de ce pays, et toi, tu inspires un autre type de respect qu'aucune personne saine de corps et d'esprit n'oserait venir contester. Arrêtez une fois pour toutes d'utiliser tous vos millions pour vous entretuer et laissez le reste des Colombiens vivre en paix, car tout se pardonne, dans ce pays. Tu as toujours su ce que l'on pouvait tirer des gens, Pablo : utilise-moi pour arrêter cette guerre. Allez, tends cette main et donne-lui un exemple de grandeur. Quant à moi, je quitterai la Colombie dès le lendemain pour qu'aucun de vous deux ne me revoie jamais.

— Dans ce cas, c'est à lui de faire le premier pas. Il sait pourquoi, et toi, tu n'as aucune raison de le savoir. Ce sont des histoires d'homme qui n'ont rien à voir avec toi. »

J'essaie de lui faire remarquer que ce qui compte, ce n'est pas pourquoi ce conflit a éclaté mais à quoi pourrait servir une union avec Cali.

« Eh bien, si ce monsieur semble si riche, si important et si puissant à tes yeux, pourquoi tu ne le lui demandes pas à lui, cet argent pour t'en aller ? »

Jamais de toute ma vie je ne m'étais sentie aussi insultée. Je réagis comme un fauve et je réponds que non seulement je serais bien incapable d'aller demander de l'argent à quelqu'un d'autre que lui, mais qu'en plus je n'ai pas eu de relation senti-mentale avec Gilberto Rodríguez. J'ajoute que ma carrière s'est arrêtée parce que Pablo Escobar a été mon amant pendant cinq ans et qu'il ne s'agit pas d'une *affaire* de cinq minutes connue de deux ou trois personnes, précédée et suivie, il est vrai, de dizaines de conversations qui m'ont permis de savoir combien il est facile d'acheter les présidents, les gouverneurs et la moitié du Congrès. Comme je vois que cette conversation ne va nous mener nulle part, je lui rappelle qu'il est quelqu'un de très occupé et que cela fait déjà presque une heure que nous discutons.

Il demande à quelle heure mon avion décolle. Je lui réponds que c'est à dix-sept heures et que je dois quitter l'hôtel pour quinze heures. Il se lève du canapé et, les mains appuyées sur la rambarde du petit balcon qui se trouve à ma droite, il regarde vers le lointain.

« Pourquoi veux-tu partir... pour toujours ? »

Je lui explique que j'ai envie d'étudier la traduc-tion simultanée à Genève. Un excellent interprète gagne mille dollars par jour et je n'ai besoin que d'un prêt de cent mille dollars, parce que je compte vendre mon appartement ou le louer meublé, à un diplomate par exemple. J'ajoute que, d'ailleurs, un traducteur connaissant cinq ou six langues lui sera toujours d'une très grande utilité car il pourra toujours me confier des enregistrements ou des documents légaux du type de ceux qu'il ne voudrait pas mettre entre les mains d'étrangers.

« Eh bien, ce n'est pas avec mon argent que tu vas partir ! Des traducteurs, il y en a des millions, et il est hors de question que tu ailles te marier avec un banquier grassouillet et que tu passes ta vie à organiser des dîners en Suisse pendant que moi, je vais me casser le cul ici. Je me fiche maintenant de savoir si tu m'aimes ou si tu me détestes, Virginia, mais tu vas rester ici et tu vas vivre tous les événements qui s'annoncent, pour que tu puisses écrire plus tard là-dessus. Un point c'est tout. »

J'essaie de lui faire comprendre que, le jour où je le ferai, tous les corrompus et ses ennemis vont me découper en morceaux, et que son égoïsme est en train de me condamner à mourir de faim dans un pays qui n'a plus rien d'autre à m'offrir que la terreur au quotidien. Je lui demande où sa grandeur a été enterrée. Il me regarde, froissé, et me répond qu'elle se trouve là où ma carrière a été enterrée. Puis, comme s'il voulait se justifier, il soupire profondément et dit :

« Tu ne crois quand même pas que toi ou moi, nous soyons libres de choisir notre destin ? Non, mon petit amour ! On ne décide que pour la moitié. L'autre moitié, elle est écrite à notre naissance ! »

Je me lève de ma chaise et je me penche au balcon du haut duquel on peut contempler un paysage bucolique dont j'aurais certainement admiré la beauté en d'autres circonstances. Je lui dis qu'une personne qui va fêter ses trente-huit ans et qui possède des milliards de dollars ne peut pas légitimement se faire passer pour une victime du destin et que j'aurais dû me douter que toute cette veine de cruauté qu'il porte en lui pouvait un jour se retourner aussi contre moi.

« Eh bien, ma décision obéit à des raisons que je ne peux pas t'expliquer, mais qu'un jour tu comprendras. Il se trouve que tu... me connais et tu me devines comme personne, et que moi aussi je te connais mieux que personne. Je sais que, bien que tu aies fini de m'aimer, et même de me respecter, tu me jugeras toujours sur des critères nobles et que tu ne trahiras jamais ma mémoire. Ma vraie histoire, ni les journalistes, ni les politiciens, ni ma famille, ni mes hommes ne pourront l'écrire car aucun d'entre eux n'a passé – et ne passera – des centaines de nuits avec moi à parler de choses comme celles que nous partagions, toi et moi. Je t'ai choisie pour ton intégrité et ta générosité, et je crois que tu es la seule à être en capacité de transmettre exactement ce que je pense et ce que je ressens... car je suis petit à petit devenu ce que je suis et ce que je serai un jour... et c'est pour cela que j'ai besoin de savoir – même si tu n'es plus avec moi mais avec un autre, et même si tu ne veux plus ni me voir, ni m'entendre, ni me parler – qu'ici, dehors, quelque part, tu es là, en train d'observer avec cette lucidité unique toute cette folie qui va se déchaîner. »

Devant une telle confession, je ne sais quoi lui répondre. Je parviens tout juste à dire que nous excellons tous les deux lorsqu'il s'agit de flatter l'ego de l'autre quand il est en miettes. Que tout ceci n'est qu'un prétexte pour ne pas me donner un centime. Qu'il a une épouse, toutes les femmes qu'il peut désirer, et qu'il n'a absolument pas besoin de moi. Que je continue de ne pas comprendre, si j'ai véritablement été si importante pour lui, pourquoi il ne peut pas, d'un simple trait de plume, couper court à toutes mes souffrances, comme il l'avait fait il y a cinq ans pour les dettes de mon entreprise. Lorsqu'il répond qu'une guerre va très prochainement éclater, je ris, incrédule, et je lui avoue que mes bonnes amies m'ont montré une parure à un quart de million de dollars commandée par lui pour une femme qu'il a sans doute déjà oubliée. Il s'approche de moi, saisit mon menton entre son pouce et son index et, avec toute l'ironie dont il est capable, me lance, sur un ton de reproche ou de menace, je ne saurais le dire :

« Et, le lendemain, tu es allé le voir à la prison, lui. Pas vrai, ma chérie ? »

Il me lâche rapidement et change de sujet. Il me demande ce que j'ai pensé de sa nouvelle fiancée. Je lui réponds que je me réjouis qu'une femme si douce et si jolie l'aime et s'occupe de lui. Mais je le mets aussi en garde contre un fait incontestable qui lui a déjà fait verser bien du sang, de la sueur et des larmes :

« N'oublie pas que, dans ce pays, les femmes de la petite classe moyenne, quand elles se savent aimées d'une personne comme toi, semblent n'avoir qu'une chose en tête : un enfant, un enfant, un enfant, comme si le monde allait leur manquer ! Souviens-toi qu'aux yeux de la loi colombienne chacun de tes enfants, légitime ou illégitime, pèse un milliard de dollars. Je sais que les illégitimes, tu les as autant en horreur que moi, et je crois que c'est pour cela que notre relation à tous les deux a duré aussi long-temps : jamais il ne me serait venu à l'esprit d'essayer de te posséder, Pablo, ni de m'enrichir sur ton dos. »

Il reste pensif durant un long moment et je sais que c'est parce qu'il vient de repenser à Wendy. Lorsque je me retourne pour le regarder, je vois qu'il a l'air profondément triste, comme s'il se retrouvait soudain seul au monde et n'avait pas d'endroit où aller. Il vient vers moi, me passe un bras autour des épaules, m'attire contre lui et, regardant vers un endroit perdu dans le lointain, il commence à me parler avec une nostalgie que je ne lui connaissais pas encore :

« Ce n'est pas pour ça, c'est parce que tu m'appor-tais le type d'amour qui comptait vraiment pour moi. Tu étais mon amour intelligent... avec cette tête et ce corps qui pouvaient porter tout l'univers... Avec cette voix, avec cette peau... Tu me rendais tellement incroyablement heureux que je crois que tu seras la dernière femme que j'aurai follement aimée... Je suis parfaitement conscient qu'il n'y en aura jamais d'autre comme toi. Jamais je ne pourrai te remplacer, Virginia, tandis que toi, tu trouveras un homme haut placé avec qui te marier... »

Ses paroles émeuvent jusqu'à la dernière fibre de mon âme et je lui dis que, venant de l'homme que j'ai le plus aimé, elles représentent un hommage que je garderai toujours comme un trésor dans la partie la plus intime de mon cœur. Mais je viens d'oublier que Pablo Escobar fait toujours payer ses manifestations par des tonneaux d'eau gelée : tout de suite après, et avec le plus grand calme, il m'annonce que c'est pour cette raison qu'il a décidé de me laisser les mains complètement vides.

« Comme ça, lorsque tu écriras sur moi, personne ne viendra dire que tu fais mon apologie parce que j'ai acheté ton âme ou ton cœur. Car nous savons tous les deux qu'ils diront toujours que c'est avec mon argent que j'ai acheté ta beauté... »

Je n'arrive pas à croire ce que j'entends. Je lui dis qu'après ses phrases précédentes de reconnaissance, mémorables et sublimes, après toute la générosité qu'il a eue pour moi – celle de ses paroles, de son temps, de son argent –, ceci n'est rien qu'une basse vengeance inspirée par une jalousie absurde. Sans me regarder, et la voix maintenant chargée de tristesse, il me répond qu'il n'a jamais été jaloux et qu'un jour je le remercierai pour sa décision, car il a toujours su anticiper les choses qui allaient arriver. Je suis complètement ébranlée et, comme j'ai envie d'être toute seule pour pleurer à mon aise, je trouve simplement à lui répondre que nous parlons depuis déjà deux heures et qu'il y a beaucoup de gens qui l'attendent.

Le corps incliné et les mains appuyées sur la rambarde du balcon, il observe silencieusement l'étendue à l'horizon comme s'il contemplait son propre destin. Faisant abstraction des heures qui passent, il commence alors à me raconter qu'il s'est engagé sur un chemin de non-retour qui le mène à une guerre totale contre l'État et peut se solder par sa mort. Mais, avant de mourir, il tient à anéantir ceux de Cali et tous ceux qui se mettront en travers de sa route et, qu'à partir de maintenant les choses ne se régleront plus en faisant parler la poudre, mais la dynamite, même si des justes doivent payer pour des pécheurs. Debout à côté de lui, et regardant également dans le vide, je l'écoute avec effroi, le visage baigné de larmes, et je me demande pourquoi cet homme si incroyablement riche porte une haine si énorme dans son cœur, ce besoin de tous nous punir, cette férocité, tout ce désespoir ; pourquoi jamais il ne trouve le repos, et si toute cette rage contenue qui ne demande qu'à exploser comme un volcan ne traduit au fond rien d'autre que l'incapacité de changer une société dirigée par d'autres personnes presque aussi impitoyables et aussi peu scrupuleuses que lui. Soudain, il se tourne vers moi :

« Maintenant, arrête de pleurer comme une Madeleine, tu ne vas pas être ma veuve !

— Tu t'imagines peut-être que je pourrais pleurer sur la mort de quelqu'un comme toi ? Je pleure sur moi et sur la fortune que tu vas laisser à ta veuve, qui ne va même pas savoir qu'en faire ! Pourquoi veux-tu tout ce fric si c'est pour vivre comme ça ? Je pleure sur notre pays à tous les deux !... De la dynamite contre ce pauvre peuple pour ta cause égoïste ? Mais quelle méchanceté que la tienne, Pablo ! Au lieu de renforcer ta sécurité, tout simplement. Tu t'imagines peut-être qu'un peloton de vaillants soldats va oser venir te déloger ? »

Il répond que oui. Que des pelotons et encore d'autres pelotons vont venir le déloger, un soir, et que c'est pour les recevoir qu'il lui faut de la dynamite et des missiles. Je l'assure que si quelqu'un l'entendait parler, il le ferait enfermer, non pas dans une prison mais dans une clinique et que, Dieu merci, jusqu'à maintenant c'est moi qu'il a eue pour écouter toutes ces folies qui peuvent lui traverser l'esprit. J'ajoute que je suis terriblement inquiète pour lui, car je trouve qu'il ressemble chaque jour davantage à Juan Vicente Gómez, le tyran vénézuélien multimillionnaire du début du siècle :

« Sur son lit de mort, sa mère lui a fait jurer qu'il pardonnerait à tous ses ennemis et qu'il arrêterait de torturer et d'assassiner ses opposants. Lorsque la vieille femme a rendu son dernier soupir, le président à vie est sorti de sa chambre et a parlé à ses sbires de sa requête : "Bien sûr que j'ai pu le lui jurer sur Dieu, car la pauvre vieille ne connaissait rien à la politique : mon tout dernier ennemi mange les pissenlits par la racine depuis déjà vingt ans !" La différence entre toi et lui, Pablo, c'est que Gómez a vécu presque quatre-vingts ans, tandis que toi, à ce train-là, tu ne vas même pas en vivre encore cinq.

— Et toi, tu te mets à parler comme ces vieilles épouses acariâtres qui nous rebattent les oreilles à longueur de journée ! »

Je lui rétorque tranquillement que ces vieilles épouses ont totalement raison car les vieux maris sont bêtes et têtus. Je lui rappelle que Joséphine était de dix ans l'aînée de Napoléon, tandis que lui et moi sommes pareillement « vieux » car je fais dix ans de moins que mon âge et soixante-deux centimètres de tour de taille tandis que lui fait plus et qu'il s'épaissit comme Santofimio à force de manger tous ces haricots. Je termine en lui disant que nous parlons déjà depuis trois heures et que Gilberto Rodríguez m'a avertie qu'un de ces jours il me ferait tuer. Oui, même moi ! Comme n'importe quel Juan Vicente Gómez, paraît-il, parce que je suis dans l'opposition et parce que je lui rebats les oreilles !

« Toi, mon amour ? Mais, il est encore plus misérable que je ne le pensais ! Je demande juste à Dieu que, le jour où je le buterai, tu ne te trouves pas avec lui car, si jamais je te trouve allongée à la morgue à côté de lui, je voudrai me tirer une balle ! »

Après une pause, il demande :

« Il t'a promis quelque chose ? Dis-moi la vérité, Virginia. »

Je réponds la production et la distribution d'un shampoing portant mon nom, et il s'exclame :

« Un shampoing ! ? Mais bien sûr, il n'y a que les pédés pour s'occuper de tes cheveux ! Avec mes propres laboratoires, ce visage et cette tête que tu as, je bâtirais un empire, moi ! Ce type est un lâche, mon amour. Il a plus peur de la harpie avec laquelle il est marié que de moi. Et tu vas pouvoir le vérifier plus tôt que tu ne le penses... »

Je le prie alors de ne pas m'obliger à demander quoi que ce soit à son ennemi, qui est la seule personne qui m'embauche et me propose de me financer, même si c'est sans doute à hauteur d'une somme misérable. Je lui rappelle que je suis terrorisée à l'idée de me retrouver pauvre car il ne me reste ni famille, ni amis, ni personne au monde. À plusieurs reprises, je l'implore de ne pas m'imposer la vision de toutes ces horreurs qu'il m'a décrites :

« Pourquoi ne m'épargnes-tu pas toute cette souffrance, Pablo, et ne me fais-tu pas plutôt tuer par un de ces sicaires qui exécutent tous tes ordres comme si tu étais Dieu sur terre ? Nous savons tous les deux que ce n'est pas l'envie qui t'en a manqué. Pourquoi ne le fais-tu pas tout de suite, mon amour, avant que quelqu'un d'autre ne te précède ? »

On dirait que cette dernière supplication a enfin fini par toucher une fibre sensible de ce cœur de plomb car, en l'écoutant, il sourit avec tendresse et avance jusqu'à l'extrémité du balcon où je me trouve maintenant. Se plaçant derrière moi, il m'enlace et me susurre à l'oreille :

« Mais personne ne tue son biographe, chérie !... Et je ne pourrais pas supporter la vision d'un cadavre si beau... avec un tour de taille de soixante-deux centimètres ! Tu crois peut-être que je suis en pierre ? Si je voulais revivre tout cela mais que je ne pouvais pas ? »

M'embrassant les cheveux, il ajoute :

« Ah, ça, ce serait une tragédie encore pire que celle de Roméo et Juliette ! Non, meilleure que... celle d'Othello et Desdémone !... Oui, celle de Iago, Iago Santofimio ! »

En comprenant qu'il a vérifié qui était Iago, je ne peux m'empêcher de rire. Soulagé, il dit dans un soupir que, pendant toutes ces années, nous nous sommes vraiment mutuellement appris beaucoup de choses et nous avons beaucoup grandi ensemble. Je lui dis que lui et moi, nous étions comme deux petits pieds de bambou, mais je ne lui raconte pas à quoi je pense : que c'est la dernière fois que je sentirai ses bras entourer mon corps, la dernière que nous rirons ensemble, la dernière qu'il me verra pleurer... Je sais que, quoi qu'il arrive et quoi qu'il fasse, pendant le restant de mes jours, toute cette joie que Pablo et moi avons connue ensemble va me manquer. Comme j'éprouve cette inexplicable douleur à l'idée de devoir le quitter, cette terreur de ne pas pouvoir l'oublier, cette peur de commencer à le haïr, j'insiste et je lui dis que, s'il me faisait tuer d'une balle, je ne sentirais rien et il pourrait jeter mes restes dans le courant avec des fleurs sauvages. J'ajoute que, depuis le Ciel, je pourrais mieux le protéger que depuis Bogota et, même, m'occuper de ses « relations publiques » avec tous les gens qu'il a « envoyés » là-haut. Il hume mon parfum, reste silencieux un moment et me dit qu'il ne s'était jamais senti si insulté, car jamais, jamais il ne pourrait m'abandonner pour toujours sans une bonne pierre tombale ! Une pierre haut de gamme, volée, qui dirait, textuellement :

> « Ci-gisent la chair délicieuse et les os exquis
> Qui ont orné *Âme pure*, la Belle,
> Alors qu'elle était l'ange gardien
> D'*Âme noire*, la Bête. »

Je loue le talent inimitable qu'il a pour composer des vers et des épitaphes instantanés ainsi que sa prédisposition génétique pour tout ce qui relève des affaires mortuaires. Il m'explique que c'est une question d'habitude : il rédige chaque jour des dizaines de menaces de mort pour tous ses ennemis et il les leur fait parvenir par courrier avec ses empreintes digitales pour que personne n'aille mettre en doute leur autorité intellectuelle. Je glisse qu'il y en a bien un parmi eux qui finira par me dépecer avec son couteau et il me vient à l'idée de lui demander si je pourrais conserver son Beretta… au moins pendant un moment.

« Je t'ai toujours dit que tu ne dois jamais t'en séparer, même lorsque tu prends ta douche, mon amour. »

J'en éprouve un immense soulagement et je décide de ne pas lui réclamer mon porte-clés avec le cœur en or tant qu'il ne me demande pas son pistolet. Il me caresse les deux joues, il jure qu'aussi longtemps qu'il vivra personne ne posera la main sur moi, et il me donne un argument plus lapidaire que toutes les pierres en marbre du monde :

« Le premier qui ose toucher à cette petite bouille, moi, je lui coupe ses deux petites menottes avec une petite tronçonneuse ! Ensuite, je fais la même chose avec celles de ses affreuses petites filles, de sa maman, de son épouse, de sa petite amie et de ses sœurs. Et aussi avec celles de son papa et de ses frères, pour que tu sois tranquille !

— Ah, tu parles d'un prix de consolation, Pablo !... "Âme noire, la Bête"… voilà un nom tout trouvé pour le protagoniste de mon roman, un bandit de grand chemin exactement comme toi, mais avec la tête de Tirofijo…

— Ah, là, je te jetterais vivante dans le tourbillon, Virginia ! En revanche, si tu lui donnes la tête du "Commandant Papito" du M-19, tu vendras plus d'exemplaires, ces Italiens l'adapteront au cinéma et tu pourras m'en envoyer un avec comme dédicace :

"À mon Parrain-Bonne Fée, qui m'a inspiré cette histoire. Signé Cendrillon". »

Nous rions tous les deux et il regarde sa montre. Il dit que, puisqu'il est maintenant quatorze heures, il va me conduire jusqu'à mon hôtel pour que ses garçons passent me chercher à quinze heures. Mais je vais d'abord maquiller ce nez tout rouge qui ressemble à une fraise tellement j'ai pleuré, car les employés de la réception vont aller raconter qu'il m'a reçue à coups de poing pour m'arracher mon diamant.

Comme nous n'allons pas nous revoir, je peux maintenant lui demander pourquoi j'ai été la seule femme à qui il n'a jamais offert de fourrures ou de bijoux. Il me prend dans ses bras, m'embrasse sur la bouche et me murmure à l'oreille que c'était pour conserver l'illusion de ne jamais avoir eu à acheter la plus belle et aussi la plus vaillante et loyale d'entre toutes, même si, c'est vrai, elle était aussi un peu infidèle… Je me poudre le nez en esquissant un petit sourire de satisfaction tandis qu'il me contemple avec une expression de fierté. Il dit que ce maquillage fait réellement des merveilles et que c'est bien dommage qu'il n'ait pas un laboratoire de cosmétiques, comme la tapette de Cali, mais des laboratoires de coke. Il ajoute que, si j'en « piratais » la formule et que je lui donnais mon nom, je deviendrais plus riche que lui. Tout en riant, je lui demande quand il va penser à se tourner vers des affaires plus légales et, avec un éclat de rire sonore, il me répond :

« Jamais, mon amour ! Jamais ! Toute ma vie, je serai le plus grand bandit du monde ! »

Avant de fermer la maisonnette – et avec un étrange éclat dans les yeux –, il m'annonce qu'il a une surprise à m'offrir pour que je ne reparte pas trop triste : il veut que je passe un mois entier à Miami pour me reposer de toutes ces menaces.

« Carlos Aguilar, "le Crasseux", est là-bas avec un autre de mes hommes de confiance et ils se chargeront d'aller te récupérer à l'aéroport ainsi que de t'y reconduire quand tu repartiras, pour que tu n'ailles pas te sauver en Suisse ! Profites-en bien et, quand tu rentreras, je t'appellerai pour te parler de quelque chose qu'ils vont te montrer. Je crois que tu vas adorer et j'aimerais savoir ce que tu en penses. »

Nous partons, Pablo au volant, suivis d'une autre voiture occupée par seulement deux de ses hommes. Je suis surprise de la légèreté des mesures de sécurité et il m'explique qu'il inspire maintenant tellement le respect à Medellín que personne n'oserait porter la main sur lui. Je dis que, dans ma langue, le « respect » est parfois synonyme de terreur et je lui demande qui il compte assassiner en mon absence cette fois-ci. En me pinçant la joue, il répond qu'il n'aime pas que je lui parle sur ce ton-là.

Je lui dis qu'à ce qu'on m'a raconté, ces histoires sur des narcotrafiquants qui viennent me réclamer leurs yachts semblent tout droit venues de son bureau après l'histoire de Vieira. Avec un haussement d'épaules, Pablo répond qu'il ne peut pas contrôler chaque mot qui sort de la bouche de ses hommes. Si la femme du seigneur de Cali a pondu cette formule pour faire passer son épouse pour une psychopathe et le faire passer lui pour un imbécile, ce n'est pas de sa faute à elle si, désormais, le premier venu peut téléphoner à une station de radio et dire que « Tarzan » était un narcotrafiquant, son vieux canot un yacht et ma mésaventure en mer une tentative de suicide.

« Tu dois comprendre que – grâce à cette vipère –, à partir de maintenant, les médias qualifieront systématiquement de narcotrafiquants tous les hommes qui pourront t'approcher.

— Non, Pablo, ne sois pas si optimiste ! Il y a de cela quelques mois, Felipe López m'a demandé si je voulais me marier avec lui, ce que tu dois savoir puisque tu as mis mon téléphone sur écoute. C'est le fils de l'ex-président le plus puissant de Colombie, il est grand, bel homme, un sosie du jeune *Citizen Kane*. Et le magazine *Semana* t'a toujours bizarrement bien traité, considérant que tu étais un peu plus... que le simple rival de son propriétaire. »

Je ne me retourne même pas pour le regarder. Au bout de quelques secondes, il demande ce qu'a répondu « Cendrillon ». Et je lui dis, mot pour mot :

« "Vu que ton couple a toujours été large d'esprit, Felipe, peut-être veux-tu me partager avec Pablo Escobar, dont tu as fait un mythe ? Car je ne cocufie pas mes maris et, si tu ressemblais déjà au Roi des Orignaux lorsque tu étais marié avec la femme la plus laide de toute la Colombie, imagine avec la plus jolie !" »

Il rit aux éclats et déclare que Felipe López ferait n'importe quoi pour connaître tous ses secrets... et tous ceux des magnats avares. Je réponds qu'il aimerait plutôt récupérer toutes les généreuses contributions des deux cartels de la drogue dont son père a pu bénéficier. Je lui raconte que les López suivent au pied de la lettre les préceptes inculqués par Winston Churchill à George VI : un beau jour, le roi a demandé à son Premier ministre pourquoi il avait intégré dans son cabinet « tous ces épouvantables travaillistes ». Churchill, qui parlait le même langage que George VI parce qu'il était le petit-fils du duc de Marlborough – en tout cas, ils parlaient entre hommes –, a répondu en accompagnant ses paroles d'un élégant geste de la main décrivant deux arcs de cercle de cent quatre-vingts degrés, dans un sens puis dans l'autre : « *Sire*, parce qu'il vaut mieux les avoir à la maison en train de pisser sur ce qui est dehors que dehors en train de pisser sur la maison ! »

Nous rions toujours et il dit que ce sont toutes mes petites anecdotes qui vont le plus lui manquer. Je réplique que les siennes sont encore meilleures, et que c'est pour cela qu'il veut me conserver dans son « Cabinet ». Il observe qu'il n'oubliera jamais que j'étais la seule femme qui ouvrait toutes grandes les portes des ascenseurs comme Superman, la seule que le gaz lacrymogène ne faisait pas pleurer, mais qui pleurait à torrents pour tout le reste, sans penser à son maquillage. Il ajoute qu'il n'a jamais connu personne qui ait vingt vies, et je lui dis que ce qu'il ne doit jamais oublier, c'est qu'il n'en a qu'une et que, le jour où il la perdra, moi aussi j'aurai envie de me tirer une balle. Nous poursuivons notre jeu de ping-pong verbal habituel, le dernier de plusieurs milliers, et nous nous arrêtons soudain à un feu rouge, chose qui ne nous était jamais arrivée car, de nuit, il conduisait toujours comme un fugitif pris en chasse par la justice, pas à l'allure lente de cet après-midi. Je tourne la tête, je regarde à ma droite, et je remarque que la conductrice de la voiture d'à côté nous a reconnus et n'en croit pas ses yeux.

Nous la saluons tous les deux et Pablo lui lance un gros baiser. Elle sourit, enchantée, et je lui dis que, maintenant qu'il est parti pour devenir un sex-symbol, il va devoir me jurer qu'il fera plus souvent l'amour et moins souvent la guerre. Il rit, prend ma main, la baise et me remercie de lui avoir offert tant de bonheur. En me lançant le dernier de ses regards coquins, il me promet qu'il va dorénavant essayer de manger moins de haricots. Je lui dis :

« Ce soir, lorsque cette heureuse femme racontera à son mari que tu lui as fait du charme, il lui dira juste d'aller prendre rendez-vous avec le psychiatre ou l'ophtalmologiste. Sur un ton moqueur, et sans décoller les yeux du journal, il s'exclamera qu'elle n'est qu'une mythomane qui devrait se mettre au régime. Ou que tu es un homme infidèle, et moi, une pécheresse. C'est pour cette raison que tous les maris sont si ennuyeux... »

Comme je n'ai plus rien à perdre vis-à-vis de tout ce qui le concerne, je profite de toute cette joie pour revenir au motif initial de ma visite :

« Pablo, Luis Carlos Galán va être le prochain président et, dès le lendemain de son élection, il va faire à nouveau entrer en vigueur l'extradition. Il faut que tu noues dès maintenant une alliance pacifique avec Gilberto et que vous trouviez ensemble une formule de paix avec les gens du M-19, qui sont intelligents et vos amis à tous les deux.

— Non, mon petit amour : Galán ne va pas devenir président !

— Ne te fourvoie pas davantage, il sera élu en 1990. Mais tout le monde a un prix, et si quelqu'un le sait, c'est bien toi.

— Oui, il sera peut-être élu, mais il ne prendra pas ses fonctions ! À tout hasard, tu ne serais pas en train de me suggérer de l'acheter ?

— Non, tu ne pourrais pas. Je crois que le prix à payer pour Galán pourrait être une formule de paix, si le Mexicain mettait au rancart cette haine aveugle qu'il a pour les communistes, s'il essayait de signer un armistice avec l'Union patriotique et les FARC, et si tu arrêtais cette guerre stupide avec ceux de Cali pour constituer un bloc avec Gilberto et le "M". En revanche, si tu tues Galán, l'Histoire va faire de lui un nouveau Jorge Eliécer Gaitán et de toi un nouveau Roa Sierra. Tu n'es pas comme ça, mon amour, et je ne veux pas te voir mourir ainsi car tu ne mérites pas ce destin. Tu as un formidable instinct de leader, une stature, une présence nationale, du pouvoir sur les médias. Beaucoup de gens ont besoin de toi, Pablo, des milliers de pauvres. Tu ne peux pas les abandonner à leur sort.

— Les choses sont beaucoup plus compliquées que tu ne le penses : j'ai sur le dos la police et le DAS, qui est dans le camp de Cali. Le Mexicain et moi, nous avons besoin de l'armée. À côté des services d'intelligence militaire – le B-2, qui est avec nous –, la police et les services secrets sont des enfants de chœur ! Le Saint a aussi de nombreux contacts au sein des organismes de sécurité et du haut commandement militaire ; je sais parfaitement qu'il rend des services à nos deux cartels – car les politiciens ne sont loyaux avec personne –, mais je l'utilise, comme les Rodríguez le font également. Des choses horribles vont arriver ici, Virginia, et il n'y a rien, rien que tu puisses faire pour changer le cours des événements. »

J'essaie de lui faire remarquer que les esprits pervers qui dirigent ce pays doivent être en train de se frotter les mains. Avec le DAS – qui les soutient – et le fric des Rodríguez, des arrivistes aussi politiquement naïfs que lui vont rester sans rien dire et le laisser se charger, avec Gonzalo, d'écarter de l'échiquier tous les candidats à la présidence qui menaceraient leur népotisme, leurs ambassades et les contrats publicitaires des médias acquis à leur cause.

« Tous les deux, vous allez vous faire utiliser et berner comme des idiots par les groupes économiques et les familles présidentielles. Quand ils te tueront, Gilberto va récupérer tout ton business et Alfonso López et Ernesto Samper pourront s'éterniser au pouvoir. Je sais aussi tout ce qui va se passer pour toi. »

Il répète encore une fois qu'il n'aime pas que je lui parle sur ce ton. Je l'observe et je vois qu'il a l'air fatigué, on dirait qu'il a subitement vieilli. Nous discutons depuis maintenant quatre heures et demie, je lui ai avoué toutes les vérités que j'avais sur le cœur et que je n'aurais jamais osé lui dire avant, j'ai nommé plusieurs fois son rival et je suis en train de lui dire adieu pour toujours. J'ajoute que le problème avec tous ces gens-là, c'est précisément qu'il n'y ait personne qui leur dit la vérité, car, derrière tout homme indécemment riche, il y a toujours une grande complice ou une grande esclave qui se cache. Il me regarde et, surpris, me demande ce que j'entends par là. Comme je sais que mes paroles lui résonneront aux oreilles et resteront gravées dans sa mémoire, je lui explique :

« Que ta femme est une sainte et que celle de ton ennemi est une vipère. Quelque chose me dit qu'elles causeront votre perte à tous les deux. Ne me demande pas pourquoi. Tout ce que je peux te dire pour l'instant, c'est que pendant toute ma vie, je te conserverai dans mon cœur. Maintenant, Dieu te garde, mon amour. »

Nous nous arrêtons à quelques mètres de la porte de l'hôtel et nous nous disons adieu pour toujours.

Nous savons tous les deux que c'est la dernière fois que je le verrai en vie.

Il pose sa main derrière mon cou et m'embrasse sur le front une dernière fois.

Les yeux maintenant seulement emplis d'absences infinies, nous nous regardons tous les deux pour la dernière fois.

Il me contemple quelques instants, avec ces yeux qui semblent receler tous les dangers et annoncer toutes les tragédies.

Ses yeux noirs tristes qui semblent traîner avec eux toutes les fatigues, tous les anathèmes.

Pour qu'il se souvienne toujours de moi telle que j'ai été, avant de descendre de la voiture, je fais un effort surhumain pour retenir mes larmes et je lui offre mon dernier baiser fugace, le dernier de mes sourires radieux, ma dernière tape affectueuse et un regard qui ne peut plus que lui promettre toutes ces choses simples que chantait Billie Holiday avec sa voix de rêve dans « *I'll be seeing you* ».

*

Lorsque nous arrivons à l'aéroport, ses deux garçons me montrent un jeune homme à l'air important. En me voyant, il sourit et s'avance aussitôt vers nous, et lui et ses deux accompagnateurs saluent avec effusion les miens. Cela faisait déjà plusieurs années que je n'avais pas vu ce politicien prometteur au regard intelligent et à l'air intellectuel, et je suis ravie de pouvoir le féliciter car il vient d'être élu sénateur. Nous discutons pendant quelques minutes et, lorsqu'il prend congé par une affectueuse accolade, il dit aux garçons de Pablo :

« Et vous deux, vous me saluerez le Patron ! »

L'homme qui s'assied à côté de moi dans l'avion se trouve être une des nombreuses connaissances d'Aníbal Turbay. C'est l'avantage qu'il y a à voyager en « collectivité » et pas dans un jet privé.

« Je t'ai vue avec les types de Pablo Escobar en train de discuter avec Álvaro Uribe Vélez. Sans lui, Pablo ne serait pas multimillionnaire et, sans Pablito, Alvarito ne serait pas sénateur ! Uribe est cousin des Ochoa et parent éloigné d'Escobar, tu ne le savais peut-être pas ? Mais, bon Dieu, sur quelle planète vis-tu, Virginia ? Ici, à Medellín, tout cela fait partie de l'histoire de la patrie ! »

Il commence à me raconter la vie et les miracles de toute la corporation : qui était Alberto Uribe Sierra, le père d'Alvarito, quand la guerre va commencer, qui va la gagner et qui la perdre, combien de kilos livre l'un à Cali et l'autre à Medellín, combien untel en a perdus et l'autre en a « couronnés ». Dans quelles conditions il a échappé aux fédéraux d'un tribunal de Manhattan pendant une pause entre deux jugements avant que ne retombe le marteau du second et que le juge ne crie *guilty* et qu'il écope de la perpétuité. Au terme d'une odyssée digne du cinéma, il est rentré au pays un an plus tard, il a baisé la mère patrie et a juré que plus jamais il ne ressortirait de Colombie. Il vit maintenant avec sa femme dans une petite propriété, heureux, alors qu'il est pourtant le seul ex-narcotrafiquant de l'Histoire et qu'il est sans le sou !

Je pense que cet homme incroyablement sympathique – qui rit aux éclats avec des dents pareilles à celles de *Mack the Knife* et qui vendait jadis de la « marchandise » aux mafieux italiens de New York – est, très clairement, un trésor bien plus précieux que tous ceux que Manolito de Arnaude avait cherchés en son temps. Pendant les cinq années et demie suivantes, et presque jusqu'à la mort d'Escobar, j'adopterai ce loquace conservateur comme mon avatar local de « *Deep Throat* », le mystérieux personnage de la vie réelle, décrit ou porté à l'écran dans *Les Hommes du président*.

Ce jour où j'ai dit adieu pour toujours à Pablo a également été celui de la deuxième fois où j'ai parlé avec le premier président réélu de la Colombie (2002-2006-2010). Je n'allais jamais les revoir – ni Escobar ni le « Doptor Varito » – et je n'allais reparler à Pablo que par téléphone. Mais, par ces mystérieuses choses de la Divine Providence, et grâce à « Gorge profonde », au cours du lustre suivant, je saurais tout, tout ce qui se passerait dans la vie et dans l'univers de Pablo Escobar. Dans ce monde mouvant, terrifiant et fascinant de « la Bande des Cousins ».

Troisième partie

LE TEMPS DE L'ABSENCE
ET DU SILENCE

I have no mockings or arguments...
I witness And wait.

Walt WHITMAN, *Feuilles d'herbe*

La connexion cubaine

J'avais une fois démontré à Pablo que les décisions importantes de notre vie ne devaient être prises que si elles remplissaient au moins trois objectifs ; ainsi, si un ou deux de ces buts n'étaient pas atteints, le troisième servait de lot de consolation et prouvait que le risque en avait valu la peine car on obtenait quand même quelque chose et on s'épargnait la déception d'avoir commis une très grossière erreur et d'avoir tout raté.

Le voyage qu'il m'a offert en guise de cadeau d'adieu satisfait au moins une demi-douzaine d'objectifs : le premier est évidemment de mettre un terme à notre relation de la plus belle des façons en témoignant de ma bonne volonté à son égard et, du fait de sa très courte durée, en lui apportant la garantie que je reste en Colombie. Le second est d'éloigner son ex-petite amie de son éternel rival qui, dès le lendemain de sa sortie de prison, marche déjà bras dessus bras dessous avec son président et son candidat. Je n'allais pas tarder à connaître ses autres objectifs et à ainsi pouvoir mesurer la capacité de machination de son esprit machiavélique.

Quelques semaines après sa visite avec Santofimio, Gilberto Rodríguez appelle de Cali pour me demander ce que répond « ce monsieur de mes amis » à ma proposition d'intercéder dans le différend qui les oppose. Pablo m'avait posé la même question une quinzaine de jours plus tôt et je lui avais répondu que je ne m'étais pas encore entretenue avec « ce monsieur de la Vallée » mais que, si jamais Gilberto appelait, je ne pensais pas lui dire que Pablo comptait le réduire en bouillie et encore moins qu'il voulait nous utiliser tous les deux pour incarner Bonnie et Clyde dans un nouveau remake de la scène où leurs cadavres sont étendus sur le sol de la morgue. En repensant à la phrase de Gloria Gaitán à notre sujet, Pablo m'avait prié de lui passer le bonjour et nous étions convenus de nous recontacter à mon retour.

Je crois qu'Escobar continue d'espionner mon téléphone, je pèse donc chacun de mes mots. Je dis à Gilberto que c'est lui, puisqu'il a toujours eu la réputation d'être un gentleman, qui devrait tendre la main « à ce seigneur de la montagne » qui est dans les meilleures dispositions pour résoudre le problème qu'ils ont tous les deux. Je lui raconte que Pablo et moi, nous nous sommes quittés pour toujours, qu'il m'a suggéré de faire un long séjour à Miami pour me reposer, ce que je compte faire d'ici quelques jours pour refermer définitivement ce chapitre de ma vie.

À l'autre bout du fil, un silence s'installe. Puis, incrédule, Rodríguez s'exclame :

« Eh bien, s'il avait réellement la moindre envie de discuter, nous serions tous réunis chez toi et il ne serait pas en train de te faire sortir du pays ! Je ne sais pas au juste ce que tu lui as dit, ma princesse, mais, maintenant, il est encore plus fou qu'avant ! À tel point que j'ai dû aller jusqu'à Cali et je crois que je ne vais même pas pouvoir retourner à Bogota ! À ton retour, je veux que tu viennes pour que nous parlions de nous deux, et je voudrais aussi inviter ton amie Gloria Gaitán car je meurs d'impatience de la connaître. Dis-lui que je vénère son père. Jorge Eliécer Gaitán est la personne que j'aime le plus dans la vie après Dieu et ma mère ! »

Je réponds qu'elle acceptera très certainement son invitation et que, dès que je rentrerai, je viendrai à Cali pour parler de cette affaire et pour qu'il m'explique pour de bon quel problème il a avec ce monsieur ombrageux car, lorsque nous nous sommes quittés, Pablo a juste dit qu'il l'appréciait beaucoup et qu'il nous souhaitait beaucoup de réussite dans notre projet. Gilberto me dit que, dans ces conditions, pour que je profite vraiment à fond de mes vacances, lorsque j'arriverai à mon hôtel, un de ses employés en Floride viendra m'apporter vingt *grand* (vingt mille dollars) pour couvrir mes faux frais.

Je suis surprise et ravie, et je pense que tout cela est de très bon augure. Cette fois, je décide de laisser dans le coffre-fort avec le Beretta l'argent que Pablo m'a envoyé, de déposer la moitié du cadeau de Gilberto sur mon compte bancaire par petites quantités et de ne dépenser que l'autre moitié. Je m'envole heureuse pour Miami, prête à oublier Pablo Escobar et à aller m'acheter des tailleurs de businesswoman.

Jamais auparavant je ne m'étais retrouvée à l'étranger avec des gens liés au narcotrafic ; je n'avais jamais échangé qu'occasionnellement, et toujours par des phrases convenues, avec les employés de Pablo. Carlos Aguilar est un homme jeune d'une certaine présence, il n'a pas l'air d'un délinquant, ce qui ne l'empêche pas d'être surnommé « le Crasseux » et, comme je ne me verrais jamais appeler quelqu'un par un nom pareil, je l'appelle « Aigle ». L'autre type a une expression austère et ne sourit jamais, il est grand, mince et dégingandé, il a les sourcils qui se rejoignent et des yeux clairs qui crient « Danger public, gâchette de la mafia ! ». Je n'ai pas réussi à me souvenir de son nom mais, quelques années plus tard, j'ai reconnu son visage dans le journal, parmi les centaines de morts semés par la douzaine de guerres menées par Pablo au cours de sa vie.

Je leur demande comment ils s'y prennent, eux, pour entrer et sortir des États-Unis sans se faire arrêter. Avec un sourire condescendant, ils me répondent que c'est à cela que servent les passeports (passeport au pluriel) et ils me racontent que, cette fois, le Patron les a envoyés transférer huit cents kilos dans une nouvelle cache car l'endroit commençait à être « chaud » et la DEA ou les « *Federicos* » pouvaient se pointer à tout moment.

Je m'exclame :

« Huit cents kilos ? Waouh ! » Je suis éblouie par la valeur de la marchandise et par le cran dont ils font preuve. « Et comment faites-vous pour déplacer la marchandise ? Par paquets de cent kilos ?

— Mais que tu es naïve, Virginia ! Sur quelle planète as-tu vécu pendant tout ce temps ? répond Aguilar en me regardant maintenant fixement et avec une profonde pitié. Pour Pablo Escobar, huit cents kilos, c'est juste son pain quotidien ! Nous transportons plusieurs tonnes chaque semaine et c'est moi qui suis chargé de rapatrier le fric en Colombie, des dizaines de millions de dollars en liquide, des dizaines ! Il y en a qui se perdent en chemin, mais ils arrivent presque tous à destination. »

Je sais parfaitement que, sans autorisation de leur Patron, les employés du cartel n'iraient jamais parler de l'étendue du business avec des journalistes ou des *civilians*, et encore moins avec une femme. Mon ex-amant connaît mon cœur mieux que personne et il sait exactement ce que je pourrais ressentir en entendant ce que ces subalternes sont en train de me confier.

Je crois que c'est ce jour-là que je finis d'aimer Pablo et que je commence à haïr Escobar. Parce qu'il est le septième homme le plus riche de la planète et qu'il charge le responsable en chef de ses finances de me donner l'impression que je suis la femme la plus pauvre et la plus punie de la Terre. Parce qu'il m'oblige à demander l'aumône à son ennemi, tout en projetant de l'écarter au plus vite pour ne pas lui laisser le loisir d'avoir pitié de moi. Parce qu'il se sert de moi comme d'un punching-ball pour décharger toute sa haine sur le cartel de Cali et parce qu'il prétend me rendre coupable d'une guerre qui aura pour seul résultat de semer des centaines de morts.

J'avais une fois parlé à Pablo de Quirky Daisy Gamble, un personnage de la comédie musicale de Broadway *Par jour clair, on peut voir pour toujours*. Daisy savait des choses que personne d'autre au monde ne connaissait, et elle pouvait en faire d'autres qui étaient carrément impossibles pour le commun des mortels. Après que je lui avais raconté toute l'histoire, dont nous avions ri un bon moment, nous en avions conclu que – par les journées pas trop nuageuses – j'étais la seule à pouvoir deviner correctement tout ce qu'il était le seul capable de concevoir, d'organiser et de mettre en œuvre.

Plusieurs jours après mon arrivée à Miami, Carlos Aguilar m'annonce :

« Le chef nous a chargés de t'emmener faire un tour en avion pour que tu puisses voir les Keys de Floride. Il te fait dire que, du ciel, par temps clair, on parvient à apercevoir les côtes de Cuba, qui seront toujours là. Nous allons choisir un jour ensoleillé, la semaine prochaine, et nous te ferons signe… »

Le Crasseux et son acolyte – qui, pour autant que je puisse en juger, cache un revolver dans chacune de ses chaussettes – viennent me chercher à l'hôtel et me conduisent jusqu'à une école de pilotage, à environ une heure. Là, ils me présentent trois types qui sont en train de s'entraîner pour entrer au service d'Escobar. Ils sont très jeunes – entre vingt-trois et vingt-cinq ans –, de petite taille, minces et bruns. J'observe qu'ils ont un regard exceptionnellement dur pour des gens de leur âge et qu'ils ne font pas le moindre effort pour dissimuler la surprise que leur cause mon arrivée et l'embarras qu'ils ressentent en ma présence. J'ai connu une douzaine de pilotes de l'organisation et je me rends compte sur-le-champ que ces jeunes ne pourraient jamais correspondre au profil de pilotes du narcotrafic, qui sont de riches civils ayant l'air de professionnels de la classe

508

moyenne haute qui ont réussi dans la vie, tout à fait sûrs d'eux et toujours souriants. Eux, en revanche, semblent être de petits durs d'origine modeste, et je me dis qu'ils ne peuvent pas être en train de s'entraîner pour convoyer de la cocaïne jusqu'à Cuba, ou alors peut-être est-ce pour la rapporter de là-bas. Mais, pour introduire en Floride toutes ces tonnes de drogue depuis les Caraïbes, Pablo a toujours utilisé les pilotes – américains ou colombiens – les plus expérimentés, ce qui signifie que ce n'est pas de novices qu'il a besoin… C'est le seul pays où sa marchandise soit livrée par avion et, en tout cas, à ce que je sache, la distribution de la came sur tout le territoire américain est l'affaire des clients du cartel de Medellín et pas d'Escobar ni de ses principaux associés…

Soudain, la véritable raison de mon voyage me tombe dessus comme un astéroïde et m'écrase comme un rouleau compresseur : ce que Pablo veut me dire, c'est qu'il se fiche comme de l'an quarante de tous mes conseils et de mes mises en garde, que tous les magnats que j'ai eus pour petits amis soient rois de quelque chose et que Gilberto ou n'importe qui d'autre puisse devenir le futur roi de la coke. Ce à quoi il aspire, personnellement, c'est à se transformer en mythe avant de mourir. Oui, il est en train de se préparer à entrer dans l'Histoire, non comme un roi parmi d'autres, mais comme le Roi de la Terreur. Il veut que je le sache et, avant que je ne disparaisse de sa vie pour toujours, il va me montrer de quoi son esprit monstrueux est capable : il va exhiber aux yeux de sa future biographe tout ce qu'il ne lui aurait jamais permis de connaître quand elle était sa maîtresse, une maîtresse qui lui tenait la bride, qui lui aurait fait la leçon, dont il connaît la manière de traiter l'information et dont il sait manipuler la tête à la perfection.

Le Crasseux m'explique que ces garçons sont des Nicaraguayens et qu'ils viennent d'arriver aux États-Unis. Ils sont entrés par « le Trou », c'est-à-dire qu'ils ont traversé illégalement la frontière avec le Mexique. Je sais ce que cela veut dire : ce sont des sandinistes et il y a de fortes chances pour qu'ils soient des soldats et très certainement des communistes fanatiques prêts à tout pour la Révolution. Ce que Pablo veut me montrer, c'est que, lorsque l'argent rentre à la pelle, toutes, toutes les méchancetés possibles peuvent être réalisées, à condition, évidemment, qu'elles soient bien préparées. Il veut que je voie de mes propres yeux que ces jeunes pilotes en herbe à la mine renfrognée et à l'air modeste s'apprêtent à effectuer une chose qu'aucun pilote américain ou colombien n'accepterait seulement d'envisager, même pour tout l'or du monde.

Pablo cherche aussi à me faire comprendre que, pour faire affaire avec Cuba, il n'a pas besoin de l'aval de Castro et que, lorsqu'un dictateur dédaigne ses propositions parce qu'il a peur des Américains ou des Contras, les généraux qui se trouvent juste en dessous de lui ont un prix qu'une personne toute-puissante comme Pablo en termes de liquidités est en mesure de payer un million de fois.

Mon instinct me dit de ne pas accepter l'invitation à monter à bord d'un de ces avions pour voir du ciel ce que seuls nous deux serions capables de voir par une claire journée. Lorsque nous arrivons au *mall* où je veux faire du shopping et nous atta-blons pour déjeuner, je me réjouis d'avoir pris cette décision : nous sommes soudain aveuglés par deux flashs photographiques. Nous essayons de déter-miner leur provenance, mais c'est inutile. Pour la première fois depuis que j'ai fait la connaissance d'Escobar, je vois ses hommes prendre peur. Ils me prient tous deux de quitter immédiatement cet endroit ; j'estime moi aussi qu'en deux semaines j'ai suffisamment profité de Miami et je décide donc de rentrer en Colombie dès le lendemain.

Nous sommes le 11 octobre 1987. Lorsque j'arrive à l'aéroport, deux agents du FBI s'approchent de moi et me disent qu'ils ont quelques petites ques-tions à me poser. Je pense que, cette fois, ils vont vouloir m'interroger sur les hommes qui m'accom-pagnent ou sur les pilotes de la veille mais, une fois encore, ils veulent simplement savoir si je repars avec de l'argent liquide. Soulagée, je leur réponds que l'argent qu'ils cherchent arrive en Colombie dans les mêmes containers que ceux qui ache-minent la drogue, et pas dans le sac à main des journalistes de télévision titulaires d'un master et même d'un doctorat en narcotrafic. Je leur dis cela avec la tranquillité totale que m'apporte le fait de savoir que, maintenant, le DAS signale aux autorités étrangères le moindre de mes voyages à l'extérieur, et avec la certitude absolue que ce sont ces deux *special agents* qui m'ont prise en photo la veille pour vérifier auprès de leurs homologues colombiens l'identité des hommes qui me tenaient compagnie.

Lorsque je me présente au comptoir de la compa-gnie aérienne, j'apprends que l'Aéroport international de Bogota est fermé : l'avocat Jaime Pardo Leal, candidat de l'Union patriotique à la présidence de la Colombie, a été assassiné après avoir été intercepté sur la route à un barrage militaire alors qu'il se trouvait au volant de sa petite voiture.

Dans un pays qui fournit des véhicules blindés et une escorte, même à ses fonctionnaires de troisième zone, le fait qu'il se déplaçait avec une si modeste voiture et le désintérêt total du DAS pour ce candidat de la gauche à la présidence représente un avertissement, un aperçu de ce qui attend ceux qui n'opteront pas pour le même camp que celui des ex-présidents des deux partis traditionnels et de ceux qu'ils ont intronisés pour leur succéder au pouvoir. Les familles présidentielles colombiennes – qui se partagent les ambassades et les grandes charges publiques tout en trustant grâce à leurs médias tous les contrats publicitaires de l'État – laissent le général Miguel Maza Márquez, directeur des services secrets et responsable de la protection des candidats, se charger du sale boulot. De son côté, le directeur du DAS laisse le sale boulot à l'Intelligence militaire de l'armée, et le B-2 laisse le sien au « Mexicain », Gonzalo Rodríguez Gacha, qui a déjà exterminé des centaines d'activistes de l'Union patriotique. Pour la petite collection de monarchies à vie et héréditaires qui contrôlent aussi bien l'opinion publique que les ressources de la nation, les grands barons du narcotrafic se révèlent représenter un parfait instrument pour éliminer leurs opposants sans qu'ils aient à se mettre de sang sur les mains et qui les aide à se maintenir éternellement au pouvoir, eux et les générations suivantes, qui passeront elles aussi maîtresses dans l'art de détourner l'argent public.

Je sais qu'Escobar n'est pas impliqué dans la mort de Pardo Leal, car Pablo est un libre-penseur libéral qui n'assassine pas les gens pour des raisons idéologiques ; il ne tue que ceux qui le volent ou qui l'ont harcelé pendant des années. Quand nous nous sommes séparés, il m'a dit qu'il n'y a rien, rien que je puisse faire pour changer le cours des événements. Comme je sais qu'il n'accepterait jamais de s'avouer impuissant devant quoi que ce soit, vaincu devant quiconque ou même de reconnaître sa faiblesse, je comprends maintenant ce qu'il a réellement voulu me dire par ces mots : malgré sa férocité, malgré ses milliards de dollars, il ne pourra rien, rien faire du tout contre tout ce pouvoir établi, contre les services de sécurité qui sont à sa solde, ni contre l'obsession de son meilleur ami et principal associé de vouloir exterminer tout ce qui, de près ou de loin, sent le communiste.

Le lendemain de mon retour, j'écris à Pablo. Mon message est codé et je le signe d'un des nombreux petits surnoms dont il m'affublait. Je lui recommande de ne pas négliger l'énorme pouvoir de Fidel sur les pays non alignés et sur tous les gouvernements autoproclamés de la planète. Je l'avertis que, le jour où Castro découvrira ce que ces subalternes préparent ou font déjà, il les fera tous fusiller et tirera profit de cette affaire au bénéfice de sa propre image. Je lui rappelle que, tôt ou tard, il va devoir s'enfuir de Colombie avec toute sa famille, qu'aucun pays riche n'acceptera de les accueillir et qu'à ce moment-là Castro leur bloquera l'accès à toutes ces dictatures du tiers-monde qui ont accepté de lui établir un passeport et que, si jamais elles les laissent entrer sur leur territoire, ce sera très certainement dans l'intention de les vendre ensuite aux *gringos* contre une récompense. Je lui dis que, s'il croit pouvoir affronter tout seul et en même temps les barons de Cali, l'État colombien, Fidel Castro et les Américains, c'est qu'il a perdu tout sens de la mesure, qu'il est en passe de perdre la raison – la seule chose qu'un homme doive absolument garder, même lorsqu'on lui a pris tout le reste – et qu'il court tout droit au suicide. Je termine en lui glissant que je suis lasse d'être poursuivie à la fois par ses ennemis et par les services de renseignement, et que je ne vais pas prendre le risque de me voir retirer mon visa pour les États-Unis, que nous ne sommes plus amis, que je ne compte pas jouer le rôle de complice-observatrice de son existence et que je vais tâcher d'oublier toutes les raisons pour lesquelles, il y a de cela maintenant bien longtemps, je suis tombée amoureuse de ce cœur de lion pour devenir, à compter de ce jour, la sévère juge-observatrice de ses procès.

« Si jamais tu ouvres la bouche, tu es morte, amour de ma vie, susurre-t-il une nuit, à trois heures du matin, et je devine qu'il a fumé de la marijuana.

— Si je parlais, personne ne me croirait, et l'on m'internerait avec toi, alors je vais m'épargner ce supplice. Tu sais que, si tu me tues, tu me rendras le plus grand des services et qu'en revanche, si jamais tu m'infliges des châtiments corporels, j'irai voir les médias et plus aucune femme ne t'approchera tant que tu vivras. Pour ces deux raisons – et parce que je n'ai plus rien à attendre de toi –, je peux me payer le luxe d'être le seul être désarmé qui ne te craint pas. Convaincs-toi que tu ne m'as jamais rencontrée. Oublie-moi et ne me rappelle plus jamais. Adieu. »

*

En novembre, je rencontre Gilberto Rodríguez Orejuela à Cali. Chaque fois que je le vois, il me donne l'impression d'être devenu quelqu'un de différent. Alors qu'en prison il avait l'air triste et abattu, et que le jour où il partait avec Santofimio chez Alfonso López, il paraissait le plus heureux et le plus triomphant des multimillionnaires de la Terre, il a maintenant l'air terriblement préoccupé. S'il y a quelqu'un en ce bas monde qui ne craint pas non plus Escobar, c'est bien lui, qui est aussi riche, voire plus riche que Pablo. Mais Medellín a déjà déclaré la guerre à son camp et l'ouverture des hostilités par l'une ou l'autre des parties n'est plus qu'une question de jours ou de semaines. Gilberto téléphone devant moi au responsable en chef de ses laboratoires et lui ordonne :

« Je veux que vous sachiez que j'aime beaucoup Virginia Vallejo, qui nous écoute en ce moment. Elle va vous appeler, et je vous demande d'être à sa disposition à partir de maintenant et pour tout ce qu'elle pourra vous demander. »

Il ne dit rien d'autre et ajoute seulement que nous pourrons nous reparler une fois qu'il aura résolu quelques petits problèmes. Il sait que je n'ai pas un sou et je suis parfaitement consciente de ce que tout cela implique : tout dépendra du déclenchement d'une une guerre ou non avec Escobar et, à l'heure actuelle, je ne représente rien d'autre qu'une source supplémentaire de conflit entre eux. Une source qui plus est particulièrement sensible, non pas parce que Pablo serait encore amoureux de moi, mais parce qu'il ne permettra pas que tous ses secrets et points faibles – tout ce trésor d'informations que j'ai emmagasiné dans ma mémoire, dans ma peau et dans mon cœur – tombent entre les mains de son pire ennemi. Je me rends compte que Pablo continue de surveiller mon téléphone et qu'il a en quelque sorte déjà fait savoir à Rodríguez qu'en la matière il pourrait se révéler d'un instinct beaucoup plus territorial que tous ses hippopotames réunis.

En décembre, Gilberto m'invite avec Gloria Gaitán à Cali. J'ai l'impression qu'ils ont eu grand plaisir à faire connaissance et je le vois en tête à tête le lendemain. Il me confirme ce que je pressentais déjà et dont Pablo m'avait prédit l'imminence :

« Chaque fois que la Tigresse te voit à l'écran, elle crie à mon fils de onze ans : "Viens voir ta belle-mère à la télévision !" Tu fais rêver tous les hommes riches et fantasmer tous les propriétaires de laboratoires de cosmétiques, mais tu es entrée trop tard dans ma vie. »

Comme son sous-entendu se rapporte très certainement à mon âge et à rien d'autre, je tiens à lui signaler que je suis actuellement à mon zénith.

« Non, ce n'est rien de ce que tu t'imagines ! Ce que je veux te dire, c'est que j'ai été marié deux fois avec des femmes au physique encore plus ingrat que moi, alors que toi, tu es une princesse, Virginia. Mais, hier soir, la Tigresse a essayé de se suicider et, quand elle a retrouvé ses esprits, elle m'a dit que si elle te voyait encore une seule fois dans sa vie, même à un déjeuner, elle me priverait pour toujours de ce petit champion de kart qui est ce que j'adore le plus au monde, la seule raison pour laquelle je suis encore avec elle et la cause de toute ma carrière délictuelle. Entre mon fils préféré et cette affaire avec toi, il m'a fallu faire un choix. »

Je réponds que, s'il m'accorde une somme décente pour financer ma ligne de cosmétiques, je lui jure de bâtir un empire, que personne ne saura que nous sommes associés et, pendant le restant de ses jours, il pourra puiser dans ces fonds légaux pour n'importe quelle urgence, car les nouvelles lois contre l'enrichissement illicite – la fameuse loi de confiscation des biens – vont commencer à les serrer de près et ne leur feront pas de cadeau. Avec une expression paternaliste et une attitude condescendante, il me répond qu'il dispose déjà de centaines de sociétés tout à fait légales qui paient une véritable fortune en impôts.

Après lui avoir dit adieu pour toujours, je me dis que cet homme à l'air rusé était à lui seul beaucoup plus dangereux que Pablo Escobar et Gonzalo Rodríguez réunis et que Dieu sait comment il gère ses affaires. De retour à Bogota, en me regardant dans le miroir, je décide de me remonter le moral en prononçant la fameuse phrase de Scarlett O'Hara dans *Autant en emporte le vent* :

« Après tout... demain est un autre jour ! Nous verrons bien ce qui se passera en 1988. Qu'ils s'entretuent si cela leur chante, moi, de toute façon, je n'y peux rien. Gilberto n'est qu'un être humain et, quand Pablo se met en travers du chemin de quelqu'un, même les hommes les plus virils ou les plus riches se sauvent en courant. Il me reste encore douze mille dollars à la banque et trente mille dans mon coffre-fort. Je suis bien roulée, j'ai un QI élevé, je ne compte plus mes ensembles de grands couturiers et je pars pour Careyes qui, à ce qu'on m'a dit, est un très bel endroit ! »

Careyes, station de la côte pacifique mexicaine, se trouve être un des paradis que prisent les gens les plus riches et les plus élégants de la Terre. Angelita, la jolie mannequin, m'a invitée pour ne pas se retrouver toute seule entourée de Français et d'Italiens pendant que son petit ami, un joueur de polo parisien, supervise la construction d'un terrain. Nous n'échangeons pas un mot au sujet de Pablo qui, cinq ou six ans plus tôt, salivait sur elle, ni de la vie que j'ai menée ces dernières années. Le premier soir, on me présente à Jimmy Goldsmith, qui préside une table interminable où s'entassent pêle-mêle ses enfants, les fiancés et fiancées de ses enfants, ses femmes, actuelle ou passées, ses petits-enfants et des amis, tous beaux, bronzés et heureux. Quand ce légendaire magnat franco-britannique me serre la main et me sourit, je me dis qu'il est peut-être l'homme le plus séduisant que j'ai vu de toute ma vie, qu'il est sans doute un ami de David Metcalfe et que c'est avec raison qu'il a formulé cette phrase, qui a fait date : « L'homme qui se marie avec sa maîtresse laisse une place vacante ! »

Sir James vient de vendre toutes les actions de sa société avant l'effondrement de la Bourse, se retrouvant ainsi à la tête d'une fortune de six milliards de dollars, et il a été marié avec la fille d'Antenor

Patiño. En regardant ces bungalows occupés par les descendants du magnat bolivien de l'étain, et en écoutant les mariachis les plus sublimes de la Terre à l'anniversaire de sa fille Alix, je me demande pourquoi nos magnats avares ne vivent pas avec un peu plus de style, comme dirait Metcalfe. Je pense à Pablo et Gilberto, qui possèdent la moitié ou le tiers de la fortune de cet homme et seulement les deux tiers de son âge, et qui, au lieu de passer du bon temps dans un endroit comme celui-ci, à profiter des choses exquises et parfaites qu'offre la vie, comme cette mer, ce climat, ces *infinity pools*, cette architecture unique avec ces énormes racines enveloppantes entourant les colonnes qui soutiennent les toits de paille de ces demeures uniques, ne pensent à rien d'autre qu'à s'entretuer.

« Pourquoi le Mexicain ne vient-il pas écouter ces mariachis au lieu d'assassiner des candidats à la présidence ? Pourquoi Pablo préfère-t-il la reine de beauté du Putumayo à ces filles si magnifiques ? Pourquoi Gilberto ne voit-il pas le potentiel de cette terre, qui ne coûte rien maintenant et qui vaudra une fortune d'ici quelques années ? Tous ces riches et ces nobles Européens pour qui rien n'a de secret s'en sont déjà rendu compte et sont venus la coloniser avant qu'il n'en reste plus ! »

J'en déduis qu'il faut aux nouveaux riches plusieurs générations pour ne plus être la cible de moqueries, pour apprendre le bon goût et pour que leurs descendants acquièrent une certaine beauté. J'en conclus qu'au rythme auquel notre longévité augmente les magnats laids auront besoin d'au moins un demi-millénaire pour y arriver.

Un soir, à mon retour à Bogota, après avoir dîné avec des amies, je rentre chez moi vers vingt-trois heures. Cinq minutes après, mon concierge sonne et m'annonce que William Arango m'apporte un message très urgent de la part de son chef. Il est le secrétaire de Gilberto Rodríguez Orejuela et, bien que je sois étonnée de le voir venir si tard, je lui dis de monter. Je pense que son patron est à Bogota ou qu'il a peut-être changé d'avis sur mon affaire ou sur la guerre et qu'il ne veut rien m'expliquer par téléphone. Comme je le fais machinalement chaque fois que j'appuie sur le bouton pour faire monter l'ascenseur qui donne directement dans le *foyer* de mon appartement, je glisse mon œuvre d'art préférée dans la poche de ma veste.

L'homme est complètement saoul et, en entrant dans le salon où je me trouve, il s'effondre sur le canapé qui fait face à la banquette sur laquelle je m'assieds. Tout en regardant mes jambes avec des yeux vitreux, il me demande un whisky. Je réponds que, chez moi, le whisky est réservé à mes amis et que je n'en sers pas à leurs chauffeurs. Il me dit que son chef se moque de moi devant tous ses amis et tous ses employés, que ce psychopathe dégénéré de Pablo Escobar fait la même chose devant ses associés et ses sicaires, et que Gilberto Rodríguez l'a envoyé récupérer les « restes » des deux barons, car il est temps que les pauvres commencent eux aussi à recevoir quelque chose. Le plus calmement possible, je lui explique quel est mon problème : à l'endroit où il se trouve se sont assis ces dix-sept dernières années les six hommes les plus riches de Colombie et aussi les quatre plus beaux, et un avorton affamé avec une tête de porc comme la sienne n'est pas qualifié pour leur succéder. Il s'exclame alors que je suis vraiment une prostituée, comme le dit si bien Doña Myriam, et que c'est aussi pour cela qu'il vient m'apporter un petit cadeau de sa part. Impassible, je réplique que s'il appelle « Doña » cette femme de bas étage, alors, un chauffeur comme lui doit m'appeler « Doña Virginia » et non « Virginia » car ma famille appartient à la haute société depuis vingt générations et je ne suis pas infante d'Espagne, pas plus que je ne suis mariée avec un Don de la mafia.

Tout en s'écriant qu'il va me donner ce que je mérite et que je vais vraiment savoir ce qui est bon, l'homme essaie de se lever du canapé, qui est très bas, tout en mettant la main dans sa poche. Il chancelle un instant et s'appuie sur la *coffee table* pour ne pas perdre l'équilibre. Lorsqu'une demi-douzaine de bougies sur deux chandeliers en argent tombent dans un fracas épouvantable, le type baisse les yeux. Quand il les relève, il trouve, à un mètre cinquante de lui, un Beretta 9 mm pointé vers son front. D'une voix très maîtrisée, je lui dis :

« Haut les mains, chauffeur immonde, avant que je ne vous bute et que vous ne souilliez mon canapé.

— Mais, Virginia, comment voulez-vous qu'une personne de la haute comme vous soit capable de tuer qui que ce soit, pauvre petite ! Et ça m'étonnerait que vous ayez un permis de l'armée pour ce pistolet ! s'exclame-t-il en riant aux éclats avec le sang-froid caractéristique de ceux qui se savent épaulés par les grands barons. Je vous parie que c'est un jouet et, si ce n'en est pas un, qu'il n'est même pas chargé. D'ailleurs, c'est ce que nous allons vérifier tout de suite, avant que j'aille vous dénoncer au DAS, pour qu'ils vous mettent en prison pour port illégal d'armes et parce que vous êtes l'ex-putain de Pablo Escobar ! »

Lorsqu'il se met debout, j'enlève le cran de sécurité du Beretta, je lui dis qu'il ne va aller nulle part et je lui ordonne de s'asseoir à côté du téléphone. Il obéit, parce que je lui explique qu'il est dans le vrai : effectivement, je n'ai pas de port d'armes, ce pistolet n'est pas à moi, son propriétaire l'a oublié quand il est venu me voir cet après-midi, et deux de ses secrétaires-chauffeurs sont déjà sur la route pour venir le récupérer.

« Là, sur la crosse, il est inscrit PEEG. Ça se prononce "Pig !", le mot que crie son propriétaire chaque fois qu'il s'en sert. Comme vous ne parlez sans doute pas l'anglais, je vous le traduis : vous avez déjà entendu parler d'El Chopo, de Tomate, d'Arete, de La Quica, de La Garra et du Crasseux ? »

L'homme devient livide.

« Vous voyez comme il est facile de deviner le nom de son propriétaire ? Eh bien, vous n'êtes pas aussi idiot que j'aurais cru ! Puisque vous êtes si intelligent et que j'ai les mains très occupées, je vais vous demander de vous comporter comme tout bon secrétaire et de m'aider à composer ce numéro de téléphone. Nous allons dire à ces Petits Chanteurs de Vienne de se dépêcher, car je suis déjà de retour et ils avaient parlé de venir entre onze heures et minuit pour récupérer ce truc que ce psychopathe dégénéré de Pablo Emilio Escobar Gaviria a oublié quand il a fait l'amour avec sa pute – pas son ex-pute – à l'endroit même où vous êtes assis et que je vais faire désinfecter dès demain. Allez ! Qu'est-ce que vous attendez ? »

Je lui dicte un numéro de Bogota que le Mexicain m'a donné quelques années plus tôt pour une urgence, et que je sais qu'il n'utilise plus.

« Non, Doña Virginia ! Vous n'allez pas me laisser tuer par tous les sicaires de Don Pablo ! Vous avez toujours été quelqu'un de bien !

— Mais comment un génie comme vous peut-il attendre d'une "prostituée" à cause de qui va éclater une guerre entre un désosseur de voitures et un coursier de droguerie qu'elle soit un modèle de douceur, hein ? Refaites ce numéro de téléphone car, s'il est occupé, c'est parce que ce psychopathe dégénéré est en train de parler avec Noriega Tête d'Ananas... heureusement, ils ne se parlent jamais bien longtemps... Comment pouvez-vous imaginer que je vais les laisser vous mettre en pièces devant moi ! Oh, non, non, quelle horreur ! Je ne voudrais pas voir tous ces Petits Chanteurs de Vienne quand ils vont faire à vos filles et vos fils, à votre femme, à votre mère et à vos sœurs ce que vous comptiez venir me faire à moi ici. Grâce à Dieu, ils ne vont plus tarder à arriver... car demain je dois me lever tôt pour emmener ce dingue ombrageux qui, à ce qu'il dit, a un nouvel avion à me montrer !

— Non, madame Virginia ! Vous ne laisseriez pas ces sicaires, pardon, ces messieurs, toucher à ma famille !

— Je voudrais bien vous aider, mais le propriétaire de ce pistolet a les clés de cet appartement et, lorsque ses secrétaires me verront l'utiliser pour mettre en joue celui de Gilberto Rodríguez, ils n'arriveront pas à croire que le chef suprême du cartel de Cali a envoyé un ivrogne dégoûtant fumer le calumet de la paix avec le chef suprême du cartel de Medellín, pas vrai ? Moi aussi, j'ai un petit cadeau pour vous, vous avez le choix entre deux options : pour vous, personnellement, que préférez-vous ? Des tronçonneuses que ce charpentier sadique vient de recevoir d'Allemagne – et qu'il rêve d'étrenner – ou une demi-douzaine de lionnes au régime depuis une semaine parce qu'elles prenaient du poids à force de manger tous les restes du zoo de *Nápoles* ? Allez, ce n'est plus la peine de continuer d'appeler, ils doivent être partis depuis longtemps et ils ne vont pas tarder à arriver... »

Quand je suis lasse de lui décrire tout ce qu'ils vont faire subir à cette pauvre femme qui est obligée de dormir tous les jours avec un porc répugnant comme lui et de mettre au monde ses petits gorets, je lui dis de me remercier de servir d'ange gardien à sa famille et de le laisser déguerpir de chez moi avant que ces bouchers n'arrivent et ne la mettent en pièces sous ses yeux. En visant toujours sa tête de mon Beretta, je lui ordonne de monter dans l'ascenseur et, bien qu'au dernier moment je sois tentée de lui envoyer un coup de pied, je m'abstiens de le faire. Cela pourrait me faire perdre l'équilibre et Pablo m'a appris que, lorsque l'on tient une arme à la main, garder la tête froide ne suffit pas, il faut qu'elle soit de glace.

« Monsieur a une façon vraiment mystérieuse de travailler. » Quand ce dépravé envoyé par Gilberto Rodríguez pour se venger de Pablo Escobar – ou par sa femme pour se venger de moi – s'en va, je ferme à clé toutes les portes de mon appartement et de ma chambre, j'embrasse mon Beretta et je bénis le jour où l'homme qui a emporté mon cœur en or m'a laissé son pistolet pour ce moment futur où ses ennemis viendraient s'en prendre à moi. Je jure à Dieu qu'aucun narcotrafiquant ne foulera plus jamais le sol de ma maison, pas plus qu'il n'aura mon numéro de téléphone, et je les maudis tous autant qu'ils sont, pour qu'ils n'aient plus un seul jour de bonheur de toute leur vie, que leurs femmes ingrates pleurent des larmes de sang, qu'ils perdent toute leur fortune et que tous leurs descendants soient appelés les Maudits. Pour la remercier de m'avoir protégée, je promets à la Vierge Marie qu'à partir de maintenant je vais coopérer avec les organismes étrangers de lutte contre les stupéfiants chaque fois que je pourrai leur être utile et que je vais m'asseoir devant chez moi pour assister au défilé de leurs cadavres et de ceux de leurs enfants, et voir ceux qui auront survécu être embarqués menottés dans un avion de la DEA, même si je dois attendre un siècle pour cela.

Le lendemain, j'appelle la seule amie qui n'irait jamais raconter à personne ce que je vais lui confier. Solveig est suédoise, élégante comme une reine des glaces, discrète et différente de toutes ces femmes et de ces journalistes que Pablo a toujours appelées « les vipères ». Elle et moi, nous ne nous sommes jamais fait de confidences, car j'ai toujours ravalé ma peine toute seule et, pendant toutes ces années, je me suis habituée à ne faire confiance à personne. Je lui parle aujourd'hui de ce qui est arrivé, non parce que j'ai besoin de m'épancher mais parce que je sais qu'Escobar surveille et enregistre plus que jamais mes conversations pour être informé si je vois son ennemi. Je sais aussi que, même si maintenant je hais Pablo et qu'il n'est plus amoureux de moi, il m'aimera toujours et il m'entendra au téléphone lorsque mon amie me demandera, incrédule et sans voix, pourquoi quelqu'un comme moi a pu fréquenter des gens de cet acabit et pourquoi j'ai laissé entrer dans mon appartement un type comme celui-là. Je lui répondrai que c'est parce que je me suis dit que je pouvais encore arrêter une guerre qui allait faire des centaines de morts. Comme les sbires et secrétaires n'agissent jamais sans y avoir été autorisés par leur patron, je ne donne pas à Solveig le nom de William Arango car je sais que Pablo irait dès le lendemain le découper en morceaux avec sa tronçonneuse, et je ne veux pas avoir sa mort sur la conscience. Le seul but de ma confession à Solveig est qu'Escobar abomine encore davantage celui qu'il a toujours traité de « porc arriviste » et sa femme bouffie par la méchanceté qui, en passant tous ces appels aux médias et en accusant Victoria de Escobar de taillader des visages pour voler des cadeaux, porte réellement la responsabilité de la guerre qui a éclaté entre les deux cartels.

Quelque temps plus tard, je reçois par courrier un morceau de papier arraché à une page de journal : un coiffeur de Cali a été tué de quarante-six coups de couteau – pas dix, ni vingt, ni trente – au cours d'une orgie entre homosexuels. Comme les cerveaux qui donnent les ordres sont mille fois plus coupables que les monstres qui les exécutent, je prie en demandant miséricorde pour son âme et je fais part à Dieu de toute la douleur et l'humiliation que m'inspirent ces dirigeants de l'inframonde – qui ne se différencient en rien, par leur généalogie ou leur morale, de leurs sicaires et de leurs sbires – pour qu'il m'utilise comme catalyseur des processus qui les détruiront tous, eux et les fortunes qu'ils ont construites sur la honte de mon pays, sur le sang de leurs victimes et sur les larmes de nos femmes.

Le 13 janvier 1988, la guerre éclate. Alors que Pablo se trouve à *Nápoles*, une puissante bombe ébranle jusqu'aux fondations l'immeuble Mónaco – lieu de résidence de son épouse et de ses deux enfants, situé dans un des secteurs résidentiels les plus chics de Medellín – et tout le voisinage. Victoria, Juan Pablo et la petite Manuela, qui dormaient dans les chambres du penthouse, échappent miraculeusement à la mort et s'en sortent indemnes, mais deux vigiles perdent la vie. Gorge profonde me certifie que cette vengeance est l'œuvre de Pacho Herrera, le numéro quatre du cartel de Cali, auquel Pablo voulait faire connaître le même sort que celui que Chepe Santacruz, troisième dans la hiérarchie après Gilberto et son frère Miguel, lui avait demandé de faire subir au Gamin. Du bâtiment, exclusivement occupé par la famille et par les gardes du corps d'Escobar, il ne reste plus que la structure en béton ; sa précieuse collection de vieilles voitures et celle d'œuvres d'art de son épouse ont subi des dégâts irréparables.

Cette guerre laisse derrière elle trente morts chaque jour et il n'est pas rare qu'à Cali et à Medellín on voie apparaître le cadavre de jeunes mannequins sauvagement torturées, car le conflit s'étend jusque dans les salons de beauté où les cartels ont leurs informateurs. Les ennemis de Pablo savent que je ne suis plus avec lui, mais ils croient que je suis affectée par tout ce qu'on peut lui faire, ce qui me place dans une situation doublement vulnérable, car je ne bénéficie plus de sa protection. Les menaces sont plus sérieuses que jamais et changer de numéro de téléphone ne sert à rien ; de moins en moins de gens connaissent mon numéro et je commence à me couper du monde entier. L'argent que j'ai à la banque fond à vue d'œil et ne va pas tarder à s'épuiser, car ma priorité est de réussir à payer les traites de mon appartement en attendant qu'un de mes tableaux trouve un acheteur – sachant qu'aucun d'eux n'a une valeur qui dépasse quelques milliers de dollars. Or, en Colombie, la vente d'une œuvre d'art qui ne soit pas d'un des six ou sept peintres nationaux célèbres prend des mois, voire des années. Quand je propose mes rares bijoux aux joailleries dont j'ai été la cliente depuis mes vingt ans, on m'en offre dix pour cent de leur valeur, soit à peu près la même chose que le mont-de-piété. Je décide de ne pas mettre en vente mon appartement, qui m'a coûté presque vingt ans de travail et de sacrifices, car cela m'obligerait à laisser s'introduire dans ma vie privée des dizaines de curieux qui me soumettraient à une foule de questions indiscrètes.

Pour rester occupée, je commence à mettre en ordre les notes que j'ai prises pour le roman que je publierai un jour si, par miracle, j'en réchappe, ce qui a pour seul effet de fixer de façon indélébile dans ma mémoire la nostalgie de tout ce que j'ai perdu depuis que cette malédiction nommée Pablo

Escobar s'est abattue sur moi et d'exacerber toute cette honte qui est la seule chose qu'il m'a laissée. Moins d'une semaine après l'explosion de la bombe, Pablo a déjà enlevé Andrés Pastrana, candidat à la mairie de Bogota et fils de l'ex-président Pastrana Borrero, et impitoyablement assassiné le procureur Carlos Mauro Hoyos. Comme l'extradition a été réinstaurée, il entend mettre l'État à genoux et paie maintenant cinq mille dollars pour la tête de chaque policier. À mesure que cette guerre se polarise, huit cents membres de l'institution tombent sous les balles et, pour prouver qu'il a des munitions à foison qu'il peut faire pleuvoir en même temps sur l'État et sur le cartel de Cali, les cadavres de ses victimes apparaissent maintenant criblés de plus d'une centaine de balles. Il est évident que les temps où il n'avait pas beaucoup de liquidités – ce dont l'opinion publique n'a pas eu vent – sont bien révolus et que sa connexion avec Cuba lui permet d'amasser des fortunes colossales.

Ce défilé de terreur, de menaces et de cadavres m'a petit à petit plongée dans une profonde tristesse : presque plus rien ne m'intéresse, je ne sors que rarement de chez moi et j'ai décidé que, dès qu'il ne resterait plus d'argent dans mon coffre-fort, je me tirerais une balle dans la tempe, à l'endroit que Pablo m'a indiqué, car je ne supporte plus non plus la peur de cette pauvreté que je vois approcher à grands pas. Ma famille n'éprouve pour moi que du mépris, ses insultes s'ajoutent à celles que j'entends chaque fois que je mets les pieds dans un supermarché, et je sais que je ne pourrai jamais attendre la moindre miette de pain de mes trois riches frères, qui me rendent responsable des sarcasmes qu'ils entendent au Jockey Club, dans les restaurants et dans les fêtes où ils vont.

Je vais dire adieu à Dennis, l'astrologue nord-américain qui va bientôt retourner dans son Texas natal car il a été menacé d'enlèvement, et je lui demande quand cesseront ces terribles souffrances que j'endure. Il fait mon signe astral, examine des planches spéciales permettant de savoir où se trouveront les planètes à des dates futures et m'annonce, préoccupé :

« Ta douleur ne fait que commencer... et il y en a pour un bout de temps, ma chérie.

— Oui, mais combien de mois, dis-moi ?

— Des années... des années. Et tu devras être très forte pour supporter ce qui s'annonce ; mais, si tu vis longtemps, tu recevras un énorme héritage.

— Es-tu en train de me dire que je serai très malheureuse et qu'ensuite je deviendrai la veuve d'un homme richissime ?

— Tout ce que je sais, c'est que tu vas aimer un homme qui viendra d'une terre éloignée et dont tu seras toujours séparée... Ne t'avise pas d'aller commettre un crime, car tu vas avoir des problèmes légaux avec des étrangers qui vont durer des années et des années, mais la justice finira par pencher de ton côté !... Ohhh ! Tu n'es pas condamnée qu'à la solitude, tu pourrais aussi perdre la vue pendant les dernières années de ta vie. Tu souffriras jusqu'à ce que Jupiter sorte de la maison de tes ennemis cachés, les prisons et les cliniques, mais, si tu es forte, d'ici trente ans, tu pourras dire que tout cela en valait la peine ! Le destin est écrit dans les étoiles… il n'y a rien que nous puissions faire pour l'infléchir, *my dear*.

— Tu trouves que ce que tu me décris là est un destin, Dennis ? C'est plutôt une crucifixion ! lui dis-je en ravalant mes larmes. Et tu me dis que cela ne fait que commencer ? Tu es sûr de ne pas avoir mis ces planches à l'envers ? Ma douleur ne serait-elle pas plutôt en train de s'achever ?

— Non, non, non. Tu devras payer un karma car tu es née avec Chiron en Sagittaire et, comme le centaure mythologique, tu voudras mourir pour échapper à cette douleur, mais tu ne pourras pas ! »

Ce soir-là, je raconte au téléphone à Gloria Gaitán que j'envisage de me suicider pour m'épargner la douleur de me voir mourir de faim. Je lui dis que, pour que ce soit rapide et définitif, je pense me tuer d'une balle. Comme elle est amie avec Fidel Castro, je ne lui dis pas que c'est pour échapper à la douleur de devoir moisir trente ans dans une prison *gringa* en attendant que l'on établisse mon innocence et celle du dictateur cubain. Ou de moisir dans une clinique avec Pablo – un Sagittaire – jusqu'à ce que l'on découvre ma sagesse et que, sur son lit de mort, ce centaure me lègue sa fortune pour me remercier de lui avoir fait des sermons pendant trente ans.

Environ deux semaines plus tard, j'accepte l'invitation d'une de mes connaissances d'aller passer un long week-end dans sa maison de campagne. Comme je suis convaincue que je ne serai bientôt plus de ce monde, je veux revoir la nature et des animaux une dernière fois. En retournant à mon appartement, toujours parfaitement en ordre, je me rends compte qu'un voleur l'a visité en mon absence.

Mon bureau est en désordre et les soixante-huit premières pages de mon roman, patiemment écrites et réécrites maintes et maintes fois – car je n'ai pas de machine à écrire et le PC n'a pas encore été inventé – ont disparu, tout comme les cassettes des interviews que j'ai faites à Pablo durant les premiers temps, les cartons de ses bouquets d'orchidées, et les deux seules lettres qu'il m'ait écrites. Mue par un effroyable pressentiment, je cours jusque dans la chambre où se trouve le coffre-fort ; il est béant. Les trente mille dollars – tout ce qui me restait dans la vie – ont disparu et, à part les deux clés de l'appartement, il est vide. Bien que les étuis de velours contenant tous mes bijoux soient ouverts sur le bureau, le voleur n'a emporté que mon porte-clés en or ainsi que mon petit voilier, mon « yacht » le *Virgie Linda I*. Mais, le pire de tout, ce que je ne pardonnerai jamais à ce voleur de pierres tombales, c'est qu'il m'a retiré mon Beretta. Oui, c'est vrai qu'il était à lui, mais il savait pertinemment qu'il était devenu le mien et que c'était le dernier espoir qui me restait.

Le vol de tout mon argent, de ces mois de travail de copiste et de ce pistolet qui était ma plus précieuse compagnie, me plonge dans une très profonde dépression. L'homme cruel que j'ai tant aimé a perdu la raison, et il est en train de me condamner à agoniser durant des mois. Ma mère est partie à Cali pour soigner une sœur malade et elle n'a pas laissé de numéro de téléphone car ma famille n'a presque pas la moindre existence. Je n'oserais plus aller demander d'argent à personne, ni parler de ma pauvreté à des amis dont je me suis peu à peu éloignée, ou à des parents qui étaient déjà distants à la naissance. Je ne trouve même plus la force de sortir pour vendre quoi que ce soit et je décide que je ne vais pas attendre trente ans pour payer le moindre karma mais que je vais me laisser mourir de faim, comme l'a fait Ératosthène lorsqu'il a appris que ses yeux allaient bientôt perdre le peu de lumière qu'il leur restait.

Comme je sais que, depuis un endroit quelque part dans le cosmos, les nobles esprits des immortels peuvent entendre les voix des pauvres mortels les implorer, je prie ce sage de la Grèce antique de me donner la force de supporter les trois mois qui m'attendent, si aucun miracle ne se produit. J'ai lu que les jours les plus difficiles sont les premiers et qu'on acquiert ensuite une lucidité unique qui fait qu'on ne souffre presque plus. Au début, on ne sent rien, mais les douleurs commencent le cinquième et le sixième jour. Elles s'accentuent peu à peu à chaque heure qui passe, accompagnées des sensations d'abandon et de désespoir les plus extrêmes qui soient, et notre cœur agonise à tel point qu'on en vient à croire – complètement brisés, comme s'il ne restait plus de nous que quelques lambeaux de chair léchés par les flammes – que ce n'est pas la vie qui est en train d'abandonner notre corps pour toujours, mais que c'est le peu de raison qui nous restait encore qui s'enfuit, effrayée, vers l'enfer. Et, pour ne pas la perdre et me consoler, je m'en remets à la seule partie de mon être qui semble encore pleine de quelque chose :

« Il y a en ce moment presque un milliard de personnes qui connaissent cette agonie que je ressens moi-même. J'ai déjà vu comment vivaient les gens les plus riches de la Terre et j'ai vu comment vivaient les plus pauvres dans cette décharge. Je sais maintenant comment meurent vingt pour cent des enfants qui viennent au monde. Si un miracle se produit dans ma vie, dans trente ans, je pourrai coucher toute la douleur que j'ai portée dans mon cœur dans un petit livre sur Dieu le Père et Dieu le Fils que j'intitulerai *Évolution* vs. *Compassion*. Ou peut-être qu'un jour il y aura de vrais philanthropes et que je leur consacrerai une émission de télévision que j'appellerai *On Giving*. »

Depuis l'Olympe où il réside maintenant, le compatissant Ératosthène semble m'écouter : onze jours plus tard, je reçois un appel de ma mère qui est rentrée à Bogota. Lorsque je lui raconte que je n'ai même pas les moyens de faire des commissions, elle me prête le peu d'argent qu'elle possède. Quelques semaines plus tard, le miracle a lieu et un de mes tableaux trouve preneur. Je décide alors que, pour essayer de récupérer les millions de dendrites que j'ai perdues en jeûnant, il faut que je me mette à étudier de toute urgence quelque chose pouvant constituer un véritable défi pour mon cerveau :

« Oui, je vais étudier l'allemand pour pouvoir traduire en six langues les *Escolios* du philosophe Nicolás Gómez Dávila, car ils sont une merveille de sagesse, de métrique et d'esprit de synthèse : "Le véritable aristocrate aime son peuple à toutes les époques, et pas seulement en période électorale." Ainsi donc, selon ce Colombien savant de la droite qui exècre les appareils d'État modernes, le Pablo Escobar que j'ai connu était plus aristocrate qu'Alfonso López qui, lui, l'était de naissance ? »

Trois mois plus tard, mon amie Iris, fiancée au ministre conseiller de l'ambassade d'Allemagne à Bogota, me fait part d'une nouvelle :

« Il y a une bourse à pourvoir à l'*Institut für Journalismus* de Berlin pour un journaliste maîtrisant l'anglais et ayant des bases en allemand, ce qui semble correspondre parfaitement à une personne aussi passionnée par les sujets économiques que toi. Pourquoi ne la demandes-tu pas, Virgie ? »

Ainsi, en août 1988 – obéissant aux arcanes de la Divine Providence qui, selon Dennis, sont écrits dans les étoiles, et à cette moitié du destin qui, selon Pablo, nous accompagne à la naissance –, je pars, toute pimpante, pour Berlin. Je ne le fais pas sans raison, tant s'en faut. Je pars heureuse pour un million de raisons, qui sont aussi nombreuses qu'il y a d'étoiles dans le firmament.

Le Roi de la Terreur

« Les habitants de Berlin-Est se morfondent d'ennui et de tristesse... Ils n'en peuvent plus et, un de ces jours, ils vont finir par démanteler ce mur ! Quelque chose me dit que, d'ici moins d'un an, je pourrai voir cette grandiose avenue réunie, dis-je à David, qui se trouve à côté de moi et observe le Reichstag et la porte de Brandebourg du haut d'un mirador.

— Tu es folle ? Il va rester là et il va durer encore plus longtemps que le mur d'Hadrien et la Grande Muraille de Chine ! »

Le vent du destin m'a portée jusqu'à Berlin-Ouest la dernière année de séparation des deux Allemagnes, qui précédera la chute du rideau de fer. Comme une de ces puissantes lames de fond indétectables en surface, toutes sortes d'événements souterrains se succèdent actuellement à l'endroit qui, dans seulement quinze mois, deviendra l'épicentre de l'effondrement du communisme en Europe. Mais c'est précisément pour des raisons politiques que, maintenant, lorsque j'entre dans un aéroport international, tous les feux semblent passer au rouge.

Le DAS de Colombie sait que, dans la pratique, le plus grand narcotrafiquant du monde exporte ses tonnes de drogue dans des containers, transfère l'argent liquide dans des congélateurs industriels et n'a pas encore besoin de devoir demander à son ex-petite amie de lui servir de « mule », la plus subalterne des fonctions au sein de l'industrie florissante et désormais multinationale que lui et une dizaine de ses associés ou de ses rivaux milliardaires ont mise en place. Je me suis rendu compte que l'intérêt soudain du FBI et de la police européenne à mon égard semble coïncider avec le fait que, ces derniers temps, chaque fois que je me rends dans un autre pays depuis Bogota, des gens liés aux élites du narcotrafic occupent une bonne partie de la première classe de l'appareil.

J'ai également observé qu'après chacun des séjours que j'effectue dans d'autres villes avec des boursiers du gouvernement allemand, lorsque je rentre dans ma chambre de la pension étudiante, je ne retrouve pas mes papiers et les flacons des produits de beauté sur ma coiffeuse à l'endroit où je les avais laissés. Les fonctionnaires de l'*Institut für Journalismus* ont commencé à me lancer des regards inquisiteurs et à me demander par exemple pourquoi je suis plus habillée comme une femme d'affaires que comme une étudiante. Je me doute bien de ce qu'ils pensent et que les autorités enquêtent à mon sujet. Je sais qu'ils me surveillent depuis un moment et je sais pourquoi. Mais je suis pleinement heureuse.

Un beau jour, je prends mon courage à deux mains et je décide de téléphoner d'une cabine publique au consulat des États-Unis à Berlin – en 1988, l'ambassade se trouve à Bonn – pour lui proposer ma collaboration. Je dis à la personne qui décroche que je crois détenir des informations sur l'existence vraisemblable d'un complot liant Pablo Escobar aux Cubains et aux sandinistes. À l'autre bout du fil, l'opérateur du standard demande « *Pablo who?* » et me signale que des centaines de dissidents communistes appellent sans arrêt pour dire que les Russes vont faire sauter la Maison-Blanche avec une bombe atomique, puis il raccroche. En me retournant, je croise le regard d'un homme qu'il me semble avoir aperçu quelques jours plus tôt au jardin zoologique, près de l'Europa Center – où se trouve l'*Institut* –, où je me rends fréquemment pour passer du bon temps en me disant que, comparé au zoo de Berlin, celui de l'*Hacienda Nápoles* a la même allure que le tout petit mur de Berlin devant la Grande Muraille de Chine.

Quelques jours plus tard, un homme m'intercepte alors que je suis sur le point d'embarquer dans un avion. Il se présente comme un officier de la brigade des stupéfiants du *Bundeskriminalamt*, BKA ou *Interpol Wiesbaden*. Lorsqu'il me dit qu'ils voudraient me poser quelques questions, je lui demande si c'est eux qui m'ont suivie l'autre jour au zoo et quand j'ai passé mon appel au consulat américain, mais il m'assure que ce n'était pas la BKA.

Je me retrouve avec lui et son supérieur et, d'emblée, ils me font savoir que je suis tout à fait en droit de porter plainte pour violation de ma vie privée : ils ont fouillé ma chambre chaque semaine, intercepté mes appels téléphoniques, ouvert toutes les enveloppes que j'ai pu recevoir et enquêté sur chacune des personnes que j'ai pu rencontrer. Je leur explique que, loin de vouloir porter plainte contre eux, ce que je souhaite faire, c'est leur donner les noms et la position hiérarchique de tous, d'absolument tous les narcotrafiquants et blanchisseurs de dollars que j'ai connus ou entendu nommer dans ma vie, car j'éprouve une haine viscérale pour tous ces criminels qui ont détruit mon nom et celui de mon pays ; mais, auparavant, je veux qu'ils me disent qui est la personne qui me dénonce chaque fois que je pars en voyage. Après des jours de discussions byzantines, ils me donnent son nom : c'est Germán Cano, du DAS.

Je me décide alors à parler. La première chose dont je les informe, c'est que, dans l'avion à l'arrière duquel je voyageais en tant qu'étudiante, se trouvait, en première classe, un des membres les plus en vue du cartel de Medellín en compagnie de son associé, blanchisseur de dollars et fils d'une des familles juives les plus riches de Colombie. En arrivant à l'aéroport de Francfort, ils sont tous les deux passés sans problèmes, « comme des coqs en pâte », tandis que tous les policiers se ruaient vers moi pour examiner mes valises, pour vérifier si la petite amie ou l'ex-maîtresse du septième homme le plus riche du monde transportait un petit kilo de coke et prenait le risque de se faire condamner à dix années de prison pour gagner cinq mille dollars, de quoi s'acheter un nouvel ensemble chez Valentino ou Chanel.

« Si Germán Cano ne sait pas qui sont les principaux barons de la drogue et les grands blanchisseurs d'argent sale, c'est parce que les services secrets colombiens les protègent. Je crois que le service étranger du DAS dispose d'informateurs dans les compagnies aériennes qui lui indiquent à quelle date je vais voyager, ils passent le tuyau aux narcotrafiquants amis et, le jour venu, ils m'utilisent comme appât pour distraire les autorités étrangères. C'est chaque fois le même scénario, et moi, je ne crois pas aux coïncidences. »

J'ajoute que la police des stupéfiants de mon pays a été pendant des années à la solde de la DEA ; je n'attends pas d'eux qu'ils me disent si le DAS reçoit ou non de l'argent d'Interpol, mais je leur fais remarquer qu'il est tout à fait plausible qu'ils en reçoivent dans une main de leurs collègues européens et, dans l'autre, des grands *narcos*.

« Dites-moi en quoi je peux vous aider. Tout ce que je vous demande, c'est de me fournir un passeport ou des papiers pour voyager sans que le DAS sache quand je sors de Colombie et quand j'y reviens. C'est une question de principe. Je n'ai nullement intention de déposer une demande d'asile auprès de votre gouvernement, ni de lui demander un travail ou le moindre centime. Mon seul problème, c'est que je me suis juré de ne jamais revoir une seule personne de ce milieu et que mon unique source d'informations est un ex-narcotrafiquant, qui est sans doute le plus précieux indic que l'on puisse trouver. »

Ainsi, pour me venger de ce que les chefs des deux principaux cartels m'ont fait subir et des dénonciations des services secrets colombiens, je commence à coopérer avec les agences antidrogues internationales. Je me dis que si, au lieu de fouiller avec tant de zèle mes valises pour voir si je ne transportais pas dix mille dollars ou davantage pour un Pablo en manque de liquidités, le FBI avait fait preuve de la même efficacité pour pister et suivre à la trace le Crasseux et les pilotes sandinistes, il aurait pu démanteler en l'espace de quelques semaines l'impressionnante *Cuban Connection* du cartel de Medellín et sa structure financière. Et si, au lieu de me pister avec mes amitiés européennes de la haute société, Interpol avait suivi avec le même empressement les grands narcotrafiquants et blanchisseurs qui voyageaient dans le même avion que moi, il aurait également pu tuer dans l'œuf l'*European Connection* du cartel de Cali qui prit son envol l'année suivante.

Les policiers du monde entier jugent toujours leurs collègues plus fiables que leurs informateurs. C'est pour cette raison que je donne à ces Européens amis du DAS tous les noms des narcotrafiquants et de leurs complices, mais je décide de ne pas leur parler de géopolitique caribéenne et d'attendre plutôt que se présente une occasion plus opportune de contacter directement les Américains. Ma coopération ne se révèle pas nécessaire : la connexion de Pablo avec Cuba est découverte le 13 juin 1989 et, un mois plus tard, Fidel Castro a déjà fait fusiller le général Arnaldo Ochoa – héros de la Révolution et de la guerre en Angola – et le colonel Tony de la Guardia. Je suis très chagrinée en apprenant la mort du général, car Ochoa a toujours été un homme d'un courage extraordinaire, et il ne méritait pas de finir devant le peloton d'exécution, accusé d'avoir trahi sa patrie.

Il n'y a rien de plus coûteux que de faire la guerre. Il faut acheter des tonnes d'armement et de dynamite. Il faut payer grassement les soldats, mais aussi stipendier toutes sortes d'espions et de mouchards et, dans le cas particulier de Pablo, acheter aussi la bienveillance des autorités de Medellín et de Bogota, de certains politiciens et journalistes. La fiche de paie de ces centaines – voire de ces milliers – de personnes représente l'équivalent de celle de toute la corporation, et même les ressources que lui rapportent ses tonnes de coke ne suffisent pas à compenser cette saignée quotidienne. Je sais qu'en ce moment, dans sa vie, Escobar doit faire face à deux problèmes : pour l'opinion publique, bien évidemment, celui de l'extradition mais, pour les gens les mieux informés – comme Gorge profonde ou moi –, celui du manque d'argent. Depuis la chute de la connexion cubaine, Escobar a un pressant besoin de liquidités pour financer une guerre qui est en train de polariser tous ses ennemis : le cartel de Cali, le DAS et la police. Elle lui a déjà coûté des centaines d'hommes et, comme il n'abandonne jamais la famille de ceux qui lui ont offert leur vie, la mort de chaque sicaire multiplie le nombre de bouches à nourrir. Mais le plus grave, c'est que cette guerre a provoqué une véritable débandade d'un grand nombre de ses anciens associés vers la vallée du Cauca, car Pablo a commencé à exiger des membres de sa corporation un impôt pour soutenir sa lutte contre l'extradition. Ceux qui ne paient pas en liquide, en marchandise, en véhicules, en avions ou en propriétés, le paient de leur vie et, lassés de ses méthodes d'extorsion et de la cruauté de ses procédés, de nombreux barons, comme celui qui voyageait sur mon vol, ont rejoint les rangs de Cali.

Je sais que, pour trouver des fonds, Escobar va devoir recourir de plus en plus souvent aux enlèvements et que, pour faire plier l'État, il compte mettre Bogota à feu et à sang et se servir de plus en plus froidement de la presse. C'est le mépris qu'il éprouve pour les médias qui l'ont fustigé sans égards lorsqu'il était avec moi – et parce qu'il était avec moi – qui l'a conduit à appeler une de ses maisons « Les Pantins ». Depuis ma solitude, j'observe en silence comment ces collègues qui m'ont insultée, affublée des pires noms d'oiseaux, tout cela parce que j'aimais le Robin des bois *paisa*, s'agenouillent maintenant devant le Roi de la Terreur. Ils le courtisent tous, pleins d'attentes, mais c'est en fait lui qui a désespérément besoin d'eux. Ce mégalomane, obsédé par la célébrité, cet extorqueur qui connaît mieux que personne le prix des présidents, apprend à les manipuler pour vendre l'image d'une personne de plus en plus terrifiante et toute-puissante, précisément parce que, d'heure en heure, il devient plus vulnérable et moins riche. Les pantins de ce marionnettiste de l'Histoire font d'El Chopo, d'Arete, de Tomate et de La Garra « la Branche militaire du cartel de Medellín », et du Crasseux « l'Aile financière du cartel de Medellín » attribuant ainsi presque à Pablo, aux yeux de la presse internationale, le statut de chef d'une organisation nationaliste comme l'OLP, l'ETA ou l'IRA. Or, alors que ces dernières se battent respectivement pour le droit à la création d'un État palestinien, pour la cause séparatiste du Pays basque ou d'une partie de l'Irlande, l'Aile militaire et l'Aile financière du cartel de Medellín ne luttent que pour défendre la cause d'un seul individu et pour éviter l'extradition de leur patron.

Alors que presque mille policiers trouvent la mort, cette justice colombienne – un instrument depuis toujours au service des bourreaux –, qui met presque vingt ans à être rendue, paie également le prix de l'indifférence dont elle a fait preuve jusque-là vis-à-vis des autres. En 1989, les narcotrafiquants assassinent plus de deux cents fonctionnaires de justice et presque plus aucun juge n'ose se prononcer dans les procès qui sont ouverts à leur encontre.

En 1989, je retourne en Europe avec toutes les informations que j'ai pu réunir pour Interpol. J'ai l'impression que, dans les affaires de narcotrafic, les Allemands préfèrent s'entendre avec le FBI et le DAS et laisser la police colombienne travailler avec la DEA, pour laquelle ils ne semblent pas éprouver d'admiration particulière. Mais, à vrai dire, au mois d'août de cette même année, je ne pense pas beaucoup aux événements politiques ou aux nouvelles de la Colombie car mon père est en train de mourir et je suis surtout préoccupée par le chagrin de ma mère. Ce n'est qu'après coup que j'ai appris que, le 16, mon ex-amant a fait assassiner le magistrat qui avait ouvert un procès contre lui pour la mort du directeur du journal et que, le matin du 18, il a fait subir le même sort au commandant de la police d'Antioquia, le colonel Valdemar Franklin Quintero, à cause de la purge qu'il avait menée pour éradiquer tous les officiers à la solde de Pablo Escobar et parce qu'il avait arrêté la Tata et Manuela durant plusieurs heures pour connaître l'endroit où il se cachait. Le 19, mon père meurt et, le soir même, j'annonce à ma mère que je ne retournerai pas en Colombie pour assister à ses funérailles parce qu'il ne m'a jamais aimée et que, depuis 1980, lui et moi ne nous parlions plus.

Mais j'ai une autre raison de ne pas l'accompagner vers sa dernière demeure, une terreur que je ne souhaite à personne. La nuit qui a précédé la mort de mon père, Pablo a commis un crime qui aurait pu n'en être qu'un de plus parmi les milliers qu'il a déjà à son actif, mais qui se révèle le plus retentissant d'entre tous : le 18 août 1989, dix-huit sicaires, qui se faisaient passer pour des membres du B-2 de l'armée, ont assassiné l'homme qu'on pensait voir remporter le scrutin présidentiel avec soixante pour cent des voix et diriger le pays de 1990 à 1994 ; il était sans doute le seul politicien vraiment irréprochable depuis la déjà trop lointaine époque qui a connu le seul véritable homme d'État colombien de la seconde moitié du XXe siècle. Un mois plus tôt, le général Maza Márquez avait remplacé les hommes de confiance qui lui servaient d'escorte par un groupe de gardes aux ordres d'un dénommé Jacobo Torregrosa. Je sais que, si je fais le déplacement pour assister aux funérailles de mon père, des hommes attachés aux services secrets m'attendront très certainement à l'aéroport pour m'interroger sur Escobar et sur les raisons de mes fréquents voyages en Allemagne, et que je serai livrée en pâture à une douzaine de monstres dans un cachot du DAS ou de l'École de cavalerie de l'armée. Je sais aussi que, avides de vengeance, les médias croiront la première des choses que le général Maza ira leur dire et qu'ils applaudiront à tout rompre tous les sévices que le DAS ou le B-2 jugeront bon de m'infliger, comme ils l'ont fait pendant des années pour les prétendues raclées et défigurations que j'ai subies. Car ce candidat à la présidence s'appelait Luis Carlos Galán et, pour Pablo Escobar, il était le premier et le dernier, le pire et le plus important de l'interminable liste des ennemis qu'il s'est faits tout au long d'une vie qu'il a choisi de placer sous le signe de la haine et de ne vouer qu'à exercer les formes de vengeance les plus implacables.

Trois mois après l'assassinat de Luis Carlos Galán, Pablo Escobar fait sauter un avion d'Avianca à bord duquel se trouvent cent sept personnes et sur lequel devait voyager le *galaniste* César Gaviria – maintenant candidat officiel à la présidence du Parti libéral –, mais qui a décidé au dernier moment de ne pas embarquer. Pour ce crime, le sicaire La Quica sera par la suite condamné par un tribunal de New York à dix fois la perpétuité ; d'après les conclusions des enquêteurs, l'explosif utilisé, le Semtex, est identique à celui qu'emploient les terroristes du Moyen-Orient, et le détonateur, très similaire à celui que Mouammar Kadhafi a utilisé pour faire sauter en décembre 1988 le jet de la Pan Am et ses deux cent soixante-dix passagers au-dessus de la localité écossaise de Lockerbie, un attentat pour lequel la Libye a récemment dû verser une indemnisation de plusieurs millions aux familles des victimes. L'*etarra* Manolo avait appris à Pablo et à ses hommes à fabriquer des bombes extrêmement puissantes. C'est ce qui m'a permis de me rendre compte une fois de plus que le terrorisme international est aussi interconnecté que le narcotrafic peut l'être avec les pouvoirs de mon pays et avec tous ceux de la zone environnante.

En 1989, le mur de Berlin tombe. C'est le début officiel de la fin de l'ère du rideau de fer et des gouvernements communistes d'Europe de l'Est. En décembre, le gouvernement de George H. W. Bush envahit le Panamá et le général Noriega est renversé et conduit aux États-Unis pour y être jugé pour narcotrafic, crime organisé et blanchiment de capitaux. Carlos Lehder devient le plus précieux témoin à charge du narcotrafic contre l'ex-dictateur, et cette collaboration le fait bénéficier d'une réduction de sa peine, qui passe de presque trois perpétuités à cinquante-cinq ans de détention.

Toujours en décembre de cette même année, un bus rempli de huit tonnes de dynamite ébranle et détruit jusqu'aux fondations l'immeuble du DAS. Le seul à en réchapper est le général Maza, simplement parce que les murs en béton de son bureau étaient ceinturés d'un blindage en acier. Il y a presque cent morts et huit cents blessés et, à la vue de ce spectacle dantesque, ce n'est même pas pour les morts que je pleure, mais pour les rescapés. Deux semaines plus tard, Gonzalo Rodríguez Gacha meurt dans une embuscade de l'armée sur la côte caraïbe. Tandis que le pays exulte en découvrant la vulnérabilité du cartel de Medellín, dans la localité de Pacho, proche de Bogota, qui est le fief incontesté du Mexicain, des milliers de personnes pleurent la mort de leur bien-faiteur. Je sais qu'à partir de cet instant le général Maza et le cartel de Cali ne formeront qu'un seul et même bloc de béton et d'acier contre Pablo – qui vient de perdre son seul ami, le seul allié incondi-tionnel de sa trempe –, ligués avec l'extrême gauche, ennemie de Gonzalo, en plus de tous les ennemis de Pablo de l'extrême droite, ces paramilitaires qui deviendront avec le temps le plus féroce catalyseur de toutes les haines qu'il inspire.

Ce chapelet de guerres dérivées de la première se polarise au fil des jours. Avec Bernardo Jaramillo – le nouveau candidat de l'Union patriotique – et Carlos Pizarro Leongómez du M-19 maintenant démobilisé, le nombre des candidats à la présidence qui ont été assassinés se monte désormais à quatre. Personne n'ose demander de comptes à la personne chargée de veiller sur leur sécurité, l'inamovible directeur du DAS.

*

En plus de ma bourse d'études et de ma coopé-ration avec Interpol, il y a une autre raison qui explique pourquoi j'avais décidé de passer en Allemagne une bonne partie des quatre années qui se sont écoulées entre mes adieux à Pablo en 1987 et le moment où j'ai repris contact avec lui.

En juillet 1981, j'avais été la seule journaliste colombienne envoyée à Londres pour couvrir le mariage du prince et de la princesse de Galles, Charles et Diana. Après avoir réalisé toute seule une retransmission-marathon de six heures, j'étais rentrée chez moi heureuse et toute fière car j'avais reçu une offre de travail de la BBC et du service de communication de la Couronne. J'avais décliné ces offres, car je rêvais davantage d'avoir ma propre société de production avec Margot que de décrocher un rôle dans un film à Hollywood ou de travailler pour n'importe quel prestigieux média étranger. Sur le vol entre Londres et Paris, où j'allais devoir faire une longue escale avant de prendre mon vol retour pour Bogota, une fille ravissante s'était assise à côté de moi et nous avions tué le temps à converser avec bonheur du mariage princier. En arrivant à Paris, elle m'avait présenté son frère, qui l'attendait à l'aéroport Charles-de-Gaulle car ils poursuivaient ensemble leur route vers le sud de la France. Pendant qu'elle était partie acheter une glace à son petit neveu, j'étais restée discuter avec lui. Il m'avait semblé que ce fils d'un noble allemand et d'une beauté lombarde n'avait, pas plus que moi, fait un mariage heureux et, lorsque nous nous étions dit au revoir, nous savions tous les deux qu'un beau jour, qui n'était pas si lointain, nous nous reverrions. Lorsque, le soir de mon arrivée à Bogota, David Stivel m'avait dit qu'il allait me quitter pour partir avec son actrice, je lui avais tranquillement rétorqué :

« Fais-le dès ce soir, car hier, j'ai connu à Paris le seul homme avec qui je me verrais bien me remarier. Il est beau, il a dix ans de moins que toi et il est cent fois plus brillant que toi. Tu as juste à signer le document que mon avocat te remettra d'ici quelques jours, et je te souhaite d'être aussi heureux que je me propose de le devenir prochainement. »

Le fait qu'il m'ait offert ma liberté est une des trois raisons pour lesquelles je suis tombée amoureuse de Pablo : un lundi de janvier 1983, il m'avait dit que ce vendredi-là, dès que je me serais délivrée de mon ex-époux, il fallait que j'aille dîner avec lui avant qu'un autre ogre ne se mette en travers de mon chemin. À partir de ce soir-là, cet homme de ma terre et moi, nous nous étions tellement aimés que je ne pensais plus que très rarement à cet autre homme qui vivait dans un pays lointain. Cet homme supérieur avec qui, d'après Pablo j'allais un jour me marier – et que, selon Dennis, j'allais aimer – allait refaire irruption dans mon existence pour m'offrir durant un bref laps de temps toutes les formes de bonheur que je ne croyais réservées qu'aux justes du paradis. Il allait revenir pour jouer le rôle le plus étrange qui soit lors de la mort de Pablo et un rôle encore plus étrange dans ma vie à moi.

Il est déjà divorcé depuis plusieurs années et, lorsque sa sœur lui apprend que je suis en Allemagne, il vient me voir dès le lendemain. La Bavière est un de mes paradis terrestres et Munich un de mes paradis urbains, elle est presque la ville néoclassique parfaite du *Roi fou* et du compositeur de la tétralogie de *L'Anneau du Nibelung*. Pendant plusieurs semaines, nous visitons la Vieille Pinacothèque, avec ses trésors de toutes les époques et les Rubens titanesques de *L'Enlèvement des Sabines*, et la Nouvelle Pinacothèque avec ses joyaux tout aussi nombreux de notre époque à tous les deux. Nous flânons à travers la campagne bavaroise, une des plus bucoliques que Dieu ait créées, et nous nous sentons incroyablement heureux. Quelque temps plus tard, il me demande de l'épouser et, après deux jours de réflexion, j'accepte. Il glisse à mon doigt une bague de fiançailles avec un diamant de huit carats – le nombre de l'infini – et nous fixons la date du mariage pour le mois de mai de l'année suivante. Sa mère m'annonce que nous irons bientôt toutes les deux à Paris pour commander six mois à l'avance la robe de mariée chez Balmain Haute Couture qu'elle veut m'offrir et, pour la première fois de ma vie, tout tend vers la divine perfection rêvée par le plus sybarite des épicuriens ou par mon poète soufi adoré du XIIIe siècle.

Quelques semaines plus tard, ma future belle-mère m'envoie son chauffeur car elle veut me faire signer des documents avant notre mariage. Lorsque j'arrive chez elle, elle me met sous le nez un contrat prénuptial : en cas de divorce, ou si son fils – qui est un des principaux héritiers de son second mari multimillionnaire – venait à mourir, je serais reconnue héritière d'un pourcentage tellement ridicule de sa fortune que je ne peux que l'interpréter comme une insulte, ce que ce contrat est effectivement, de toute évidence. D'une voix glaciale, elle me dit que, si nous ne le signons pas, elle déshéritera son fils. Lorsque je lui demande des explications sur ce soudain changement d'attitude à mon égard, elle sort de son bureau une enveloppe remplie de photos de moi avec Pablo Escobar accompagnées d'une lettre anonyme. Je lui demande si mon fiancé est au courant de tout ce qui est en train de se passer et, avec la plus grande ironie, elle répond que jamais elle n'irait faire obstacle au bonheur de son fils mais que, dans l'heure qui suit, il sera informé de toutes les raisons justifiant la décision qu'elle vient de prendre avec son mari. Je lui dis que mon fiancé est déjà au fait de cette vieille relation et qu'elle est en train de détruire tous nos rêves. Jamais je ne pourrai me marier avec une personne qui ne soit pas mon associé et mon compagnon, avec qui je ne sois pas complètement sur un pied d'égalité dans toutes les circonstances de la vie, bonnes ou mauvaises, car, sans moi à ses côtés, son fils ne retrouvera jamais le bonheur.

L'insistance de mon fiancé pour que je lui donne quelques jours de délai pour essayer de convaincre sa mère de changer d'avis est inutile : je lui rends sa bague et, le soir même, je rentre en Colombie, le cœur brisé.

*

En rentrant, j'apprends le décès de mort violente de deux de mes connaissances, qui étaient des personnalités totalement opposées : Gustavo Gaviria Rivero et Diana Turbay Quintero.

Celle du premier m'attriste pendant plusieurs jours. Bien sûr, parce que c'est lui, mais aussi parce que, sans ce roc inébranlable qu'était son cousin, Pablo risque de sombrer encore plus dans la folie et parce que en fin de compte, c'est le pays qui en paiera les conséquences. Il se retrouve maintenant privé des forces et du soutien des barons fondateurs de son industrie, et tout seul avec son frère Roberto. Bien qu'on puisse entièrement lui faire confiance pour ce qui touche à la comptabilité, Osito n'a pas cet impressionnant sens des affaires qui caractérisait Gustavo, cette obsession de contrôler totalement son business, cette aptitude indispensable à gérer impitoyablement un empire du crime organisé. Elle est d'autant plus précieuse lorsque l'autre associé est presque toujours absent ou ne cesse d'exiger plus de moyens pour la guerre qu'il mène contre un État tout entier qui dispose de forces armées et d'agences gouvernementales organisées. Je sais que, malgré la loyauté indéfectible et toutes les qualités de son frère, maintenant que son cousin Gustavo n'est plus là, les affaires de Pablo vont couler à pic tandis que celles de ses ennemis vont aller *crescendo*. Et je sais quelque chose que lui aussi sait déjà : le prochain mort sur la liste, ce sera lui, et, plus il sera cruel, plus il donnera de force à son mythe.

Pablo a toujours compris que les femmes souffraient davantage que les hommes et qu'en tant que victimes elles inspiraient plus de compassion que leurs congénères masculins. C'est pour cette raison qu'il a choisi Nydia Quintero, l'ex-épouse du président Julio César Turbay, comme porte-parole obligée de sa cause. Alors que l'on a imputé des milliers de disparitions au mandat très répressif de Turbay Ayala, l'ampleur des œuvres sociales que Nydia a menées a fait d'elle une des personnalités les plus aimées des Colombiens. Quand sa fille Diana Turbay se déplace pour aller interviewer pour le journal qu'elle dirige le curé espagnol Manuel Pérez, chef de l'ELN (Armée de libération nationale), elle est interceptée par les hommes de Pablo Escobar. La femme la plus admirée de Colombie ces derniers temps implore maintenant le nouveau président

César Gaviria de mettre fin à la guerre, d'écouter les Extradables et de sauver la vie de sa fille. Gaviria choisit de ne pas sacrifier l'État de droit plutôt que de satisfaire l'homme qui a assassiné ses prédécesseurs à la tête du *galanisme* et qui a fait sauter l'avion sur lequel il devait voyager. Le gouvernement fait même feu de tout bois : lors de la tentative de libération de Diana, des policiers aveuglés par la haine qu'ils ont pour les hommes d'Escobar et impatients de venger la mort de centaines de leurs collègues confondent la victime – qui porte un chapeau – avec un de ses ravisseurs. Diana meurt dans la fusillade. Le pays entier accuse les hommes en uniforme d'avoir tiré les premiers avant même d'avoir noué tout dialogue, et le président d'avoir manqué de compassion face aux supplications de la mère de la victime et à celles de la presse, de l'Église et de toute une nation lassée de ne voir à longueur de journée sur les écrans de télévision que le défilé des enterrements de centaines de gens modestes et celui des foules nombreuses qui accompagnent les funérailles de personnes haut placées. Escobar l'avait bien annoncé : « La mort est la seule chose qui s'est démocratisée dans ce pays. Avant, seuls les pauvres mouraient de mort violente. À partir de maintenant, les puissants connaîtront eux aussi le même sort ! »

Mais s'il y a une douleur qui me marquera à jamais, c'est bien celle de mon amie journaliste – fiancée à un dirigeant du M-19 et dont je préfère taire le nom pour toujours –, qui sanglotait dans mes bras tout en me racontant comment elle avait été violée par des agents du DAS qui étaient entrés en pleine nuit chez elle. Ils l'avaient avertie que, si jamais elle les dénonçait, ils la tortureraient à mort. Avant de s'en aller, et tandis qu'elle pleurait dans une baignoire, ils ont mis des armes non autorisées dans l'autre partie de son appartement. Quelques minutes après, la police est arrivée avec un mandat de perquisition et, accusée de port illégal d'armes et de collaboration avec la guérilla, elle a été jetée en prison.

« Toi, Virginia, ce qui t'a sauvée, c'est la terreur absolue qu'inspire Escobar, me fait-elle remarquer. Jamais, ne dis jamais de mal de lui car toi, ce qui te protège, c'est que tout le monde est convaincu que tu es partie avec l'Allemand, mais qu'il t'a fait revenir. C'est préférable qu'ils le croient, comme ça, aucune bande de monstres ne viendra te démolir avant de te "charger" avec des armes ou de la drogue. Si on faisait à une beauté comme toi ce qu'on m'a fait à moi, tous les médias applaudiraient pendant des jours car, ici, les gens de la presse sont encore plus malades que les autres. Ils savent que tu connais le prix de la moitié du monde et ils meurent d'impatience que tu te fasses démolir ou que tu te suicides pour que tu emportes leurs secrets dans ta tombe. Je ne comprends pas ce que tu reviens faire ici... Les rares personnes qui t'apprécient disent dans ton dos que, si tu es revenue dans cet enfer, ça ne peut être que par amour pour Escobar. Et n'imagine pas les détromper ! Quand ils te poseront des questions à son sujet, dis-leur simplement que tu ne leur permets pas d'aborder ce sujet. »

En même temps que Diana, Pablo enlève deux de mes connaissances de toujours, Azucena Liévano et

Juan Vitta, deux cameramen et un journaliste allemand, qui sont ensuite libérés. La mort de Diana devient son moyen de pression le plus efficace et le plus percutant sur le nouveau gouvernement. Mais les choses ne s'arrêtent pas là : pour obliger maintenant les plus hautes sphères du *galanisme* à se prononcer en faveur d'un dialogue avec lui et à accepter ses conditions, Escobar séquestre la belle-sœur de Luis Carlos Galán et son assistant, puis Marina Montoya, sœur du secrétaire à la présidence du gouvernement de Barco et associé de Gilberto Rodríguez chez Chrysler, qu'il assassinera ensuite de sang-froid en représailles à sa tentative de les libérer. En septembre, il enlève Francisco Santos, fils de l'un des propriétaires d'*El Tiempo*, pour obliger le principal quotidien du pays à plaider en faveur d'une Assemblée constituante qui amende la Constitution et fasse interdire l'extradition.

C'est dans ce climat que je quitte l'homme d'une terre lointaine et que je retourne dans mon pays. La fille de Nydia et cousine d'Aníbal morte à cause de l'homme à qui celui-ci m'avait présentée ; mon amie violée par des ennemis de Pablo et du M-19 ; mes collègues Raúl Echevarría et Jorge Enrique Pulido assassinés par l'homme que j'avais tant aimé. Des personnes chères comme Juan et Azucena, séquestrées par mon Robin des bois *paisa*, tout comme d'autres camarades de collège comme Francisco Santos et mon parent Andrés Pastrana. Le choix de toutes ces personnalités du monde de la presse garantit à Pablo un tapage médiatique qui prendra à témoin l'opinion publique d'un pays émotionnellement brisé et convaincu qu'il est encore le septième homme le plus riche de la planète. Seuls nous, qui avons un temps fait partie du cercle de ses intimes, savons que toute cette vague d'enlèvements est précisément l'expression de son désespoir devant l'épuisement de ses forces et l'hémorragie continue de ses réserves de liquidités. Face aux difficultés que lui opposent les armées des quatre principaux magnats, Escobar s'attaque maintenant à la catégorie inférieure des grandes fortunes colombiennes et capture Rudy Kling, le gendre de Fernando Mazuera, l'un des hommes les plus riches du pays et un ami de mes oncles. Presque toutes les nouvelles victimes de Pablo sont maintenant un peu à moi : un ami, ou le fils d'un couple d'amis de ma famille, un collègue ou un parent, un camarade de collège ou une connaissance de toujours. Quand un éditeur d'*El Tiempo* appelle de la part du père de Francisco Santos pour me prier d'intercéder en faveur de son fils et que je lui réponds que je serais bien incapable de savoir où et comment trouver Pablo, il me laisse entendre qu'il ne me croit pas. Chaque fois que j'entre dans un restaurant, je lis le mépris sur le visage des clients. Comme je ne trouve pas d'autre mécanisme de défense, je deviens de plus en plus distante et je me réfugie dans l'élégance que j'ai tellement cultivée ces derniers mois pour me mettre à la hauteur des canons de ma future belle-mère, ce qui ne fait qu'exacerber leur ressentiment, car ils prennent cette attitude pour du snobisme.

Mon ex-fiancé n'arrête pas d'appeler pour me dire qu'il est préoccupé par le climat d'hostilité et d'impunité dans lequel je vis et je lui réponds que c'est bien triste, mais que ce pays est le seul que j'aie. Il me promet de venir me rendre visite d'ici quelques semaines, car il ne peut plus continuer de vivre séparé de moi, mais je le prie de s'en abstenir car je ne compte ni signer de contrat prénuptial, ni permettre de le voir déshérité, ni vivre avec lui sans être mariée, et j'insiste en lui disant que, pour notre bien à tous les deux, il doit essayer de m'oublier.

J'ai vendu mon tableau de Wiedemann et ma petite voiture et, avec l'argent, j'ai réussi à payer mes factures et à conserver mon appartement, mais mes réserves menacent à nouveau de s'épuiser. Quelques années auparavant, j'avais travaillé avec Caracol Radio, mais aujourd'hui, son directeur, Yamid Amat, un des journalistes de référence de Pablo Escobar depuis l'époque où il avait publiquement déclaré son amour pour Margaret Thatcher, est scandalisé lorsque je lui demande du travail. Les choses se passent de la même façon avec les dirigeants de RCN Radio-Télévision de Carlos Ardila, le magnat des boissons gazeuses. Finalement, Caracol Télévision, de Julio Mario Santo Domingo, appelle pour me dire qu'ils ont un travail parfait pour moi. J'imagine qu'ils veulent me proposer de présenter une de leurs émissions, car il faut dire qu'un grand nombre de pétitions circulent pour me voir revenir à la télévision et la nouvelle de mon retour au pays a éveillé les rumeurs et les spéculations les plus folles. Selon celle que je préfère, avec les millions de Pablo, Ivo Pitanguy a dû me reconstituer de la tête aux pieds car ma silhouette a été très abîmée par une grossesse et la mise au monde de jumeaux que j'ai abandonnés dans un hospice à Londres ! Puisque mon ex-associée Margot Ricci a toujours dit que les gens, en Colombie, n'allument pas leur téléviseur pour me voir ni pour m'entendre mais pour voir les habits que je porte, je suis tout heureuse de me rendre à mon entretien avec la présidente de la chaîne vêtue d'un ensemble Valentino, consciente que le fait de se payer une présentatrice professionnelle qui dispose d'une garde-robe comme la mienne est un vrai luxe pour toute chaîne d'un pays en voie de développement, quand elle me demande : « Et toi, par quel grand couturier te fais-tu habiller ? », je lui réponds sans hésiter, avec mon sourire le plus radieux et le plus assuré : « Par Valentino, à Rome, et par Chanel, à Paris ! »

Mon ignorance totale des derniers événements qui ont secoué la région me fait oublier que Canal Caracol n'est pas Televisa du « Tigre » Azcárraga ni O Globo de Roberto Marinho. Car la femme que je suis, qui se trouve là en train de demander du travail, n'est autre que l'ex-petite amie ou l'encore petite amie du plus grand criminel de tous les temps ; oui, monsieur, ni plus ni moins que la maîtresse du pyromane qui a incendié la maison de campagne de l'homme auquel elle doit son poste, Augusto López, le président du groupe Santo Domingo !

La responsable me propose d'incarner l'héroïne d'une *telenovela* et, surprise, je lui dis que je ne suis pas actrice. Avec un haussement d'épaules, elle me répond que, bon Dieu, lorsqu'on a vingt ans d'expérience devant les caméras, qu'est-ce que ça peut bien faire ? N'ai-je pas déjà décliné des offres de rôles à Hollywood ?

« Les *telenovelas* sont regardées par toutes les strates de la société. Même les enfants les regardent. Elles sont un produit qui s'exporte vers des dizaines de pays. Maintenant, tu vas vraiment devenir célèbre dans tout le continent ! »

Je signe le contrat et, quelques jours plus tard, tombent les premiers appels des médias qui veulent m'interviewer. *Aló*, la principale revue de la maison d'édition *El Tiempo*, insiste pour que je lui accorde une interview exclusive et, lorsque malgré son insistance je refuse, car mes déclarations à la presse écrite ont toujours été déformées pour me prêter des phrases que je n'avais jamais prononcées, la directrice me promet de me laisser exercer mon droit de regard sur chacune de mes réponses avant qu'elle ne soit publiée. Quand j'accepte, la première chose qu'elle me demande est si je compte revoir Pablo, le nom de mon ex-fiancé et l'endroit où il vit. Je ne permettrai pas que l'on confonde l'homme que j'aime actuellement et le criminel qui m'a causé tous ces ennuis, je décide donc de ne pas lui révéler son identité. Au sujet d'Escobar, je déclare :

« Cela fait des années que je ne l'ai pas vu. Mais... pourquoi ne l'interrogez-vous pas sur moi lorsque vous l'interviewerez ? Si tant est qu'il vous accorde un entretien, car il me semble avoir compris qu'il n'en donne plus... »

Deux jours après la publication de mon interview, le téléphone sonne. Maintenant, tous les médias ont mon numéro, et je décroche directement.

« Pourquoi dis-tu des horreurs pareilles dans mon dos ?

— Je ne vais pas te demander comment tu as eu mon numéro, mais j'ai quelque chose à te dire : j'en ai par-dessus la tête qu'on me pose des questions à ton sujet. »

Il me dit qu'il étrenne – tout spécialement pour moi – un nouveau téléphone, ce qui va nous permettre de converser tranquillement tant qu'il n'est pas mis sur écoute. Il a déjà fait vérifier mes lignes avant d'appeler – pour savoir si elles étaient « *pincées* » – et il a pu voir qu'elles étaient nickel toutes les deux !

« Je voulais te souhaiter la bienvenue parce que, apparemment, tu as manqué à plusieurs millions de personnes… et pas qu'à moi… Comment trouves-tu le pays après tout ce temps ?

— Je crois avoir lu à la page 28 d'*El Tiempo*, dans une colonne et sur cinq lignes, qu'il y a eu quarante-deux mille homicides l'année dernière en Colombie. Comme je rentre d'un pays où la mort de trois personnes est considérée comme un massacre et fait la une des journaux, pour vous apporter une réponse ayant un semblant de rigueur, je devrais d'abord vous demander combien de ces dizaines de milliers de morts nous vous devons, Honorable Père de la Patrie. »

Avec un profond soupir, il répond que maintenant, grâce à l'arrivée de l'Assemblée constituante, la situation du pays va revenir à la normale car tous les gens sont fatigués de cette guerre. Je dis que de nombreux journalistes semblent s'accorder pour dire que « ces messieurs de la Vallée » ont déjà acheté soixante pour cent du Congrès et je lui demande s'il s'est mis dans la poche la même proportion des membres de l'Assemblée.

« Booon, mon amour... Nous savons tous les deux que leur jeu à eux, c'est d'aller dispenser leurs *discussions* un peu partout. En revanche, mon jeu à moi, il se joue pour de vrai, avec du fric. J'ai tous les durs du moyen Magdalena – ceux qui parlent avec du plomb – qui, ajoutés à un pourcentage élevé des autres que je ne peux te révéler au téléphone, m'assurent un triomphe absolu. Nous allons modifier la Constitution et aucun Colombien ne pourra être extradé ! »

Je le félicite pour l'efficacité proverbiale de son ami Santofimio. Terriblement mal à l'aise, Escobar s'exclame qu'il n'est pas son ami mais son mandataire et qu'une fois passée la Constituante il n'aura plus du tout besoin de lui et qu'il accordera plus facilement son pardon à Luis Carlos Galán – où qu'il se trouve – qu'à Santofimio. Très surprise, je demande si cela signifie qu'il regrette « cela », et il répond :

« Je ne regrette absolument rien ! Tu es très intelligente et tu sais parfaitement ce que cela signifie. Je change de téléphone. »

Au bout de quelques minutes, mon autre téléphone sonne. Sur un ton maintenant très différent, il me pose des questions.

« Parlons de toi. Je suis au courant de tout pour ton fiancé allemand. Pourquoi ne t'es-tu pas mariée avec lui ? »

Je lui réponds que ce ne sont pas ses affaires. Il jure qu'il m'aime énormément, il dit qu'il imagine à quel point je dois être triste et insiste sur le fait que j'ai toujours pu tout lui raconter. Rien que pour qu'il sache le prix que je continue de payer pour notre ancienne relation, je décide de lui parler de la lettre qui a été adressée à ma belle-mère avec des photos de nous deux et du contrat prénuptial que j'ai refusé de signer. Il me supplie plusieurs fois de lui dire à combien s'élevait ce pourcentage et, de guerre lasse, je le lui donne.

« Ils te proposaient ce salaire de vice-président pour gérer plusieurs maisons ?! Tu as raison quand tu dis que derrière tout grand magnat se cache une grande complice ou une grande esclave : la vieille est la complice du mari et elle voulait que tu sois l'esclave de son fils !... Mais quelle sorcière !... Comment fais-tu pour toujours attirer tous ces types qui sont indécemment riches, hein ?... Pourquoi ne me donnes-tu pas ton secret, mon amour ?

— Vous ne le connaissez que trop bien. C'est sans doute que, plus je suis entourée de gens importants, plus je suis élégante... Je crois que quatre-vingts couvertures de magazines, ça aide aussi... Des couvertures, vous en avez autant à votre actif... mais pour des raisons différentes, évidemment.

— Oui, oui... Mais, sur celle d'*Aló*, tu as vraiment une sale tête !... Je ne voulais pas te le dire, mais tu as l'air... comme vieillie... Je change de téléphone. »

Je réfléchis pendant un moment à ce que je compte lui répliquer lorsqu'il rappellera, ce qu'il fait au bout de quelques minutes. Après lui avoir dit quelques généralités sur mon retour au travail après ces années de bannissement, j'ajoute qu'à l'écran je me trouve belle comme je ne l'ai jamais été – et très clairement bien mieux que lui – car, à quarante et un ans, j'en fais trente et je pèse cent dix-sept livres. Je lui expose les raisons pour lesquelles ils ont publié cette photo qui a été prise dans un moment de relâchement et qui est aussi la seule de moi qui soit laide et réellement vulgaire :

« Comment pouvais-je espérer qu'ils fassent autre chose, sachant que vous avez enlevé le propriétaire de cette revue ? J'ai dû aller demander du travail aux gens dont vous incendiez les maisons, et ils ont préféré m'utiliser comme tête d'affiche d'une *tele-novela* de pacotille avec des playboys de troisième zone plutôt que de me jeter dans la rue pour me faire crever de faim, à la demande, semble-t-il, de Santo Domingo, dont vous faites sauter les avions sur lesquels voyagent les gendres de mes amies.

— Mais pourquoi me parles-tu comme ça, mon amour, alors que je t'aime tant ? Une fille de rêve comme toi n'est pas née pour servir d'esclave à ces tyrans d'embouteilleurs... Tu mérites d'être très heureuse... et tu vas voir que cet homme que tu as quitté va très vite venir te chercher !... Tu peux être quelqu'un de trèèès *addictif*... ce n'est pas à moi qu'on va l'apprendre ! »

Je réponds qu'il va effectivement arriver d'ici quelques jours, mais que j'ai décidé de refuser de me soumettre à la tyrannie de sa mère pour le restant de mes jours. Après un silence, Pablo me glisse qu'à l'âge que j'ai je devrais songer à me reconvertir en femme d'affaires. Il me dit au revoir et précise qu'il me rappellera sûrement après l'Assemblée constituante.

Mon fiancé arrive à Bogota quatre jours plus tard. Il passe à nouveau à mon doigt sa bague de fiançailles et insiste en disant que, si nous nous marions et si je le rends très heureux, sa mère changera sans doute très rapidement d'avis et annulera ce contrat. Je lui explique que je ne peux plus revenir sur l'engagement que j'ai pris avec Caracol – sinon je devrais leur verser l'équivalent du triple de mes cachets – et que lorsque j'aurai un *teaser* à montrer avec des choses tournées récemment, je quitterai pour toujours la Colombie et je recevrai très certainement d'excellentes offres des États-Unis. Il me supplie de ne pas faire ça et je lui réponds qu'il me met face à un terrible dilemme. Comme je dois partir d'ici quelques heures pour Honda, où sont tournés les premiers épisodes de la *telenovela*, nous nous disons à bientôt et convenons de nous voir le mois suivant quelque part sur la côte caraïbe.

Trois cents personnes ont été invitées au cocktail de lancement organisé à Bogota. Amparo Pérez, la responsable des relations presse de Caracol, passe me chercher en voiture et, en chemin, elle me demande :

« Ton fiancé allemand, il ne t'a plus jamais donné de nouvelles, non ?

— Si, si, j'en ai eu. Il était ici il y a deux semaines et il m'a laissé ceci. »

Je lui montre mon diamant, quatre fois plus gros que celui de Gustavo, et *D-Flawless*.

« Ouh, enlève ce truc qui en jette avant que Mabel ne croie que c'est Pablo qui te l'a offert et qu'elle ne te vire parce que tu as renoué avec tes mauvaises fréquentations !

— Il serait bien en peine de m'offrir une bague de fiançailles, Amparo, il est déjà marié. Je vais retourner cette bague pour cacher le diamant car, évidemment, dans l'esprit des gens de ce pays, Pablo Escobar est le seul homme au monde qui ait les moyens d'acheter un brillant pareil. »

Le lendemain matin, mon fiancé appelle pour demander comment ça s'est passé à Honda pour le lancement du feuilleton. Je lui décris le tournage de l'après-midi au milieu des nuages de yen-yen[1] qui nous dévorent et sous une chaleur infernale qui, à cause des projecteurs, dépasse les quarante-cinq degrés centigrades. Après un bref silence, et avec une tristesse non dissimulée, il me dit en allemand :

« Je ne comprends pas pourquoi tu as signé un contrat pareil... Il faut que je te dise quelque chose : sur la route, entre chez toi et l'aéroport, nous avons été suivis... Je sais que c'était lui. Je crois qu'il est encore amoureux de toi, Kid. »

Le ciel me tombe sur la tête. Comment ai-je pu être aussi stupide ? Est-ce qu'à ce stade de ma vie je ne connais pas encore assez bien Pablo Escobar ? J'aurais dû savoir qu'après le larcin de 1988 et trois ans et demi de séparation il ne pouvait pas m'appeler pour me refaire la cour mais pour chercher à savoir si ce qu'il avait entendu dire était bien vrai, si j'en voulais à l'homme que je venais de quitter et à sa famille, et si ce dernier pouvait lui être utile !

Avant de raccrocher, tout épouvantée, je trouve juste à lui dire, aussi en allemand :

« Non, non, non. Cela fait longtemps qu'il n'est plus amoureux de moi. C'est pire encore que cela. Ne me rappelle jamais. Je te téléphone demain, tu comprendras tout. »

Quelques jours plus tard, à minuit, Pablo m'appelle :

---

1. Les yen-yen sont de minuscules mouches agressives à la piqûre très douloureuse, très communes dans toute l'aire caraïbe. (N.d.T.)

« Nous savons tous les deux que tu cesses d'aimer tes maris ou tes fiancés le lendemain même du jour où tu les as quittés. Pas vrai, ma chérie ?... Je ne sais pas comment tu t'y prends, mais tu nous remplaces toujours dans les quarante-huit heures ! Ce que Caracol est en train de faire avec toi est *vox populi* et moi, tout ce que je veux, c'est assurer ton avenir... Je suis inquiet à ton sujet... car tu ne rajeunis pas, n'est-ce pas ? Voilà pourquoi je vais t'envoyer par écrit une proposition très sérieuse. N'oublie jamais que je peux faire dire aux médias tout ce que je veux à ton sujet : j'ai juste à les bombarder d'appels pendant une semaine... et tu n'auras plus jamais de travail. Adieu, mon amour. »

Sa lettre dit qu'il dispose déjà de toutes les informations nécessaires mais qu'il a besoin de ma coopération. Sa proposition représente vingt-cinq pour cent des bénéfices et elle est accompagnée d'une simple liste contenant des adresses de domiciles, des données financières, des numéros de comptes bancaires, les prénoms des enfants – lorsqu'il y en a – et la date de la prochaine visite de mon ex-fiancé en Colombie ou de mon prochain voyage en Europe. Sur une autre feuille sur laquelle figurent des noms et des coupures de journaux collées sur une feuille de papier jaune, vient en complément :

Information de dernière minute de Caracol, Yamid Amat !
Lors d'une tentative d'enlèvement, monsieur X, président du directoire de l'entreprise Y, établie dans la ville de Z, vient de trouver la mort. L'ex-présentatrice de télévision Virginia Vallejo,

accusée de possible association de malfaiteurs, a été mise en détention dans une cellule du DAS, où elle est actuellement soumise à un interrogatoire.

Pendant des heures, je me creuse la cervelle en me demandant comment il a pu obtenir tous ces noms. J'entends encore sa voix, il y a huit ans, lorsqu'il me disait que les méchancetés, « si on y met beaucoup de soin, on arrive à toutes les réaliser, absolument toutes ! », et j'en déduis que quelqu'un de son organisation a peut-être voyagé sur le même avion que mon fiancé et, qu'une fois arrivé en Allemagne, après lui avoir filé le train quelques jours, il a pu vérifier qui il était. Une autre possibilité est qu'il m'ait fait suivre au cours d'un de mes voyages... Je me demande s'il peut savoir pour Interpol, si le type du zoo n'aurait pas été envoyé par lui, si les photos et la lettre envoyées à ma future belle-mère ne seraient pas encore une de ses vengeances... Toutes les hypothèses me traversent l'esprit et je me rends compte que là où mon fiancé travaille, il est relativement facile de savoir qui il est. Ce que je sais, c'est que, pour Pablo, lorsqu'il est question de trouver rapidement de l'argent et en quantités importantes, « Paris vaut bien une messe ». Quand il rappelle, cette fois de très bonne heure, il me dit qu'il atteindra son objectif un jour ou l'autre, que je l'aide ou pas :

« Ça y est, tu commences à comprendre que, si je passais encore quelques petits coups de fil au DAS, tu pourrais moisir plusieurs années en prison en attendant qu'une enquête soit diligentée pour déterminer si mes témoins disaient vrai ou pas. Et, d'après toi, qui vont-ils croire ? Maza et tes ennemis des médias... ou toi, ma pauvre petite ? Que ne donnerait cette vieille nazie pour récupérer son petit garçon !... Pas vrai, mon amour ? »

Je reste pétrifiée en l'écoutant m'expliquer – avec ces phrases brèves ponctuées de silences auxquelles je suis plus qu'habituée – qu'il a besoin de moi pour faire avancer des choses qui sinon traîneraient durant des mois, car il n'a pas de traducteurs de confiance qui maîtrisent plusieurs langues. La question est de choisir, non pas entre le fric et le plomb, car il sait que la mort ne me fait pas peur, mais entre le fric et la prison ! Il me rappellera d'ici quelque temps et m'apportera dans les jours suivants la preuve qu'il parle sérieusement. Puis il raccroche.

Je reçois un appel de Stella Tocancipá, la journaliste chargée de ma présentation dans la revue *Semana*. Elle m'apprend qu'elle a préféré démissionner plutôt que d'écrire à mon sujet les calomnies que ses supérieurs comptaient lui dicter. Un collègue qui n'a ni les tripes ni les scrupules de Stella accepte, lui, d'écrire sur moi tout ce qu'on lui demande, ce dont il est remercié, après mon éviction de Caracol, par une nomination au consulat de Miami.

Ce que publie *El Tiempo* est encore pire : je suis maintenant la maîtresse d'un autre narcotrafiquant – dont personne ne connaît le nom – et je ne suis plus qu'une vile voleuse d'articles somptuaires de toutes sortes, ce qui m'a récemment valu d'être à nouveau battue, massacrée à coups de pied et défigurée de la plus atroce des façons. Ce que Pablo Escobar me fait comprendre par là c'est que – comme cela a plus tôt été le cas pour Rafael Vieira –, pour le restant de mes jours, tout homme avec lequel j'aurai une relation sérieuse sera décrit par des journalistes, en reprenant les mots dictés par ses sicaires, comme « un narcotrafiquant comme lui, mais anonyme », et qu'au lieu de passer le reste de ma vie condamnée à la solitude et au chômage je devrais plutôt commencer à réfléchir en femme d'affaires et ranger tous mes scrupules au placard. Comme les autorités qui ne sont pas à la solde des cartels de la drogue travaillent au service de mes ennemis, je suis dans l'impossibilité de dénoncer le chantage d'Escobar. Toutes ces histoires sont à ce point sordides – tout comme le harcèlement téléphonique et les moqueries que j'entends chaque fois que je vais au supermarché – que je développe une forme d'anorexie et que, pendant plusieurs jours, j'envisage sérieusement la possibilité de me suicider.

C'est alors que je pense soudain à Enrique Parejo González. Quand il était ambassadeur de Colombie en Hongrie, en 1987, le ministre *galaniste* de la Justice qui avait signé les premières extraditions après l'assassinat de son prédécesseur, Rodrigo Lara, est la seule personne à avoir nommément été visée par un attentat de Pablo Escobar et à en avoir réchappé : il a reçu cinq balles à bout portant dans le garage de sa maison de Budapest, dont trois dans la tête. Ce vaillant homme – qui aujourd'hui, et c'est un miracle, est complètement remis – incarne comme personne la capacité qu'a le narcotrafic de frapper, même dans les endroits les plus éloignés de la Colombie, lorsqu'il est question d'exécuter une vengeance. Car, dans mon pays qui n'a pas de mémoire, la mémoire d'Escobar ne pardonne pas.

Je sais que Pablo dispose déjà de beaucoup d'informations sur la famille de mon fiancé, mais mon petit doigt me dit que, tant que mon fiancé ne viendra pas en Colombie et que je n'irai pas en Allemagne, il ne courra aucun risque. Après y avoir pensé toute la nuit, ma conscience me dicte la seule option qu'il me reste : je vais rester seule et, comme je n'ai pas de films récents à mettre en avant auprès des agences artistiques internationales, je vais devoir accepter mon destin et continuer de vivre en Colombie. D'une cabine de Telecom, je dis à mon fiancé que nous devons nous rencontrer de toute urgence à New York. Le jour le plus triste de ma vie, je lui rends sa bague et je lui déclare que, tant que ce monstre sera en vie, je ne pourrai plus le revoir et il ne devra plus m'appeler sinon Pablo le fera enlever ou assassiner et me fera accuser d'être mêlée à ses propres crimes. Plus de six ans s'écouleront avant que nous ne soyons tous les deux libres de nos engagements personnels mais, vers la fin de l'année 1997, il sera déjà très malade et débutera pour moi le dernier des calvaires que m'aura légués Pablo Escobar.

À mon retour à Bogota, je change mes deux numéros de téléphone et je ne donne les nouveaux qu'à quatre personnes. Je suis tellement terrorisée à l'idée d'être moi-même enlevée que, lorsque mes deux amies qui sont proches des groupuscules d'extrême gauche me demandent des nouvelles de mon ex-fiancé, je réponds qu'il n'existe pas et qu'il n'est qu'une nouvelle invention des médias.

*

L'Assemblée constituante de 1991 plonge le pays dans un climat d'espérance qui voit se nouer un dialogue auquel participent les partis traditionnels, les groupes armés, les minorités ethniques et religieuses, et les étudiants. Antonio Navarro, du M-19, et Álvaro Gómez, du Parti conservateur, se serrent la main et, quelques mois plus tard, la Constitution est amendée, l'extradition supprimée, et les Colombiens, bons ou méchants, se préparent à vivre une nouvelle ère placée sous le signe de l'entente et de la concorde.

Mais, dans un pays où l'État de droit finit toujours par être sacrifié sur l'autel d'une paix quelconque – qui, pour le groupe narcoterroriste dominant, consistera toujours à bénéficier d'une sorte d'amnistie lui permettant d'échapper aux poursuites judiciaires et à l'extradition –, les choses ne sont pas aussi simples. Au début des années 1990 naissent les « Pepes », les « Poursuivis par Pablo Escobar ». Même l'idiot du village sait qu'une fois encore les membres de ce groupe représentent en fait les groupes paramilitaires que commandent Fidel et Carlos Castaño, le cartel de Cali, les dissidents du cartel de Medellín, les organisations policières et les services de renseignement frappés par Escobar, sans oublier quelques assesseurs étrangers dans le meilleur style des Contras. Après cette nouvelle – et semble-t-il, définitive – annulation de l'extradition, et pour se protéger des Pepes qui le harcèlent de façon de plus en plus atroce, Escobar décide de se rendre à condition que l'on construise à Envigado, et tout spécialement pour lui, une prison. Celle-ci devra se situer sur un terrain surélevé de trois hectares qu'il aura lui-même choisi, il pourra y résider avec les hommes rescapés que bon lui semblera, il se réservera le droit de valider le choix du personnel de surveillance, et cette prison devra bénéficier d'une visibilité à trois cent soixante degrés, d'un espace aérien protégé, d'une clôture électrifiée et, bien évidemment, de toutes les commodités et de tous les loisirs essentiels de la vie moderne car, en Colombie et de tout temps, les puissants ont toujours eu la chance de jouir d'un dispositif juridique qui n'existe dans aucun autre pays du monde, dénommé « La Maison comme Prison ». Le gouvernement de Gaviria, prêt à tout pour qu'il lui fiche la paix, répond en ces termes à sa requête :

« Okay ! Eh bien, construisez donc votre terrain de football, votre bar, votre discothèque et invitez à venir danser qui vous voudrez, mais laissez-nous enfin respirer ! »

La reddition de Pablo devient l'événement de l'année. Obsédé par son seul point faible – que nous connaissons tous les deux si bien –, il exige qu'aucun avion ne survole, de toute la journée, l'espace aérien de Medellín le jour où il décide, au milieu d'une caravane de véhicules officiels et des médias nationaux et internationaux, de prendre le chemin de son nouveau refuge, construit aux frais du gouvernement colombien.

Le problème des présidents désespérés et des bons Colombiens, c'est qu'ils ne connaissent pas encore le propriétaire des « Pantins ». Ils croient tous à sa lassitude et à ses bonnes intentions mais, depuis sa prison, baptisée la Cathédrale, et d'une main de fer, il continue de tirer les ficelles de l'empire du crime. Pendant son temps libre, il invite de grandes stars du ballon rond, comme René Higuita, à jouer avec lui et ses hommes et, le soir, avant un repos bien mérité, il fait venir des dizaines de jeunes filles de joie pour batifoler avec eux. Comme un roi, il reçoit sa famille, ses politiciens, ses journalistes et les barons d'autres régions du pays qui ne sont pas encore affiliés aux Pepes. Tout le monde dit qu'« en Colombie le crime paie bien », mais toute protestation est furieusement muselée au nom du maintien de la paix, car Pablo se tient enfin tranquille.

Il n'y a plus que la troisième station de radio du pays pour m'offrir du travail, mais à la condition que je m'occupe moi-même de la commercialisation des espaces publicitaires de la tranche horaire où mon émission est programmée. Je demande un rendez-vous à Carlos Sarmiento Angulo, qui est maintenant l'homme le plus riche du pays, et je le supplie de me sauver la vie car les gens qui dirigent les grands médias semblent s'être tous ligués pour me faire mourir de faim. Ce noble monsieur signe avec Todelar pour dix mille dollars mensuels de contrats publicitaires, et la station me rémunère à hauteur de quarante pour cent des bénéfices tirés de ces contrats, ce qui me permet de vivre sans inquiétude, pour la première fois depuis des années. Comme je n'ai pas de bureau à moi, je donne à nouveau mon numéro à tout le monde (à la mort de Pablo, mon contrat sera résilié sans aucune explication et Todelar gardera pour lui l'intégralité de ces recettes publicitaires).

Un jour, Gorge profonde me raconte que plusieurs de ses amis ont très fréquemment rendu visite à Pablo à la Cathédrale. L'un d'eux avait dit qu'une de ses connaissances m'avait aperçue quelques jours plus tôt dans un restaurant de Bogota, que j'étais splendide et qu'il se damnerait pour pouvoir sortir avec moi. En l'entendant, Pablo s'était exclamé : « Votre ami ne sait sans doute pas que Virginia a essayé de faire main basse sur le yacht de certains de nos collègues et qu'ils ont dû aller le lui reprendre, ce qui n'a pas été une mince affaire. Votre pauvre ami fait vraiment peine à voir ; il est aveugle et devrait porter des lunettes ! Qui voudrait d'une vieille peau pareille alors qu'il y a tant de filles jeunes ? Elle n'est rien d'autre qu'une vieille fille quadragénaire sans le sou obligée, pour ne pas mourir de faim, de travailler pour une chaîne de radio de bas étage parce que plus personne ne veut l'embaucher à la télévision ! »

« Mes amis ne pouvaient en croire leurs oreilles, m'explique Gorge profonde, visiblement mal à l'aise. Ils ont dit que c'était la seule forfaiture que ce misérable n'avait pas encore à son actif !

Il poursuit son récit :

« Un de mes amis connaît très bien "Rambo" – Fidel Castaño, le chef des Autodéfenses unies de Colombie – et, alors que nous nous trouvions quelques jours plus tôt dans sa propriété de Córdoba, soudain, ce type s'est pointé à vélo. Il est resté un moment à parler avec nous et puis il est parti, comme il était arrivé, tout seul, et en pédalant tranquillement ! Dans ce pays, tout le monde se connaît... ils ont de bonnes raisons de tous s'entretuer ! Ce Rambo en question a l'air fait d'acier : bien qu'il se déplace sans armes et à vélo, aucune personne saine de corps et d'esprit n'irait lui chercher des problèmes. C'est ce type qui finira tôt ou tard par éliminer ton Pablito si ingrat...

— Eh bien, Dieu bénisse mon Pablito possessif... Crois-tu que tu pourrais dire à ton ami de décrire à Rambo, et dans les moindres détails, toute la haine que me porte Escobar, pour voir si les Pepes pourraient arrêter de s'acharner sur moi ?... Demande à ton ami de raconter à Castaño que ces hommes m'appellent à minuit, qu'ils approchent une tronçonneuse du combiné et me susurrent qu'ils sont en train de l'affûter pour "la prostituée du psychopathe d'Envigado". Tu ne t'imagines pas dans quelle terreur je vis ! Chaque soir, quand je quitte mon travail à vingt heures et que j'attends le taxi, lorsque je vois arriver une de ces camionnettes SUV avec les vitres fumées, je crois que ce sont les Pepes qui viennent pour moi ! Dis-lui que je le supplie de faire cesser ces menaces car je ne suis qu'une personne parmi toutes celles que harcèle Pablo Escobar, et sa seule victime qui soit encore en vie. Demande-lui quand il voudra bien accorder une interview à ma station de radio de bas étage, pour qu'il vienne m'expliquer comment il compte s'y prendre pour éliminer le Monstre de la Cathédrale. »

Au bout de quelques jours, les appels se font bien moins nombreux. On dirait que, cette fois, ma pauvreté ou ma vieillesse ont trouvé grâce à leurs yeux et que, maintenant que je semble bénéficier de la protection du fondateur des Pepes, je peux enfin dormir tranquille en attendant que le nouvel ennemi de Pablo entre en action. Car, en matière de menaces, il ne me manque plus que le missile du Pentagone et la bombe atomique du Kremlin. Les tronçonneuses se sont affirmées comme l'arme préférée des deux camps. J'ai lu quelque part que les hurlements des victimes dans un village du département d'Antioquia ou de Córdoba – centre des opérations des AUC – s'entendaient d'un bout à l'autre de la localité quand les paramilitaires drogués violaient les femmes devant leurs petits de cinq, six, sept, huit et neuf ans. Lorsque Escobar apprend que les Moncada et les Galeano, des associés à lui, ont tous deux essayé de lui subtiliser cinq et vingt millions de dollars, il les invite à la prison où il commence à les dépecer avec cette arme pour laquelle aucun permis n'est nécessaire, puisqu'elle est utilisée dans l'atelier de menuiserie du pénitencier. Après les avoir obligés à lui donner des informations sur l'endroit où ils ont caché leur butin, il ne se contente pas de le récupérer par l'intermédiaire de ses hommes restés dehors, il convoque immédiatement tous les associés et comptables de leurs deux organisations pour les contraindre, sous la torture, à lui transférer tout le reste de leurs capitaux, y compris leurs haciendas, leurs élevages, leurs avions et leurs hélicoptères.

Lorsque la nouvelle qu'Escobar, en plus de son propre cachot, aurait aussi construit son propre cimetière au nez et à la barbe de ses gardiens, arrive aux oreilles du palais présidentiel, pour César

Gaviria, la coupe est pleine et le vice-ministre de la Justice, fils de vieux amis à moi, est envoyé pour vérifier si cette histoire ahurissante est vraie ou s'il ne s'agit que d'une invention du cartel de Cali et des familles Moncada et Galeano. En apprenant que des contingents de l'armée approchent pour le transférer dans une autre prison, Escobar croit que le gouvernement veut en fait le livrer à la DEA et, une fois le jeune fonctionnaire entré à l'intérieur du pénitencier, il le prend en otage. Après une série de faits confus dont il existe toutes sortes de versions, Pablo sort en marchant entre les gardiens – qui ne bougent pas le petit doigt pour l'en empêcher – et s'enfuit avec ses hommes à travers des tunnels sur lesquels ils travaillaient depuis des mois. S'ensuit une interminable retransmission en direct sur toutes les chaînes du pays et, pendant que le nouveau directeur du journal télévisé de Todelar – au service du cartel de Cali – me prive de micro tout l'après-midi, Pablo fait croire à Yamid Amat de Caracol qu'il est caché depuis trois heures dans un énorme tuyau, à proximité de la Cathédrale, alors qu'il se trouve en fait déjà à plusieurs kilomètres de là, protégé par l'épaisseur de la forêt.

Je suis heureuse car je sais qu'en prenant ainsi la fuite Pablo vient de signer sa condamnation à mort. Est aussitôt créé le « Bloc de Recherche » de la police, entraîné aux États-Unis et ayant pour seule mission de l'éliminer une bonne fois pour toutes. Les Pepes leur offrent d'emblée de coopérer pleinement avec eux. Après une préparation intensive, les Navy Seals et le Groupe Delta s'unissent, enthousiastes, au Bloc de Recherche, et la DEA, le

FBI et la CIA se joignent à eux avec des vétérans du Vietnam. Des mercenaires allemands, français et britanniques leur emboîtent le pas – intéressés par la récompense de vingt-cinq millions de dollars – et, au total, huit mille hommes sont réquisitionnés dans plusieurs pays pour prendre part à une guerre internationale menée contre un seul individu que les Américains veulent vivant et que les Colombiens veulent mort. Car seule sa mort pourra garantir son silence.

En guise de représailles contre les interrogatoires et l'écartèlement de quelques martyrs de l'inframonde au nom de l'État de droit, Escobar pose bombe sur bombe, à raison d'environ une par semaine, et ses sicaires, maintenant devenus des stars médiatiques, commencent à faire la couverture des magazines et la une de tous les quotidiens. Comme si Pablo était un leader de la Résistance, les médias publient tout ce que ses tueurs disent et tout ce qu'il leur dicte lui-même : « Le terrorisme est la bombe atomique des pauvres ! Je suis bien conscient qu'il va à l'encontre de mes principes, mais je n'ai pas d'autre choix que d'y avoir recours ! »

Pablo Escobar a su se faire plaindre lorsque cela l'arrangeait. En 1993, j'échappe par miracle au plus meurtrier de tous ses attentats récents, celui qui frappe le très chic Centro 93, mais je suis effondrée en voyant les centaines de morts et de blessés, et la petite tête d'une fillette égorgée en haut d'un réverbère.

À cette date, j'ai déjà vendu mon appartement ; je ne supportais plus de recevoir des insultes et de savoir mes lignes téléphoniques sur écoute. J'en loue un au premier étage du très sélect complexe des

Résidences El Nogal où vivent également une ex-première dame parente de mon père, trois enfants d'ex-présidents et la nièce de Santo Domingo. Tous leurs gardes du corps me garantissent une relative protection, une demi-douzaine de résidents partage une partie de mon ADN et je peux enfin échapper au vrombissement téléphonique des tronçonneuses. Après la vente de mon appartement, Gorge profonde me demande de lui prêter deux mille cinq cents dollars et, bien qu'il disparaisse le jour même où je les lui donne, je me dis, résignée, que les informations que j'ai obtenues pendant ces six années valaient bien tout l'or du monde.

La dernière chose que m'avait racontée mon indicateur était que Pablo se cachait dans des maisons qu'il achetait dans des quartiers de la basse classe moyenne de Medellín. Cela m'avait surprise car, à l'époque la plus clandestine de notre relation, les hommes qui me conduisaient à ses cachettes disaient toujours qu'il possédait cinq cents petites maisons de campagne dispersées à travers tout le département d'Antioquia. Je sais grâce aux amis de Gorge profonde que les Pepes, secondés par le Bloc de Recherche, sont décidés à enlever des parents de Pablo pour les échanger contre les membres de leurs deux commandos qui sont entre ses mains. Comme il est obsédé par l'idée de sortir sa famille de Colombie, je suis convaincue qu'il épuisera toutes les possibilités avant d'envisager de lui dire adieu car – il ne la reverra sans doute pas –, le jour où elle partira, son cœur, si tant est qu'il en ait encore un, éclatera en mille morceaux.

Dans n'importe quel pays d'Amérique latine, les Escobar représenteraient une proie facile pour ses ennemis, qui pourraient les enlever ou les faire chanter jusqu'à la fin de leurs jours. Les États-Unis ne les accueilleront jamais et il n'existe presque aucune ligne vers l'Orient ou l'Australie au départ de la Colombie. En 1993 – avant les accords de Schengen de 2001 –, l'Allemagne est le seul pays d'Europe desservi directement depuis Bogota et les Colombiens peuvent y entrer sans visa et sans être soumis à de trop sévères contrôles douaniers. Je sais que plusieurs parents de Pablo se sont déjà réfugiés dans ce pays et que, tôt ou tard, sa femme et ses enfants, sa mère et ses frères et sœurs prendront eux aussi le chemin de l'Europe.

Je ne ressens plus pour eux qu'une profonde compassion, mais celle que j'éprouve pour leurs morts et pour moi est encore plus grande car ces dix années d'insultes et de menaces m'ont chargée de la douleur de toutes les victimes d'Escobar et de toute la hargne de ses ennemis. Pour moi, c'est la mort de Wendy qui a fait déborder le vase. Au cours d'un déjeuner chez Carlos Ordóñez, le grand gourou de la cuisine colombienne, une célèbre comédienne me raconte qu'elle a été mariée avec un oncle de Wendy, qui a été assassinée sur ordre de Pablo alors qu'elle faisait le trajet entre Miami, où elle résidait, et Medellín. Il avait adoré Wendy et il lui avait laissé une fortune de deux millions de dollars de 1982, qui en vaudraient cinq maintenant. Elle et moi étions deux personnes diamétralement opposées sur tous les plans et, bien que je ne l'aie jamais rencontrée, l'histoire de son avortement pratiqué par un vétérinaire m'avait secouée et m'avait toujours inspiré énormément de chagrin. Je pense que la dernière méchanceté que ce monstre de Pablo ne m'avait pas encore faite était de me diffamer dans les médias ou de se moquer devant ses collègues de la pauvreté et de la solitude auxquelles il m'avait condamnée. Gilberto m'avait déjà dit, six ans plus tôt, qu'un jour Pablo me ferait tuer moi aussi... Pour toutes ces raisons, une force inexplicable – peut-être l'esprit de cette pauvre femme qui l'a aimé autant que moi je l'ai aimé –, sortie d'un endroit que je ne saurais définir, me dit que l'heure est maintenant venue pour moi d'apporter ma modeste contribution pour mettre un terme définitif à toutes ces infamies.

*

Voilà six ans que j'attends mon heure et, après y avoir songé pendant plusieurs jours, je finis par me décider. Un jour de la fin du mois de novembre 1993, je prends la direction de Telecom et, depuis une cabine privée, j'appelle une institution européenne qui a son siège à Strasbourg. J'ai toujours gardé sur moi le numéro du frère de l'homme avec qui j'aurais pu être heureuse et qui a toujours eu beaucoup d'affection pour moi. Pendant la demi-heure suivante, je lui explique pourquoi je pense que, d'un moment à l'autre, ces personnes vont se tourner vers l'Europe et essayer d'y entrer via Francfort. En utilisant tous les arguments qui me passent par la tête, je le supplie d'aller expliquer aux hautes autorités allemandes que, dès le jour où il les saura dans un pays sûr, Pablo Escobar aura les coudées franches pour détruire mon pays à sa guise. Bien que des centaines de personnes de différentes nationalités n'aient pas réussi à le coincer, tout semble indiquer que le Bloc de Recherche et les Américains l'ont cerné grâce à leur système de suivi des appels téléphoniques, le plus perfectionné du monde. Bien qu'Escobar soit un expert en communications, il ne leur faudra que quelques semaines ou quelques mois pour le localiser et pour en finir avec lui. Au bout de quelques minutes, mon ami me demande pourquoi ce sujet me tient tant à cœur et comment il se fait qu'une personne comme moi connaisse le *modus operandi* d'un terroriste pareil.

Je ne peux pas lui dire que, neuf à dix ans plus tôt, ce criminel a dépensé plus de deux millions de dollars en kérosène pour m'avoir à ses côtés ou dans ses bras pendant plus de deux mille heures. Je ne peux pas non plus lui expliquer que – devant une femme qui l'aime et le comprend avec l'intelligence d'esprit d'un cœur libre – un homme comme lui laisse entrevoir des faiblesses que personne d'autre ne lui connaît. Je peux seulement avouer à l'être humain qui m'écoute que je connais l'esprit de ce monstre mieux que personne, jusque dans ses moindres recoins, mais aussi son talon d'Achille. À l'autre bout du fil, je parviens à sentir sa surprise, puis le choc qui l'ébranle. Je poursuis :

« Il va se rendre fou pour trouver quelqu'un qui accueille les membres de sa famille car ses ennemis, les Pepes, ont juré de tous les exterminer comme de simples cafards. Certaines personnes de son organisation ont déjà fui vers l'Allemagne et, si vous laissez entrer les seuls gens au monde qui comptent réellement pour lui, tôt ou tard, il les suivra, et les Pepes le suivront également. Escobar est maintenant le plus grand ravisseur du monde et, si ces choses se passent chez vous, le temps de la bande à Baader-Meinhof vous semblera presque une époque bénie ! Si tu ne veux pas me croire, demande à ton frère de te montrer la lettre que Pablo Escobar m'a envoyée il y a trois ans. »

Avec un semblant de reproche dans la voix, il me dit :

« Il vit maintenant aux États-Unis, Kid... Il s'est lassé de t'attendre et... il s'est remarié en mars... Je vais commencer par avoir une discussion avec lui, puis avec un ami à Washington qui est spécialisé dans le *counterterrorism*, pour savoir exactement ce qu'il se passe... c'est quelqu'un qui s'y connaît bien en la matière... Je ne parviens pas à comprendre pourquoi tu es si sûre que ces gens partent pour l'Allemagne, mais je vais faire des vérifications et, dès que j'en saurai davantage, je te ferai signe. »

Les jours clairs ne sont pas les seuls où l'on peut voir pour toujours. C'est aussi possible par un jour sombre, voire même par un jour noir, ou l'un des jours les plus tristes de toute ma vie. Mais, bon Dieu, quel besoin avais-je de passer ce coup de fil ? Pour recevoir une pareille nouvelle, un pareil châtiment, une pareille douche froide ?

En me dirigeant vers les studios de la station de radio, sous la pluie, je réfléchis et je me dis que je suis la femme la plus seule de la Terre et qu'il est bien terrible de n'avoir personne auprès de qui s'épancher de toute cette douleur. Ce soir-là, je m'endors en pleurant, mais je suis réveillée le lendemain par un appel de mon ex-fiancé. Il me dit qu'il sait dans quel état je dois être à l'annonce de son mariage, et je trouve juste à lui répondre que je comprends ce qu'il doit ressentir en apprenant que l'homme qui nous a séparés est cerné par la police. En français, il me raconte que son frère a commencé à faire toute une série de vérifications à Washington : tout semble indiquer que ce *Krimi* est vraiment aux abois et il va essayer de convaincre le ministère allemand de surveiller très étroitement cet aéroport, que j'avais moi-même l'habitude d'emprunter. Je lui adresse toutes mes félicitations pour son mariage et, lorsque je raccroche, le seul sentiment que Pablo m'inspire désormais, c'est le désir le plus fervent de voir quelqu'un en finir avec lui.

Je reçois un appel de Strasbourg à l'heure du déjeuner ; mon ami veut que nous nous parlions depuis la cabine de Telecom. Il dit qu'il a enfin compris ce qui s'est passé entre sa mère et moi, et il me demande si je crois qu'Escobar exercera des représailles contre des citoyens ou des entreprises européens. Je réponds que je suis profondément soulagée de savoir son frère aux États-Unis, car il aurait été la première cible qu'Escobar aurait fait enlever en Allemagne. Je lui explique qu'à d'autres époques il aurait certainement fait sauter l'ambassade, les succursales de Bayer, de Siemens et de Mercedes à Bogota, mais qu'il a toujours été d'une ignorance crasse en ce qui concerne l'Allemagne et que, dans sa situation actuelle, pour planifier de gros attentats à Bogota, il lui faudrait communiquer sur plusieurs fronts et disposer d'une organisation logistique très complexe. Le désespoir dans lequel le plonge son incapacité de faire sortir sa famille du pays va en revanche le conduire à ne se focaliser que là-dessus, ce qui se révélera une véritable bénédiction pour les gens qui surveillent ses appels téléphoniques.

« Ah, au fait ! Avertis Berlin qu'ils voyageront sans doute un dimanche pour ne pas laisser le temps de se concerter aux agences gouvernementales qui pourraient les refouler à l'entrée. Ce serait pour eux un véritable suicide de voler sur une ligne commerciale, car tout le monde les remarquerait... C'est pour cette raison que je suis sûre qu'ils vont essayer de voyager sur un avion privé, même si, en Colombie – à part ceux des grands magnats et ces derniers n'iraient jamais les leur prêter –, il n'y a pas, que je sache, d'avions disposant d'une autonomie de vol suffisante. Mais cela fait quinze ans que le cartel loue des avions et, au Panamá, il doit y en avoir des dizaines de disponibles... Tout ce que je peux te dire, c'est que je mettrais ma main à couper qu'ils veulent partir en Europe. Si vous les laissez entrer par Francfort, d'ici moins d'un mois, les Pepes viendront ici poser des bombes contre la famille d'Escobar, et Escobar vous fera sauter votre belle cathédrale de Cologne ! Ce type rêve depuis des années de faire sauter le Pentagone, je ne plaisante pas. Dis-leur que son seul talon d'Achille c'est sa famille, sa famille, sa famille. Il donnerait sa vie pour sa famille ! »

Le dimanche 28 novembre, je suis réveillée par un appel et, de New York, je reçois la plus inattendue des nouvelles :

« Tu avais tout à fait raison, Kid. Ils se sont envolés en direction de mon pays, mais tu t'es trompée sur une chose : ils ont commis l'erreur de voyager sur la Lufthansa ! Mon frère a déjà parlé aux plus hautes autorités du gouvernement, qui te font dire que c'est toute une armée qui les attend et qu'ils ne comptent leur laisser poser le pied ni chez nous ni dans aucun autre pays d'Europe. Ils vont remettre sa famille à la Colombie, pour qu'elle leur fasse subir ce qu'il a fait endurer à celles de toutes ses victimes !... L'information est confirmée, et nous ne sommes qu'une douzaine de personnes à être au courant. Pour ta sécurité et pour la nôtre, tu ne dois pas en dire un mot. À Washington, les experts pensent qu'il va se rendre dingue pour trouver quelqu'un qui les reçoive, qu'ils le tiennent et qu'ils ne lui donnent pas un mois. Maintenant, croise les doigts pour Bayer, Schwarzkopf et Mercedes ! »

Le jeudi soir, lorsque je rentre de mon travail, le téléphone sonne :

« Bravo, Kid ! *The wicked witch is dead!* » (« La Méchante Sorcière est morte ! » est une des chansons les plus connues du *Magicien d'Oz*.)

Puis, pour la première fois en onze ans, ma vie entière se plonge dans le silence.

Pablo gît au sol, mort, depuis quinze heures cet après-midi.

Aujourd'hui,
c'est jour de fête en enfer

À travers le hublot du petit appareil du gouvernement américain, je regarde pour la dernière fois le sol de ma patrie et le ciel de mon pays. Neuf heures de voyage sembleraient une éternité à n'importe qui d'autre, mais je suis habituée à passer des journées entières sans adresser la parole à personne. Au cours de ce laps de temps, toutes les raisons qui me font prendre la direction des États-Unis pour ne plus jamais revenir, à moins que ce ne soit pour me faire enterrer, défilent dans ma tête... Tous les événements de ces derniers jours se sont conjugués pour me faire devenir un témoin-clé pour le parquet dans deux pays et dans des procès pénaux actuels et à venir aux enjeux exceptionnels : l'assassinat d'un candidat à la présidence en Colombie, un jugement aux États-Unis pour plus de deux milliards cent millions de dollars, l'holocauste du pouvoir judiciaire dans mon pays, un système de blanchiment organisé dans trente-huit pays pour des millions et des millions de dollars... Je me dirige en ce moment vers la nation qui m'a sauvé la vie car, si Pablo

Escobar n'avait pas été mon amant, je n'aurais pas aujourd'hui pour seul capital les deux pièces d'un quart de dollar qui se trouvent dans mon porte-feuille et tous les noms de ses principaux complices qui sont gravés dans ma mémoire.

Comment oublier ce qui est arrivé après que sa famille a été refoulée d'Allemagne... La voix de Pablo, le lendemain, sur toutes les radios, qui menaçait de désormais considérer comme des « objectifs militaires » les citoyens, les entreprises et les touristes allemands... Cette voix dont seuls nous, qui en avions connu toutes les inflexions, savions que c'était celle d'un homme à bout de souffle, aux abois, anéanti de douleur et devenu incapable de faire peur à quiconque, avec sa famille chassée à coups de pierres du quartier chic de Santa Ana et maintenant réfugiée à l'hôtel Tequendama, appartenant à une police compatissante qui accomplissait son devoir de protéger l'épouse et les enfants de son bourreau, au grand dam du peuple, exaspéré, qui protestait à grands cris.

Patiemment, derrière mon micro pendant la journée et silencieuse devant ma télévision le soir, j'attendais le dénouement des événements.

Le jeudi suivant, quatre jours après leur retour et anéanti, car plus aucun pays ne veut accueillir les seuls êtres qui lui importent en ce monde, Pablo parle pendant vingt minutes au téléphone avec son fils de seize ans, chose qu'il n'aurait jamais faite en d'autres circonstances. Bien que, depuis sa fuite de la Cathédrale, il se soit astreint à une discipline obsessionnelle en matière de communications et bien qu'il n'utilise plus que rarement ses téléphones, il se met à passer des coups de fil désespérés pour trouver un moyen de mettre à l'abri sa famille que les Pepes se sont juré d'exterminer. Toujours aussi préoccupé de manipuler les médias, Pablo explique en détail à son fils comment répondre aux questions du magazine qui, ces dernières années, lui a plusieurs fois fait l'honneur de lui consacrer sa couverture. Un agent de police zélé, qui traque ses communications nuit et jour depuis quinze mois grâce à un système de triangulation radiogoniométrique, le localise et transmet directement l'information au Bloc de Recherche. Quelques minutes après, les policiers identifient sa maison, située dans un quartier de la classe moyenne de Medellín et ils parviennent même à apercevoir Escobar à une fenêtre, toujours occupé à parler au téléphone. Pablo et ses gardes du corps les voient aussi. S'ensuit une fusillade désordonnée qui, comme celle de Bonnie et Clyde, se poursuit pendant une heure. Le pistolet à la main, Escobar sort en courant, pieds nus et à moitié dévêtu, et essaie d'atteindre une maison voisine en sautant du haut du toit, ce qui se révèle inutile : quelques secondes plus tard, il s'effondre sur le toit, le corps criblé de plusieurs balles, dont deux dans la tête. L'homme le plus recherché de sa planète, l'ennemi public numéro un de la nation et de toute son histoire, celui qui pendant dix ans a imposé à l'État de droit tous ses délires mégalomanes, n'est maintenant plus qu'un monstre de cent quinze kilos qui se vide de son sang devant deux douzaines d'ennemis qui célèbrent leur triomphe, les fusils pointés en l'air, ivres de fierté et d'une jubilation qu'ils n'avaient encore jamais ressentie.

Cette jouissance extrême gagne trente millions de Colombiens et les couplets de l'hymne national, avec « L'horrible nuit est terminée », retentissent sur toutes les radios du pays. Jusqu'à aujourd'hui, je ne me rappelle que deux événements ayant provoqué un tel mouvement de foule : la chute de la dictature du général Rojas Pinilla lorsque j'avais sept ans, et un match de football contre l'Argentine que la Colombie a gagné par cinq buts à zéro et qui s'est soldé par un bilan de quatre-vingts morts. En écoutant et en observant tout cela depuis ma solitude et le silence que m'impose, hilare, Todelar, le directeur du journal, l'acolyte de Gilberto Rodríguez Orejuela, je ne peux comparer cette explosion de joie qu'à celle que m'a décrite Pablo huit ans plus tôt, lorsqu'un midi, sous le ciel de *Nápoles*, il m'avait juré de n'emporter avec lui en enfer, à sa mort, que la vision de nos deux corps fusionnés dans l'épicentre de trois cent soixante degrés multipliés par un trillion de trillions.

Mais ceci remontait à très longtemps car, lorsque l'on a tant souffert, huit années peuvent vous sembler toute une éternité... Et cet homme, qui s'était retrouvé dans mes bras alors qu'il n'était encore qu'un enfant et qui les avait quittés, décidé à devenir un monstre pour être élevé par l'Histoire au rang de mythe, est parvenu à ses fins : le président des États-Unis, Bill Clinton, est maintenant en train de féliciter le Bloc de Recherche et « l'Humanité tout entière », comme dirait notre hymne national, félicite la Colombie. Tandis que les festivités à travers tout le pays durent des jours et des jours et que ce triomphe fait pleurer de joie les Rodríguez Orejuela à Cali, à Medellín, des dizaines de pleureuses, des centaines d'hommes saouls et des milliers de pauvres se pressent vers le cercueil de Pablo, comme s'ils voulaient emporter quelque chose de lui, comme ils l'avaient fait à la décharge où, onze ans plus tôt, j'avais succombé à son charme quand il était encore un être humain et en avait la tête, quand il n'étalait pas devant moi ses richesses mais tout le courage et tout le cœur qu'il a pu avoir à une époque. Maintenant, à la vue de ce cadavre au visage déformé par l'égoïsme, par l'embonpoint et par la méchanceté, à la moustache pareille à celle d'Adolf Hitler – le Bloc de Recherche en a pris une extrémité en souvenir et la DEA en a fait de même avec l'autre –, sa propre mère s'est exclamée : « Cet homme n'est pas mon fils ! »

Devant ce répugnant spectacle, moi aussi, j'ai dit en pleurant : « Pour moi non plus, ce n'est pas ce monstre qui a été mon amant. »

Maintenant, mon téléphone ne sonne plus. Je n'ai plus d'amis et les ennemis de Pablo me laissent enfin respirer. Aucun de mes collègues n'appelle car ils savent tous que, s'ils le faisaient, je raccrocherais sans dire un mot. « Assieds-toi à la porte de ta maison pour voir défiler le corps de ton ennemi », me dis-je en regardant à la télévision cette marée humaine de vingt-cinq mille personnes qui assistent à son enterrement :

« Voici mon bourreau et celui de tout le pays, concentrant tant de haines viscérales, couvert d'infamie, entouré de toute cette scorie de la société...

Oui, tous ces gens sont les familles des sicaires et de tous ces jeunes qui le prenaient pour Dieu parce qu'il avait mis à genoux un État faible et corrompu jusqu'à la moelle... car il a été très riche et audacieux comme personne... car il a tenu la dragée haute aux *gringos*... Oui, il laisse autant de malheureux que de victimes, voilà tout. »

Un moment plus tard, alors que j'essaie de trouver à cela une explication plausible, je pense, incrédule :

« Mais... vingt-cinq mille... n'est-ce pas... un peu beaucoup de gens pour une personne qui a causé tant de maux ?... Que serait-ce s'il avait fait le bien ?... Toute cette foule ne réunirait-elle pas, pêle-mêle, des sicaires mais aussi... des milliers de pauvres diables ?... Il y a onze ans, quand tout a commencé, je ne me trompais peut-être pas tant que cela... »

Je commence à me rappeler comment était Pablo quand il était encore si jeune et moi, si innocente... Comment il s'était mis en tête de me séduire dans cette décharge, et non aux Seychelles ou à Paris... Comment il envoyait son Pégase me chercher toutes les semaines pour me tenir entre ses bras durant des heures et des heures... Comment – parce que l'amour rend les gens bons – chacun de nous deux inspirait à l'autre le meilleur de lui-même et lui, il disait que j'allais être sa Manuelita... Comment il m'avait aimée et comment, du temps où je l'aimais, il avait rêvé de devenir un grand homme... Comment tous nos rêves se sont petit à petit fracassés en mille morceaux et tous ceux qui les ont brisés sont morts les uns après les autres...

Car, une fois passée l'exultation première, mon cœur s'est petit à petit transformé en un énorme oignon rouge, un simple oignon noyé dans la chair vive, un oignon sanguinolent auquel quelqu'un viendrait arracher, toutes les soixante minutes et sans anesthésie, une nouvelle couche de nerfs et l'envelopper sans ménagement de plusieurs mètres de fils barbelés en attendant l'heure d'après. Alors, je vais jusqu'à la bibliothèque et je cherche les *Vingt poèmes d'amour* de Neruda, la seule chose qui gardait encore un peu de Pablo et qu'il n'avait pas pu me prendre le jour où il avait emporté mon argent, mon manuscrit, ses lettres, les cassettes, le *Virgie Linda I* et son Beretta, car ce recueil était noyé parmi des centaines de livres. En relisant Neruda et Silva[1], mon poète suicidaire bien-aimé, je me laisse envelopper par « les ombres des corps qui se mêlent aux ombres des âmes dans les nuits de noirceur et de larmes », et je me souviens de Pablo tel qu'il était, ce dernier automne, il y a six ans, lorsque nous nous étions vus pour la dernière fois et que ma voix cherchait encore le vent pour porter jusqu'à ses oreilles.

Je me rappelle la nuit d'un de ces jours où mon amant de trente-trois ans recevait presque cent millions de dollars par mois, où il était aimé par la belle élégante la plus célèbre du pays et où, fou d'orgueil, il sortait de chez elle pour se diriger ensuite, avec tous ses amis, vers la maison du président le plus puissant de Colombie, habité du rêve secret

---

1. José Asunción Silva (1865-1896), poète moderniste colombien. (*N.d.T.*)

de devenir lui aussi un jour président... Cette nuit, abominable comme celle du « Nocturne » de Silva, celle de la cassette vidéo avec le futur ministre Lara lorsque, pour la première fois, Pablo avait deviné, et peut-être visualisé avec un authentique effroi la possibilité de perdre tout ce qu'il avait reçu du Ciel aussi vite que tout cela lui était tombé sur les bras et dans les mains... Cette nuit impossible à oublier où, comme toutes les personnes présentes, j'ai fait abstraction de la « Chanson désespérée » qui clôt cette œuvre fataliste chargée de tendresse qui a inspiré *Il Postino*... Maintenant que se sont confirmées toutes ses prémonitions et matérialisées toutes ses craintes, je m'enfonce dans la douleur déchirante d'une profondeur abyssale qui décrit mieux qu'aucune autre l'ignominie du destin qui a été le sien, condamné et maudit comme celui de Judas, et toute la tragédie de notre couple, fruit de son incapacité de changer le cours des choses et de mon incapacité de le faire changer lui :

> « En toi se sont accumulés avec les guerres les envols.
> Ô sentine de décombres, quelle douleur n'as-tu pas arrachée !
> Tel fut mon destin, il fit planer mon désir,
> Et mon désir s'abîma, tout en toi fut naufrage.
> L'heure est venue de partir. Ô toi l'abandonné ! »

Il est maintenant endormi pour toute l'éternité et, sur cette terre transie, il gît là, tout seul... Je me surprends à me rappeler comment, lorsqu'il me croyait assoupie, il m'embrassait doucement pour ne pas me réveiller... et il le refaisait, encore et encore, pour voir si j'étais réveillée... Comment il me disait que mon cœur portait l'univers entier et je lui répondais qu'il me suffisait que seul son cœur y entre... Cet énorme cœur d'or d'un homme qui, devant le mien, devant mes yeux effarés, sans que je puisse rien faire pour l'en empêcher, a petit à petit pris la forme de l'énorme cœur de plomb de ce monstre... Ce cœur de lion qui n'a rien pu changer mais qui m'a appris à tout ressentir et à pleurer sur tout ce qu'il n'a pu changer pour que, par un jour clair pas si lointain, toute cette colère et ces désirs qui étaient les siens puissent s'animer avec mes douleurs dans mes livres et dans mon histoire.

Ce vieux petit livre que j'ai été tentée de brûler cent fois, avec ses deux autographes, un quatrain triste et sa couverture abîmée par les larmes qu'il me restait encore, dix ans et dix mois après cette nuit « aux parfums, aux murmures et aux musiques ailées », sera le continent muet des rêves brisés de deux *star-crossed lovers*, et il finira peut-être ses jours derrière l'épaisse vitre du musée où reposent les restes des amours naufragées et des passions condamnées. Avec le temps, il deviendra tout ce qu'il me restera de Pablo car, cinq ans plus tard, à Buenos Aires, deux pickpockets me déposséderont en quelques secondes de la montre en or et en diamants qui m'avait accompagnée pendant presque quinze ans. Cette montre, elle ne m'a pas manqué un seul instant d'une seule journée, car les seules choses qui me manqueront jamais, ce ne seront pas les bijoux perdus mais « les oiseaux perdus qui reviennent de l'au-delà pour se confondre dans un ciel que jamais je ne pourrai récupérer ».

*

Le 11 septembre 2001, un autre affreux fantasme rêvé par Pablo sous le ciel de *Nápoles* se matérialise lorsque tous les plans qu'il a conçus pour le Pentagone prennent corps dans l'acte terroriste le plus mémorable et de plus grande ampleur qu'ait connu l'histoire de l'Occident.

En novembre 2004, lorsque je vois à la télévision un extradé embarqué menotté dans un avion de la DEA pour les États-Unis, accusé du trafic de deux cents tonnes de cocaïne, je ne peux que me dire : « Aujourd'hui, c'est jour de fête en enfer, Gilberto. »

Comme lui et son frère, je me suis dirigée vers ces cieux et j'ai touché cette terre dans un avion de la DEA, bien que ce soit pour d'autres raisons : en septembre 2006, avant même leur jugement et avant que je puisse aller témoigner contre eux, les frères Rodríguez Orejuela plaident coupables pour tous les chefs d'accusation qui leur sont reprochés. Ils sont condamnés à une peine de trente ans et leur fortune de deux milliards cent millions de dollars est saisie et partagée à parts égales entre les gouvernements de la Colombie et des États-Unis.

Tout ce que je puis dire, aujourd'hui, c'est que les voies du Seigneur sont impénétrables et que, parfois, s'il nous condamne aux peines les plus longues et aux formes de souffrance les plus cruelles, c'est parce qu'il nous a choisis comme catalyseurs des processus les plus étranges, qui relèvent parfois même du cours de l'Histoire.

*

Une tête de mort arrachée à la boue, c'est tout ce qui reste de Pablo, son horrible tête de mort couverte d'infamie. Treize ans après sa mort, son cadavre a été exhumé pour réaliser un test de paternité auquel sa mère s'opposait. Je me demande qui pourrait bien être la mère de cet enfant, et je ne ressens plus qu'une profonde compassion pour les femmes qui l'ont un jour aimé et se disputent maintenant sa fortune car, en revanche, aucune d'elles ne veut porter son nom. Je pense à la douleur des trois ou quatre qu'il a aimées – à nous qui l'avons réellement fait rêver, souffrir, rire et enrager – et aux trois d'entre nous qui, directement ou indirectement, avons un lien avec sa mort. L'épouse pour laquelle il a sacrifié sa vie et qui habite maintenant sous une nouvelle identité, après avoir été incarcérée pendant quelque temps en Argentine, après avoir renié le nom Escobar et les prénoms qu'il a choisis pour ses enfants – mais pas sa fortune – et ainsi privé de descendance pour la postérité. La mère de cet autre enfant, qui a dû mendier des années pour obtenir ce test de paternité. Wendy, assassinée par le lâche mercenaire qui enviait les maîtresses de Pablo et se travestissait et qui, à la mort de Pablo, est entré au service de Gilberto pour pleurer comme une vraie femme lorsque ce dernier a été extradé. Et moi, condamnée à mourir de faim, dans la solitude, et jetée aux loups pour qu'ils me mettent en pièces.

« Que dirais-tu à Pablo si tu pouvais le voir pendant quatre ou cinq minutes ? » me demande une douce petite fille venue au monde pendant la nuit de Noël en 1993, trois semaines après sa mort.

Pensant à la douleur de ceux qu'il a aimés à la folie et à nous, les femmes qui l'avons tant aimé – assassinées ou ruinées par Pablo, exposées aux menaces de ses pires ennemis, vilipendées par les journalistes les plus abjects, objets des moqueries de sa famille dénuée de grandeur, diffamées par des sicaires sans cœur –, je lui réponds :

« Je lui demanderais en quoi il s'est réincarné : dans la peau des pauvres petites filles terrorisées du Darfour, mises en pièces par vingt monstres comme lui... Ou dans la peau d'un ange compatissant comme mon amie *sister* Bernadette des Missionnaires de la Charité... Ou dans la toute dernière ou définitive version de l'Antéchrist... Je crois que, depuis l'insondable éternité des nuits glaciales et de l'incommensurable solitude des gens pour qui aucune rédemption n'est possible, cette voix bien à lui me dirait très certainement : "Bon, mon amour... tu sais mieux que personne que nous, les démons, avons un jour été des anges !" Puis, avant de se perdre pour toujours à minuit dans le plus sombre des firmaments, sans lune et sans étoiles, cette âme noire ajouterait peut-être : "Sais-tu que j'ai enfin compris le fonctionnement de la loi de cause à effet ? Tu avais raison, Virginia ! Peut-être que... si ici-bas tu arrachais un pétale à un million d'iris, de là où je suis, je pourrais faire scintiller un million d'étoiles..." Mon firmament,

Liebchen, sera toujours éclairé », dis-je en souriant à cette sage enfant qui comprend tout.

*

Quatre-vingt-six jours se sont écoulés depuis mon arrivée, et j'étrenne à l'instant même le petit penthouse dont j'avais toujours rêvé. Trente-cinq étages plus bas, on aperçoit le quartier des affaires de Brickell et, tout autour, plusieurs dizaines de lotissements luxueux séparés par des avenues flanquées de palmiers qu'on dirait clonés. Je peux enfin, et à toute heure, regarder cette mer dont j'ai toujours eu besoin comme d'une seconde peau, les voiliers et les yachts qui passent et se dirigent vers l'écluse du pont, et les mouettes qui dansent devant mon balcon sur le fond d'un ciel sans tache d'un bleu cobalt intense. Je suis profondément, immensément triste et je n'arrive pas à croire qu'après avoir supporté vingt années d'insultes et de menaces, et huit années de peur et de pauvreté, je puisse enfin profiter de toute cette beauté étalée et de toute cette paix avant que la lumière n'abandonne mes yeux pour toujours.

La nuit venue, je me penche au balcon pour contempler la lune et les étoiles. Avec des yeux fascinés d'enfant, je regarde passer les avions qui arrivent de toutes parts, chargés de touristes, d'affaires et d'illusions, et les hélicoptères aller et venir entre l'aéroport et South Beach. Plus loin, à Key Biscaine, quelqu'un fête son anniversaire en faisant éclater une profusion de feux d'artifice que je reçois sur cette rive comme un nouveau cadeau divin inespéré.

Au loin, on entend les sirènes des bateaux et, en haut et en bas, le murmure des moteurs qui s'estompe dans le lointain est une musique de vie qui, avec l'odeur des embruns et la tiède brise saline, m'enveloppe dans une rhapsodie dont je pensais avoir oublié les accords. Un millier de lumières de banques et de lotissements se sont allumées au-dessus de la grande ville qui scintille en dessous et, le cœur transi de gratitude, je contemple l'immense crèche que représente ce futur Manhattan tropical. On dirait qu'à partir d'aujourd'hui les nuits qui me restent seront toutes lumineuses comme une nuit de Noël.

Ce spectacle est une féerie pour mes sens, et je me demande si, un jour, moi aussi j'aimerai passionnément ou si je chanterai cette terre où j'ai été si heureuse et où presque tous les rêves sont possibles : le pays de la statue de la Liberté et du Grand Canyon du Colorado, de Cahokia, de la Californie et de New York, des universités où une centaine de prix Nobel apprennent à penser à leurs émules, le pays des inventeurs, des architectes et des ingénieurs visionnaires, des géants du cinéma, de la musique et du sport, des voyages sur la Lune, de Hubble et de la sonde Galileo, des philanthropes titanesques, des milliers d'ethnies, de sons et de saveurs venus des quatre coins de la planète, des hommes pourchassés par l'humanité entière, et des entrepreneurs qui sont un jour arrivés ici, avec rien dans les poches et qui l'ont construit à force d'ambition et de sacrifices, l'esprit obsédé par une idée, un rêve de liberté dans les deux mains et une pieuse chanson dans le cœur.

Je ne suis qu'une de tous ces réfugiés qui, un jour quelconque mais historique de leur vie, ont fui leurs ennemis ou la faim pour venir fouler le sol de ses plages. De cet endroit où je suis arrivée un jour inoubliable de 2006, je peux enfin raconter l'histoire d'un homme et d'une femme qui venaient de deux mondes opposés et qui sont un jour tombés amoureux, d'un amour qui a eu pour toile de fond un pays déchiré, car, de l'endroit qui m'a vue naître, et que j'ai dû quitter pour toujours en cette journée de juillet, il m'aurait été impossible d'en commencer le récit, d'en terminer l'écriture, ni même de rêver de la publier un jour.

Un mois après mon arrivée, Diego Pampín et Cristóbal Pera, de Random House Mondadori, une des maisons d'édition les plus prestigieuses au monde, accueillent avec enthousiasme mon idée de livrer ma vision intime de l'esprit criminel le plus terrifiant et le plus complexe de ces dernières années.

Peut-être qu'à compter de maintenant Pablo ne sera plus dans mes livres ; mais Âme noire la Bête les traversera toujours et planera sur mes nouvelles histoires d'amour et de guerre dans ce pays au million de morts et aux trois millions de déplacés, dans ce pays habité par les gens les plus cruels ou les plus doux de la Terre, éternellement à la merci de bandes armées et d'une poignée de dynasties qui, avec leur cortège de complices, de courtisans et de sbires, se passaient le pouvoir et se partageaient leur butin de génération en génération, dans ce pays à la merci de cette classe politique qui a découvert un beau jour l'argent qu'elle pouvait gagner en tendant des ponts d'or entre les bandes criminelles et les équipes présidentielles, et de médias qui n'allaient pas tarder à se découvrir une activité encore plus rentable en devenant les receleurs zélés de passés imparfaits et les accusateurs vociférants de tous ceux qui oseraient les montrer sous leur vrai jour. Oscar Wilde ne disait-il pas déjà des bourreaux de son temps :

> « *What seems to us bitter trials are often blessings in disguise* ».
> (« Ce que nous prenons pour de dures épreuves ne sont bien souvent que des bénédictions déguisées. »)

Table des matières

Troisième partie
LE TEMPS DE L'ABSENCE
ET DU SILENCE

———

12076

Composition
NORD COMPO

*Achevé d'imprimer en Slovaquie
par NOVOPRINT SLK
le 11 mars 2018.*

Dépôt légal : avril 2018.
EAN 9782290142745
OTP L21EPNN000409N001

ÉDITIONS J'AI LU
87, quai Panhard-et-Levassor, 75013 Paris

Diffusion France et étranger : Flammarion